A Luz Através da Janela

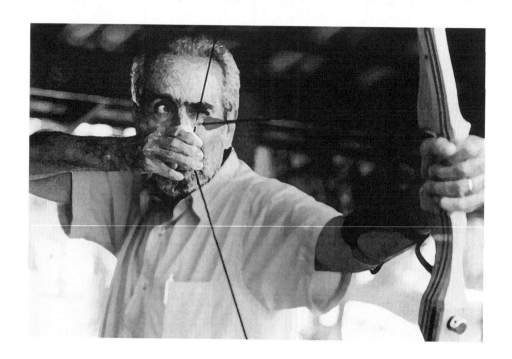

O Arqueiro

GERALDO JORDÃO PEREIRA (1938-2008) começou sua carreira aos 17 anos, quando foi trabalhar com seu pai, o célebre editor José Olympio, publicando obras marcantes como O menino do dedo verde, de Maurice Druon, e Minha vida, de Charles Chaplin.

Em 1976, fundou a Editora Salamandra com o propósito de formar uma nova geração de leitores e acabou criando um dos catálogos infantis mais premiados do Brasil. Em 1992, fugindo de sua linha editorial, lançou Muitas vidas, muitos mestres, de Brian Weiss, livro que deu origem à Editora Sextante.

Fã de histórias de suspense, Geraldo descobriu O Código Da Vinci antes mesmo de ele ser lançado nos Estados Unidos. A aposta em ficção, que não era o foco da Sextante, foi certeira: o título se transformou em um dos maiores fenômenos editoriais de todos os tempos.

Mas não foi só aos livros que se dedicou. Com seu desejo de ajudar o próximo, Geraldo desenvolveu diversos projetos sociais que se tornaram sua grande paixão.

Com a missão de publicar histórias empolgantes, tornar os livros cada vez mais acessíveis e despertar o amor pela leitura, a Editora Arqueiro é uma homenagem a esta figura extraordinária, capaz de enxergar mais além, mirar nas coisas verdadeiramente importantes e não perder o idealismo e a esperança diante dos desafios e contratempos da vida.

LUCINDA RILEY

A LUZ ATRAVÉS DA JANELA

Título original: *The Light Behind the Window*
Copyright © 2012 por Lucinda Riley
Copyright da tradução © 2022 por Editora Arqueiro Ltda.

Publicado originalmente em inglês pela Penguin Books Ltd, Londres. Todos os direitos reservados. Nenhuma parte deste livro pode ser utilizada ou reproduzida sob quaisquer meios existentes sem autorização por escrito dos editores. Os direitos morais da autora estão assegurados.

tradução: Fernanda Abreu
preparo de originais: Mariana Gouvêa
revisão: Camila Figueiredo e Rachel Rimas
diagramação e adaptação de capa: Ana Paula Daudt Brandão
capa: Janka Carev
imagem de capa: Coffee And Milk | iStock
impressão e acabamento: Lis Gráfica e Editora Ltda.

CIP-BRASIL. CATALOGAÇÃO NA PUBLICAÇÃO
SINDICATO NACIONAL DOS EDITORES DE LIVROS, RJ

R43L
    Riley, Lucinda.
        A luz através da janela / Lucinda Riley ; tradução Fernanda Abreu. - 1. ed. - São Paulo : Arqueiro, 2022.
        448 p. ; 23 cm

    Tradução de: The light behind the window
    ISBN 978-65-5565-375-5

    1. Ficção inglesa. I. Abreu, Fernanda. II. Título.

22-79159   CDD: 823
                          CDU: 82-3(410)

Gabriela Faray Ferreira Lopes - Bibliotecária - CRB-7/6643

Todos os direitos reservados, no Brasil, por
Editora Arqueiro Ltda.
Rua Funchal, 538 – conjuntos 52 e 54 – Vila Olímpia
04551-060 – São Paulo – SP
Tel.: (11) 3868-4492 – Fax: (11) 3862-5818
E-mail: atendimento@editoraarqueiro.com.br
www.editoraarqueiro.com.br

Para Olivia.

*O que você é se deve a um acidente de nascimento;
o que eu sou se deve a mim.*
LUDWIG VAN BEETHOVEN

A luz através da janela

Noite eterna;
Meu mundo hoje é um escuro sem fim.
Pesado fardo;
Sem luz através da janela ou poente carmim.

Suave dia;
A mão se estendeu na escuridão.
Tocou de leve;
E todo o espaço se aqueceu de emoção.

Lusco-fusco;
As sombras passeiam por seu rosto.
Anseio secreto;
De viver o coração retoma o gosto.

Sol a pino;
Meu mundo antes um escuro sem fim.
Iluminado;
Por esse amor que se acendeu em mim.

SOPHIA DE LA MARTINIÈRES
Julho de 1943

1

Gassin, sul da França, primavera de 1998

Émilie sentiu a pressão em volta de sua mão relaxar e olhou para a mãe. Bem na sua frente, pareceu-lhe que, à medida que a alma de Valérie abandonava seu corpo, a dor que contorcia seus traços também sumia, o que lhe permitiu ver além do rosto extenuado e recordar a beleza que a mãe um dia tivera.

– Ela se foi – murmurou sem necessidade o Dr. Phillipe.

– Sim.

Atrás de si, Émilie ouviu o médico sussurrar uma prece, mas não sentiu vontade de se juntar a ele. Em vez disso, ficou olhando com um assombro mórbido para o corpo de pele flácida que aos poucos se tornaria cada vez mais cinza, tudo que agora restava da presença que durante trinta anos havia dominado sua vida. Seu desejo instintivo era cutucar a mãe e acordá-la, pois a transição da vida para a morte era demais para os sentidos dela aceitarem, considerando a força da natureza que tinha sido Valérie de la Martinières.

Émilie não sabia ao certo como deveria se sentir. Afinal, havia imaginado aquele momento muitas vezes ao longo das últimas semanas. Deu as costas para o rosto da mãe morta e olhou pela janela, para os fragmentos de nuvem suspensos no céu azul feito suspiros que ainda não foram assados. Pela janela aberta podia ouvir o canto débil de uma cotovia anunciando a primavera.

Levantou-se devagar, as pernas endurecidas pelas longas horas noturnas passadas sentada em vigília, e foi até a janela. A vista da manhã que nascia não tinha nada do peso que a passagem das horas acabaria por trazer. A natureza tinha pintado um novo quadro, como fazia a cada amanhecer, e a suave paleta provençal de ocres, verdes e azuis ia trazendo delicadamente o novo dia. Émilie olhou para além da varanda e do jardim, em direção aos vinhedos ondulantes que rodeavam a casa e se espalhavam pela paisagem até perder de vista. Uma visão simplesmente magnífica, que permanecera intocada durante séculos. Quando ela era criança, o Château de la Martinières tinha sido o seu santuário, um lugar de paz e segurança. A tranquilidade daquele lugar estava gravada de modo indelével em cada sinapse do seu cérebro.

E agora ele era seu, embora Émilie não soubesse se a mãe, depois de todas as suas extravagâncias financeiras, teria deixado algum centavo que permitisse seguir bancando a manutenção do imóvel.

– Mademoiselle Émilie, vou deixá-la sozinha para que possa se despedir. – A voz do médico interrompeu seus pensamentos. – Vou descer e preencher os formulários necessários. Eu sinto muitíssimo – concluiu ele, fazendo-lhe uma pequena mesura antes de se retirar.

Será que eu sinto muito?

A pergunta surgiu sem convite na cabeça de Émilie. Ela andou de novo até a cadeira e tornou a se sentar, tentando encontrar respostas para as muitas perguntas que a morte da mãe levantava e desejando uma resolução, desejando somar e subtrair as colunas de emoções conflitantes para produzir um sentimento definitivo. Era impossível, claro. A mulher ali deitada numa imobilidade tão patética, tão inofensiva agora para ela apesar de ter sido uma influência tão confusa quando viva, sempre traria consigo o desconforto da complexidade.

Valérie tinha dado à luz a filha, a tinha alimentado, vestido e lhe assegurado um teto substancial. Nunca tinha lhe batido ou maltratado.

Mas simplesmente não prestava atenção na filha.

Valérie era… Émilie ficou procurando a palavra certa… ela era *desinteressada*. O que havia tornado Émilie, na condição de sua filha, invisível.

Ela estendeu a mão e a pousou sobre a da mãe.

– Você não me via, *maman*… não me…

Émilie tinha a dolorosa consciência de que o seu nascimento fora uma relutante concessão à necessidade de gerar um herdeiro para a linhagem dos La Martinières, uma exigência nascida do dever, não do instinto materno. E quando se vira diante de uma "herdeira" em vez do obrigatório varão, Valérie ficara ainda menos interessada. Velha demais para ter outro filho – Émilie tinha nascido nos estertores da fertilidade da mãe, quando Valérie estava com quarenta e três anos –, ela havia continuado a viver como uma das anfitriãs mais charmosas, generosas e belas de Paris. O nascimento e a subsequente presença de Émilie pareciam ter tanta importância para ela quanto a aquisição de um quarto chihuahua para se somar aos três que ela já tinha. Assim como os cães, a menina era trazida do seu quarto para entreter convidados quando convinha a *maman*. Pelo menos os cães tinham a companhia reconfortante uns dos outros, refletiu Émilie, enquanto ela havia passado sozinha grandes períodos da sua infância.

Também não tinha ajudado o fato de ela ter herdado os traços dos La Martinières em vez da constituição delicada e mignon e dos cabelos louros dos antepassados eslavos da mãe. Émilie fora uma criança atarracada, de pele marrom-clara e fartos cabelos cor de mogno – aparados a cada mês e meio num corte curto cuja franja formava uma linha pesada acima das sobrancelhas escuras –, um presente genético de seu pai, Édouard.

"Eu às vezes olho para você e mal consigo acreditar que foi essa a criança que eu dei à luz, querida!", costumava comentar a mãe numa das raras visitas ao quarto da filha antes de sair para a ópera. "Mas pelo menos você tem os meus olhos."

Émilie às vezes desejava poder arrancar aquelas esferas azul-escuras das órbitas e substituí-las pelos belos olhos cor de mel do pai. Não achava que os olhos azuis combinassem com seu rosto, e, além do mais, toda vez que se olhava no espelho, ela via a mãe.

Muitas vezes Émilie tinha a sensação de ter nascido sem nenhum dom que a mãe valorizasse. Levada a aulas de balé aos três anos de idade, havia constatado que seu corpo se recusava a se contorcer nas posturas exigidas. Enquanto as outras menininhas saltitavam pelo estúdio como borboletas, ela lutava para alcançar a graça dos movimentos. Seus pés pequenos e largos gostavam de ficar bem plantados no chão, e qualquer tentativa de separá-los dele resultava em fracasso. As aulas de piano tinham sido igualmente mal-sucedidas, e ela não tinha o menor ouvido musical para o canto.

Seu corpo tampouco se adaptava bem aos vestidos femininos que a mãe insistia que ela usasse caso alguma *soirée* estivesse acontecendo no lindo jardim repleto de rosas nos fundos da casa de Paris, cenário das famosas festas de Valérie. Encolhida numa cadeira no canto, Émilie ficava admirando maravilhada a mulher linda, charmosa e elegante a deslizar com tanto profissionalismo e tanta graça entre os convidados. Durante os muitos eventos sociais na casa de Paris, e também no château em Gassin, Émilie tinha dificuldade para falar e se sentia deslocada. Para completar, parecia não ter herdado o traquejo social da mãe.

Apesar disso, para quem visse de fora ela parecia ter tudo. Com uma infância de conto de fadas em uma linda casa em Paris e uma família pertencente a uma longa linhagem de nobres franceses que remontava a muitos séculos *e* cuja fortuna herdada seguia intacta após os anos de guerra, aquele era um contexto com o qual muitas outras jovens da França podiam apenas sonhar.

Pelo menos ela tinha seu amado *papa*. Embora lhe desse tão pouca atenção quanto *maman* devido à obsessão por sua coleção cada vez maior de livros raros que guardava no château, quando Émilie conseguia despertar seu interesse ele lhe dava o amor e o afeto pelos quais ela ansiava.

Papa tinha sessenta anos quando Émilie nasceu e morreu quando ela estava com catorze. Passaram poucos momentos juntos, mas Émilie havia entendido que boa parte da sua personalidade fora herdada dele. Édouard era calado e introspectivo, e preferia os livros e a paz do château ao fluxo incessante de convidados que *maman* trazia para as suas casas. Émilie muitas vezes tinha se perguntado como dois opostos tão extremos podiam ter sequer se apaixonado. Mas Édouard parecia adorar a esposa bem mais jovem, nunca reclamava do seu estilo de vida luxuoso, apesar de ele próprio ter uma vida mais frugal, e orgulhava-se da beleza e popularidade de Valérie nas altas rodas de Paris.

Muitas vezes, quando o verão acabava e chegava a hora de mãe e filha voltarem para Paris, a menina implorava ao pai para deixá-la ficar.

"*Papa*, eu amo ficar aqui no campo com você. No vilarejo tem uma escola… eu poderia estudar lá e cuidar de você, porque você deve se sentir muito sozinho sem mais ninguém aqui no château."

Édouard tocava o queixo da filha com um gesto afetuoso, mas balançava a cabeça. "Não, minha pequena. Por mais que eu a ame, você precisa voltar para Paris tanto para estudar quanto para aprender a se tornar uma dama igual à sua mãe."

"Mas *papa*, eu não quero voltar com *maman*, quero ficar aqui com você…"

Então, quando ela estava com treze anos, Émilie piscou para conter lágrimas repentinas, ainda sem conseguir pensar no momento em que o desinteresse da mãe tinha se transformado em negligência. Ela sofreria as consequências disso pelo resto da vida.

– Como você *pôde* não ver e não ligar para o que estava acontecendo comigo, *maman*? Eu era sua *filha*!

Um súbito movimento de um dos olhos de Valérie fez Émilie se sobressaltar por medo de que, na verdade, *maman* no fim das contas ainda estivesse viva e houvesse escutado as palavras que ela acabara de dizer. Treinada para verificar os sinais vitais, checou o pulso da mãe para detectar algum batimento cardíaco e não encontrou nada. Aquilo, claro, era o último vestígio físico de vida conforme os músculos de sua mãe relaxavam na morte.

– *Maman*, eu vou tentar te perdoar. Vou tentar entender, mas neste momento não sei dizer se estou feliz ou triste por você ter morrido. – Ela pôde sentir a própria respiração se retesar, um mecanismo de defesa contra a dor provocado ao dizer essas palavras em voz alta. – Eu amei tanto você, tentei tanto lhe agradar, conquistar seu amor e sua atenção, me sentir… *digna* de ser sua filha. Meu Deus! Eu fiz de tudo! – Émilie cerrou os punhos. – Você era minha *mãe*!

O som da própria voz ecoando pelo quarto imenso a fez se calar, chocada. Ela encarou o brasão dos La Martinières, pintado duzentos e cinquenta anos antes, na cabeceira majestosa da cama. Agora desbotado, era quase impossível discernir os dois javalis selvagens enganchados num embate com a onipresente flor de lis e o bordão "Só a vitória importa" gravado mais abaixo.

Embora o quarto estivesse quente, ela estremeceu de repente. O silêncio no château era ensurdecedor. Uma casa antes cheia de vida era agora uma casca vazia que abrigava apenas o passado. Émilie olhou de relance para o anel de sinete no dedo mindinho da mão, gravado com o brasão da família em miniatura. Ela era a última sobrevivente dos La Martinières.

Repentinamente sentiu nos ombros o peso de séculos de antepassados e a tristeza de uma grande e nobre linhagem reduzida a uma única mulher de trinta anos solteira e sem filhos. A família tinha suportado os estragos de anos de brutalidade mas, em um intervalo de cinquenta anos, a primeira e a segunda guerras mundiais tinham poupado apenas seu pai.

Pelo menos não haveria nenhuma das disputas habituais por causa da herança. Devido a uma ultrapassada lei napoleônica, todos os irmãos e irmãs herdavam diretamente em partes iguais os bens dos pais. Muitas famílias tinham sido levadas a ruína quando um dos filhos se recusava a vender sua parte. Infelizmente, naquele caso os herdeiros diretos se resumiam a ela.

Émilie suspirou. Talvez precisasse vender a casa, mas aqueles eram pensamentos para um outro dia. Agora estava na hora de se despedir.

– Descanse em paz, *maman*.

Ela beijou de leve a cabeça de cabelos grisalhos e fez o sinal da cruz. Levantando-se da cadeira, cansada, saiu do quarto e fechou a porta com firmeza atrás de si.

2

Duas semanas depois

Émilie passou pela porta da cozinha com seu café *au lait* e seu croissant e foi até o pátio cheio de lavandas nos fundos da casa. Como o château era virado para o sul, aquele era o melhor lugar para pegar o sol da manhã. Fazia um lindo e ameno dia de primavera, quente o suficiente para ficar ao ar livre só de camiseta.

Na tarde do enterro de sua mãe em Paris, quarenta e oito horas antes, a chuva não tinha dado trégua enquanto o caixão era baixado na cova. Em seguida, na recepção organizada no Ritz a pedido de Valérie, Émilie tinha recebido os pêsames de um monte de gente importante. As mulheres, a maioria de idade próxima à de sua mãe, estavam todas vestidas de preto e a lembravam um bando de corvos velhos. Chapéus antigos variados disfarçavam os cabelos ralos enquanto elas andavam de um lado a outro com seus passos miúdos, bebericando champanhe, os corpos extenuados pela idade e a maquiagem emplastrada feito uma máscara sobre a pele flácida.

Na flor da idade, aquelas mulheres eram consideradas as mais lindas e poderosas de Paris. No entanto, o ciclo da vida seguira seu curso, e elas tinham sido substituídas por uma nova leva de jovens influentes. Todas ali estavam apenas esperando a hora de morrer, pensara Émilie, desanimada, ao sair do Ritz e pegar um táxi até o apartamento em que morava. Totalmente arrasada, tinha bebido muito mais vinho do que de costume e acordou de ressaca no dia seguinte.

Mas pelo menos o pior tinha passado, pensou ela para se reconfortar, e bebeu um gole de café. Nas últimas duas semanas houvera pouco tempo para se concentrar em qualquer outra coisa que não as providências para o enterro. Ela sabia que no mínimo devia à mãe o mesmo tipo de despedida que a própria Valérie teria organizado com perfeição. Pegara-se angustiada pensando se deveria servir cupcakes ou *petits fours* junto com o café, e se as grandes rosas cor de creme que sua mãe tanto amava eram vistosas o bastante para a decoração das mesas. Era esse tipo de decisão sutil que Valérie tomava toda semana, e Émilie sentia um novo e relutante respeito pela desenvoltura com a qual ela o fazia.

E agora, pensou, virando o rosto em direção ao sol e saboreando seu calor reconfortante, ela precisava pensar no futuro.

Gérard Flavier, o *notaire* da família, responsável pelas questões jurídicas e imobiliárias dos La Martinières, estava vindo de Paris para encontrá-la ali no château. Até que ele lhe informasse a situação financeira da propriedade, não adiantava muito fazer planos. Émilie tinha tirado um mês de licença do trabalho para cuidar do que sabia que seria um processo complexo e demorado. Desejou ter irmãos com quem dividir aquele fardo; assuntos jurídicos e financeiros não eram o seu forte. A responsabilidade a deixava aterrorizada.

Ela sentiu a maciez de uma pelagem no tornozelo nu, olhou para baixo e viu Frou-Frou, a última chihuahua remanescente da mãe, de olhos erguidos para ela com uma expressão pesarosa. Pegou a cadelinha de idade avançada, a pôs sentada no colo e acariciou suas orelhas.

– Parece que só sobramos você e eu, Frou – murmurou. – Então vamos ter que cuidar uma da outra, não é?

A expressão ansiosa nos olhos quase cegos de Frou-Frou a fez sorrir. Ela não fazia ideia de quem iria cuidar da cadela agora. Muito embora sonhasse um dia viver cercada de animais, seu minúsculo apartamento no Marais e suas longas horas de trabalho não lhe permitiam cuidar de uma cadela que fora criada no mais puro luxo material e emocional.

No entanto, os animais e o cuidado com eles eram seu trabalho diário. Émilie vivia para seus pacientes vulneráveis, nenhum dos quais capaz de expressar como se sentia ou onde doía.

Que tristeza. Minha filha parece preferir a companhia dos animais à dos seres humanos...

As palavras simbolizavam os sentimentos de Valérie em relação ao modo de vida da filha. Quando Émilie anunciara que faria medicina veterinária na universidade, Valérie havia franzido os lábios numa expressão de desagrado.

"Não entendo por que você quer passar a vida abrindo os coitados dos animais para ver o que tem lá dentro."

"*Maman*, isso é o processo, não o motivo. Eu amo os animais e quero ajudá-los", respondera ela, na defensiva.

"Se você precisa mesmo ter uma carreira, por que não escolhe a moda? Eu tenho uma amiga na revista *Marie Claire* que com certeza lhe arrumaria um empreguinho. É claro que quando você se casar não vai querer continuar trabalhando. Vai virar uma esposa e essa vai se tornar sua vida."

Embora não culpasse Valérie por viver de acordo com seu tempo, Émilie queria que a mãe tivesse se orgulhado pelo menos um pouco das suas conquistas. Ela havia se formado em primeiro lugar e sido contratada imediatamente como estagiária por uma conhecida clínica de Paris.

– Vai ver *maman* tinha razão, Frou – disse ela com um suspiro. – Talvez eu prefira mesmo os animais às pessoas.

Ela escutou o farfalhar de pneus no cascalho, pôs Frou-Frou no chão e deu a volta até a frente da casa para cumprimentar Gérard.

– Como vai, Émilie? – Gérard Flavier a beijou nas bochechas.

– Bem, obrigada – respondeu ela. – Como foi de viagem?

– Peguei um avião até Nice, depois contratei um motorista para me trazer – respondeu ele, passando por ela e entrando pela porta da frente. Ficou parado no imenso saguão protegido pelas sombras das persianas. – Fiquei feliz por poder fugir de Paris e visitar um dos meus lugares preferidos na França. A primavera no Var é sempre uma beleza.

– Achei melhor nos encontrarmos aqui no château. Os documentos de *papa* e *maman* estão na escrivaninha da biblioteca, e imaginei que você fosse precisar deles.

– Sim. – Gérard atravessou o piso de mármore gasto e examinou uma mancha de infiltração no teto. – O château está precisando de uns cuidados, não é? – Ele suspirou. – Está ficando velho, como todos nós.

– Vamos para a cozinha? – sugeriu Émilie. – Eu fiz café.

– É exatamente disso que eu preciso – disse Gérard com um sorriso enquanto a seguia pelo corredor que conduzia à parte dos fundos da casa.

– Sente-se, por favor – disse ela, e apontou para uma das cadeiras diante da comprida mesa de carvalho antes de ir até o fogão para tornar a ferver um pouco d'água.

– Aqui não tem muitos luxos, não é? – comentou Gérard, examinando o espaço utilitário e parcamente mobiliado.

– Não – concordou Émilie. – Mas, afinal, esta cozinha só era usada pelos empregados para preparar a comida da nossa família e dos convidados. Duvido que minha mãe algum dia tenha chegado perto dessa pia.

– Quem está cuidando do château e das necessidades domésticas daqui agora? – perguntou Gérard.

– Margaux Duval, a empregada que trabalha aqui há mais de quinze anos. Ela vem do vilarejo todo dia à tarde. *Maman* dispensou os outros empregados depois que meu pai morreu e parou de vir para cá todo verão. Acho que preferia passar as férias no iate que alugava.

– Sua mãe definitivamente gostava de gastar dinheiro – disse Gérard bem na hora em que Émilie pousava na sua frente uma xícara de café. – Com as coisas que eram importantes para ela – arrematou.

– Entre as quais não estava este château – completou Émilie, direta.

– Pois é – concordou ele. – Pelo que vi das finanças dela até agora, parece que ela preferia as maravilhas da *maison* Chanel.

– Eu sei, *maman* gostava muito de uma alta-costura. – Émilie se sentou diante dele com seu café. – Mesmo no ano passado, quando já estava muito doente, ela ainda assim foi aos desfiles.

– Valérie com certeza tinha uma personalidade e tanto… e também era famosa. A morte dela rendeu muitos centímetros de colunas nos nossos jornais – disse ele. – Mas isso não é nenhuma surpresa. Os La Martinières são uma das famílias mais conhecidas da França.

– Eu sei. – Émilie fez uma careta. – Eu também vi os jornais. Pelo visto vou herdar uma fortuna.

– É fato que a sua família já foi dona de uma riqueza fabulosa, mas infelizmente os tempos são outros, Émilie. O sobrenome nobre da sua família ainda existe, mas a fortuna não.

– Eu já imaginava.

– Você talvez saiba que o seu *papa* não era nenhum homem de negócios – continuou Gérard. – Ele era um intelectual, um acadêmico com quase nenhum interesse por dinheiro. Embora muitas vezes eu tenha falado com ele sobre investimentos e tentado convencê-lo a se planejar um pouco para o futuro, ele não se interessou. Vinte anos atrás isso pouco importava, havia dinheiro de sobra. Mas somando a falta de atenção do seu pai ao fraco da sua mãe pelas coisas boas da vida, a fortuna encolheu bastante. – Gérard suspirou. – Sinto muito ser o portador de más notícias.

– Eu já esperava por isso, e para mim não tem importância – confirmou Émilie. – Só quero organizar o que for preciso e voltar para o meu trabalho em Paris.

– Infelizmente a situação não é assim tão simples, Émilie. Como eu disse antes, ainda não tive tempo de examinar os detalhes, mas o que posso lhe dizer é que a propriedade tem credores, muitos credores. E esses credores precisam ser pagos o quanto antes – explicou ele. – Sua mãe conseguiu contrair uma dívida de quase vinte milhões de francos dando como garantia a casa de Paris. E também deixou muitas outras dívidas que precisam ser pagas.

– Vinte milhões de francos? – Émilie estava horrorizada. – Como é possível isso ter acontecido?

– É fácil explicar. Conforme o dinheiro foi acabando, Valérie não moderou seu estilo de vida como deveria. Ela vivia de dinheiro emprestado há muitos, muitos anos. – Gérard viu a expressão nos olhos de Émilie se transformar. – Por favor, não entre em pânico. São dívidas facilmente pagáveis, não só com a venda da casa de Paris em si, que acredito poder levantar uns setenta milhões de francos, mas também com o seu conteúdo, como por exemplo a magnífica coleção de joias da sua mãe, guardada num cofre no banco dela, e os muitos quadros e objetos de arte valiosos que estão na casa. Você não está de modo algum pobre, acredite, mas é preciso agir depressa para conter os danos e tomar decisões com relação ao futuro.

– Entendi – disse Émilie devagar. – Me perdoe, Gérard. Eu puxei ao meu pai, e tenho pouco interesse ou experiência com administração financeira.

– Compreendo totalmente. Seus pais lhe deixaram um fardo pesado que repousa apenas nos seus ombros. No entanto... – Gérard arqueou as sobrancelhas. – É incrível quantos parentes você a princípio ganhou de uma hora para a outra.

– Como assim?

– Ah, não precisa se preocupar, é normal que os abutres apareçam nessas horas. Já recebi até agora vinte cartas de pessoas se dizendo de alguma forma aparentadas aos La Martinières. Quatro irmãos e irmãs ilegítimos até agora desconhecidos, aparentemente filhos do seu pai fora do casamento, dois primos, um tio e um empregado da casa dos seus pais em Paris nos anos 1960 que jura que a sua mãe prometeu lhe deixar um Picasso quando morresse. – Gérard sorriu. – Tudo dentro do esperado, mas infelizmente cada uma dessas alegações precisa ser investigada, de acordo com a legislação francesa.

– Você não acha que alguma delas é legítima, acha? – Émilie estava com os olhos arregalados.

– Duvido muito. E se eu puder lhe dar algum consolo, isso aconteceu em todas as mortes amplamente divulgadas com as quais já lidei. – Ele deu de ombros. – Deixe isso comigo e não se preocupe. Eu prefiro que você se concentre em decidir o que quer fazer com o château. Como falei, as dívidas da sua mãe podem ser pagas com folga vendendo a casa de Paris e seu conteúdo. Mas isso ainda lhe deixa esta magnífica propriedade, que, pelo que vi até agora, está num estado de péssima conservação. Seja qual for a sua decisão, você continuará sendo uma mulher rica, mas quer vender este château ou não?

Émilie deixou o olhar se perder ao longe e suspirou fundo.

– Para ser bem sincera, Gérard, eu queria que tudo isso sumisse. Que alguma outra pessoa pudesse tomar a decisão. E os vinhedos daqui? A cave está dando algum lucro?

– Isso é outra coisa que preciso investigar para você. Se decidir vender o château, a vinícola pode ser incluída na venda como ainda em atividade.

– Vender o château… – repetiu ela. Ouvir essas palavras pronunciadas em voz alta destacava a enormidade das responsabilidades que Émilie tinha diante de si. – Esta casa está na nossa família há duzentos e cinquenta anos. E agora cabe a mim decidir. – Ela deu um suspiro. – Não tenho ideia de qual é a melhor decisão.

– É claro que não. Como eu já disse, é difícil estar sozinha nisso. – Gérard balançou a cabeça com empatia. – O que eu posso dizer? Nem sempre é possível escolher a situação em que nos encontramos. Vou tentar ajudá-la o quanto puder, Émilie. Sei que é isso que o seu pai teria querido que eu fizesse na atual situação. Agora vou tomar um banho, e quem sabe depois podemos ir até a vinícola falar com o administrador de lá?

– Está bem – respondeu Émilie com a voz cansada. – Já abri as persianas do quarto à esquerda da escada principal. Lá tem uma das melhores vistas da casa. Quer que eu lhe mostre?

– Não, obrigado. Eu já me hospedei nesta casa muitas vezes, como você sabe. Sei chegar lá sozinho.

Gérard se levantou, meneou a cabeça para ela, saiu da cozinha e subiu a escada principal até seu quarto. Parou na metade da subida e ficou encarando o rosto empoeirado e desbotado de um dos antepassados dos La Martinières. Muitas das famílias nobres francesas, assim como as suas histórias, estavam morrendo, deixando uma linha quase invisível na areia como marca da sua passagem. Ele se perguntou como o Giles de la Martinières do retrato, guerreiro nobre que, segundo alguns, fora amante de Maria Antonieta, se sentiria caso visse o futuro da sua linhagem dependente dos frágeis ombros de uma única jovem mulher. E uma mulher que Gérard sempre havia achado esquisita.

Em suas muitas visitas às residências dos La Martinières ao longo dos anos, Gérard sempre tinha visto uma criança não muito bonita, cujo temperamento introspectivo não lhe permitia corresponder ao afeto nem dele nem dos outros. Uma menina que parecia apartada, distante, quase antipática de tão reticente às tentativas do advogado de travar amizade. Como *notaire*, ele sentia que o seu trabalho envolvia não só os procedimentos técnicos necessários para destrinchar colunas de números, como também a capacidade de ler as emoções de seus clientes.

Émilie de la Martinières era um enigma.

Ele a tinha observado durante o enterro da mãe, e o seu rosto nada revelara. Era preciso reconhecer que ela havia se tornado bem mais bonita adulta do que quando criança. Mas mesmo naquele momento, lá no térreo, diante da perda do seu único genitor ainda vivo e responsável por terríveis decisões, Gérard não a tinha achado vulnerável. A vida que ela levava em Paris não podia ser mais diferente da de seus antepassados. Era uma vida banal. Apesar disso, não havia *nada* de banal nos seus pais nem na história da sua família.

Gérard continuou subindo a escada, irritado pelas respostas vagas de Émilie. Faltava alguma coisa... havia algo nela que era inacessível. E ele não fazia ideia de como encontrá-lo.

Quando Émilie se levantou para pôr as xícaras na pia, a porta da cozinha se abriu e por ela entrou Margaux, a empregada do château. Seu rosto se iluminou quando ela viu Émilie.

– Mademoiselle Émilie! – A mulher correu para lhe dar um abraço. – Não sabia que você viria! Deveria ter me avisado. Eu teria preparado tudo para a sua chegada.

– Cheguei de Paris ontem tarde da noite – explicou Émilie. – Que bom te ver, Margaux.

A empregada recuou um pouco e a examinou com uma expressão plena de empatia.

– Como você está?

– Estou… segurando as pontas – respondeu Émilie com sinceridade. A visão de Margaux, que tinha cuidado dela quando era menina e passava os verões no château, a deixou com um nó na garganta.

– Você está tão magrinha. Não anda comendo? – Margaux a percorreu com os olhos.

– É claro que eu ando comendo, Margaux! Além do mais, é pouco provável eu desaparecer. – Émilie deu um sorriso desanimado e correu as mãos pelo próprio corpo.

– Você tem um corpo muito bonito… Espere até ficar igual a mim! – Margaux apontou para as próprias curvas rechonchudas e deu uma risadinha.

Émilie encarou os olhos azuis já meio sem brilho e os cabelos louros agora cheios de fios grisalhos. Lembrava-se de Margaux quinze anos antes como uma mulher linda e sentiu-se mais deprimida ainda ao constatar como o tempo destruía tudo com sua voracidade.

A porta da cozinha tornou a se abrir. No vão apareceu um menino novinho, franzino, cujo rosto de elfo era dominado pelos imensos olhos azuis da mãe. Ele encarou Émilie espantado, então virou-se nervoso para a mãe.

– Tudo bem eu estar aqui, *maman*? – perguntou ele a Margaux.

– Você se importa de Anton ficar aqui comigo no château enquanto eu trabalho, mademoiselle Émilie? É feriado de Páscoa, e eu não gosto de deixá-lo sozinho em casa. Ele em geral fica sentado quietinho lendo.

– É claro que não tem problema – respondeu Émilie, abrindo um sorriso tranquilizador para o menino. Margaux tinha perdido o marido oito anos antes num acidente de carro. Desde então, lutava para criar o filho sozinha.

– Acho que tem espaço suficiente aqui para todo mundo, não concorda?

– Acho, sim, mademoiselle Émilie. Obrigado – agradeceu Anton, andando até a mãe.

– Nosso *notaire*, Gérard Flavier, está lá em cima. Ele vai passar a noite aqui – informou Émilie. – Nós vamos até a vinícola falar com Jean e Jacques.

– Então vou arrumar o quarto dele enquanto vocês estiverem fora. Quer que eu prepare alguma coisa para o jantar?

– Não, obrigada, vamos comer no vilarejo depois – respondeu Émilie.

– Chegaram algumas contas da casa, mademoiselle. Deixo com você? – perguntou Margaux, constrangida.

– Sim, claro. – Émilie suspirou. – Não tem mais ninguém para pagar.

– É. Eu sinto muito, mademoiselle. É muito difícil ficar sozinha. Eu sei como você se sente – disse Margaux, solidária.

– Obrigada. Até mais tarde, Margaux. – Émilie meneou a cabeça para mãe e filho e saiu da cozinha em busca de Gérard.

Naquela tarde, Émilie e Gérard foram juntos à cave. A vinícola situada no terreno dos La Martinières era uma pequena propriedade de dez hectares que produzia doze mil garrafas por ano de rosé bem clarinho, tinto e branco, quase todas vendidas para lojas, restaurante e hotéis das redondezas.

Dentro da cave estava escuro e frio, e o cheiro de vinho fermentando vindo dos imensos tonéis de carvalho russo que margeavam as paredes permeava o ar.

Jean Benoît, o administrador da cave, levantou-se de trás da sua escrivaninha quando eles entraram.

– Mademoiselle Émilie! Que prazer revê-la. – Ele a beijou calorosamente nas bochechas. – *Papa*, venha ver quem chegou!

Jacques Benoît, agora na casa dos oitenta, ergueu os olhos e sorriu. Mesmo encarquilhado de reumatismo, ele ainda se sentava diariamente diante de uma mesa para envolver cuidadosamente cada garrafa de vinho em papel de seda roxo.

– Mademoiselle Émilie, como vai?

– Vou bem, obrigada, Jacques. E você?

– Ah, não tenho mais forças para caçar os javalis selvagens que seu *papa* e eu costumávamos pegar nas montanhas, mas ainda dou um jeito de acordar respirando todas as manhãs – respondeu ele com uma risadinha.

Émilie sentiu uma onda de satisfação tanto com a acolhida calorosa quanto com a familiaridade que aqueles dois lhe causavam. Seu pai tinha sido muito amigo de Jacques, e Émilie fora muitas vezes de bicicleta até a praia de Gigaro para nadar com Jean, que por ser oito anos mais velho lhe parecia muito adulto. Ela às vezes alimentava a fantasia de que o rapaz era seu irmão mais velho. Jean sempre tinha se mostrado muito protetor e gentil com ela. Tinha perdido a mãe, Francesca, ainda pequeno, e Jacques tinha se esforçado ao máximo para criá-lo sozinho.

Tanto o pai quanto o filho, e antes deles seus antepassados, tinham crescido no pequeno chalé anexo à cave. Quem administrava a vinícola agora era Jean, após assumir o lugar do pai depois de Jacques se convencer de que o filho havia aprendido seu método especial de misturar e depois fermentar as uvas das vinhas que cresciam à sua volta.

Émilie notou Gérard parado atrás deles, parecendo pouco à vontade. Despertou do seu transe e disse:

– Este é Gérard Flavier, o *notaire* da nossa família.

– Acho que já nos conhecemos muitos anos atrás, monsieur – disse Jacques, estendendo para ele uma mão trêmula.

– Sim, e lá em Paris ainda consigo sentir o sabor delicado do vinho que o senhor fabrica aqui – comentou Gérard com um sorriso.

– É muita gentileza sua, monsieur – disse Jacques –, mas acredito que o meu filho seja um artista ainda mais genial quando se trata de fabricar o rosé provençal perfeito.

– Suponho que o senhor tenha vindo verificar os fatos e números das finanças da nossa cave, e não a qualidade da nossa produção, não é, monsieur Flavier? – Jean parecia desconfortável.

– Eu certamente gostaria de avaliar se o negócio é financeiramente produtivo para a minha análise – confirmou Gérard. – Receio que mademoiselle Émilie precise tomar algumas decisões.

– Bem – disse Émilie. – Acho que por enquanto tenho pouca utilidade aqui, então vou dar uma volta pelo vinhedo. – Ela meneou a cabeça para os três homens e saiu da cave na mesma hora.

Enquanto saía, percebeu que o seu desconforto era amplificado pelo fato de que as decisões que ela precisava tomar colocariam em risco o ganha-pão da família Benoît. Seu modo de vida permanecera intocado durante séculos. Ela percebia que Jean, em especial, estava muito preocupado, pois compreendia as consequências caso ela decidisse vender a propriedade. Um novo dono poderia escolher o próprio administrador, e Jean e Jacques seriam obrigados a se mudar. Ela mal conseguia imaginar uma mudança dessas, pois era como se os Benoîts tivessem brotado do próprio chão em que ela estava pisando.

O sol já começava a se pôr quando ela pôs-se a percorrer o chão coberto de pedrisco entre as filas de frágeis videiras. Nas poucas semanas seguintes, elas iriam crescer como ervas daninhas e gerar os frutos grandes e adocicados que seriam colhidos na *vendange* do final do verão para produzir a safra do ano seguinte.

Ela se virou, olhou para o château a trezentos metros de distância e soltou um suspiro desanimado. Seus muros de pedra clara em matizes rosados, com as janelas pintadas no tom azul-claro tradicional e emoldurados por altos ciprestes de um lado a outro se confundiam com a suavidade do poente que vinha chegando. De planta simples mas elegante, pensada para se encaixar na paisagem rural, a casa era um reflexo perfeito da linhagem discreta porém nobre da qual ambos tinham vindo.

E nós somos tudo que sobrou...

Émilie sentiu uma súbita ternura pelo château. Ele também tinha ficado órfão. Fora reconhecido, mas tivera suas necessidades básicas ignoradas, e mesmo assim conseguira manter a graça e a dignidade numa situação adversa. Ela sentiu por aquela casa uma estranha cumplicidade.

– Como posso lhe dar aquilo de que você precisa? – sussurrou ela para o château. – O que vou fazer com você? Eu tenho uma vida em outro lugar, e... – Ela suspirou, e então ouviu alguém chamar seu nome.

Gérard estava andando na sua direção. Ele parou ao seu lado e acompanhou seu olhar em direção ao château.

– Lindo, não? – falou.

– Pois é. Mas não tenho a menor ideia do que devo fazer com ele.

– Por que não voltamos e eu lhe digo o que penso a respeito? Isso pode ajudá-la a decidir – sugeriu Gérard.

– Obrigada.

Vinte minutos depois, enquanto o sol se despedia atrás do morro que abrigava o pequeno vilarejo medieval de Gassin, Émilie sentou-se com Gérard.

– A vinícola está gerando menos do que poderia, tanto em matéria de produção quanto de lucro – disse ele. Nos últimos anos houve um aumento das vendas de vinho rosé em todo o mundo. Ele não é mais considerado o primo pobre das versões tinto e branco. Contanto que as condições climáticas permaneçam estáveis nas próximas semanas, Jean está esperando colher uma safra recorde. A questão, Émilie, é que a cave sempre foi administrada quase como um hobby pelos La Martinières.

– É, eu sei – concordou Émilie.

– Jean, com quem aliás fiquei muito impressionado, disse que nada foi investido na vinícola desde a morte do seu pai, quinze anos atrás. Ela, no início, foi criada para fornecer ao château uma produção de vinho própria, claro. No auge, quando seus antepassados recepcionavam aqui à moda grandiosa de antigamente, boa parte do vinho devia ser consumida por eles e seus convidados. Hoje naturalmente tudo mudou, mas a vinícola continua sendo administrada como há cem anos.

Gérard encarou Émilie à espera de uma reação, mas, como não obteve nenhuma, prosseguiu.

– O que a cave precisa é de uma injeção de investimento para poder alcançar seu potencial. Por exemplo, Jean me falou que há terreno suficiente para duplicar o tamanho dos vinhedos. Ele também precisa de alguns equipamentos modernos para se atualizar e, na sua estimativa, gerar um bom lucro. A questão é se você quer investir no futuro do château e da vinícola – resumiu Gérard. – Ambos seriam projetos de reforma que ocupariam boa parte do seu tempo.

Émilie ficou escutando o silêncio. Nenhum vento soprava. A atmosfera de calma a envolvia com a mesma tranquilidade de um xale quentinho. Pela primeira vez desde a morte da mãe, sentiu-se em paz. E, portanto, pouco inclinada a chegar a uma conclusão.

– Obrigada pela sua ajuda até aqui, Gérard. Mas eu não acho que seja possível dar uma resposta neste momento – explicou ela. – Se você tivesse me perguntado duas semanas atrás, eu teria respondido categoricamente que estava inclinada a vender. Mas agora…

– Eu entendo – disse Gérard, e meneou a cabeça. – Não posso lhe dar conselhos do ponto de vista emocional, Émilie, só do financeiro. Talvez seja um reconforto para você saber que, depois de vender a casa de Paris, seu conteúdo e as joias da sua mãe, isso provavelmente não apenas vá cobrir o custo de reformar o château, mas também lhe proporcionar uma renda considerável pelo resto da vida. E tem também a biblioteca daqui, claro – acrescentou ele. – Seu *papa* pode não ter gastado energia com a estrutura de nenhuma das casas em que morou, mas o legado dele está abrigado aqui dentro. Ele aprimorou o que já era uma bela coleção de livros raros. Dei uma olhada mais cedo nos registros que ele mantinha, e ao que parece ele duplicou o acervo. Livros raros não são a minha especialidade, mas pelo que posso imaginar a coleção vale muito dinheiro.

– Eu nunca abriria mão dela – retrucou Émilie com firmeza, surpreendendo a si mesma com aquela súbita atitude defensiva. – Essa biblioteca foi a obra da vida do meu pai. Passei muitas horas lá dentro com ele quando era criança.

– Claro, e não há motivo para se desfazer dela. Mas, se você decidir vender o château, pode ser que precise encontrar um lugar maior do que o seu apartamento de Paris para abrigar a coleção. – Gérard deu um sorriso maroto. – Agora eu preciso comer. Gostaria de jantar comigo no vilarejo? Vou sair cedo amanhã e preciso, com a sua permissão, examinar o conteúdo da escrivaninha do seu pai para pegar quaisquer outros documentos financeiros.

– Claro – concordou Émilie.

– Primeiro preciso dar uns telefonemas – disse ele num tom de quem pede desculpas –, mas encontro você aqui embaixo em uma hora.

Émilie ficou olhando Gérard se levantar da mesa e entrar na casa. Sentia-se pouco à vontade na sua companhia, muito embora ele tivesse estado presente durante toda a sua vida. Na época ela o tratava como uma criança trataria um adulto distante. Agora que estavam a sós, ter uma conversa direta com ele era uma experiência nova e desconfortável.

Enquanto entrava em casa, Émilie teve a sensação de que Gérard a tratava como se ela fosse inferior, muito embora soubesse que ele estava apenas tentando ajudar. Mas às vezes podia ver nos seus olhos o que só podia interpretar como ressentimento. Talvez ele sentisse, e quem poderia culpá-lo?, que ela não era nem de longe preparada o suficiente para carregar a tocha de última sobrevivente dos La Martinières, com todo o seu peso histórico. Émilie tinha a dolorosa consciência de não possuir nada do glamour de suas antecessoras. Nascida numa família fora do normal, seu único desejo era parecer normal.

3

Émilie ouviu o carro de Gérard avançar para longe do château nas primeiras horas da manhã seguinte. Ficou deitada na cama estreita em que dormia desde a infância, num quarto cujas janelas orientadas para o sudoeste deixavam entrar pouca luz de manhã. Ela se deu conta de que não havia mais nenhum empecilho para ela se mudar para um dos imensos e lindos quartos na parte da frente da casa, com suas enormes janelas que davam para o jardim e o vinhedo.

Frou-Frou, que havia ganido tanto na noite anterior que Émilie cedeu e a deixou dormir na sua cama, latiu na porta num sinal de que estava na hora de fazer suas necessidades matinais.

Lá embaixo, na cozinha, Émilie fez café e em seguida percorreu o corredor até a biblioteca. O cômodo de pé-direito alto, que seu pai mantinha sempre ao abrigo da luz para proteger os livros, tinha um cheiro de lugar fechado familiar e reconfortante. Ela pôs seu café sobre a velha escrivaninha de tampo de couro do pai, foi até uma janela e abriu uma das persianas. Um milhão de grãozinhos de poeira saíram de seu esconderijo com a brisa repentina e pouco usual e se puseram a dançar loucamente nos suaves feixes de luz.

Ela se sentou no banco debaixo da janela e examinou as estantes que iam do chão até o teto. Não fazia a menor ideia de quantos livros havia naquela biblioteca. Seu pai tinha passado a maior parte dos seus últimos anos catalogando e ampliando a coleção. Ela se levantou e margeou as laterais do cômodo devagar. Os livros subiam a uma altura quatro vezes maior do que a sua. Vigilantes e estoicos, eles lhe deram a impressão de que a avaliavam, sua nova dona, se perguntando qual seria o seu destino.

Émilie se lembrava de sentar com o pai para jogar o Jogo do Alfabeto, no qual ela precisava escolher qualquer combinação de duas letras. Então o pai percorria a biblioteca em busca de um autor cujo livro tivesse as mesmas iniciais. Só muito raramente ele não tinha conseguido encontrar um livro com as duas letras escolhidas por Émilie. Mesmo quando ela tentava ser esperta e usava as letras X e Z, seu pai conseguia encontrar um volume desbotado e surrado de filosofia chinesa ou alguma fina antologia de um poeta russo esquecido havia muito.

Embora tivesse visto Édouard fazer isso durante anos, Émilie agora desejava ter prestado mais atenção nos métodos ecléticos do pai para catalogar e organizar os volumes. Observando as estantes, entendeu que não era tão simples quanto uma ordem alfabética. Na prateleira à sua frente, os livros iam de Dickens a Guy de Maupassant, passando por Platão.

Ela sabia também que o acervo era tão extenso que qualquer catalogação que seu pai tivesse feito nos registros empilhados sobre a escrivaninha mal teria coberto a metade dos livros. Muito embora *ele* soubesse onde encontrar cada um quase imediatamente, isso era uma habilidade e um segredo que Édouard tinha levado consigo para o túmulo.

– Se eu vender esta casa, o que vou fazer com vocês? – sussurrou ela para os livros.

Eles a fitaram de volta em silêncio, milhões de crianças perdidas que sabiam que o seu futuro estava nas mãos dela. Émilie se sacudiu para espantar o devaneio sobre o passado. Não podia se deixar levar pela emoção. Se ela decidisse vender o château, os livros precisariam encontrar um novo lar. Fechou a persiana, fazendo os livros voltarem para seu sono de penumbra, e saiu da biblioteca.

Émilie passou o resto da manhã explorando os incontáveis nichos e recessos do château, apreciando de repente uma incrível sanca de dois séculos de idade que enfeitava o teto do magnífico salão, a elegante mas agora surrada mobília francesa e os muitos quadros pendurados nas paredes.

Na hora do almoço, foi à cozinha pegar um copo d'água. Bebeu avidamente e percebeu que estava sem fôlego e com o coração acelerado, como quem acaba de acordar de um pesadelo. A beleza que ela tinha visto pela primeira vez com tanta clareza naquela manhã existira à sua volta durante toda a sua vida, mas nunca havia lhe ocorrido apreciá-la ou lhe dar valor. E agora, em vez de enxergar sua herança e sua linhagem familiar como uma corda em volta do seu pescoço da qual ela queria se libertar, ela estava sentindo os primeiros indícios de animação.

Aquela casa maravilhosa, com seu tesouro composto de lindos objetos, era *sua*.

Sentindo uma fome repentina, ela vasculhou a geladeira e os armários da cozinha, mas nada encontrou. Saiu com Frou-Frou debaixo do braço, pôs a cadelinha no carro ao seu lado e partiu em direção a Gassin. Estacionou, subiu os antigos e íngremes degraus que atravessavam o vilarejo até o bulevar no alto do morro onde ficavam os bares e restaurantes e escolheu uma mesa no final da varanda para admirar a vista espetacular do litoral lá embaixo. Pediu uma jarra pequena de rosé e uma salada, e ficou aproveitando o forte sol do meio-dia, com os pensamentos a percorrer sua cabeça sem nenhuma ordem específica.

– Com licença, mademoiselle. A senhorita é Émilie de la Martinières?

Protegendo os olhos da luz forte, Émilie encarou, ressabiada, o homem em pé junto à sua mesa.

– Sim, sou eu.

– Nesse caso, prazer em conhecê-la. – O homem estendeu a mão. – Meu nome é Sebastian Carruthers.

Émilie estendeu uma mão hesitante para retribuir o cumprimento.

– Eu o conheço?

– Não, não conhece.

Ela reparou que ele falava um francês excelente, mas com sotaque inglês.

– Então posso perguntar como o senhor me conhece? – indagou, e o nervosismo fez sua voz soar arrogante.

– É uma história longa que eu gostaria de lhe contar algum dia. Está esperando alguém? – perguntou ele, indicando a cadeira vazia à sua frente.

– Ahn… não. – Émilie fez que não com a cabeça.

– Então posso me sentar e explicar?

Antes de ela ter a chance de dizer não, Sebastian já tinha puxado a cadeira. Sem o sol ofuscando sua vista, ela o examinou e viu que ele devia ter mais ou menos a sua idade, e que usava roupas casuais e de boa qualidade que caíam bem em seu corpo esbelto. Tinha sardas no nariz, cabelos ruivos e belos olhos cor de mel.

– Eu fiquei sabendo da morte da sua mãe. Sinto muito – disse ele.

– Obrigada. – Émilie tomou um gole de vinho, e então recuperou seus bons modos inatos. – Aceita uma taça de rosé?

– Com muito prazer. – Sebastian fez sinal para o garçom. Uma taça foi posta na sua frente, e Émilie serviu ali o vinho da jarra.

– Como ficou sabendo sobre a morte da minha mãe? – indagou ela.

– Não chega a ser nenhum segredo aqui na França, não é? – respondeu Sebastian, e seu olhar se encheu de empatia. – Ela era bem conhecida. Posso lhe dar os pêsames? Você deve estar atravessando um momento difícil.

– Sim – respondeu ela, rígida. – O senhor é inglês?

– Acertou na mosca! – Sebastian revirou os olhos com um horror fingido. – E eu que me esforcei tanto para perder o sotaque. Sim, eu sou inglês, confesso. Mas passei um ano em Paris estudando belas-artes. E reconheço ser um francófilo consumado.

– Entendi – murmurou Émilie. – Mas…

– É, isso também não explica como eu sabia que a senhorita é Émilie de la Martinières – concordou ele. – Bom, então… – Sebastian arqueou as sobrancelhas de um jeito misterioso. – A ligação entre nós remonta a um passado profundo e remoto.

– O senhor é meu parente?

De repente, Émilie se lembrou do alerta que Gérard tinha lhe feito ainda na véspera.

– Não, de forma alguma – respondeu ele com um sorriso. – Mas minha avó era metade francesa. Descobri recentemente que ela trabalhou muito próxima de Édouard de la Martinières durante a Segunda Guerra Mundial. Seu pai, creio eu.

– Entendi. – Émilie não sabia nada sobre o passado do pai. Só sabia que ele nunca tocava nesse assunto. E ela ainda estava nervosa pensando no que aquele inglês poderia querer com ela. – Eu sei pouco sobre essa época da vida do meu pai.

– Eu também não sabia grande coisa até minha avó me contar, logo antes de morrer, que esteve aqui durante a ocupação. Ela também disse que Édouard foi um homem muito corajoso – acrescentou Sebastian.

Aquela revelação deixou Émilie de repente com um nó na garganta.

– Eu não sabia… O senhor precisa entender que eu nasci quando meu pai tinha sessenta anos, mais de vinte anos depois do fim da guerra.

– Certo – disse Sebastian.

– Além do mais, ele não era o tipo de homem que fica se gabando das próprias conquistas. – Émilie tomou um grande gole de vinho.

– Bom, minha avó Constance com certeza parecia ter uma grande estima por ele – comentou Sebastian. – Ela também me contou sobre o lindo château em Gassin no qual tinha ficado hospedada quando estava na França. A casa fica bem perto daqui, não é?

– Sim – respondeu Émilie. Sua salada chegou. – Vai comer? – perguntou, educada.

– Se aceitar minha companhia, sim.

– Claro.

Sebastian fez seu pedido e o garçom se afastou.

– O que o traz a Gassin? – quis saber Émilie.

– Ótima pergunta – disse Sebastian. – Depois de me formar em belas-artes em Paris, iniciei minha carreira no mercado de arte. Eu exponho numa galeria pequena de Londres, mas passo grande parte do meu tempo buscando os quadros raros que meus clientes ricos desejam comprar. Vim à França tentar convencer o dono de um Chagall a me vender a obra. O cara mora em Grasse, que, como a senhorita sabe, não fica muito longe daqui – explicou ele. – Por acaso li sobre a sua mãe nos jornais, e isso despertou minha lembrança da ligação da minha avó com a sua família. Então resolvi fazer uma parada aqui e dar uma olhada com meus próprios olhos no château do qual tanto tinha ouvido falar. Este vilarejo é mesmo uma joia.

– É, sim – disse ela, intrigada com aquela conversa estranha.

– A senhorita mora no château? – perguntou Sebastian.

– Não – respondeu ela, pouco à vontade com aquele interrogatório. – Agora estou morando em Paris.

– Tenho muitos amigos lá – disse Sebastian, entusiasmado. – Um dia espero passar mais tempo na França, mas por enquanto ainda estou firmando minha reputação no Reino Unido. Não ter conseguido comprar o Chagall para meu cliente foi uma grande decepção. Teria sido a minha primeira negociação no time dos grandes.

– Eu sinto muito – disse ela.

– Obrigado. Vou me recuperar. A senhorita por acaso não teria nenhum quadro de valor incalculável pendurado nas paredes daquele seu château do qual quisesse se livrar, teria? – Os olhos dele brilhavam.

– Não sei ao certo – respondeu ela, sincera. – Avaliar as obras de arte do château é apenas um dos itens na minha lista.

– Tenho certeza de que vai usar um dos maiores especialistas de Paris para autenticar e avaliar a coleção. Mas, enquanto isso, se precisar de um olho experiente e muito disponível para guiá-la, eu ficaria feliz em fazer isso.

– Enquanto seu *croque-monsieur* era servido, Sebastian pegou a carteira e entregou um cartão de visita a Émilie. – Posso pedir referências aos meus clientes, se for preciso.

– O senhor é muito gentil, mas o *notaire* da nossa família está cuidando desse tipo de coisa. – Émilie pôde escutar a arrogância na própria voz.

– Claro – disse ele, servindo aos dois um pouco mais de rosé e começando a comer. – Mas o que a senhorita faz em Paris? – perguntou, mudando depressa de assunto.

– Sou veterinária numa clínica grande no bairro do Marais. Não paga muito bem, mas eu adoro meu trabalho – respondeu ela.

– Sério? – Sebastian arqueou uma das sobrancelhas. – Fico surpreso. Eu teria pensado que, vindo da família que vem, a senhorita teria algum trabalho cheio de glamour… isso se decidisse sequer trabalhar.

– Pois é, é o que todo mundo pensa… Eu sinto muito, mas preciso mesmo ir. – Émilie fez um gesto apressado pedindo a conta.

– Me perdoe, Émilie, foi um comentário infeliz – disse Sebastian na mesma hora. – O que eu quis dizer foi: que bom! Não quis mesmo ofendê-la.

Uma ânsia de se afastar daquele homem e das suas perguntas insistentes de repente a dominou. Émilie pegou a bolsa, tirou alguns francos da carteira e os depositou na mesa.

– Foi um prazer conhecê-lo – disse ela, pegando Frou-Frou do chão e se afastando depressa da mesa. Desceu os íngremes degraus de pedra em direção ao seu carro com a maior rapidez possível, sentindo-se ridiculamente abalada e chorosa.

– Émilie! Por favor, espere!

Sem dar atenção à voz atrás de si, ela continuou a descer os degraus com determinação até Sebastian alcançá-la.

– Olhe – disse ele, ofegante. – Eu sinto muito mesmo se a ofendi. Pelo visto tenho um talento especial para isso… – Sebastian continuou andando no mesmo ritmo que ela. – Se isso servir de consolo, eu também nasci com uma bagagem bem pesada. Incluindo uma mansão nas charnecas de Yorkshire caindo aos pedaços que eu preciso, não sei como, reformar e salvar, quando não há sequer um centavo para bancar isso.

Eles tinham chegado ao carro, e Émilie não teve outra escolha além de parar.

– Então por que o senhor não a vende? – perguntou ela.

– Porque a casa faz parte da minha herança e... – Ele deu de ombros. – É complicado. Enfim, não quero contar uma história triste, estou só tentando explicar que eu sei como é ser definido pelo próprio passado. Comigo acontece a mesma coisa.

Émilie ficou em silêncio procurando a chave do carro na bolsa.

– Não estou tentando competir com a senhorita – insistiu Sebastian. – Só estou tentando dizer que eu entendo.

– Obrigada. – Ela encontrou a chave. – Agora preciso ir.

– Estou perdoado?

Ela se virou para encará-lo, muito incomodada com a própria sensibilidade, mas incapaz de se controlar.

– É que... – Ela encarou a paisagem verdejante lá embaixo e tentou encontrar palavras capazes de explicar. – É que eu quero ser julgada por quem eu sou de verdade.

– Eu entendo, entendo mesmo. Olhe, não vou mais incomodá-la, mas foi um prazer conhecer a senhorita. – Sebastian estendeu a mão. – Boa sorte com tudo.

– Obrigada. Tchau.

Émilie destrancou o carro e soltou uma Frou-Frou irritada no banco do carona. Entrou, ligou o motor e foi descendo o morro devagar, tentando entender por que tinha reagido de modo tão agressivo. Talvez por estar acostumada com o protocolo francês formal de um primeiro encontro, a franqueza de Sebastian a tinha desconcertado. Mas ela disse a si mesma que ele só tinha tentado ser simpático. Quem tinha um problema era *ela*. Sebastian tinha tocado em seu ponto mais sensível, e ela havia reagido. Observou-o descendo o morro alguns metros na sua frente e sentiu-se culpada e constrangida.

Ela estava com trinta anos na cara, repreendeu a si mesma. O patrimônio dos La Martinières era seu para fazer com ele o que bem entendesse. Talvez estivesse na hora de começar a se comportar como uma adulta, e não como uma criança temperamental.

Ao emparelhar o carro com Sebastian, ela inspirou fundo e baixou o vidro.

– Como o senhor veio até aqui para ver o château, seria uma pena não cumprir esse objetivo. Por que não vem comigo até lá?

– Se a senhorita tiver certeza... – A expressão de Sebastian correspondia ao tom de surpresa da sua voz. – Quero dizer, é claro que eu adoraria ver o château, principalmente com alguém que conhece tão bem a casa.

– Então entre, por favor. – Ela se esticou e destrancou a porta do carona.

– Obrigado. – Ele fechou a porta depois de entrar, e os dois partiram novamente morro abaixo. – Estou me sentindo péssimo por ter chateado a senhorita. Tem certeza de que me perdoa?

– Sebastian... – suspirou ela – ... a culpa é minha, e não sua. Qualquer referência à minha família nesse contexto é aquilo que, acho eu, um psicólogo chamaria de "gatilho". E eu preciso aprender a lidar com isso.

– Bom, todo mundo tem seus gatilhos, principalmente quem foi precedido por parentes bem-sucedidos e poderosos.

– Minha mãe com certeza se encaixava nessa definição – concordou Émilie. – Agora que ela morreu, um vazio se abriu na vida de muita gente. Como o senhor disse, é muita coisa para estar à altura. E eu sempre soube que não era capaz.

Ela se perguntou se as duas taças de vinho no almoço tinham soltado sua língua, mas de repente se sentiu à vontade dizendo isso a ele. Falar a deixava ao mesmo tempo empolgada e amedrontada.

– Bom, já eu não posso dizer o mesmo da minha mãe, ou "Victoria", como ela insistia que nós a chamássemos – contou Sebastian. – Nem me lembro direito dela. Meu irmão e eu nascemos numa comunidade hippie nos Estados Unidos. Quando eu tinha três anos e meu irmão dois, ela nos levou à Inglaterra e nos largou com nossos avós em Yorkshire. Algumas semanas depois, foi embora outra vez e nos deixou para trás. E desde então não foi mais vista nem deu notícias.

– Ah, Sebastian! – reagiu Émilie, chocada. – O senhor não sabe nem se a sua mãe ainda está viva?

– Não – confirmou ele. – Mas a nossa avó mais do que compensou isso. Como éramos muito pequenos quando fomos deixados com ela, para todos os efeitos Constance *foi* a nossa mãe. Tudo que posso dizer sinceramente é que, se a minha mãe de verdade algum dia aparecer na minha frente numa sala lotada, eu não saberei reconhecê-la.

– Vocês tiveram sorte de ter sua avó, mas, mesmo assim, que tristeza – solidarizou-se Émilie. – E vocês nem sabem quem é o seu pai?

– Não. Nem sequer se eu e meu irmão temos o mesmo pai. Nós com certeza somos muito diferentes. Enfim... – O olhar de Sebastian se perdeu ao longe.

– O senhor conheceu seu avô?

– Ele morreu quando eu tinha cinco anos. Era um homem bom, mas tinha lutado na África do Norte durante a guerra e os ferimentos que sofreu lá o deixaram muito frágil. Meus avós se amavam muito. Então a coitada da minha avozinha perdeu não só o marido que adorava, mas a filha também. Acho que na verdade ter os dois netos foi o que a fez seguir em frente – falou Sebastian. – Ela era uma mulher incrível, ainda capaz de erguer um muro de pedra aos setenta e cinco anos de idade e forte e saudável até uma semana antes de adoecer. Nem sei se fazem mais mulheres iguais a ela – refletiu ele com um viés de tristeza na voz. – Desculpe – disse de repente. – Estou falando demais.

– De jeito nenhum. Me reconforta saber que existem outras pessoas que também foram criadas em circunstâncias difíceis. – Émilie deu um suspiro. – Às vezes eu acho que ter um passado intenso é tão ruim quanto não ter nenhum.

– Concordo totalmente. – Sebastian aquiesceu, então sorriu. – Nossa, se alguém mais escutasse esta conversa poderia pensar que nós somos dois marmanjos mimados e privilegiados reclamando de barriga cheia. Vamos encarar os fatos: nenhum de nós dois está na sarjeta, não é?

– Não. E é claro que as pessoas iriam pensar isso. Principalmente de mim – concordou ela. – Por que não pensariam? Elas não veem o que está por trás. – Ela apontou. – Olhe. O château fica logo mais à frente.

Sebastian olhou para a elegante construção rosa-claro aninhada no vale logo abaixo de onde eles estavam. Deixou escapar um assobio.

– É absolutamente deslumbrante, e igual à descrição que a minha avó me fez. É também um contraste e tanto com a casa da nossa família nas charnecas desoladas de Yorkshire. Embora a desolação da paisagem torne Blackmoor Hall espetacular de outro jeito – emendou ele.

Émilie guiou o carro pelo comprido acesso que conduz ao château, então contornou a lateral da casa para estacionar nos fundos. Parou o carro e saltou.

– Tem certeza de que está com tempo para fazer o tour comigo? – Sebastian a encarou. – Eu posso voltar outro dia.

– Não, tudo bem – garantiu Émilie.

Ela andou junto com Frou-Frou em direção ao château, e Sebastian a seguiu pelo vestíbulo até a cozinha.

Ela o conduziu de cômodo em cômodo e o observou fazer várias pausas para estudar os quadros, os móveis e a vasta coleção de objetos de arte pousados, largados e empoeirados sobre consoles de lareira, cômodas e mesas. Ela o levou até a sala íntima, e Sebastian se aproximou de um quadro para examiná-lo.

– Isto aqui me faz pensar em *Luxe, calme et volupté*, que Matisse pintou em 1904 quando esteve em Saint-Tropez. O efeito pontilhado é parecido. – Sebastian correu os dedos de leve pela superfície da pintura a óleo. – Embora isto aqui seja pura paisagem de pedra e mar, sem os personagens.

– *Luxo, calma e volúpia* – repetiu Émilie, traduzindo. – Lembro do meu pai lendo o poema de Baudelaire para mim.

– Isso. – Sebastian se virou com os olhos brilhando de empolgação ao perceber que ela conhecia o poema. – Matisse se inspirou em *L'Invitation au voyage* para pintar o quadro. Ele agora está exposto no Museu Nacional de Arte Moderna em Paris. – Ele voltou a atenção outra vez para o quadro à sua frente. – Pelo que posso ver, este aqui não está assinado, a menos que o nome esteja escondido debaixo da moldura. Mas pode ser que tenha sido algum tipo de treino para o quadro em si. Principalmente já que Matisse estava em Saint-Tropez numa época em que o seu estilo era muito parecido com isto aqui. E a cidade fica muito perto daqui, não?

– Meu pai conheceu Matisse em Paris – disse Émilie. – Parece que ele costumava frequentar os *salons* que *papa* organizava para a elite artística da cidade. Sei que ele gostava muito de Matisse e falava sempre nele, mas não sei se Matisse algum dia veio ao château.

– Bom, como tantos outros artistas e escritores, Matisse passou os anos da Segunda Guerra Mundial aqui no sul, fora de perigo. Eu sou absolutamente apaixonado pela obra dele. – Sebastian estava trêmulo de empolgação. – Posso tirar da parede para ver se tem alguma dedicatória atrás? Muitas vezes os artistas davam quadros para mecenas generosos. Como o seu pai, talvez.

– Sim, claro. – Émilie postou-se ao lado de Sebastian enquanto ele segurava com toda delicadeza a moldura e retirava cuidadosamente o quadro da parede, revelando um quadrado de papel de parede mais escuro atrás. Ele virou o quadro para examinar o verso junto com Émilie, mas não havia nada ali.

– Paciência, não é o fim do mundo – garantiu-lhe Sebastian. – Se Matisse tivesse assinado, apenas seria mais simples provar que a obra é dele.

– O senhor acha mesmo que é?

– Com a procedência que a senhorita acabou de mencionar e o pontilhado típico que Matisse estava experimentando na época em que pintou *Luxe, calme et volupté*, eu diria que a chance é grande. É claro que ele teria que ser autenticado por especialistas.

– E se for um Matisse, quanto o quadro deve valer? – perguntou ela.

– Como não está assinado, eu não tenho experiência suficiente para avaliar. Matisse pintou muito e viveu uma vida longa. A senhorita gostaria de vendê-lo?

– Olha só, mais uma pergunta para pôr na minha lista. – Émilie deu de ombros num gesto de pura exaustão.

– Bem – disse ele, pendurando o quadro outra vez no lugar com todo cuidado. – Eu com certeza tenho alguns contatos que poderiam atestar a autenticidade dele, mas certamente o seu *notaire* vai querer usar os dele. Mesmo assim, obrigado por ter me mostrado o quadro e todo este maravilhoso château.

– Foi um prazer – disse Émilie, conduzindo-o para fora da sala.

Quando eles chegaram ao hall de entrada, ele coçou a cabeça.

– Sabe, tenho certeza de que a minha avó comentou sobre uma incrível coleção de livros raros que tinha visto aqui. Ou será que estou imaginando coisas?

– Não está, não. – Émilie se deu conta de que tinha esquecido de mostrar a biblioteca no seu tour pela casa. – Ela fica por aqui. Vou lhe mostrar.

– Obrigado. Contanto que esteja com tempo – contrapôs ele.

– Estou, sim.

Sebastian ficou devidamente impressionado ao entrar na biblioteca.

– Minha nossa – disse ele, percorrendo lentamente as estantes. – Que coleção fantástica. Só Deus sabe quantos livros deve ter aqui… a senhorita sabe? Uns quinze, vinte mil?

– Não tenho a menor ideia.

– Estão catalogados? Organizados de alguma forma?

– Estão na ordem em que meu pai decidiu colocá-los, e meu avô antes dele. A coleção foi iniciada há mais de duzentos anos. As aquisições mais recentes estão catalogadas, sim. – Émilie apontou para os registros encadernados em couro em cima da escrivaninha do pai.

Sebastian abriu um deles e, folheando-o, viu as centenas de registros anotados na caligrafia perfeita de Édouard.

– Sei que isso não é da minha conta, Émilie, mas, sério, essa coleção é extraordinária. Estou vendo aqui que o seu pai comprou muitas primeiras edições raras, sem falar nos livros que já estão aqui. Essa deve ser uma das melhores coleções de livros raros da França. Eles deveriam ser catalogados por um profissional numa base de dados.

Émilie sentou-se na poltrona de couro do pai, sentindo-se sobrecarregada.

– Meu Deus – murmurou. – Parece que não param de surgir mais coisas para fazer. Estou percebendo que organizar os assuntos dos meus pais vai ser uma atividade em tempo integral.

– Mas que com certeza vai valer a pena? – indagou Sebastian, numa tentativa de incentivá-la.

– Mas eu tenho outra vida, uma vida que eu amo. Que é tranquila e... – Émilie quis dizer "segura", mas sabia que soaria estranho. – ... e organizada.

Sebastian foi até ela e se ajoelhou ao seu lado, apoiando o braço na poltrona para se equilibrar.

– Eu entendo. E se a senhorita quiser voltar para essa vida, simplesmente vai ter de encontrar pessoas em quem confie para destrinchar tudo isso para você.

– Em *quem* eu posso confiar? – perguntou ela ao vazio.

– Bom, já comentou sobre o seu *notaire*, para começar – sugeriu Sebastian. – Quem sabe não poderia deixar tudo nas mãos dele?

– Mas... – As lágrimas fizeram os olhos dela arderem. – Eu com certeza devo isso à minha família e à sua história, não? Não posso simplesmente fugir.

– Émilie – disse Sebastian com suavidade. – Está tudo muito recente, é claro que é coisa demais para processar. Sua mãe morreu faz só duas semanas. A senhorita ainda está em choque, de luto. Por que não dá um pouco de tempo a si mesma para tomar as decisões certas? – Ele deu tapinhas de leve na sua mão e se levantou. – Preciso ir andando, mas você tem meu cartão, e nem preciso dizer que ficaria feliz em ajudar de qualquer forma que puder. Este château para mim é um presente dos deuses, principalmente os quadros, claro. – Ele sorriu. – Enfim, eu provavelmente vou passar um tempo em Gassin, então, se a senhorita decidir que quer que eu inicie o processo de mandar autenticar o possível Matisse é só ligar para o número que está no cartão de visita.

– Obrigada – disse Émilie, verificando que ainda estava com o cartão no bolso.

– Eu também teria prazer em descobrir os nomes dos melhores negociantes de livros raros e móveis antigos por intermédio dos meus contatos em Paris. Seja qual for a sua decisão quanto ao que fazer com o château – acrescentou ele –, provavelmente é uma boa ideia saber o valor do que tem em mãos. Seus pais tinham algum tipo de seguro, certo?

– Não faço ideia. – Ela deu de ombros. Achava improvável que eles tivessem feito algo do tipo e fez uma anotação mental para perguntar a Gérard.

– Obrigada pelas dicas – falou, agradecida, e se levantou. Abriu um sorriso

40

insípido para Sebastian e o conduziu até a porta dos fundos e em direção ao seu carro. – Me desculpe se eu estiver parecendo… emotiva demais. Não é do meu feitio. Talvez em outra ocasião a gente possa conversar sobre o que a sua avó contou em relação ao meu pai durante a guerra.

– Eu gostaria, sim… e, por favor, não precisa se desculpar – acrescentou ele enquanto os dois entravam no carro. – A senhorita não apenas está vivendo um luto, como também foi incumbida de uma tarefa e tanto.

– Eu vou dar conta. Preciso dar – disse Émilie.

Ela deu a partida e guiou pelo acesso para longe da casa.

– Tenho certeza de que sim. Como eu disse, se tiver alguma coisa que eu possa fazer para ajudar, sabe onde me encontrar.

– Obrigada.

– Meu *gîte* fica logo aqui à esquerda. – Sebastian indicou uma entrada. – Se me deixar aqui eu ando o resto a pé. A tarde está linda.

– Está bem. – Ela parou o carro. – Mais uma vez, obrigada.

– Cuide-se, Émilie – disse ele ao saltar. Então, com um aceno, Sebastian pôs-se a avançar pela rua num passo descontraído.

Émilie deu ré com o carro e voltou para o château. Inquieta, ficou andando a esmo de cômodo em cômodo, sentindo o vazio cortante da falta de presença humana.

Quando a noite caiu e a temperatura também, ela foi se refugiar na cozinha junto ao fogão e jantou o *cassoulet* que Margaux tinha lhe deixado. Seu apetite desaparecera, e Frou-Frou ficou contente em comer as sobras.

Depois do jantar, ela passou o trinco na porta dos fundos e girou a chave na fechadura. Subiu até o andar de cima e encheu a banheira antiga incrustada de calcário com um vagaroso filete de água morna. Mergulhou o corpo ali e ficou refletindo morbidamente sobre como a banheira tinha o seu tamanho exato, o que a tornava um protótipo perfeito para o seu caixão. Ao sair do banho, secou-se com a toalha e então, de modo inabitual, deixou a peça cair no chão em frente ao espelho de pé.

Forçou-se a examinar o corpo nu. Sempre o havia considerado um equipamento aquém dos padrões, designado de maneira aleatória pela loteria genética. De criança atarracada, ela tinha se transformado numa adolescente gorducha. Apesar dos pedidos da mãe para que comesse alimentos saudáveis e em menor quantidade, em algum ponto por volta dos dezessete anos Émilie tinha desistido das infindáveis tentativas de dietas à base de pepino e melão receitadas pelos médicos, escondido seu tronco imperfeito com roupas largas e confortáveis, e deixado a natureza seguir seu curso.

Ao mesmo tempo, ela havia se recusado a continuar frequentando festas destinadas a lhe apresentar a nata dos rapazes e moças da sua idade. *Le Rallye* era organizado por um grupo de mães para garantir que seus rebentos encontrassem amigos adequados e possíveis futuros partidos da mesma classe social. A competição para fazer parte de um *rallye* de elite para os mais socialmente desejáveis adolescentes da França era feroz. Com seu sobrenome, Valérie era capaz de atrair qualquer um que desejasse para fazer parte do seu próprio grupo. Ela ficara desesperada ao ouvir Émilie anunciar que não iria mais participar das festas nas mansões que constituíam a parte principal do evento.

"Como você pode virar as costas para o seu direito de berço?", perguntara ela, indignada.

"Eu detesto essas pessoas, *maman*. Sou mais do que um sobrenome e uma conta no banco. Lamento muito, mas para mim chega."

Ao encarar no espelho os seios fartos, quadris largos e coxas grossas, ela percebeu que devia ter emagrecido nas últimas semanas. Mesmo para o seu olhar crítico, o que viu a deixou espantada. Embora sua estrutura óssea jamais fosse lhe permitir ser uma sílfide, ela não era de forma alguma gorda.

Antes de começar a encontrar defeitos em si, como seria inevitável, Émilie se afastou do próprio reflexo e foi para a cama. Ao apagar as luzes, ficou escutando o silêncio absoluto à sua volta e se perguntou o que teria provocado aquele exame pouco característico do próprio corpo nu.

A última vez que ela tivera algo que pudesse ser ao menos vagamente descrito como namorado remontava a seis anos. Olivier, um charmoso veterinário novato na sua clínica de Paris, não tinha durado mais do que algumas semanas. Ela nem sequer havia gostado especialmente dele, mas pelo menos um corpo quentinho junto ao seu à noite e alguém com quem conversar de vez em quando durante o jantar tinham posto fim à solidão da sua existência. Sabia que Olivier acabara sumindo devido à sua falta de comprometimento.

Émilie na verdade não sabia no que consistia o amor: um misto de atração física, um encontro de almas… um *fascínio*, talvez. Mas sabia que nunca tinha se apaixonado. Além do mais, quem cairia de amores por *ela*?

Nessa noite, ficou se revirando na cama, sentindo a cabeça quase explodir com todas as decisões que precisava tomar e a responsabilidade da qual não podia se esquivar. Mais do que isso, porém, seu sono foi perturbado pela imagem de Sebastian na sua mente.

Mesmo durante o curto tempo que ele havia passado no château, ela sentira certa segurança na sua presença. Ele parecia ser um homem capaz, genuíno... e, sim, era muito bonito. Quando a mão dele tocara a sua por um instante na biblioteca, ela não tinha se retraído como normalmente fazia sempre que alguém invadia o seu espaço pessoal.

Émilie repreendeu a si mesma. Devia estar mesmo triste e sozinha para ter ficado tão afetada assim por um homem que havia conhecido por acaso e com quem não havia passado mais de uma ou duas horas. Além do mais, como é que um homem aparentemente tão talentoso e bonito quanto Sebastian sequer olharia para ela? Ele era mais do que ela conseguiria conquistar, e o mais provável era que ela nunca mais o visse. A menos, é claro, que ligasse para o telefone no cartão que ele tinha deixado e pedisse sua ajuda para avaliar o Matisse...

Émilie balançou a cabeça com pesar, pois sabia que jamais teria coragem de fazer isso.

Aquela estrada não levava a lugar nenhum. Ela tinha decidido anos antes que era melhor viver sozinha. Assim ninguém a magoaria nem a decepcionaria outra vez. E, com esse pensamento firme na mente, ela por fim adormeceu.

4

Por causa do sono agitado, Émilie acordou cedo na manhã seguinte e, enquanto tomava café, fez uma lista interminável de providências a tomar. Então pegou outra folha de papel e anotou as perguntas que precisava fazer a si mesma. No começo daquele processo, sua vontade era vender as duas casas o quanto antes, destrinchar as complexidades do patrimônio da sua família e voltar para sua vida segura em Paris. Mas agora...

Ela esfregou o nariz com o lápis e olhou ao redor da cozinha para tentar se orientar. Iria vender a casa de Paris; aquele lugar não lhe trazia boas lembranças. Mas as últimas horas tinham modificado sua opinião em relação ao château. Aquela não apenas era a "sede" original da sua família, construída pelo conde Louis de la Martinières em 1750, como tinha também uma atmosfera que ela sempre havia amado. A casa a acalmava e a fazia recordar dias felizes passados ali com o pai.

Será que deveria cogitar manter o imóvel?

Ela se levantou e pôs-se a andar pela cozinha, revirando aquela ideia na cabeça. Não era ridículo, para não dizer indecente, uma mulher solteira ter uma casa daquele tamanho?

Sua mãe obviamente não pensava assim, mas afinal de contas o círculo social frequentado por Valérie formava uma categoria à parte. Émilie tinha pertencido a essa categoria anos antes e sabia como viviam as pessoas normais. Mas a possibilidade de morar ali, naquela paz e tranquilidade, a atraía cada vez mais. Depois de uma vida inteira se sentindo excluída da família, ela ironicamente se sentia, pela primeira vez, em casa. Estava chocada com sua vontade avassaladora e repentina de ficar ali.

Tornando a se sentar à mesa da cozinha, retomou a lista de perguntas que precisaria fazer a Gérard. Se pudesse restaurar a antiga glória do château, não faria isso apenas para si mesma, pois ele certamente também fazia parte da história da França, não? Ela estaria prestando um serviço à nação. Com esse pensamento reconfortante, pegou o celular e ligou para Gérard.

Após uma longa conversa com ele, olhou para as anotações que tinha feito. Gérard tinha garantido que haveria dinheiro suficiente para reformar o château. A única coisa que ele havia confirmado era a falta de dinheiro em caixa; qualquer coisa que ela desejasse fazer teria de ser bancada pelo que seria vendido no futuro próximo.

Ele parecera espantado com a sua repentina mudança de opinião.

– Émilie, com certeza é louvável você querer manter o legado da sua família, mas reformar uma casa desse tamanho é uma tarefa hercúlea. Eu chegaria a dizer que é um trabalho em tempo integral para os próximos dois anos. E você vai ter que dar conta de tudo. Sozinha.

Émilie chegou a pensar que ele fosse arrematar dizendo "e ainda é mulher", mas ele felizmente tinha se contido. Gérard devia estar se perguntando quanto daquele trabalho acabaria recaindo nos seus próprios ombros, já que estava bem claro para o homem que ela sozinha não daria conta. Irritada com seu tom condescendente, mas consciente de que pouco tinha feito para mudar a impressão que o *notaire* tinha dela, Émilie tirou seu laptop da bolsa e o ligou. Então, rindo consigo mesma por imaginar que fosse haver sinal de internet numa casa cuja fiação decerto não era trocada desde os anos 1940, pegou o carro e foi até o vilarejo de Gassin com Frou-Frou. Subiu o morro íngreme e perguntou a Damien, o simpático dono da Brasserie Le Pescadou, se podia usar a conexão de lá.

– É claro que sim, mademoiselle La Martinières – disse ele, conduzindo-a até o pequeno escritório nos fundos do restaurante. – Peço desculpas por não ter estado aqui para recebê-la antes, mas eu estava em Paris. Todo mundo no vilarejo ficou triste ao saber da morte da sua *maman*. Assim como a sua família, a minha está aqui há muitas centenas de anos. A senhorita vai vender o château agora que ela se foi?

Émilie sabia que essa era a pergunta para a qual ele queria uma resposta. Seu bar e restaurante eram o templo das fofocas do vilarejo.

– Eu realmente não sei ainda – respondeu ela. – Preciso coletar muitas informações.

– Claro. Espero que não decida vender, mas se decidir eu conheço muitos empreendedores dispostos a pagar uma fortuna para transformar o seu lindo château em um hotel.

Pela janela, ele apontou para o imóvel lá longe no fundo do vale, com seus telhados de terracota cinza cintilando ao sol.

– Como eu falei, ainda não me decidi, Damien – repetiu Émilie.

– Bem, mademoiselle, se precisar de alguma coisa, por favor, nos telefone. Todos nós aqui gostávamos muito do seu pai. Ele era um homem bom. Depois da guerra, todo mundo aqui no vilarejo ficou muito pobre – explicou Damien. – O conde ajudou a pressionar o governo para construir ruas decentes até aqui em cima do morro e para incentivar os turistas de Saint-Tropez a visitarem o vilarejo. Minha família abriu este restaurante nos anos 1950, e Gassin começou a prosperar. Seu pai também incentivou o plantio das vinhas para cultivar as uvas do maravilhoso vinho que agora fabricamos aqui. – Damien abriu os braços para indicar o vale coberto por vinhedos lá embaixo. – Quando eu era menino, tudo ao nosso redor eram lavouras, milharais e pastos. Hoje o nosso rosé provençal é famoso no mundo inteiro.

– É reconfortante saber que meu pai ajudou a região que tanto amava – respondeu Émilie.

– Os La Martinières fazem parte de Gassin, mademoiselle. Espero que decida ficar aqui conosco.

Damien continuou a se agitar em volta dela, trazendo-lhe uma jarra d'água, pão e um *plat au fromage*. Depois de ela conseguir se conectar à internet, ele a deixou em paz. Ela verificou seus e-mails, em seguida pegou o cartão de Sebastian e pesquisou a galeria dele.

A galeria Arté ficava na Fulham Road e vendia principalmente quadros de arte moderna. Émilie sentiu-se aliviada ao ver que ela de fato existia. Decidiu telefonar para ele. A ligação caiu na caixa postal, e ela deixou seu telefone e um recado curto pedindo-lhe para entrar em contato para falar sobre a conversa que os dois tinham tido na véspera.

Ao terminar, agradeceu a Damien pela internet e pelo almoço, pegou o carro e voltou para o château. Estava energizada, motivada como não se sentia em anos. Não havia dúvida de que, se decidisse reformar a casa, quase com certeza precisaria desistir da carreira de veterinária em Paris e se mudar para lá de modo a supervisionar a obra. Talvez fosse exatamente daquilo que ela precisava, e por ironia era a última coisa em que teria pensado poucos dias antes. A mudança daria um novo sentido à sua vida.

Mas sua animação se transformou em medo quando ela chegou mais perto da casa e viu um carro de polícia parado na entrada. Estacionou depressa, pegou Frou-Frou e saltou. Ao entrar no vestíbulo, deparou-se com Margaux conversando com o *gendarme*.

– Mademoiselle Émilie. – Margaux estava com os olhos arregalados de choque. – Eu acho que a casa foi arrombada. Cheguei aqui como sempre às duas da tarde e a porta da frente estava escancarada. Ah, mademoiselle, eu sinto muito.

Com pesar, Émilie se deu conta de que, na empolgação de ter decidido reformar o château, não havia trancado a porta dos fundos antes de sair para o vilarejo.

– Não é culpa sua, Margaux. Acho que deixei a porta dos fundos aberta. Levaram alguma coisa? – Émilie pensou no quadro potencialmente valioso na sala íntima.

– Eu verifiquei com cuidado cada um dos cômodos e não dei por falta de nada. Mas talvez você também possa olhar – disse Margaux.

– Muitas vezes esse tipo de crime é oportunista – afirmou o *gendarme*. – Existem muitos ciganos que veem o que acreditam ser uma casa vazia e a invadem atrás apenas de joias ou dinheiro vivo.

– Bom, eles não encontrariam nada disso aqui – retrucou Émilie, desanimada.

– Mademoiselle Émilie, por acaso está com a chave da porta da frente? – perguntou Margaux. – Ela parece ter sumido. Fiquei pensando se você a teria posto em algum lugar seguro como uma precaução a mais, em vez de deixá-la na fechadura onde ela em geral fica.

– Não, não está comigo.

Émilie examinou a fechadura grande e vazia, que parecia nua sem sua companheira enferrujada enfiada lá dentro. Piscou e tentou lembrar se a chave estava na fechadura naquela manhã. Mas aquele não era o tipo de detalhe em que ela teria reparado ao passar pelo vestíbulo a caminho da cozinha.

– Se não conseguirem encontrar a chave, é importante que vocês chamem um chaveiro para trocar a fechadura o mais depressa possível – disse o *gendarme*. – Até que isso seja feito, vocês não vão poder trancar a porta, e é possível que algum ladrão a tenha levado e esteja se preparando para voltar num outro dia.

– Sim, claro. – A visão de um paraíso seguro que Émilie tivera antes estava se evaporando depressa, e seu coração batia apressado no peito.

Margaux olhou para o relógio em seu pulso.

– Com licença, mademoiselle Émilie, mas eu preciso ir para casa. Anton está sozinho lá. Posso ir? – perguntou ela ao *gendarme*.

– Pode. Se eu precisar de mais alguma informação, entrarei em contato – respondeu ele.

– Obrigada. – Margaux se virou pra Émilie. – Mademoiselle, fico preocupada com você aqui sozinha. Não seria melhor se hospedar em um hotel por uma ou duas noites?

– Não se preocupe, Margaux. Vou chamar um chaveiro, e de toda forma vou trancar a porta do quarto hoje antes de ir dormir.

– Bom, por favor, me ligue se ficar preocupada com alguma coisa. E daqui para a frente lembre-se de trancar a porta dos fundos. – Com um aceno aflito, Margaux se retirou depressa para ir pegar sua bicicleta.

– Por favor, reviste o château para o caso de a sua empregada ou eu termos deixado passar algum detalhe. – O *gendarme* sacou do bolso da frente um bloco e anotou um número de telefone. – Entre em contato se descobrir que algo foi roubado, e nós tomaremos as providências necessárias. – Ele deu um suspiro. – Caso contrário, não há muito mais que eu possa fazer.

– Obrigada por ter vindo – disse Émilie, sentindo-se culpada pela própria burrice. – Como eu disse, a culpa é minha.

– Não há de quê, mas minha sugestão seria aumentar a segurança da casa assim que possível e, como o château fica vazio com frequência, investir num sistema de alarme. – O *gendarme* meneou a cabeça e saiu pela porta da frente aberta em direção ao seu carro.

Assim que ele se foi, Émilie subiu a escada para começar a checar se nada tinha sumido. No meio do caminho, reparou num carro vindo pelo acesso em direção à casa e o viu desaparecer nos fundos. Com o coração aos pulos, desceu correndo até a cozinha para trancá-la e impedir a entrada de algum intruso. Mas o rosto que apareceu do outro lado da vidraça foi o de Sebastian. Ela soltou o trinco da porta e tornou a abri-la.

– Olá! – Ele a encarou com um ar intrigado. – Tem certeza de que quer que eu entre?

– Tenho. Desculpe, alguém acabou de invadir a casa e eu não reconheci seu carro.

– Ah, Émilie, meu Deus, que horror! – disse ele, cruzando a soleira. – Levaram alguma coisa?

– Margaux acha que não, mas eu estava justamente subindo para checar.

– Quer ajuda?

– Eu... – Ela sentiu as pernas ficarem bambas de repente e desabou abruptamente numa das cadeiras da cozinha.

– Você está muito pálida – disse Sebastian. – Olhe, antes de sair correndo pela casa, por que não deixa eu preparar para você a versão inglesa do "cura-tudo", uma boa xícara de chá? Você sofreu um choque. Fique sentada aí, acalme-se. Vou pôr água para ferver.

– Obrigada – disse ela, sentindo-se atordoada e trêmula enquanto Frou-Frou gania pedindo festa. Émilie pôs a cachorrinha no colo e começou a acariciá-la, e o movimento a reconfortou.

– Como eles entraram? – perguntou Sebastian.

– Achamos que foi pelos fundos, mas eles saíram pela porta da frente e a chave sumiu – explicou Émilie. – Preciso chamar um chaveiro assim que possível para trocar a fechadura.

– Você tem uma lista telefônica aqui? – Sebastian pousou uma caneca na mesa à sua frente – Enquanto toma o seu chá, eu poderia ligar para um chaveiro. – Ele sacou o celular.

– Tenho, naquela gaveta ali. – Ela apontou para uma cômoda grande. – Sebastian, sério, não se preocupe com isso. Deixe que eu resolvo....

Mas ele já tinha aberto a gaveta e pegado o catálogo.

– Certo – disse ele após examinar por alguns minutos os telefones. – Tem três chaveiros em Saint-Tropez e um em La Croix Valmer. Vou ligar para eles e ver quem está livre. – Ele pegou o telefone e ligou para o primeiro número. – Alô. Estou ligando do Château de la Martinières e queria saber se...

Émilie nem escutou a conversa, ficou apenas bebericando seu chá e saboreando o conforto de ver outra pessoa assumir as rédeas da situação.

– Certo – disse Sebastian ao encerrar a ligação. – Infelizmente o chaveiro só vai poder vir amanhã de manhã cedo. Mas ele já me disse que está acostumado a trocar fechaduras velhas por aqui. – Ele a encarou. – Você parece um pouco mais corada. Está disposta para verificar a casa antes de escurecer? Deveria mesmo fazer isso. Posso ir junto se quiser.

– Com certeza você deve ter mais o que fazer, não, Sebastian? – perguntou Émilie, aflita. – Não quero prendê-lo.

– Não seja boba. Um cavalheiro inglês jamais abandonaria uma donzela em apuros. – Ele estendeu a mão para ajudá-la a se levantar. – Venha, vamos resolver logo isso.

– Obrigada. Estou com medo de eles ainda estarem aqui, escondidos em algum lugar. – Émilie mordeu o lábio. – Margaux não viu os intrusos irem embora.

Todos os cômodos estavam da maneira que ela recordava, e embora fosse impossível ter certeza de que absolutamente nada fora levado devido à sua falta de familiaridade com os detalhes de cada objeto da casa, ela voltou ao vestíbulo com Sebastian se sentindo mais tranquila.

– Bom, checamos a casa inteira – confirmou ele. – Algum outro lugar onde eles pudessem estar escondidos?

– Na adega, talvez? Mas eu nunca desci lá – confessou Émilie.

– Então talvez devesse – sugeriu ele. – Sabe como chegar lá?

– Acho que a porta fica no saguão logo depois da cozinha.

– Então venha, vamos dar uma olhada.

– Você acha mesmo necessário? – indagou ela, relutante. Tinha pavor de lugares escuros e fechados.

– Prefere que eu desça sozinho?

– Não, tem razão. Eu devo ir ver como é lá embaixo.

– Não se preocupe, eu garanto a sua segurança. – Ele sorriu quando eles saíram para o saguão. – Esta porta aqui?

– Acho que sim.

Sebastian puxou os trincos enferrujados e girou a chave com dificuldade.

– Ninguém abre isto aqui há anos, então duvido que tenha alguém à espreita lá embaixo. – Ele conseguiu com dificuldade empurrar a porta até abri-la, procurou um interruptor e encontrou um pedaço grosseiro de barbante pendurado acima da sua cabeça. Ao puxá-lo, um feixe irregular de luz surgiu lá de baixo. – Pronto, lá vou eu.

Émilie desceu com hesitação os degraus atrás dele até chegar a um recinto frio, de pé-direito baixo, dominado por um ar parado e úmido.

– Uau! – exclamou ele ao ver as fileiras de suportes de vinho totalmente repletas de garrafas cobertas de poeira. Sacou uma delas aleatoriamente, limpou a poeira que cobria o rótulo e leu:

– Château Lafitte Rothschild 1949. Não sou nenhum especialista em vinhos, mas talvez isto aqui seja o sonho de qualquer enólogo. Mas pode ser que nem dê mais para beber. – Ele deu de ombros e pôs a garrafa no lugar.

Os dois percorreram a adega, pegando garrafas e as inspecionando.

– Não consigo encontrar nenhuma garrafa posterior a 1969, você consegue? – perguntou ele. – Parece que ninguém se deu ao trabalho de continuar a coleção depois dessa data. Espere um instante…

Sebastian pôs no chão as duas garrafas que estava segurando, então retirou mais quatro até chegar a seis, depois a doze.

– Tem alguma coisa atrás disto aqui. É uma porta, está vendo?

Émilie espiou por entre o suporte e viu a que ele estava se referindo.

– Deve dar para outra adega que ninguém usava – arriscou ela, ansiosa para voltar lá para cima o quanto antes.

– Sim, com certeza uma casa como esta deve ter várias adegas no subsolo. Ah! – Ele retirou a última garrafa, então segurou o suporte de madeira apodrecido e o puxou até o centro do recinto. – Eu tinha razão, é uma porta. – Ele limpou as teias de aranha da fechadura e tentou acionar a maçaneta. A porta se abriu com dificuldade, e a madeira tinha empenado e se deformado devido à umidade. – Vamos ver o que tem lá dentro?

– Ahn… – Émilie estava nervosa e não queria continuar. – Não deve ter nada.

– Bom, vamos ver – disse ele, e usou toda a sua força para empurrar a porta e arrastá-la até abri-la por completo. Tateou em busca de um interruptor, mas não encontrou nenhum. – Espere aqui um instante – disse a Émilie enquanto entrava no espaço escuro. – Parece que tem uma luz natural vindo de algum lugar… – Ele desapareceu por completo na escuridão. – Sim, tem uma janelinha aqui… ai! Desculpe, acabei de bater a canela em alguma coisa. – Ele reapareceu na porta. – Por acaso sabe onde pode ter uma lanterna?

– Posso olhar lá em cima na cozinha. – Émilie se virou e seguiu em direção à escada, grata por uma desculpa para fugir.

– Se não conseguir encontrar uma lanterna, traga umas velas! – gritou ele.

Como a lanterna que ela finalmente encontrou estava, para seu azar, sem pilha, ela pegou uma caixa de velas velha e uma caixa de fósforos na despensa, inspirou fundo e tornou a descer a escada da adega.

– Tome – disse ela para dentro do outro recinto.

Sebastian tirou duas velas da caixa e as segurou para Émilie acender. Ele lhe passou uma e tornou a se virar para a escuridão, e ela o seguiu com relutância.

Os dois ficaram parados no centro do pequeno cômodo, iluminando o espaço em volta com a luz fraca das velas. Nenhum deles disse nada enquanto absorvia o que estava vendo.

– Me corrija se eu estiver imaginando coisas, mas isto está me parecendo um quarto que já foi ocupado por alguém – disse Sebastian por fim. – A cama ali, com a mesinha ao lado, a cadeira junto à janela provavelmente posicionada para aproveitar a pouca luz que entra, a cômoda... – Ele aproximou a vela. – Tem até um cobertor ainda em cima do colchão.

– Sim – concordou Émilie à medida que seus olhos se ajustavam à penumbra. – E uma esteira no chão. Mas quem iria morar aqui?

– Um empregado, talvez? – sugeriu Sebastian.

– Nossos empregados tinham quartos no sótão, no último andar. Minha família nunca seria tão cruel a ponto de pôr seus funcionários num quarto como este.

– Não, é claro que não – disse Sebastian, devidamente contrito. – E olhe, tem outra portinha ali.

Ele foi até lá e a abriu.

– Eu diria que isto aqui era usado como banheiro. Tem uma torneira na parede e uma grande pia esmaltada no chão. E um vaso com um penico. – Ele inclinou a cabeça com cuidado ao sair. – Alguém com certeza vivia aqui, mas quem? – Ele andou até Émilie com os olhos acesos de interesse. – Vamos subir, nos servir uma taça de vinho de uma das garrafas ali ao lado e refletir sobre as possibilidades.

5

Lá em cima, na cozinha, Émilie de repente começou a sentir violentos calafrios, sem saber se era por causa da adega fria ou do choque retroativo.

– Corra até lá em cima e pegue um suéter enquanto eu tento acender a lareira. Esfriou agora à noite – comentou Sebastian. – Está ouvindo o vento soprar lá fora?

– Estou. É o mistral – disse ela. – A temperatura sempre cai, mas acho que não temos o necessário para acender a lareira.

– O quê? Numa casa cercada por árvores? É claro que temos. – Ele deu uma piscadela. – Volto num instante.

Émilie pegou um cardigã, tirou o cobertor de cima da cama e percorreu o andar de cima para se certificar de que todas as persianas estavam fechadas por causa do vento cada vez mais forte. Muitos moradores da região temiam o mistral, que soprava com força implacável pelo vale do Ródano e muitas vezes chegava sem aviso e ganhava força em minutos. Lendas e superstições sobre ele contavam todo tipo de histórias, desde invocação de bruxaria até a afirmação de que ele afetava o ritmo hormonal das mulheres e o comportamento dos animais. Apesar disso, Émilie sempre havia admirado sua potência e majestade, e o frescor do ar quando o vento perdia força.

Sebastian apareceu na cozinha dez minutos depois, com um carrinho de mão cheio de galhos partidos que catara no jardim, além de uns pedaços velhos de lenha encontrados num barracão.

– Certo – disse ele. – Vamos acender esse troço. Me mostre onde fica a lareira.

Émilie o levou até a sala íntima, e em pouco tempo um fogo vivo ardia na lareira.

– Que lareira incrível – comentou ele, limpando as mãos na calça de lona. – Eles sabiam mesmo fabricar uma chaminé decente naquela época.

– Eu não saberia nem por onde começar para acender um fogo – admitiu

Émilie. – Quem acendia as lareiras nas nossas casas eram os empregados, e no meu apartamento não tem lareira.

– Bem, minha pequena princesa, lá de onde eu venho acender uma fogueira é uma atividade cotidiana – falou Sebastian com um sorriso. – Agora vou abrir aquela garrafa de vinho que trouxemos da adega e ver se dá para beber. E, se me permitir, também vou dar uma vasculhada na cozinha para ver se consigo improvisar algo para comer. Não pus nada para dentro o dia inteiro e tenho certeza de que seria bom você comer alguma coisa também.

– Ah, mas... – Émilie fez menção de se levantar, mas Sebastian a empurrou de volta para o sofá.

– Não, fique aqui e se aqueça. Vou ver o que consigo encontrar.

Émilie enrolou mais o cobertor em volta do corpo e ficou fitando as chamas que saltavam, sentindo-se aquecida e confortável. Não se lembrava de ser cuidada assim desde que, pequena, estava sob os cuidados da sua babá preferida. Ela encolheu as pernas debaixo do corpo, recostou a cabeça na seda adamascada envelhecida do braço do sofá e fechou os olhos.

– Émilie! – Ela sentiu a mão de alguém a sacudir de leve. – Hora de acordar, meu bem. – Ela abriu os olhos e deparou com as íris cor de mel de Sebastian. – São quase nove da noite. Você dormiu por duas horas. E o jantar está na mesa.

Émilie se sentou no sofá, sonolenta e envergonhada.

– Me desculpe, Sebastian.

– Não precisa se desculpar. É óbvio que você está exausta. Certo, está muito frio naquela cozinha, então eu trouxe nosso jantar para cá. O mistral estava soprando com força quando voltei do mercado. Pode comer – disse ele, indicando o prato fumegante de espaguete à bolonhesa sobre a mesa baixa à sua frente. – Pelo cheiro, esse vinho que trouxemos da adega parece estar bom. Vamos ver se dá para beber. – Ele levou a taça até a boca, sorveu um pouco e engoliu. Meneou a cabeça de prazer. – Espetacular. Tomara que eu não tenha aberto um tinto de algumas centenas de francos para acompanhar nosso espaguete à bolonhesa!

– Tem muitas garrafas lá embaixo, com certeza não tem problema tomar uma. – Émilie pegou sua taça e provou. – Sim, está ótimo. – Ela comeu uma garfada do espaguete, percebendo de repente o quanto estava com fome. – Foi muita gentileza sua. E você cozinha bem.

– Eu não diria tanto, mas sei juntar alguns ingredientes básicos. Enquanto você estava dormindo, pensei um pouco no melhor jeito de proceder em relação ao possível Matisse. Liguei para um amigo meu da Sotheby's de Londres, e ele recomendou um conhecido dele em Paris. Estou com o telefone, então se quiser ligar para ele amanhã pode dar início ao processo.

– Com certeza vou ligar. Obrigada, Sebastian.

– Ele é um dos maiores leiloeiros de Paris, e meu amigo fez muitos elogios a ele. Devo dizer que eu adoraria ser uma mosquinha quando ele visse o quadro, para saber se estou certo – disse Sebastian com um sorriso.

– Mas você pode estar aqui no dia – disse Émilie, meneando a cabeça. – Quando vai voltar para a Inglaterra?

– No fim da semana que vem, então até lá estou disponível para ajudar se precisar de mim – respondeu ele. – No momento você tem coisas demais em que pensar. A prioridade precisa mesmo ser a segurança desta casa e a sua. Se quiser, eu posso falar com o cara que vem trocar a fechadura da porta da frente amanhã e perguntar quem ele recomendaria por aqui para instalar um sistema de alarme.

– Se tiver certeza de que quer fazer isso, seria útil, sim – disse ela, agradecida. – Eu não saberia por onde começar.

– Ótimo. Agora vamos passar para o tema mais interessante: o possível esconderijo na sua adega – disse ele entre uma garfada e outra de espaguete. – Alguma explicação já lhe ocorreu?

– Não. – Ela balançou a cabeça. – Infelizmente eu sei muito pouco sobre a história da minha família.

– Fico me perguntando se aquele quarto lá embaixo já não foi usado como esconderijo durante a guerra. Meu Deus, uns poucos minutos lá embaixo bastariam para fazer uma pessoa enlouquecer. – Sebastian ergueu as sobrancelhas. – Dá para imaginar como deve ter sido passar dias, semanas ou até meses a fio lá?

– Não, não dá mesmo – concordou Émilie. – E eu queria que meu pai ainda estivesse vivo para poder perguntar. Tenho vergonha de saber tão pouco sobre meu passado. Talvez eu descubra muito mais nesse processo de organizar o patrimônio.

– Tenho certeza de que sim. – Sebastian se levantou e começou a recolher os pratos vazios.

– Por favor, você já fez muito, deixe isso comigo – pediu Émilie. – Deve estar na hora de você ir.

– O quê? – Sebastian pareceu horrorizado. – Acha mesmo que eu vou deixar você sozinha aqui hoje à noite com uma porta da frente que não tranca? Eu não iria pregar o olho. Não, Émilie, me deixe ficar. Posso dormir aqui no sofá em frente à lareira sem problemas.

– Sebastian, eu vou ficar bem, mesmo. Raramente um raio cai duas vezes no mesmo lugar, não é? Como eu disse ao *gendarme*, posso trancar a porta do meu quarto. E sinto que já dei trabalho demais a você. Por favor, vá para casa – suplicou ela.

– Bom, se não fica à vontade com a minha presença aqui, eu vou, claro.

– Não é isso. Eu só me sinto culpada por estar tomando o seu tempo – respondeu Émilie depressa. – Afinal de contas, a gente mal se conhece.

– Por favor, não se sinta culpada. A cama do meu *gîte* é mesmo dura feito uma tábua.

– Bom, se você tiver certeza, então sim, agradeço se puder ficar – cedeu Émilie. – E vai dormir num dos quartos, claro. É bobagem dormir aqui embaixo.

– Combinado. – Sebastian estendeu a mão para o atiçador junto à lareira. – E vou ficar com isto aqui perto da cama, só para garantir.

Após dividir o trabalho com a louça, Émilie trancou a porta dos fundos, então guiou Sebastian pelo corredor do andar de cima até um quarto vago.

– Margaux sempre deixa este aqui arrumado para algum convidado surpresa. Espero que ache confortável – disse ela.

– Um pouquinho só. – Sebastian correu os olhos pelo quarto espaçoso, mobiliado com lindas peças francesas antigas. – Obrigado, Émilie, e espero que você durma bem.

– Digo o mesmo. Boa noite.

Ele deu um passo na sua direção. Numa reação instintiva, Émilie fechou depressa a porta do quarto antes de ele poder alcançá-la e avançou rapidamente pelo corredor até o próprio quarto, onde fechou e trancou a porta com firmeza. Deitou na cama sentindo-se estranhamente ofegante.

Por que tinha feito aquilo? Ele provavelmente só queria lhe dar um casto beijo de boa-noite. Frustrada, ela socou a cama. Agora jamais iria saber.

Depois de uma noite inquieta, com todos os nervos alertas para o fato de Sebastian estar dormindo a poucos metros de distância dela, o que por algum motivo parecia muito íntimo, Émilie desceu na manhã seguinte para fazer café. Imaginando que ele ainda estivesse na cama, ficou surpresa ao ouvir um carro se aproximar e vê-lo entrar pela porta dos fundos.

– Bom dia – disse ele. – Fui à padaria comprar o café da manhã. Como não sabia o que você ia querer, trouxe baguetes, croissants e *pains au chocolat*. Ah, e um pouco da minha geleia francesa preferida. – Ele colocou as compras na mesa da cozinha.

– Obrigada – disse Émilie, e sentiu que estava usando muito essa palavra com ele. – Fiz café.

– Ir buscar o pão quentinho de manhã, na verdade, é um dos maiores prazeres de se estar na França. Uma tradição que desapareceu na Inglaterra há muito tempo – comentou ele. – Ah, e o chaveiro ligou e disse que vai chegar daqui a uma hora.

– Estou me sentindo tão idiota – disse ela com um suspiro. – Eu não podia ter deixado de trancar a porta dos fundos quando saí ontem.

– Émilie – falou Sebastian suavemente, pousando uma das mãos no seu ombro. – Você teve que aguentar uma pressão enorme nas duas últimas semanas. O luto e o choque podem afetar a gente em vários níveis. – A mão no seu ombro começou a se mover, fazendo uma massagem. – Não exija demais de si mesma. Felizmente não aconteceu nada de grave. Veja como um alerta daqui em diante, só isso. Mas o que você prefere comer no café da manhã?

– Baguete, croissant… tanto faz. – Ela se afastou dele para servir o café, então se sentou à mesa calada e ficou comendo e escutando enquanto Sebastian ligava para as várias empresas de alarme sugeridas pelo chaveiro.

– Certo – disse ele, largando o telefone e fazendo algumas anotações numa folha de papel. – Todos disseram que podem instalar um sistema adequado aqui, mas que precisariam vir olhar a casa antes de passar um orçamento. Quer marcar para amanhã?

– Sim, obrigada. – Ela ergueu os olhos para ele de repente. – Por que você está me ajudando?

– Que pergunta estranha – respondeu Sebastian. – Acho que é porque eu gosto de você e posso ver que está passando por um momento difícil. Além do mais, tenho certeza de que vovó Constance não iria esperar de mim nada menos do que isso em relação à filha de seu amigo Édouard. Então, quer falar com o cara de Paris que meu amigo sugeriu para vir avaliar o Matisse, ou falo eu?

Émilie estava se sentindo enjoada depois de um café da manhã que não quisera comer.

– Talvez seja melhor você, já que sabe falar a língua dele – sugeriu ela.

– Certo. Eu também sugeriria que ele avaliasse os outros quadros do château enquanto estivesse aqui. De toda forma, nunca é má ideia pegar duas ou três cotações.

– Sim. E tem também as obras de arte da casa de Paris, que eu também preciso mandar avaliar.

– Quando vai voltar para Paris? – quis saber Sebastian.

– Em breve. – Ela suspirou. – Mas você tem razão, enquanto estiver aqui é bom eu fazer o máximo de coisas que puder. Se eu decidir ficar com o château, isso vai ser só o começo.

– Você está considerando ficar aqui?

– Acho que sim. Mas se eu sou capaz de esquecer de trancar a porta dos fundos, talvez seja tolice cogitar assumir um projeto que seria um desafio para qualquer pessoa.

– Bom, saiba que eu terei prazer em ajudar no que puder.

– É muita gentileza sua, e fico agradecida – disse Émilie. Frou-Frou ganiu perto da porta pedindo para sair. Émilie se levantou e foi abrir. – Você com certeza tem seus próprios assuntos para cuidar, não?

– Tenho – admitiu ele. – Mas como por acaso os belos quadros são a minha paixão, não é exatamente um calvário. Mas e a biblioteca? Quer que eu pesquise um bom especialista em livros raros para vir dar uma olhada no acervo?

– Não, obrigada – disse Émilie depressa, com a cabeça fervilhando. – Como eu nunca vou vender os livros, isso não tem nenhuma urgência. Preciso ligar para meu *notaire*. Ele me deixou três recados ontem à tarde, mas eu não retornei.

– Enquanto faz isso, vou dar um pulinho no meu *gîte* para tomar um banho e trocar de roupa. Nos vemos mais tarde. E não se esqueça, o chaveiro vai chegar a qualquer momento – lembrou ele.

– Obrigada, Sebastian.

Depois de mostrar a porta da frente ao chaveiro e deixá-lo trabalhando, Émilie pelo menos conseguiu se sentir satisfeita ao ligar para Gérard e lhe dizer que estava tudo sob controle no château. Combinou de encontrá-lo em Paris na semana seguinte na casa de seus pais, depois foi ver como o chaveiro estava se virando e então foi até a biblioteca, pois precisava sentir a calma daquele ambiente. Enquanto passeava por entre as estantes, ficou pensando no trabalho gigantesco que seria armazenar aqueles milhares de livros caso decidisse vender ou reformar o château.

Reparou que dois dos livros estavam um pouco mais para fora do que os outros na estante. Pegou-os e viu que eram sobre cultivo de árvores. Depois de recolocá-los com precisão na fileira, voltou para a cozinha, e bem nessa hora escutou o carro de Sebastian se aproximando pelo cascalho.

Ele irrompeu porta adentro, ofegante.

– Émilie! Eu tentei te ligar. – Ele correu uma das mãos pelos cabelos. – Infelizmente acabei de encontrar sua cachorrinha caída no acostamento. Ela está muito ferida, e precisamos levá-la a um veterinário agora mesmo. Estou com ela no banco de trás do carro. Venha, vamos.

Horrorizada, Émilie saiu correndo com ele até o carro e sentou-se ao lado de Frou-Frou, que estava sangrando e mal respirava. Ele dirigiu depressa na direção da clínica veterinária que ela indicara em La Croix Valmer, a dez minutos de carro. As lágrimas escorriam pelo rosto de Émilie enquanto ela acariciava Frou-Frou, desacordada no seu colo.

– Eu a soltei hoje de manhã – contou ela, soluçando. – Depois o chaveiro chegou, e esqueci de chamá-la de volta. Ela não costuma fugir, mas talvez tenha seguido o seu carro… E uma vez na estrada, ela está cega e não teria conseguido ver nada que se aproximasse… Ai, meu Deus! Como posso ter esquecido?

– Tente se acalmar. Talvez o veterinário consiga salvar a vida dela – falou Sebastian, se esforçando para tranquilizá-la.

Bastou uma olhada na expressão grave do veterinário para Émilie entender o que seu lado profissional já sabia.

– Eu sinto muito, mademoiselle, mas ela teve lesões internas graves. Nós poderíamos tentar operar, mas ela está velha e muito fraca. Talvez o melhor seja simplesmente a ajudarmos a partir com dignidade. É o que a senhora aconselharia a um cliente seu, não? – sugeriu ele com gentileza.

– Sim. – Émilie aquiesceu, arrasada. – Claro.

Vinte minutos mais tarde, depois de dar um último beijo de despedida em Frou-Frou enquanto o veterinário lhe aplicava a injeção e seu corpinho tinha um último espasmo de rendição, Émilie saiu consternada e subiu com passos trôpegos os degraus da clínica, segurando-se no braço de Sebastian para se apoiar.

– Minha mãe a adorava e eu prometi tomar conta dela e…

– Vamos, meu bem, vamos para casa – falou Sebastian, conduzindo-a em direção ao carro.

Ela viajou sentada ao seu lado, catatônica de culpa e emoção. Eles entraram pela porta da cozinha, e ela se sentou diante da mesa e pousou a cabeça nos antebraços, desolada.

– Eu não consigo nem cuidar de uma cachorrinha! Sou uma inútil, exatamente como minha mãe sempre me disse! Não consigo fazer nada certo, nada. E sou a última na linhagem de uma família tão nobre! Tantos heróis, entre eles o meu pai, e olhe só para mim… uma inútil!

Derramando toda a dor da decepção que sua mãe sentira em relação a ela, Émilie soluçou feito uma criança com a cabeça enterrada nos braços para se reconfortar.

Quando enfim ergueu o rosto, viu que Sebastian estava sentado diante da mesa sem dizer nada, observando-a.

– Por favor, me perdoe – disse ela, imediatamente constrangida com aquela cena. – Eu estou… estou péssima! E na verdade sempre estive – falou, engasgada.

Sebastian se levantou devagar, deu a volta na mesa, então se agachou e lhe ofereceu um lenço para enxugar o nariz que estava escorrendo.

– Émilie, eu juro que a imagem que você tem de si mesma, obviamente um reflexo do ponto de vista da sua mãe, é totalmente diferente da realidade. Sei que a gente acabou de se conhecer, mas… – Ele sorriu ao afastar uma mecha de cabelo do rosto dela e ajeitá-la atrás da orelha. – Eu acho você uma mulher corajosa, forte e inteligente. Sem contar que é linda.

– Linda! – Émilie o encarou com uma expressão de quem estava achando aquilo ridículo. – Sério, Sebastian, eu entendo que você esteja tentando fazer com que eu me sinta melhor, mas não sou criança para ouvir mentiras deslavadas assim. Eu não sou linda.

– E imagino que isso também seja uma coisa que a sua mãe lhe disse?

– Sim, mas é verdade – respondeu ela com veemência.

– Bom, me perdoe por exprimir minha opinião, mas pensei isso no primeiro dia em que vi você. E quanto a ser uma "fracassada", bom, eu nunca ouvi uma bobagem tão grande na vida. Pelo que vi até agora, você teve uma força incrível para lidar com algo que teria feito muita gente entrar em total desespero. E fez isso praticamente sozinha. Émilie, escute aqui – pediu ele. – Fosse qual fosse a opinião da sua mãe, você não pode se ver pelos olhos dela de forma alguma. Porque ela estava errada, querida. Completamente errada. E agora ela foi embora e chegou a sua vez. Ela não pode mais magoar você, não pode mesmo. Venha cá.

Sebastian estendeu as mãos para ela e a puxou para si. Envolveu-a num abraço apertado, e ela continuou a soluçar no ombro dele.

– Vai ficar tudo bem, prometo – disse ele. – E estou aqui se você precisar. Ela ergueu o rosto.

– Mas você mal me conhece! Como pode dizer todas essas coisas?

– Bom… – Ele deu uma risadinha. – Acho que os últimos dias foram bastante dramáticos. E tenho certeza de que se tivesse conhecido você em Paris e tivéssemos só saído para jantar algumas vezes, eu não me sentiria tão qualificado para ter uma opinião. Mas a adversidade às vezes pode render recompensas positivas. Barreiras que em geral levam semanas para serem rompidas são superadas com muito mais rapidez. E acho que entendo você. E gostaria de passar bem mais tempo na sua companhia, se você deixar. – Ele a afastou com delicadeza, tocando em seus ombros, e ergueu seu queixo de modo a fazê-la olhar diretamente para ele. – Émilie, sei que tudo isso está acontecendo depressa demais e que você está com medo e assustada, então a última coisa que eu quero fazer é pressionar você. E não vou fazer isso, eu juro. Mas preciso confessar que neste exato momento eu gostaria de te beijar.

Ela o encarou e abriu um leve sorriso.

– Me *beijar*?

– Sim. É tão chocante assim? – perguntou Sebastian num tom de galhofa gentil. – Mas não se preocupe, não vou me jogar em cima de você. Só queria ser sincero.

– Obrigada. – Ela o encarou e tomou uma decisão. Então chegou mais perto e encostou bem de leve os lábios nos dele. – Obrigada por tudo, Sebastian. Você tem sido tão gentil, e eu…

Ele segurou seu rosto com as duas mãos e retribuiu o beijo, então se afastou de repente, controlando-se.

– Escute – falou, segurando a mão dela e entrelaçando os dedos nos seus. – Por favor, me diga se vê problema nisso. Não quero que pense que estou me aproveitando de você, de forma alguma. Você está confusa, e certamente não tem a menor ideia de como está se sentindo neste momento, e...

– Sebastian, está tudo bem. – Foi a sua vez de tranquilizá-lo. – Eu sei exatamente o que estou fazendo. Já sou grandinha, como você disse. Então, por favor, não se preocupe.

– Bom, então não vou me preocupar – retrucou ele, baixinho.

Quando ele a puxou de volta para um abraço, Émilie sentiu a tristeza sendo levada embora aos poucos pelo gesto de carinho. E se entregou.

6

Paris, janeiro de 1999
— Nove meses depois

Sentada nos fundos da sala do leilão, Émilie via a turba de parisienses elegantes e descontraídas levantarem as delicadas mãos de unhas feitas para dar lances num lindíssimo conjunto de colar e brincos de diamante amarelo. Baixou os olhos para o catálogo no qual havia rabiscado alguns números na margem e percebeu que, pelas suas contas, a venda até ali já tinha arrecadado quase doze milhões de francos.

Ao longo das semanas seguintes, tirando alguns quadros e móveis selecionados que ela havia decidido manter e eventualmente mandar levar para o château, todo o conteúdo da casa de Paris também iria a leilão. A casa em si já estava vendida, e os novos moradores se mudariam dali a pouco.

Ela sentiu uma leve pressão na mão esquerda e se virou.

– Tudo bem? – sussurrou Sebastian.

Ela aquiesceu, grata pela empatia dele enquanto assistia à preciosa coleção de joias da mãe ser leiloada. O dinheiro arrecadado saldaria uma parte importante das dívidas acumuladas por Valérie e deixaria para Émilie o lucro obtido com a venda da casa de Paris para começar enfim a reforma do château. E graças à ajuda de Sebastian, o Matisse tinha sido autenticado. Ele tinha encontrado um cliente particular para comprar o quadro imediatamente e, todo orgulhoso, lhe entregara um cheque de cinco milhões de francos.

– Que pena que Matisse não assinou a tela. Ela teria valido pelo menos o triplo – dissera ele.

Émilie olhou de rabo de olho para Sebastian, que observava a disputa acalorada pelo conjunto de colar e brincos com um interesse bem-humorado. Muitas vezes se pegava a encará-lo assombrada, achando incrível ele ter aparecido na sua vida e a modificado de forma tão irreversível.

Ele a havia salvado. Tudo agora estava diferente; sua sensação era mais ou menos a de ter acordado de um sonho longo e doloroso, e saído para a luz do sol. Reticente a acreditar nos sentimentos dele nas primeiras semanas, com medo de que a qualquer minuto ele sumisse e a abandonasse, Émilie vira todas as barreiras que havia imposto serem superadas pelo afeto insistente dele. E agora, nove meses depois, ela estava desabrochando com o seu amor, abrindo-se feito uma flor murcha que alguém de repente rega. Quando se olhava no espelho, não via mais um caso perdido; agora podia ver que os olhos brilhavam e a pele estava iluminada por um viço que não tinha antes... havia até alguns dias em que ela pensava que poderia ser considerada bonita.

E não era só isso: ele também tinha sido maravilhoso ao ajudá-la a dar conta do imenso trabalho de organizar o patrimônio dos La Martinières. Embora eles tivessem passado algum tempo separados, e Sebastian precisasse dividir seu tempo entre a França e o seu trabalho na Inglaterra, ele fora ficar com ela o máximo possível durante o processo de avaliar e esvaziar a casa de Paris. Depois ficara com ela durante a maratona de avaliadores, arquitetos e mestres de obras que tinham ido ao château ajudá-la a ter uma ideia do que exatamente seria preciso para reformá-lo e dar uma ideia do custo.

Ela sabia que estava ficando cada vez mais dependente de Sebastian, não só do ponto de vista emocional, mas no que dizia respeito ao labirinto prático e financeiro que estava sendo obrigada a percorrer. Não que ela fosse incapaz de lidar com a papelada interminável que Gérard lhe mandava e com suas sugestões sobre como investir o dinheiro uma vez que ele surgisse. Tinha mais a ver com o fato de que, assim como o pai, aquilo tudo simplesmente não lhe interessava. Contanto que ela tivesse o suficiente para concluir a reforma do château e algo com que se sustentar no futuro, onde o dinheiro estava e como ele era administrado era irrelevante. Ela estava feliz demais para se importar com isso.

Ao escutar que os lances tinham superado a soma de um milhão e duzentos mil francos esperada pelo conjunto de colar e brincos, jurou a si mesma que, quando a casa não estivesse mais em seu nome, iria se sentar com Sebastian para estudar os detalhes financeiros. Sabia que era importante permanecer no controle, mas Sebastian era muito melhor do que ela nesse tipo de coisa.

E ela aprendera a ter nele uma confiança implícita. Até ali, ele nunca a tinha decepcionado.

O martelo bateu no palanque do leiloeiro. Sebastian sorriu.

– Uau, trezentos mil francos a mais do que imaginávamos. Parabéns, amor. – Ele a beijou afetuosamente na bochecha.

– Obrigada.

Então ela viu o leiloeiro mostrar um conjunto de colar de pérolas e brincos bem simples, e um gosto repentino de bile subiu por sua garganta. Ela abaixou a cabeça, sem conseguir olhar.

Sebastian reparou na hora.

– O que foi?

– Minha mãe usou essas pérolas quase todos os dias da vida dela. Eu... com licença.

Émilie se encaminhou para a saída, então foi em busca do banheiro. Sentou-se pesadamente no tampo da privada fechada e segurou a cabeça entre as mãos, tonta e enjoada, surpresa com o modo como as pérolas da mãe a tinham afetado. Até ali, livrar-se dos bens de Valérie não a tinha abalado emocionalmente. Houvera pouco luto; quando muito, apenas uma sensação de alívio por estar finalmente livre do passado.

Ela ergueu os olhos para a madeira trabalhada da porta do banheiro. Teria julgado *maman* de modo excessivamente duro? Afinal, Valérie nunca fora fisicamente cruel com ela. O fato de ela se sentir irrelevante no mundo da mãe, um apêndice, no melhor dos casos, e bem distante do centro, não significava que a matriarca fosse no fundo uma pessoa má. Valérie era o centro do mundo de Valérie, e simplesmente não havia espaço para mais ninguém.

E... Émilie deu um suspiro. Quando ela tinha ficado muito doente e aquela coisa horrível acontecera com ela aos treze anos, não fora por crueldade. Fora simplesmente porque mais uma vez sua mãe não havia notado.

Ela se levantou, saiu da cabine e passou água no rosto.

– Ela fez o melhor que pôde. Você precisa perdoá-la – falou para seu reflexo no espelho. – Precisa seguir em frente.

Émilie inspirou fundo algumas vezes, saiu do banheiro e encontrou Sebastian parado no corredor lá fora.

– Você está bem? – perguntou ele, aflito, dando-lhe um abraço.

– Estou. Fiquei tonta, mas agora estou melhor.

– Amor, isso bastaria para perturbar qualquer um – disse ele, apontando para a sala do leilão. – Ver os abutres disputarem os resquícios da vida da sua mãe. Que tal a gente sair para almoçar? Não tem motivo nenhum para você continuar aqui e ficar ainda mais chateada.

– Sim, seria ótimo – respondeu Émilie, agradecida.

Um vento forte de janeiro soprava quando Sebastian a conduziu pelas ruas de Paris até um restaurante que disse conhecer.

– É meio simples, mas a *bouillabaisse* deles é um escândalo, principalmente num dia frio como hoje.

Os dois se sentaram diante de uma mesa rústica. Émilie estava congelando e ficou grata pelo fogo aceso na lareira ao seu lado. Sebastian pediu o ensopado de peixe e segurou as duas mãos dela, esfregando-as para aquecê-las.

– A boa notícia é que esse processo está quase no fim, e, se tudo der certo, logo você vai poder começar a se concentrar no futuro, não no passado.

– E eu não teria conseguido fazer isso sem você, Sebastian. Obrigada, muito obrigada por tudo. – As lágrimas cintilaram nos olhos dela.

– Foi um prazer, mesmo – disse ele com firmeza. – E talvez este seja um bom momento para falar sobre o *nosso* futuro.

Ao ouvir essas palavras, Émilie sentiu o coração bater mais forte. Estava tão ocupada organizando o passado que vinha apenas vivendo o presente um dia após o outro. Além do mais, não se atrevera a fazer projeções de futuro, pois não tinha nenhuma ideia real de como Sebastian pensava que o relacionamento deles fosse evoluir e se sentia insegura demais para perguntar. Ficou sentada em silêncio e o esperou prosseguir.

– Você sabe que o meu trabalho está baseado na Inglaterra. E nos últimos meses, enquanto estive aqui, eu fiz o melhor que pude para tocá-lo, mas reconheço que me desconcentrei.

– Ah, a culpa é minha – interrompeu Émilie, magoada. – Você fez tanto por mim que deixou o seu trabalho de lado.

– Não está tão ruim assim – garantiu-lhe ele. – Mas eu com certeza preciso começar a pensar em voltar e me organizar melhor em termos de tempo, espaço mental e proximidade.

– Entendi…

Ela se calou enquanto registrava o que Sebastian estava começando a sugerir. Ele a tinha ajudado num período muito difícil da sua vida. Será que ele pensava que agora o pior tinha passado e ela não precisava mais dele? Émilie sentiu um aperto no peito.

Tudo que se passava em sua cabeça deve ter transparecido nos seus olhos, pois Sebastian segurou sua mão e a beijou.

– Sua boba. Eu sei o que você está pensando. Sim, eu preciso voltar para a Inglaterra, neste momento certamente preciso, mas não estou pensando em largar você aqui.

– Então... o que você está pensando?

– Que você poderia ir comigo, Émilie.

– Para a Inglaterra?

– É, para a Inglaterra. Você fala inglês, aliás? Não faço ideia, já que sempre falamos francês. – Ele sorriu.

– Falo, claro – disse ela. – Minha mãe insistiu para eu aprender, e tive alguns clientes ingleses na clínica aqui de Paris.

– Ótimo, vai ajudar muito. Então que tal ir comigo, pelo menos por um tempo? Vai ser fácil alugar seu apartamento aqui de Paris, e você pode vir apreciar comigo os prazeres da cerveja e do *Yorkshire pudding*.

– Mas e o château? Eu devo estar aqui para supervisionar a reforma, não? – perguntou ela.

– Bom, quando a reforma começar, a casa vai virar um canteiro de obras durante vários meses. Vai ser preciso refazer toda a fiação e o encanamento, sem falar no telhado. Você não vai poder morar lá durante a obra, principalmente nos meses do inverno. O lugar simplesmente não vai estar habitável. Você poderia ficar no seu apartamento de Paris e se deslocar até Gassin, mas levaria o mesmo tempo de avião entre a Inglaterra e Nice. E isso significaria que poderíamos estar juntos – Ele a encarou. – Se achar uma boa ideia.

– Eu...

– Bom, por que não pensa um pouco? – sugeriu ele. – Na minha opinião, claro, seria bem mais fácil ter você comigo na Inglaterra do que precisar vir de avião para cá o tempo todo. Mas quem decide é você, Émilie, mesmo. E eu vou entender se você decidir ficar aqui na França.

– Mas...

Émilie não sabia exatamente como escolher as palavras. Será que ele queria que a sua mudança para a Inglaterra fosse definitiva? Ou seria apenas enquanto durasse a obra do château?

– Émilie. – Sebastian a encarou e deu um suspiro. – Eu sei ler você feito um livro. O que estou sugerindo é menos uma questão prática e muito mais uma questão emocional. Eu te amo. Quero ficar com você pelo resto da vida.

Onde e como isso vai acontecer são perguntas que podemos responder juntos no devido tempo. Mas eu gostaria de perguntar mais uma coisa…

Ela ficou olhando enquanto ele tateava o bolso do paletó e pegava uma caixinha. Ele a abriu e revelou um pequeno anel de safira.

– Quero perguntar se você aceita se casar comigo.

– O quê?

– Por favor, não faça essa cara de horrorizada – disse ele, revirando os olhos. – Este deveria ser um momento romântico, e você deveria reagir à altura.

– Me desculpe, é que estou chocada. Não esperava por isso. – Lágrimas repentinas brotaram nos seus olhos. – Tem certeza? – perguntou ela, encarando-o.

– Francamente… – Sebastian deu um suspiro. – É claro que eu tenho certeza! Pedir uma mulher em casamento e dar a ela um anel não é o tipo de coisa que eu faça todos os dias, sabe?

– Mas a gente mal se conhece.

– Émilie, há nove meses a gente vive colado. Trabalhamos juntos, dormimos juntos, comemos juntos e conversamos. – O olhar dele se obscureceu. – Mas se você não tiver certeza em relação a mim, então é claro que eu compreendo.

– Não! Não… – Ela tentou se recuperar do choque. – Sebastian, você é maravilhoso e eu… eu te amo. Se estiver mesmo falando sério, então… sim.

– Tem certeza? – O anel ainda estava suspenso na mão dele.

– Tenho – respondeu ela.

– Nesse caso eu sou um homem muito feliz – disse ele, pondo o anel no dedo da amada.

Émilie baixou os olhos para o anel.

– É lindo – sussurrou.

– Foi o anel de noivado da minha avó. Também acho muito bonito, mas sem dúvida bem menos extravagante do que os anéis de brilhante de que a sua mãe gostava. E, falando nisso, eu não ficaria nem um pouco ofendido se você quisesse manter seu sobrenome – acrescentou ele, tomando um gole de vinho. – Afinal, você é a última dos La Martinières.

Esse pensamento nunca tinha passado pela cabeça de Émilie.

– Eu realmente não sei – disse ela, à medida que a seriedade do que acabara de acontecer ia se concretizando e se transformando aos poucos em espanto e contentamento.

– É claro que não – tranquilizou-a Sebastian, ao mesmo tempo que a comida chegava. – Desculpe se eu estiver te bombardeando, mas é que venho planejando isso há um tempão. Mas e aí, alguma ideia de onde e quando quer fazer a cerimônia?

– Ainda não sei. Mas em algum lugar da França, se você não se importar – acrescentou ela depressa. – E algo bem pequeno.

– É, imaginei que você fosse dizer isso. E a data?

Émilie deu de ombros.

– Não tenho preferência. E você?

– Por mim, o quanto antes, melhor – comentou ele. – Estava pensando em como seria maravilhoso voltar para a Inglaterra com a minha nova esposa. E se você prefere a França e algo bem discreto, que tal daqui a uns quinze dias aqui mesmo em Paris?

Alguns dias depois, Émilie estava de volta ao château para acompanhar a transferência da mobília para um guarda-móveis. Depois do seu casamento e de sua subsequente mudança para Yorkshire, ela voltaria para organizar a transferência da biblioteca antes do início da obra. Sebastian tinha ido para a Inglaterra buscar sua certidão de nascimento e reunir a documentação necessária para eles se casarem na França.

Ela havia conseguido alugar seu apartamento de Paris por seis meses, e então respirou fundo antes de ligar para Léon, seu chefe na clínica veterinária, e lhe dizer que no fim das contas não iria voltar.

– Ficamos muito tristes em perder você – dissera Léon. – E seus pacientes também vão sentir a sua falta. Se algum dia você quiser voltar, por favor, me avise. Boa sorte com o casamento e com a vida nova na Inglaterra. Estou muito feliz por você ter encontrado a felicidade… Você merece, Émilie.

Ela sabia que os poucos amigos a quem revelara a decisão de abandonar tudo e se mudar para a Inglaterra por amor tinham ficado surpresos.

– Não é nem um pouco a sua cara tomar uma decisão tão impulsiva – comentara Sabrina, sua amiga da universidade. – Espero poder ir ao casamento, para finalmente poder conhecer o príncipe encantado que está levando você embora.

– Não vai ter festa. Vamos ser só Sebastian, eu e as testemunhas. Eu prefiro assim.

– Você é engraçada, Émilie. – Sabrina soltou um suspiro desapontado. – Achei que você fosse fazer uma festança. Bom, veja se não some, e boa sorte.

Quando Émilie chegou ao château, Margaux estava lá para recebê-la na porta da frente, visivelmente tensa ao observar os funcionários da transportadora carregando armários Luís XIV e frágeis espelhos dourados pela porta.

– Pedi a eles para tomarem cuidado, mas eles já estragaram o canto de uma cômoda valiosa – bufou ela enquanto pousava uma xícara de café na mesa diante de Émilie.

– É claro que vai haver algum estrago – disse Émilie, dando de ombros. – Margaux, tenho uma coisa para te contar. – Sorridente, ela estendeu a mão para mostrar o anel de noivado. – Eu vou me casar.

– Casar? – A surpresa tomou conta da expressão de Margaux. – Com quem?

– Com Sebastian, claro.

– Claro – disse a outra mulher, e assentiu. – Mas mademoiselle, que rápido! Faz só uns poucos meses que vocês se conhecem. Tem certeza?

– Tenho. Eu o amo, Margaux, e ele tem sido muito bom comigo.

– Tem mesmo. – Margaux foi até Émilie e a beijou nas bochechas. – Então estou muito feliz. É bom que alguém tome conta de você.

– Obrigada.

– Agora preciso ir. Está acontecendo uma explosão de poeira lá em cima com a retirada dos móveis. Nos vemos mais tarde, mademoiselle.

Depois do almoço, ao constatar que havia muito pouco que ela pudesse fazer para ajudar na mudança e sentindo que de toda forma preferia não assistir ao processo, Émilie foi até o chalé falar com Jean e Jacques e lhes dar a notícia do casamento. Enquanto percorria a curta distância até o vinhedo, entendeu que também precisaria tranquilizá-los de que, quando começasse sua nova vida em outro país, não iria abandonar nem a cave, nem as obras no château.

Jean insistiu para estourar uma garrafa de champanhe que um de seus amigos negociantes de vinho tinha lhe dado.

– Precisava de uma desculpa para abri-la – falou, sorrindo, enquanto os dois se encaminhavam para a sala quentinha onde Jacques cochilava na poltrona junto à lareira. – *Papa*, Émilie tem uma notícia boa! Ela vai se casar.

Jacques abriu um dos olhos e encarou Émilie com uma expressão atordoada.

– Ouviu isso, *papa*? Émilie vai se casar. – Em voz mais baixa, Jean se dirigiu a ela. – Ele teve outra crise forte de bronquite. Isso sempre acontece no inverno.

– Ouvi. – Jacques abriu o outro olho. – Com quem?

– Com o rapaz inglês que conhecemos quando ela o trouxe aqui à vinícola. O nome dele é Sebastian…?

– Carruthers – completou Émilie. – Ele é de um condado na Inglaterra chamado Yorkshire. Vou me mudar para lá depois do casamento. Só por um tempo, durante as obras, mas vou voltar aqui sempre – arrematou ela com firmeza.

– A senhorita disse Carruthers? – Jacques se mostrou subitamente alerta. – De Yorkshire?

– Isso, *papa* – confirmou Jean.

Jacques balançou a cabeça na tentativa de clarear os pensamentos.

– Tenho certeza de que é coincidência, mas eu conheci uma Carruthers de Yorkshire muitos, muitos anos atrás.

– É mesmo, *papa*? Quem era? – quis saber Jean.

– Constance Carruthers esteve aqui comigo durante a guerra – disse Jacques.

– Sim, esse é o nome da avó dele. E Sebastian me disse que ela esteve aqui na França nessa época. – Sentindo um formigamento de animação percorrer seu corpo, ela continuou: – Este aqui é o anel de noivado dela. – Ela estendeu a mão para Jacques, que estudou a joia com atenção.

– Sim, é o anel dela. – O velho homem encarou Émilie com os olhos tomados por um misto de choque e emoção. – A senhorita vai se casar com o neto de Constance?

– Vou.

– Meu Deus! – Jacques tateou dentro do bolso da calça à procura de um lenço. – Mal posso acreditar. Constance…

– Vocês eram próximos, *papa*? – Jean estava tão espantado quanto Émilie.

– Sim. Ela passou meses morando aqui nesta casa comigo. Ela era… – Jacques engoliu em seco. – Uma mulher cheia de compaixão e de coragem. Ela ainda está viva? – Uma centelha de esperança brilhou em seus olhos azuis marejados.

– Infelizmente não. Morreu tem uns dois anos – contou Émilie. – Jacques, como Constance Carruthers acabou vindo morar aqui com o senhor? Pode me contar?

Jacques passou muito tempo com o olhar perdido ao longe, então fechou os olhos, a cabeça cheia de pensamentos.

– Um pouco de champanhe, *papa*? – incentivou Jean, passando uma taça para o pai.

Jacques pegou o copo com a mão trêmula e deu um golinho na bebida, evidentemente organizando os pensamentos.

– Onde conheceu esse homem, mademoiselle Émilie? O neto de Constance? – perguntou ele.

– Logo antes de morrer, Constance contou para Sebastian sobre o tempo que tinha passado aqui na França durante a Ocupação. Ele encontrou o château da nossa família e veio aqui para investigar melhor – explicou Émilie. – Mas, assim como eu, ele pouco sabe sobre o motivo que a fez vir para cá. Nós dois adoraríamos saber o que aconteceu.

Jacques suspirou.

– É uma história longa. Uma que eu nunca pensei que fosse contar.

– Por favor, Jacques – suplicou Émilie. – Eu adoraria escutar. A cada dia me dou conta do pouco que sei, especialmente sobre o meu pai.

– Édouard era um homem maravilhoso. Foi agraciado com a *Ordre de la Libération* por sua coragem e pelos serviços prestados à França, mas... – Jacques deu de ombros com tristeza. – Mas ele recusou. Achava que havia outros que mereciam mais.

– Por favor, Jacques, poderia pelo menos começar a história? – insistiu Émilie. – Afinal, estou prestes a me casar com o neto de Constance e sinto que é importante entender a conexão que existe entre nós.

– Sim, tem razão. A senhorita deve saber. Afinal, é a história da sua família. Mas por onde começar...? – Jacques deixou o olhar se perder ao longe em busca de orientação. – Então – falou, por fim –, vou começar com Constance. Sei quase tudo sobre ela. – Ele sorriu. – Durante as longas noites aqui neste chalé, ela falou muitas vezes sobre a sua vida na Inglaterra. E sobre como tinha vindo parar na França...

Eu queria ver

Queria ver o vermelho
Das rosas que acabam de abrir
Queria ver o prata
Da lua no céu surgir.

Queria ver o azul
Das ondas do mar de chumbo
Queria ver o marrom
Da águia no azul profundo.

Queria ver o roxo
Da vinha cheia de uvas.
Queria ver o amarelo
Do verão antes das chuvas.

Queria ver o ferrugem
Das frutas do pé de castanha.
Queria ver o sorriso
Daquele que me acompanha.

SOPHIA DE LA MARTINIÈRES
1927, 9 anos

7

Londres, março de 1943

Constance Carruthers abriu o envelope marrom sem nada escrito que encontrara em cima da sua mesa ao chegar ao trabalho e leu o que ele continha. A carta solicitava que ela comparecesse a uma entrevista naquela tarde, na Sala 505a do Ministério da Guerra. Enquanto tirava o sobretudo, ficou se perguntando se eles a teriam confundido com outra pessoa. Connie estava satisfeita com seu trabalho atual de arquivista, ou "catadora de papel", como esses funcionários eram afetuosamente conhecidos no MI5, e não tinha interesse em mudar de emprego. Atravessou a sala movimentada e bateu à porta da sala da chefe.

– Entre.

– Desculpe incomodá-la, Srta. Cavendish, mas recebi uma carta me convocando a comparecer a uma entrevista no Ministério da Guerra hoje. Fiquei pensando se a senhorita poderia saber do que se trata.

– Nosso trabalho não é questionar – ladrou a Srta. Cavendish, erguendo os olhos por um instante da mesa coberta por pilhas de pastas. – Tenho certeza de que eles vão explicar tudo quando a senhora for à entrevista.

– Mas... – Connie mordeu o lábio. – Espero que esteja contente com o meu trabalho aqui.

– Sim, Sra. Carruthers, estou. Sugiro que guarde todas as suas perguntas para hoje à tarde.

– Então eu tenho que ir?

– Claro. Mais alguma coisa?

– Não, obrigada. – Connie saiu, fechou a porta, voltou para sua mesa e se sentou, entendendo que não havia mais o que fazer.

Naquela tarde, ao ser conduzida pelo labirinto de corredores subterrâneos que formava o subsolo do Ministério da Guerra, o coração das operações de guerra do governo britânico, Connie tomou consciência de que aquela não seria uma entrevista normal. Levaram-na até uma sala pequena e vazia onde havia apenas uma mesa e duas cadeiras.

– Boa tarde, Sra. Carruthers. Meu nome é Potter. – Um homem parrudo de meia-idade se levantou de trás da mesa e estendeu o braço por cima do tampo para apertar sua mão. – Sente-se, por favor.

– Obrigada.

– Fiquei sabendo que o seu francês é fluente. É verdade?

– Sim.

– Então não se importaria se conversássemos em francês?

– Ahn… *non* – concordou ela, trocando de idioma.

– Então me diga, como aprendeu a falar francês tão bem? – indagou o Sr. Potter.

– Minha mãe é francesa, e a irmã dela, minha tia, tem uma casa em Saint-Raphaël, onde eu passei todos os verões da minha vida.

– Então a senhora ama a França?

– Claro. Apesar de ter nascido aqui na Inglaterra, eu me sinto tão francesa quanto britânica – explicou ela.

Os olhos cinza-esverdeados do Sr. Potter avaliaram os fartos cabelos ruivos, olhos castanhos e a forte estrutura óssea gaulesa de Connie.

– Sim, a senhora com certeza parece francesa. Estou vendo pelo seu dossiê que também estudou cultura francesa na Sorbonne.

– Sim, morei três anos em Paris. E adorei cada segundo – emendou ela com um sorriso.

– Por que decidiu voltar para a Inglaterra depois de concluir os estudos?

– Voltei para me casar com meu namorado.

– Entendo – disse o Sr. Potter. – E mora atualmente em Yorkshire?

– Sim, a propriedade da família do meu marido fica nas charnecas do norte de Yorkshire. Mas por enquanto estou morando no nosso apartamento de Londres, enquanto trabalho em Whitehall. Meu marido está fora do país, no norte da África.

– Ele é capitão da Guarda Escocesa?

– Isso – confirmou Connie. – Mas atualmente está desaparecido em serviço.

– Foi o que eu soube. A senhora tem toda a minha solidariedade. Ainda não tem filhos? – quis saber o Sr. Potter.

– Não. A guerra meio que adiou tudo isso. – Connie deu um suspiro triste. – Nós estávamos casados havia poucas semanas quando Lawrence foi convocado. Então, em vez de ficar sentada tricotando meias em Yorkshire, eu preferi vir para o sul e achar alguma coisa útil com que me ocupar.

– A senhora é uma patriota fervorosa, Sra. Carruthers?

– Sou, sim, Sr. Potter. – Connie arqueou uma das sobrancelhas diante daquela pergunta direta.

– Disposta a dar a vida pelo país que ama?

– Se for preciso, sim.

– Também ouvi dizer que a senhora é quase um ás no tiro – continuou o Sr. Potter.

Connie o encarou, espantada.

– Eu não diria tanto, mas atiro desde jovem na propriedade do meu marido.

– A senhora diria que gosta de atividades masculinas?

– Nunca pensei nisso – respondeu Connie, gaguejando, tentando dar respostas lúcidas àquelas perguntas muito fora do comum. – Mas com certeza adoro atividades ao ar livre.

– E tem uma boa saúde?

– Tenho, sim, felizmente.

– Obrigado, Sra. Carruthers. – O Sr. Potter fechou a pasta com um estalo. Então se levantou. – Entraremos em contato. Tenha um bom dia.

Ele estendeu a mão e Connie a apertou.

– Obrigada. Até logo – respondeu ela, surpresa com o fim tão abrupto da entrevista e sem a menor ideia de como tinha se saído.

Saiu do subsolo abafado para o ar primaveril da rua londrina movimentada. No caminho de volta até o trabalho, ergueu os olhos para os balões antiaéreos que pairavam ameaçadores no céu da cidade. E começou a refletir sobre por que fora convocada a se encontrar com o homem chamado Sr. Potter.

Três dias depois, Connie se viu mais uma vez convocada a se sentar sob a forte luz artificial da Sala 505a. Seguiu-se um novo interrogatório: ela enjoava ao andar de carro, ao andar de avião, como era o seu padrão de sono, saberia se orientar no sistema ferroviário francês, conhecia o plano da cidade de Paris…?

Embora nada houvesse sido dito em relação à tarefa que tinham em mente para ela, Connie havia começado a formar um sólido palpite. Nessa noite, voltou para seu apartamento bem perto de Sloane Square sabendo que, se tivesse se saído bem naquele dia, sua vida poderia estar a ponto de mudar para sempre.

– Prazer em revê-la, Sra. Carruthers. Queira se sentar.

Connie pôde ver que o Sr. Potter estava visivelmente mais relaxado em sua presença nesse dia. Para começar, ele sorriu.

– Tenho certeza de que a senhora a esta altura já faz alguma ideia de por que está aqui.

– Sim – respondeu ela. – Creio que os senhores estão pensando que eu posso servir para algum tipo de trabalho na França.

– Correto. Pelo seu trabalho no MI5, já deve ter ouvido falar na Seção F e no Executivo de Operações Especiais, não?

– Alguns arquivos já passaram pelas minhas mãos, sim – admitiu Connie. – Mas apenas para verificar os antecedentes das jovens em questão.

– Assim como nós verificamos os seus nos últimos dias – disse o Sr. Potter. – E nada de preocupante surgiu. Acreditamos que a senhora tem o perfil adequado para fazer parte do nosso time de agentes do EOE. Mas Sra. Carruthers, até agora evitamos falar não só sobre a confiança que nós na Inglaterra e na França estaríamos depositando na senhora, mas também do risco muito real de morte. – A expressão dele estava muito séria. – Como se sente em relação a isso?

Connie, que já sabia o que iriam lhe pedir, tinha passado uma semana sem dormir pensando exatamente naquela pergunta e em como iria reagir.

– Sr. Potter, eu acredito com paixão na causa pela qual os Aliados estão lutando. E daria o melhor de mim para não decepcioná-los. Mas sei também que nunca fui suficientemente testada para responder a essa pergunta. Tenho vinte e cinco anos de idade, nenhuma experiência nesse tipo de coisa e muito a aprender tanto sobre mim mesma quanto sobre a vida.

– Obrigado por sua autoavaliação tão perspicaz, Sra. Carruthers, mas posso tranquilizá-la de que a sua inexperiência não representa nenhum problema. A maioria das mulheres que escolhemos para esse papel altamente delicado tem tanta experiência quanto a senhora. Atualmente temos uma vendedora, uma atriz, uma esposa e mãe e uma recepcionista de hotel. O lado bom é que faremos tudo ao nosso alcance para lhe ajudar e dar apoio antes da sua partida. A senhora fará um treinamento intensivo, que irá qualificá-la tanto quanto possível para lidar com as muitas situações perigosas que poderá ter que enfrentar. E posso lhe garantir, Sra. Carruthers, que ao fim desse processo tanto a senhora quanto os líderes do EOE saberão se a senhora é capaz de executar as tarefas que lhe serão exigidas. – Ele então repetiu a pergunta. – Sendo assim, agora preciso lhe perguntar de novo: está preparada para assumir um papel que subsequentemente poderá causar a sua morte?

Connie sustentou com firmeza o olhar dele.

– Estou.

– Excelente. Então está combinado. Como trabalha no MI5, a senhora já assinou a Lei de Sigilo Oficial, de modo que não preciso incomodá-la mais com isso. A Seção F entrará em contato diretamente com a senhora nos próximos dias. Parabéns, Sra. Carruthers. – O Sr. Potter se levantou, e dessa vez deu a volta na mesa para apertar sua mão antes de conduzi-la até a porta. – Tanto a Grã-Bretanha quanto a França ficam gratas por qualquer sacrifício que a senhora venha a ter que fazer.

– Obrigada, Sr. Potter. Posso perguntar se...

– Chega de perguntas, Sra. Carruthers. Tudo que precisa saber será respondido em breve. Nem é preciso dizer que nossos encontros aqui e o seu futuro precisam ser mantidos em sigilo absoluto.

– Sim.

– Boa sorte, Sra. Carruthers.

O homem apertou sua mão outra vez e abriu a porta.

– Obrigada.

Quando ela chegou ao trabalho na manhã seguinte, ficou claro que a Srta. Cavendish, sua chefe, já estava ciente de sua partida.

– Ouvi dizer que a senhora vai mudar de ares – disse ela assim que Connie entrou na sua sala, e seus olhos cansados conseguiram esboçar um arremedo de sorriso. – Tome. – Ela lhe passou um envelope. – Apresente-se nesse endereço amanhã às nove da manhã. Obrigada pelo seu comprometimento aqui. Lamento perdê-la.

– E eu lamento sair.

– Tenho certeza de que dará conta do que quer que tenha pela frente, Sra. Carruthers.

– Darei o melhor de mim – respondeu Connie.

– Excelente. Não me decepcione – arrematou a Srta. Cavendish enquanto Connie se dirigia à porta. – Fui eu quem a indiquei.

Às nove horas da manhã seguinte, conforme as instruções, Connie se apresentou em Orchard Court, bem perto de Baker Street. Deu seu nome ao porteiro, que meneou a cabeça e abriu a grade dourada do elevador para ela. Ele a acompanhou até o segundo andar, destrancou uma porta no corredor e a fez entrar.

– Certo, senhora. Espere aqui, por favor.

Em vez de se ver num escritório, Connie constatou que estava num banheiro.

– Eles não vão demorar, senhora – disse o porteiro ao fechar a porta depois de sair. Connie se sentou na lateral de uma banheira preta, preferindo esta ao bidê de ônix, e se perguntou que diabos iria acontecer agora. Algum tempo depois, a porta se abriu.

– Venha comigo, senhora – disse o porteiro, guiando-a para fora do banheiro pelo corredor até um cômodo onde um homem alto, de cabelos louros, estava sentado em cima de uma mesa à sua espera.

Ele estendeu a mão para Connie e sorriu.

– Sra. Carruthers, meu nome é Maurice Buckmaster, chefe da Seção F. É um prazer conhecê-la. Ouvi muitas coisas positivas a seu respeito.

– O prazer é todo meu. – Connie retribuiu o aperto de mão firme e tentou disfarçar o nervosismo. Aquele era um homem cujo nome ouvira muitas vezes no MI5. Ao que parecia, recentemente Hitler tinha feito o seguinte comentário a seu respeito: "Quando eu chegar a Londres, não sei quem vou enforcar primeiro, se Churchill ou aquele tal de Buckmaster."

– Prefere falar em francês ou inglês? – perguntou Buckmaster.

– Tanto faz – confirmou Connie.

– É isso aí – disse ele com um sorriso. – Então vamos de francês. Tenho certeza de que está ansiosa para saber mais sobre o que nós aqui da Seção F fazemos, então vou deixá-la sob os cuidados da Srta. Atkins, que vai orientar a senhora daqui em diante. – Buckmaster desceu as pernas compridas de cima da mesa e andou até a porta. Connie o seguiu, sentindo sua energia e determinação enquanto ele avançava pelo corredor até outro cômodo tomado por fumaça de cigarro. Ele sorriu para uma mulher de meia-idade sentada atrás de uma escrivaninha. – Vera, esta aqui é Constance Carruthers. Vou deixá-la nas suas mãos capazes. Constance, esta é a Srta. Atkins, a força motriz de toda a Seção F. Nos vemos em breve. – Buckmaster meneou a cabeça para ambas e se retirou.

– Sente-se, meu bem, por favor – disse a Srta. Atkins, cravando em Connie os olhos azuis penetrantes. – Ficamos felizes que tenha se juntado a nós para a sua tarefa especial. Estou aqui para responder a qualquer pergunta que possa ter e para explicar o que vai acontecer de agora em diante. O que a senhora contou para sua família até agora?

– Nada, Srta. Atkins. Meu marido está desaparecido em combate na África, e eu só ligo para os meus pais uma vez por semana aos domingos. Hoje ainda é sexta. – Ela sorriu.

– Seus pais moram em Yorkshire e a senhora não tem irmãos – leu a Srta. Atkins em uma ficha à sua frente. – Isso facilita as coisas. Vai dizer aos seus pais e a qualquer amigo que venha a perguntar que foi transferida para o VEPS, que como a senhora sabe é o Voluntariado de Primeiros Socorros em Enfermagem. Vai dizer que foi convocada para trabalhar como motorista na França. Sob hipótese alguma deve lhes contar a verdade.

– Sim, Srta. Atkins.

– A senhora em breve vai partir para o treinamento nas proximidades de Londres. Vai passar algumas semanas lá, e sua evolução sob todos os aspectos relacionados às suas tarefas futuras será monitorada de perto por mim, diariamente.

– Em que consiste esse programa de treinamento? – quis saber Connie.

– A senhora vai aprender todas as habilidades de que vai precisar. Aceita um? – Ela lhe ofereceu um cigarro.

– Obrigada. – Connie pegou um cigarro no maço, e a Srta. Atkins fez o mesmo.

– A senhora mora sozinha no seu apartamento de Londres? – perguntou ela.

– Moro.

– Então não há necessidade de mudar seu endereço. Mas depois de debater a respeito do seu sobrenome, o Sr. Buckmaster e eu decidimos que a senhora de agora em diante deve usar o sobrenome de solteira da sua mãe, que era Chapelle, creio eu. E sua tia materna que mora em Saint-Raphaël é a baronesa Du Montaine?

– Isso. – Connie assentiu.

– Então a senhora vai ser a mesma coisa que é na França: sobrinha da sua tia. Achamos que é bom se acostumar com seu novo sobrenome o quanto antes – explicou a Srta. Atkins. – Fica à vontade em ser Constance Chapelle?

– Perfeitamente – concordou Connie. – Em quanto tempo eu vou para a França?

– Nós preferimos treinar nossos agentes por pelo menos oito semanas, mas com as coisas na França no pé em que estão e a necessidade de mandar nossas garotas para lá com urgência, pode não demorar tanto. – A Srta. Atkins suspirou. – Estamos todos em débito com a senhora e suas colegas agentes por se disporem a fazer um trabalho tão perigoso. Mais alguma pergunta, meu bem?

– Posso saber exatamente quais vão ser minhas atribuições quando eu chegar à França?

– Excelente pergunta – respondeu a Srta. Atkins. – Muitas das garotas que vêm para cá pensam que vão ser usadas como espiãs, mas não é isso que a Seção F faz. Nossas agentes estão lá para fins tanto de comunicação quanto de sabotagem. Nosso único objetivo é frustrar e prejudicar o regime nazista na França. O EOE trabalha junto com o Maquis e com a Resistência francesa, e nós os apoiamos de todas as formas possíveis.

– Entendi. E não existem pessoas mais qualificadas do que eu para fazer isso? – perguntou Connie, com o cenho franzido.

– Duvido muito – garantiu a Srta. Atkins. – Seu francês impecável, além da sua familiaridade tanto com Paris quanto com o sul da França, tudo isso aliado à sua aparência gaulesa a torna perfeita para os nossos fins.

– Mas com certeza os homens são mais adequados para essa tarefa, não? – perguntou ela.

– Curiosamente, não. Hoje, qualquer homem francês pode ser chamado rotineiramente para ser interrogado pela milícia local ou pelo quartel- -general da Gestapo. Eles também podem ser revistados, enquanto uma mulher viajando pela França, seja de trem, ônibus ou bicicleta, tem uma probabilidade bem menor de chamar atenção. – A Srta. Atkins ergueu as sobrancelhas e abriu um sorriso pesaroso. – E tenho certeza, Constance, de que você saberia como usar seu charme para se safar de qualquer problema. – Ela olhou para seu relógio de pulso. – Certo, então. Se não tiver mais perguntas por enquanto, sugiro que a senhora volte para o seu apartamento, escreva uma carta para os seus pais dizendo aquilo que combinamos e depois aproveite o que talvez seja seu último fim de semana como uma civil por um tempo considerável. – A Srta. Atkins a avaliou com seus olhos azuis. – Acho que vai se sair muito bem, Constance. E deveria estar orgulhosa da sua conquista: nós aqui na Seção F só aceitamos as melhores.

8

Na segunda-feira de manhã, Connie se viu parada nos degraus em frente à porta de Wanborough Manor, um casarão de campo situado nos arredores de Guildford, em Surrey. Foi conduzida a um quarto com quatro camas de solteiro no primeiro andar. Por enquanto, apenas uma parecia estar ocupada. Ela desfez sua pequena mala e pendurou as roupas no espaçoso guarda-roupa de mogno. Reparou que sua colega de quarto, fosse quem fosse, tinha um gosto bem mais eclético em matéria de indumentária. Um vestido justo e dourado de festa estava pendurado de qualquer maneira junto com uma calça de smoking de seda e um lenço colorido.

– Você deve ser a Constance – disse uma voz arrastada atrás dela. – Que bom que chegou... Eu não estava achando a menor graça em passar as próximas semanas sozinha. Sou Venetia Burroughs... ou melhor, Claudette Dessally!

Constance se virou para cumprimentar a moça e ficou impressionada com seu visual exuberante. Venetia tinha lustrosos cabelos negros que iam quase até a cintura, pele de marfim e imensos olhos verdes delineados com *kohl* para combinar com lábios pintados de vermelho. O contraste entre a aparência da jovem e seu uniforme padrão do VEPS não poderia ser mais marcante. Connie achou impressionante que o perfil daquela mulher tivesse sido aprovado; ela naturalmente se sobressairia em qualquer grupo.

– Constance Carruthers, ou melhor, Chapelle. – Connie sorriu e foi até Venetia para apertar a mão que ela lhe estendia. – Sabe se vai chegar mais alguém?

– Não. Quando perguntei me disseram que seríamos só nós duas. Vamos treinar junto com os rapazes. – Venetia se sentou na cama e acendeu um cigarro. – Pelo menos este trabalho tem as suas vantagens. – Ela arqueou as sobrancelhas enquanto tragava. – Nós duas devemos ser totalmente loucas, sabia?

– Pode ser. – Connie foi até o espelho verificar se seus cabelos ainda estavam arrumados num coque bem-feito.

– Onde eles acharam você? – quis saber Venetia.

– Eu estava trabalhando como arquivista no MI5. Disseram que me consideraram adequada por causa do meu francês fluente e do meu conhecimento do país.

– Meu único conhecimento da França é tomar drinques no terraço em Cap Ferrat – contou Venetia, rindo. – Bom, isso e o fato de ter uma avó alemã, então pelo menos a língua deles eu falo bastante bem. Dizem que meu francês também não é ruim. Eu vim de Bletchey Park… Você deve saber do que se trata, já que trabalhava no MI5, não?

– Claro – disse Connie. – Todos sabíamos sobre o Código Enigma.

– É, foi uma vitória e tanto. – Venetia foi até um vaso de planta na janela e bateu a cinza do cigarro lá dentro. – Pelo visto estão precisando desesperadamente de operadores de rádio na França. Com as minhas competências de decodificação, eu sou perfeita para o trabalho. Sabia que a expectativa de vida de um operador de rádio é de aproximadamente seis semanas? – acrescentou ela, voltando para a cama e se atirando sobre ela.

– Não é possível!

– Bom, não chega a ser uma surpresa, não é? – retrucou Venetia com sua voz arrastada. – Afinal, é bem difícil esconder um transmissor de rádio na calcinha.

Connie mal conseguia acreditar no modo casual como Venetia estava se referindo à possibilidade de sua própria morte.

– Você não está com medo?

– Não faço ideia – respondeu Venetia. – Tudo que sei é que os nazistas precisam ser detidos. Meu pai conseguiu tirar vovó de Berlim logo antes de a guerra começar, mas o resto dos nossos parentes na Alemanha sumiu. São todos judeus, entende? E nossa família desconfia que eles foram levados para um daqueles campos da morte dos quais ouvimos falar. – Venetia suspirou. – Então vou fazer o que puder para detê-los. Na minha opinião, a vida de nenhum de nós vai valer a pena a menos que Hitler e sua gangue estejam mortos e enterrados. E, por mim, quanto mais cedo, melhor. A única coisa chata é que me disseram que vou ter que cortar o cabelo. Isso, *sim*, é um problema – disse ela, sentando-se e sacudindo a lustrosa cabeleira cor de ébano ao redor dos ombros.

– Seu cabelo é lindo – disse Connie, pensando que se havia alguém capaz de enganar e derrotar os nazistas sozinha, era aquela mulher extraordinária.

– Como a vida muda... – disse Venetia, recostando-se na cama e segurando a cabeça entre as mãos. – Quatro anos atrás, eu era uma debutante em Londres. A vida se resumia a uma grande festa. E agora... – Ela se virou para Connie e soltou um suspiro de cumplicidade. – Veja só onde fomos parar.

– Pois é – concordou Connie. – Você é casada? – perguntou ela.

– De jeito nenhum! – exclamou Venetia. – Decidi faz muitos anos que eu queria viver a vida antes de sossegar o facho. E pelo visto é exatamente isso que estou fazendo. E você?

– Eu sou. Meu marido Lawrence é capitão da Guarda Escocesa. Agora ele está na África, mas desapareceu em combate.

– Eu sinto muito – disse Venetia com uma expressão cheia de solidariedade. – Que horror essa guerra maldita! Mas com certeza o seu marido vai reaparecer.

– Eu preciso acreditar que sim – respondeu Connie, mais estoica do que realmente se sentia.

– Você sente falta dele?

– Muita, mas aprendi a viver sem ele – respondeu Connie. – Como tantas outras mulheres cujos maridos partiram para lutar.

– Algum *amour* desde então? – Venetia abriu um sorriso maroto.

– Ah, não! Eu nunca... quero dizer... – Connie sentiu que estava enrubescendo. – Não – respondeu, abrupta.

– É claro que não – retrucou Venetia. – Você parece ser do tipo fiel.

Ela não soube ao certo se o comentário fora um elogio ou uma ofensa.

– Enfim, estou muito feliz por ter passado os últimos quatro anos solteira – prosseguiu Venetia. – Eu me diverti muitíssimo. E nesta época difícil meu lema é aproveitar ao máximo cada dia, porque não temos como saber se vai ser o último. E com o que nós duas temos pela frente... – Ela apagou o cigarro no vaso de planta. – Em algum momento talvez seja o último mesmo.

Mais tarde nesse dia, as duas foram chamadas ao elegante salão do térreo, onde lhes ofereceram chá com bolo e lhes apresentaram os rapazes que iriam participar do treinamento com elas.

– Você sabe o que dizem sobre a nossa divisão, não sabe, querida? – sussurrou Venetia para Connie. – O EOE só se hospeda em hotéis de luxo – Ela reprimiu o riso. – Quem será que morava aqui antes de a casa ser requisitada para o esforço de guerra?

– É, a casa é mesmo uma beleza – concordou Connie, olhando para o pé-direito alto, para a grandiosa lareira de mármore e para as altas janelas em estilo georgiano que se abriam para um elegante terraço.

– *Ele* também é uma beleza.

Connie acompanhou o olhar de Venetia até um rapaz encostado na lareira, profundamente entretido numa conversa com um dos instrutores.

– É mesmo – concordou.

– Que tal irmos lá nos apresentar? Vamos.

Connie seguiu Venetia enquanto ela se dirigia ao grupo para fazer as apresentações.

– Prazer em conhecê-las, garotas. Eu me chamo Henry du Barry – respondeu o rapaz num francês perfeito.

Connie apenas assistiu enquanto Venetia entrava em ação, a verdadeira personificação do charme e da sensualidade. Sentindo-se deixada de lado quando os dois engataram uma conversa, deu alguns passos para trás.

– Ora, essa aí é a Mata Hari do grupo – sussurrou uma voz cheia de ironia atrás dela. – James Frobisher, ou melhor, Martin Coste. E você, quem é?

Connie se virou e concentrou o olhar num homem pouco mais alto do que ela, de cabelos ralos e óculos de armação de chifre.

– Constance Carruthers… quero dizer, Chapelle. – Ela estendeu a mão, e ele apertou.

– Como é o seu francês? – perguntou James em tom amigável.

– Minha mãe é francesa, então acabei ficando fluente.

– Infelizmente eu não tenho essa vantagem – disse ele com um suspiro. – Estou progredindo depois do meu curso intensivo, mas, se for preso pela Gestapo, pode esquecer. Minha maior preocupação é não lembrar quando devo dizer *vous* ou *tu*!

– Bom, tenho certeza de que eles não o mandariam para lá se não confiassem nas suas competências linguísticas – tranquilizou-o Connie.

– Não. Mas a situação na França está tão ruim que eles estão literalmente desesperados atrás de agentes. Os de lá estão sendo presos aos montes no momento, pelo que ouvi dizer. – James arqueou as sobrancelhas. – Enfim, pouco importa. Cada um de nós foi chamado por nossas habilidades específicas, e parece que eu revelei um talento razoável para explodir coisas. E não é preciso conversar muito com uma banana de dinamite. – Ele sorriu. – Devo dizer que admiro as mulheres que se voluntariam para o EOE. É um trabalho perigoso.

– Bom, eu não diria exatamente que me "voluntariei", mas fico feliz em poder dar minha contribuição ao meu país – retrucou Connie.

À noite, durante a refeição na elegante sala de jantar, Connie conheceu os quatro agentes que fariam o treinamento com elas, escolhidos em áreas distintas devido à sua adequação específica para o trabalho em questão. Conversou com Francis Montclair e Hugo Sorocki, ambos de origem metade francesa como ela, com James, e, claro, com o piloto de caça, Henry, o galã do grupo. À medida que o vinho foi sendo consumido, ela começou a experimentar uma sensação de surrealismo, pois ao correr os olhos em volta da mesa constatou que aquela poderia facilmente ter sido a cena de um jantar em muitas outras mesas parecidas espalhadas por toda a Inglaterra.

Depois da sobremesa, o instrutor encarregado do treinamento, capitão Bevan, bateu palmas pedindo silêncio.

– Senhoras e senhores, espero que a noite de hoje tenha dado a todos uma chance de se conhecerem melhor. Vocês irão trabalhar muito próximos uns dos outros nas próximas semanas, mas temo que essa seja a única parte divertida. O café da manhã será servido às seis amanhã, e depois cada um vai fazer uma avaliação de saúde geral e condicionamento físico. A partir da manhã seguinte, vocês serão obrigados a dar uma corrida de oito quilômetros diariamente antes do café.

Ouviram-se grunhidos em torno da mesa.

– Grande parte do trabalho que farão aqui será para aumentar sua resistência física. É de suma importância que cada um de vocês parta para a França na melhor condição física possível. Essa força por si só pode vir a salvar a vida de vocês.

– Com certeza um nazista com uma arma apontada para as minhas costas vai me fazer correr bem depressa se for preciso, capitão – brincou James.

Venetia deu uma risadinha, e o capitão sorriu.

– Vários de vocês já passaram por um treinamento militar, então estão acostumados com os rigores do exercício físico. Outros, especialmente as damas, talvez tenham mais dificuldade. – Ele olhou para Venetia e Connie. – As próximas semanas serão as mais difíceis de suas vidas. Mas se vocês *derem valor* à sua vida, vão dedicar cada parcela de concentração e energia que tiverem às habilidades que iremos lhes ensinar. Vou afixar as atividades do dia no painel da entrada diariamente às seis da tarde. Durante as semanas que vão passar aqui, vocês aprenderão a atirar, a detonar dinamite, noções básicas de código Morse, habilidades de sobrevivência e a saltar de paraquedas. O que aprenderão irá prepará-los para os desafios que têm pela frente. Todos vocês têm consciência de que os agentes do EOE talvez sejam os que enfrentam os maiores perigos dentre todos os nossos conterrâneos envolvidos no combate aos nazistas na França em nome do nosso direito humano à liberdade.

O recinto agora estava silencioso, repentinamente sóbrio. Todos os olhos estavam cravados no capitão.

– Mas digo também que sem o calibre de homens e mulheres como vocês, que conhecem e compreendem o grave perigo e mesmo assim estão dispostos a aceitar o desafio, esta guerra e a nossa vitória jamais poderiam ser conquistadas. Sendo assim, em nome dos governos britânico e francês, eu lhes agradeço. Tem café e conhaque no salão para quem quiser. Para os que não, desejo uma boa noite.

James e Connie foram os únicos a recusar a oferta do café e se viram de pé no hall de entrada enquanto os outros desapareciam salão adentro.

– Você não vai com eles? – perguntou James.

– Não, estou um pouco cansada. – Connie quis dizer "apavorada", mas se conteve.

– Eu também.

Ambos deram alguns passos em direção à escada. James parou no primeiro degrau e se virou para ela.

– Está com medo? – perguntou ele.

– Não sei mesmo – respondeu Connie.

– Eu estou – admitiu ele. – Mas cada um precisa fazer a sua parte, eu acho. Boa noite, Constance. – Com um suspiro, ele subiu a escada.

– Boa noite.

Connie ficou olhando enquanto ele desaparecia. Sentiu um calafrio repentino, abraçou o próprio corpo, andou até uma das imensas janelas e ergueu os olhos para a lua cheia. *Será* que ela estava com medo? Não tinha certeza. Mas talvez a guerra, que já tomara quatro anos da sua curta vida, tivesse anestesiado as suas emoções. Desde que Lawrence partira para o combate, poucas semanas depois de eles se casarem, Connie tinha a sensação de que a sua vida estava em suspenso num momento em que deveria estar apenas começando. No início sentia tanta falta dele que era quase insuportável. Morando na sua casa imensa e isolada em Yorkshire, com a companhia apenas da ríspida sogra e de seus dois cães labradores já envelhecidos, ela dispunha de tempo demais para pensar. A sogra não havia aprovado sua decisão de aceitar uma oferta de emprego no MI5, em Londres, obtida graças a um contato de seu pai, que via que a filha estava definhando sozinha naquelas charnecas ermas.

Muitas das garotas que trabalhavam com ela no MI5 apreciavam a atmosfera de estranha alegria da Londres em tempos de guerra: viviam sendo paqueradas por oficiais de licença, que as levavam para jantar ou dançar. E várias dessas mulheres já eram noivas ou até casadas. Assim como ela, os parceiros daquelas moças estavam em combate em algum lugar no estrangeiro, mas isso não parecia ser um empecilho para elas.

No caso de Connie era diferente. Desde que ela o conhecera num evento de tênis em Yorkshire aos seis anos de idade, Lawrence foi e continuava sendo o único homem que ela tinha amado. Embora fosse inteligente o bastante para começar uma carreira depois do curso na Sorbonne *e* preferisse a França à desolação do norte de Yorkshire, ela havia se comprometido de bom grado com uma vida inteira sendo apenas a futura castelã de Blackmoor Hall e esposa de seu amado Lawrence.

E então, depois do dia mais feliz de sua vida, quando ela havia entrado na pequena capela católica situada no terreno de Blackmoor e feito seus votos, o homem que ela havia amado por catorze anos lhe fora abruptamente tirado poucas semanas mais tarde.

Connie suspirou. Durante quatro anos, ela convivera diariamente com o medo de receber o telegrama informando que o marido havia desaparecido em combate. E isso acabou acontecendo. Por trabalhar no MI5, ela sabia muito bem que as chances de Lawrence ainda estar vivo após dois meses sem dar notícias diminuíam a cada dia.

Ela se virou e tornou a atravessar o hall em direção à escada. Tinha encarado o maior medo da sua vida ao abrir aquele telegrama poucas semanas atrás. E, com Lawrence ainda desaparecido, já não ligava mais se iria viver ou morrer.

Connie se acomodou na cama e deixou a luz do abajur acesa para Venetia. O dia estava quase amanhecendo quando ouviu a colega entrar no quarto e dar uma risadinha ao tropeçar em algo no chão.

– Con, está acordada? – sussurrou Venetia.

– Estou – respondeu ela, sonolenta, e ouviu a cama da outra ranger.

– Meu Deus, que noite divertida! Henry é mesmo um sonho, você não acha?

– Sim, ele é muito bonito.

Venetia deu um bocejo e falou:

– Eu acho que as próximas semanas vão ser bem mais agradáveis do que eu imaginava. Boa noite, Con.

Ao contrário da avaliação inicial de Venetia, as semanas seguintes testaram até o limite cada um dos agentes em treinamento. Todos os dias eram repletos de rigorosos exercícios físicos e mentais: quando eles não estavam dentro de uma trincheira aprendendo a detonar dinamite, estavam subindo em árvores ou se escondendo no meio de arbustos. Eles aprenderam a identificar castanhas, frutinhas, cogumelos e folhas de plantas comestíveis, e participaram também de infindáveis treinos de tiro e da onipresente corrida matinal de oito quilômetros. Venetia, envolvida tanto em seu arrebatador caso de amor com Henry quanto nas atividades diárias, muitas vezes só ia se deitar depois das quatro da madrugada e penava para acompanhar os outros.

Connie surpreendeu-se consigo mesma ao perceber que estava bem melhor do que imaginava em dar conta das exigências do curso. Sempre atlética devido à sua vida ao ar livre nas charnecas, podia sentir sua força física aumentar a cada dia. Ela era a melhor atiradora do curso e tinha se tornado habilidosa com a dinamite, mais do que se podia dizer de Venetia, que quase dera um jeito de explodir todos eles detonando uma granada dentro da própria trincheira.

– Bom, pelo menos isso mostra que sei detonar uma granada – dissera ela ao voltar contrariada para Wanborough Manor depois do fiasco.

– Você acha mesmo que a nossa colega é adequada para a tarefa que tem pela frente? – perguntou James certa noite quando ele e Connie estavam tomando café e conhaque no salão. – Ela não é nem um pouco discreta, não acha? – Ele riu quando os dois olharam para ela e Henry atracados no terraço.

– Acho que Venetia vai se sair muito bem – disse Connie, defendendo a amiga. – Ela é muito esperta e, como vivem nos lembrando, noventa por cento da vivência por lá vai depender disso.

– Ela com certeza é bem bonita – concordou James. – E tenho certeza de que o seu charme vai conseguir resolver a maior parte dos problemas. Bem melhor do que eu – acrescentou ele, desanimado. – Isto aqui é mesmo a calmaria que precede a tempestade, não é, Con? E, para ser sincero, estou muito apreensivo, especialmente com o salto de paraquedas. Meus joelhos já são ruins o suficiente sem isso.

– Não se preocupe – disse Connie, afagando a sua mão. – Você talvez tenha o luxo de ser levado até lá de avião, num Lizzy.

– Assim espero – disse James. – Com a sorte que eu tenho, me desvencilhar de uma árvore, que é onde eu provavelmente vou aterrissar, certamente vai chamar atenção.

De todos os agentes em treinamento, James era o único a manifestar seu nervosismo com a tarefa que tinha pela frente. Connie e ele eram os mais discretos e introspectivos do grupo, e tinham travado uma amizade na qual se apoiavam mutuamente.

– Não é estranho o rumo que a vida toma? – continuou ele, bebericando seu conhaque. – Se eu pudesse ter escolhido, teria optado por uma vida bem diferente desta aqui.

– Eu acho que isso se aplica à maior parte da humanidade no presente momento – respondeu Connie. – Se não fosse a guerra, eu estaria lá nas charnecas do norte de Yorkshire, provavelmente engordando e tendo um filho por ano.

– Alguma notícia? – James sabia sobre Lawrence.

– Não, nada – respondeu ela com um suspiro.

– Não perca as esperanças, Con. – Foi a vez dele de afagar sua mão. – A coisa lá está um horror. Tem tanta chance de o seu marido estar vivo quanto de não estar.

– Eu tento não desanimar – disse Connie, mas cada dia que passava era como uma nova pá de cal no túmulo de Lawrence. – Se essa maldita guerra algum dia terminar, o que você vai fazer? – perguntou, mudando para um assunto menos sombrio.

– Nossa! – James deu uma risadinha. – Esse parece um pensamento muito bizarro no momento. A minha vida é parecida com a sua: vou simplesmente voltar para casa e assumir a propriedade da família, que está caindo aos pedaços. Me casar, produzir a próxima geração... – Ele deu de ombros. – Você sabe como é.

Connie sorriu.

– Bom, pelo menos vai poder ensinar francês para seus filhos. Falando sério, você melhorou muito nas últimas semanas – disse ela num tom encorajador.

– É muita bondade sua dizer isso, Con. Mas eu preciso lhe contar que mais cedo escutei o capitão falar sobre todos nós ao telefone com Buckmaster no escritório dele. Sim, eu bisbilhotei. – James abriu um sorriso. – Não nos ensinaram a sempre usar nossos ouvidos para colher informação? Enfim, o capitão fez elogios rasgados a você, dizendo que você é a estrela inesperada do grupo. Uma aluna classe A, ao que parece. A Seção F agora espera feitos grandiosos de você, querida – concluiu ele.

Connie gargalhou.

– Obrigada por dizer isso; eu sempre fui péssima aluna – disse Connie. – O problema é que nunca tive oportunidade de me testar na vida.

– Não tenha medo, Con – retrucou James. – Eu acho que a sua oportunidade está chegando.

Um mês depois, o treinamento preliminar terminou. Cada um dos agentes foi chamado para uma longa e árdua entrevista com o capitão, que apontou sem meias palavras seus pontos fortes e fracos.

– Você se saiu extremamente bem, Constance. E estamos todos satisfeitos com o seu progresso aqui – confirmou Bevan. – O único comentário crítico feito por nossos oficiais de treinamento é sobre a sua demora na tomada de decisão. Em campo, seu destino pode ser selado pela sua reação imediata a uma situação. Você entende isso?

– Sim, capitão.

– Você demonstrou que tem bons instintos. Confie neles, e duvido que fará a escolha errada. Agora vamos mandá-la para a Escócia junto com os outros agentes que treinaram aqui – concluiu ele. – Você vai sair de lá ainda mais preparada para a tarefa que tem pela frente. – Ele se levantou e lhe estendeu a mão. – Boa sorte, madame Chapelle – falou, e abriu um sorriso.

– Obrigada, capitão.

Quando ela estava fechando a porta depois de sair, ele arrematou:

– Vá com Deus.

Connie, Venetia, James e, para a alegria de Venetia, também Henry, pelo visto tinham alcançado as notas necessárias e foram despachados para uma região selvagem na Escócia, onde iriam receber treinamento avançado em táticas de guerrilha. Longe de qualquer moradia, os quatro treinaram explodir pontes e guiar pequenas embarcações sem deixá-las afundar, e aprenderam a manusear armamentos alemães, britânicos e norte-americanos, e a carregá-los em caminhões sem qualquer iluminação. A importância da Linha de Vichy foi explicada em detalhes, e os agentes em treinamento aprenderam como os alemães haviam criado uma fronteira que dividia a França ao meio, separando a zona "ocupada" ao norte da zona sul.

As habilidades básicas de sobrevivência que eles tinham aprendido em Wanborough Manor se mostraram necessárias quando eles foram deixados nas charnecas escocesas por dias a fio, para se virarem e sobreviverem do que a natureza tivesse a oferecer. Um assassino treinado veio lhes ensinar a matar um agressor em instantes e sem fazer barulho.

Duas semanas depois de iniciado seu treinamento na Escócia, Venetia de repente foi dispensada do curso.

– Graças a Deus – comentou ela enquanto fazia apressadamente as malas. – Pelo visto estão me mandando para Thame Park para uma reciclagem rápida dos meus conhecimentos em rádio. Está havendo uma espécie de pânico acima do Canal da Mancha, e pelo visto eles estão precisando com urgência de operadores de rádio. Ah, Con... – Ela abraçou a amiga. – Vamos torcer para nos reencontrarmos em breve na França. E cuide do meu Henry por mim, sim?

– Cuido, claro – disse Connie. Ela ficou olhando Venetia fechar a mala e tirá-la de cima da cama. – Mas tenho certeza de que você não vai demorar para encontrar um substituto.

Venetia se virou e a encarou.

– Não, provavelmente não. Mas foi divertido.

Alguém bateu à porta.

– Srta. Burroughs, o carro a espera lá embaixo – disse uma voz.

– Hora de ir. Boa sorte, Con – disse Venetia, pegando a mala e andando em direção à porta. – Foi um prazer conhecer você.

– Digo o mesmo. Por favor, não perca a esperança e acredite que vai sair dessa – pediu Connie.

– Vou tentar – respondeu Venetia. Ela abriu a porta. – Mas eu vou morrer lá, Con, eu sei que vou. – Ela deu de ombros. – *À bientôt.*

9

– Constance, você concluiu seu treinamento e está pronta para ir para a França. Como se sente?

Connie estava outra vez em Londres, no quartel-general da Seção F, sentada diante de uma mesa em frente a Vera Atkins.

– Acho que estou tão preparada quanto jamais estarei.

Connie deu uma resposta automática, que não chegava a expressar nem um centésimo do que estava pensando e sentindo. Depois de seu mês na Escócia, ela fora transferida para Beaulieu, em Hampshire, outra propriedade mobilizada para o esforço de guerra, onde suas habilidades de espionagem tinham sido ainda mais refinadas. Ela havia aprendido a distinguir os diferentes uniformes, tanto dos alemães quanto da milícia francesa, o odiado braço policial do governo de Vichy, e o que buscar quando fosse recrutar cidadãos franceses da região para integrar a rede que lhe fosse designada. Também havia aprendido a importância de nunca registrar nada por escrito.

– Acho que vou me sentir melhor quando estiver de fato em campo – concluiu.

– Muito bem. É isso que eu gosto de escutar – respondeu a Srta. Atkins num tom animado. – Sua viagem está marcada para a próxima lua cheia. Você vai gostar de saber que não precisará pousar de paraquedas, mas vai ser levada por uma aeronave Lysander e depositada com segurança em solo francês.

– Obrigada. – Isso pelo menos deixou Connie aliviada.

– Então agora você tem dois dias para descansar e relaxar. Reservei uma cama para você em Fawley Court enquanto espera a hora de ir, numa hospedaria confortável administrada pelo VEPS. Chegou a hora de escrever algumas cartas para seus entes queridos, que eu vou despachar ao longo das próximas semanas enquanto você estiver fora.

– O que devo dizer nas cartas, Srta. Atkins?

– Sempre aconselho minhas meninas a serem breves e positivas. Diga que está bem de saúde e que vai tudo bem – respondeu a outra mulher.

– Irei buscá-la na tarde da sua partida, mas confirmo o horário exato no próprio dia. Quando você chegar ao aeródromo, eu lhe informarei seu novo codinome, pelo qual nós aqui na Seção F e outros agentes irão reconhecê-la. Você também será informada sobre qual rede irá integrar quando chegar à França. E agora, Constance, o Sr. Buckmaster gostaria de vê-la antes de você ir.

Connie seguiu a Srta. Atkins pelo corredor até a sala de Maurice Buckmaster.

– Constance, minha cara! – Buckmaster pulou da cadeira atrás da mesa e se aproximou para abraçá-la com os braços bem abertos. – Pronta? – perguntou ao soltá-la.

– Tanto quanto possível, sim, estou – respondeu Connie.

– É assim que se fala. Pelo que eu soube, você foi a melhor aluna do seu curso. Tenho certeza de que vai deixar a Seção F orgulhosa – elogiou ele, sempre positivo.

– Para ser sincera, senhor, vou ficar aliviada quando chegar lá.

– Tenho certeza de que sim. Tente não se preocupar demais, minha cara. Ontem à noite falei com uma agente do EOE que acabou de voltar da sua primeira missão, e ela comentou que a coisa mais difícil, sem dúvida, foi percorrer todos aqueles quilômetros de bicicleta. Ela disse que a viagem a deixou com as coxas grandes como as de um elefante!

Connie e Buckmaster compartilharam uma risadinha.

– Alguma pergunta, Constance? – indagou ele.

– Nenhuma que me ocorra agora, senhor, a não ser que tenha tido alguma notícia de Venetia. – disse Connie, ansiosa. – Eu sei que ela viajou há alguns dias.

– Não tive. – Até mesmo o semblante de Buckmaster se fechou por alguns instantes. – Até agora não. Mas eu não me preocuparia; muitas vezes um operador de rádio leva tempo para fazer sua primeira transmissão. E ultimamente tem havido alguns problemas na região dela. Enfim… – Ele andou de volta até a escrivaninha, abriu uma gaveta e pegou uma caixinha que estendeu a ela. – Um presente para você, para lhe desejar sorte.

– Obrigada, senhor.

– Abra – disse ele. – É o que dou a todas as minhas garotas como presente de despedida. É muito útil, e, como eu sempre digo, em caso de problema você pode vender.

Connie tirou da caixa um pequeno estojo prateado de pó compacto.

– Gostou? – perguntou ele.

– É perfeito – disse ela. – Obrigada, senhor.

– Não quero que as minhas garotas fiquem com a aparência desleixada, nem mesmo em campo. Certo, Constance. Tudo que me resta é lhe agradecer por toda a sua dedicação até agora. Sem dúvida terei notícias sobre as suas atividades nas próximas semanas. Boa viagem e *bonne chance*.

– Obrigada, senhor. Até logo.

Connie se virou e saiu da sala.

No início da noite de 17 de junho, Connie foi de carro com Vera Atkins até o Aeródromo de Tangmere, em Sussex. Dentro do hangar, as duas se sentaram diante de uma mesinha nos fundos, e Vera lhe entregou uma folha de papel.

– Por favor, passe os próximos vinte minutos decorando tudo que está escrito aí. Seu codinome vai ser "Lavanda", e ele será usado toda vez que você fizer contato conosco ou com outros agentes em campo, tanto britânicos quanto franceses. Você vai entrar para a rede "Cientista", que opera principalmente em Paris e arredores. Quando pousar na França, em Vieux-Briollay, vai ser recebida por um comitê de recepção. Eles vão cuidar de você e providenciar o transporte necessário, além dos contatos do seu organizador, do seu operador de rádio e de outros membros do seu circuito.

– Ok, Srta. Atkins.

– Preciso lhe avisar que tivemos problemas recentemente para nos comunicarmos com a sua rede – continuou a Srta. Atkins. – Seu comitê de recepção lá na França provavelmente vai poder lhe dar informações mais precisas do que sou capaz no momento. Mas tenho certeza de que com a sua inteligência e o seu bom senso você vai conseguir se virar. – A Srta. Atkins pôs em cima da mesa uma pequena mala de couro. – Aqui dentro tem tudo de que precisa. Documentos de identidade que a validam como Constance Chapelle, uma professora primária que mora em Paris. Você tem muitos parentes no sul da França, região onde nasceu. Vai usar isso como motivo se em algum momento for preciso atravessar a Linha de Vichy para entrar ou sair da zona ocupada no norte.

Connie ficou olhando enquanto a Srta. Atkins sacava uma pequena ampola contendo um único comprimido.

– Esta é a sua pílula C. Você agora vai colocá-la dentro do salto do sapato – instruiu ela.

Já sabendo do que se tratava, Connie tirou do pé o sapato especialmente adaptado e abriu a sola do salto.

A Srta. Atkins depositou o comprimido lá dentro.

– Vamos torcer para nunca ter que usá-la.

– Sim – concordou Constance, sabendo que a pílula de aspecto inofensivo continha uma dose mortal de cianeto, para o caso de ela ser presa e torturada.

– Então, tudo pronto? – perguntou a Srta. Atkins num tom animado.

– Tudo.

– Então vamos embarcar você no Lizzy.

As duas andaram em direção ao pequeno avião, pintado de preto para evitar que fosse detectado em noites de luar. Antes de subir a escada, a Srta. Atkins parou.

– Quase esqueci – disse ela, e tirou um envelope do bolso da jaqueta. – Isto é para você.

Ela lhe entregou o envelope, que Connie abriu e cujo conteúdo leu sem acreditar.

– Boas notícias? – perguntou a Srta. Atkins.

Connie levou a mão à boca, e seus olhos se encheram de lágrimas.

– Srta. Atkins, Lawrence está vivo! Ele está vivo!

– Está sim, meu bem. E o navio que o está trazendo para casa atracou em segurança há três dias em Portsmouth. Ele está com um ferimento sério no peito e a perna está quebrada, mas segundo os médicos está calmo e evoluindo muito bem no hospital.

– Quer dizer que ele está *aqui*? Lawrence está na Inglaterra? – repetiu ela, incrédula.

– Sim, meu bem. Ele está em casa, são e salvo. Não é bom saber disso?

Connie baixou os olhos para a data do telegrama lhe informando que o marido fora encontrado com vida e estava sendo mandado para casa imediatamente. A data era 20 de maio, quase um mês antes.

– Pensei que essa seria uma notícia boa para levar com você, e com certeza é um incentivo para retornar em segurança. Hora de embarcar, meu bem –

disse a Srta. Atkins depressa enquanto tirava o telegrama da mão de Connie. As hélices do avião começaram a girar. Vera Atkins estendeu a mão. – Até logo, Constance, e boa sorte – falou, apertando a sua.

Atordoada, Connie subiu a escada até o interior apertado da aeronave. Enquanto prendia o cinto, tentou processar o que acabara de saber. Seu marido não apenas estava vivo, mas estava *ali*, em segurança, de volta à Inglaterra. Talvez a poucas horas de carro de onde ela estava agora.

E ninguém tinha lhe contado...

Como eles *podiam* não ter lhe contado que Lawrence fora encontrado e estava voltando para casa? Connie mordeu o lábio com força para segurar o choro, pois corria o risco de inundar os óculos apertados e desconfortáveis de aviador que estava usando.

Com o coração pesado, compreendeu muito bem por que eles tinham feito aquilo. Tinham entendido que, se *tivessem* lhe contado sobre a chegada iminente de Lawrence à Inglaterra, ela na mesma hora teria dado meia-volta e desistido da tarefa terrível que estava prestes a iniciar.

Mas agora que Connie estava vendo dois outros seres humanos impossíveis de identificar trajando macacões e óculos de aviador embarcarem no avião e a porta se fechar atrás deles, não havia mais volta. A Seção F tinha manipulado informações sobre sua vida pessoal para alcançar os próprios objetivos. E então, na última hora, tinha lhe apresentado o único incentivo de que ela precisava para fazer o que estivesse a seu alcance para continuar viva e voltar.

– Como vou suportar isso? – resmungou ela entre dentes.

O avião começou a taxiar para fora do hangar pela noite enluarada.

– Connie? É você aí debaixo de todo esse equipamento? – gritou bem alto alguém no assento ao seu lado para se fazer ouvir apesar dos rugidos do motor. Ela reconheceu a voz.

– James! – gritou de volta, sentindo-se absurdamente reconfortada pelo fato de ele estar ali.

Quando o avião decolou no céu noturno, foi impossível continuar a conversa. Em vez disso, a mão de James segurou a sua, apertou e não soltou. Connie não resistiu. Ficou olhando pela janela a zona rural inglesa escura feito piche lá embaixo.

– Até logo, Lawrence, meu querido, meu amado – sussurrou ela. – Eu juro que vou estar de volta nos seus braços assim que puder.

10

O Lysander fez um pouso gracioso num descampado, guiado por pequenas lanternas manejadas por mãos invisíveis no chão. O piloto se virou e fez um sinal com o polegar erguido.

– Tudo parece estar bem. Até logo, senhoras e senhores. E boa sorte – concluiu ele enquanto os passageiros desciam os degraus e pisavam no mato.

– *Bienvenue* – disse um homem ao passar correndo por eles e subir os degraus do avião carregando uma bolsa de lona.

Jogou a bolsa lá dentro, então lacrou a porta e tornou a descer correndo para examinar seus mais novos recrutas.

O Lysander já estava em movimento para iniciar sua viagem de volta. Connie olhou com inveja para o avião, desejando ter a coragem de correr em direção a ele, subir a bordo e voltar para a Inglaterra, como mandava o seu coração.

– Venham comigo – disse o homem. – E rápido. Vi um caminhão *boche* passar há poucos minutos. Eles podem muito bem ter escutado o pouso.

Conduzidos por seu guia, os três agentes atravessaram correndo o descampado, com James na retaguarda. A noite estava linda na França, clara e amena, e enquanto corria junto com os outros Connie teve uma sensação conhecida naquele contexto inteiramente novo. A França tinha o mesmo cheiro de sempre: o ar morno, seco e cheirando a resina de pinheiro, tão diferente da umidade da zona rural inglesa. Ela o reconheceria em qualquer lugar.

Depois de algum tempo, seu guia abriu a porta de uma cabana de madeira situada no interior de uma floresta densa. Lá dentro havia estruturas de madeira encimadas por cobertores espalhadas pelo chão e um fogareiro a gás num canto que seu anfitrião acendeu na mesma hora com o auxílio de fósforos.

– Precisamos ficar aqui até de manhã, quando acaba o toque de recolher. Então vamos despachar cada um de vocês em suas missões a partir da estação de Vieux-Briollay, a vinte minutos de bicicleta daqui. Por favor, acomodem-se da melhor maneira que conseguirem. Ponham seus macacões de voo ali naquele canto. Vocês os deixarão aqui comigo – instruiu ele. – Vou preparar um café enquanto isso.

Connie tirou o macacão e ficou observando seus companheiros de voo revelarem quem eram. O outro homem ela não conhecia. Eles se sentaram em seus estrados enquanto o guia entregava a cada um uma caneca esmaltada cheia de café.

– Infelizmente não temos leite. Sei que vocês, ingleses, gostam – disse ele.

Connie gostou de poder beber o líquido espesso e escuro; estava acostumada com café forte.

– Meu nome é Stefan – disse o guia. – E sei que a senhora deve ser "Lavanda", madame, uma vez que é a única mulher.

– Eu sou "Invasor" – disse James.

– "Pragmatista" – disse o desconhecido.

– Sejam bem-vindos em nome da França. Nós nunca precisamos tanto de agentes britânicos treinados para nos ajudar – disse Stefan. – Muitos dos seus colegas, sobretudo em Paris, foram capturados nos últimos dias. Não temos certeza do que aconteceu, mas acreditamos que deva haver algum traidor entre eles, para que a Gestapo tenha conseguido prender tanta gente. Tudo que posso lhes recomendar é: não confiem em ninguém – enfatizou ele. – Agora é hora de dormir enquanto podem. Vou ficar de vigia e alertarei vocês se for preciso. Boa noite.

Stefan saiu da cabana e acendeu um cigarro no vão da porta antes de fechá-la. Os três agentes se acomodaram do melhor modo possível em seus estrados.

– Boa noite, companheiros – disse James. – Durmam bem.

– Duvido que eu vá pregar o olho – reclamou Pragmatista, mas em pouco tempo Connie escutou leves roncos vindos do outro lado da cabana.

– Connie? – chamou James.

– Sim?

– É pra valer agora, não é?

– Sim – concordou ela, o estômago vazio queimando pelo café e pela emoção. – É, sim.

Connie devia ter acabado pegando no sono, pois foi acordada por James e viu uma luz entrando pela pequena janela.

– Bom dia – disse James. – Estão nos esperando lá fora.

Como tinha dormido completamente vestida, bastou calçar as meias e sapatos para ficar pronta. Do lado de fora estavam Stefan e uma mulher.

– Bom dia, Lavanda – disse ele. – Pronta para partir?

– Sim, mas… – Connie olhou para a mata em volta. – Tem algum lugar onde eu possa…? – Ela sabia que estava ficando vermelha.

– Não temos toalete aqui. Você pode encontrar um lugar no mato – disse ele, dando de ombros e se virando para falar com James.

Connie se afastou depressa para encontrar um lugar atrás de uma árvore. Quando voltou, James e o outro agente estavam prestes a partir de bicicleta junto com a mulher.

– Boa sorte – sussurrou Connie para James. – Espero que nos encontremos de novo em breve.

– Eu também – disse James, com o semblante contraído e tenso. – Enquanto isso, farei o possível para explodir os *boches* em mil pedaços para todos nós podermos voltar para casa.

– É assim que se fala – disse Connie, abrindo um sorriso corajoso para ele enquanto o via se afastar pedalando a bicicleta atrás dos outros mata adentro.

– Vamos esperar um pouco até eles se afastarem alguns quilômetros – disse Stefan. – Muitos ciclistas saindo da mata de uma vez vão chamar atenção se tiver alguém olhando. Quer café?

– Obrigada.

Connie se sentou na soleira da porta da cabana e ficou olhando o sol, agora já acima das árvores, salpicar de luz o chão em volta.

– Lavanda, vou lhe dizer o que vai acontecer com a senhora agora. – Stefan lhe passou uma caneca de café e se sentou ao seu lado na soleira, onde acendeu outro cigarro. – Já deve ter sido informada de que entrará para a rede Cientista, nossa maior organização, que opera tanto dentro quanto ao redor de Paris.

– Sim – confirmou ela.

– Infelizmente ficamos sabendo que vários membros da Cientista foram presos pela Gestapo, entre eles o líder Próspero.

– Fui de fato avisada, e me disseram que o senhor teria mais informações – respondeu Connie enquanto tomava seu café.

– Também não tivemos notícia nenhuma do operador de rádio de Próspero, o que talvez queira dizer que ele também foi preso. – Stefan esmagou o cigarro com a sola. – Recebi informações três dias atrás de que a senhora estava sendo aguardada e de que eles iriam recebê-la no trem na estação de Montparnasse, mas agora não sei ao certo quem vai estar lá. – Ele acendeu outro cigarro. – É perigoso demais eu acompanhá-la neste momento… Fomos alertados pelo quartel-general para nos mantermos discretos até sabermos mais sobre a situação. Então você vai ter que fazer a viagem sozinha.

– Entendi. – Connie segurou sua caneca feito um talismã para acalmar os nervos.

– Como seu codinome ainda não está em nenhum documento que a Gestapo possa ter, é muito improvável que a senhora seja alvo de qualquer suspeita durante a viagem. As mulheres são paradas com muito menos frequência para verificações de segurança do que os homens – tranquilizou ele. – É muito para pedir a alguém que acabou de chegar, mas precisamos mandar a Paris um agente que os *boches* não conheçam, para descobrir o que aconteceu. Está disposta?

– Claro.

– Vai ter alguém à sua espera no saguão principal da estação de trem, em frente ao *tabac*. A senhora deve comprar um maço de Gauloises, em seguida deixá-lo cair no chão, como por engano. Pegue o maço do chão, então acenda um cigarro com isto aqui. – Stefan tirou do bolso uma caixa de fósforos e entregou a ela. – Nesse momento um homem deve abordá-la. Ele então vai levá-la até um dos nossos locais seguros.

– E se ele não aparecer? – perguntou Connie.

– Nesse caso a senhora vai saber que tem alguma coisa errada. Conhece bem Paris?

– Conheço. Eu estudei na Sorbonne.

– Então vai ser simples encontrar este endereço. – Stefan lhe passou um pedaço de papel.

– Apartamento 17, rue de Rennes – disse ela, lendo o nome da rua. – Conheço bem.

– Ótimo. Quando estiver chegando no prédio, deve passar por ele até o fim da rua, depois voltar pela outra calçada. Se vir a Gestapo na rua ou em alguma caminhonete por perto, saberá que o apartamento foi descoberto. Entendido?

– Entendido. E se eu não vir ninguém da Gestapo do lado de fora? – perguntou Connie.

– Então suba até o terceiro andar, onde vai encontrar o apartamento. Bata duas vezes, depois três, e alguém deve vir abrir a porta. Diga que o seu contato não apareceu para buscá-la e que Stefan a mandou – instruiu ele.

– Certo – disse Connie, decorando o endereço enquanto Stefan tirava o pedaço de papel da sua mão e o queimava com um fósforo. – E se não tiver ninguém lá, para onde eu devo ir depois?

– Tem gente no apartamento vinte e quatro horas por dia. Se ninguém atender, a senhora saberá que a rede Cientista foi comprometida e que todos fugiram para se esconder. Sendo assim, seria perigoso demais tentar fazer contato com algum de seus integrantes. – Stefan suspirou e tragou fundo o cigarro. – Como último recurso, devo mandá-la para um amigo. Ele não faz parte do circuito diretamente, nem do EOE, mas a sua lealdade à nossa causa é inquestionável. Sei que ele vai ajudá-la. Então a senhora deve ir até este endereço aqui. – Stefan tirou do bolso outro pedacinho de papel e lhe entregou. – E deve procurar por "Herói".

Connie leu o novo endereço com certa surpresa.

– Fica na rue de Varenne. Minha família tinha amigos lá.

– Então sua família devia frequentar as altas rodas. Essa rua fica num dos bairros mais caros de Paris – disse Stefan, arqueando uma das sobrancelhas.

– E... e se Herói não estiver? – perguntou ela. – Eu desisto e pego um trem de volta para cá?

– Madame. – Stefan esmagou a bituca com força no chão da mata. – Nesse ponto é preciso usar a sua intuição. A senhora vai se hospedar em alguma pensão próxima e simplesmente ficar observando e esperando Herói voltar. Agora temos que ir. E lembre-se: não deve perambular pelas ruas de Paris depois do toque de recolher. É a hora mais perigosa de todas.

Ele voltou para dentro da cabana com as canecas de café, e Connie ficou estudando as bicicletas antigas nas quais eles iriam até a estação.

– Quem é esse seu amigo Herói? – perguntou ela ao subir no selim, encaixando a mala de modo precário entre o cestinho e o guidom.

– A regra é não fazer perguntas. Mas ele saberá tudo que aconteceu e é quem poderá colocá-la em contato com um subgrupo seguro da rede Cientista. Então caberá à senhora, é claro, encontrar um jeito de entrar em contato com Londres e informar sobre a situação em Paris assim que possível. Isso se houver algum operador de rádio ainda livre na cidade – concluiu Stefan, com pessimismo.

Felizmente, a viagem de bicicleta até a estação transcorreu sem sobressaltos. Tirando a bandeira com a suástica pendurada em frente à prefeitura, a cidade estava bem parecida com o que Connie tinha visto naquela região da França antes da guerra.

Stefan comprou sua passagem e lhe entregou. Ela reparou que seus olhos não paravam de estudar todos os cantos da plataforma.

– Preciso deixá-la aqui. Até logo, madame. – Ele a beijou calorosamente nas duas faces como se ela fosse uma parente querida. – Dê notícias – concluiu e, acendendo mais um cigarro, se afastou casualmente na direção da sua bicicleta, deixando Connie sozinha à espera do trem.

A composição chegou pontualmente às onze horas; Buckmaster certa vez tinha dito em tom de brincadeira que a única vantagem da ocupação alemã era a súbita pontualidade do sistema de transporte francês. Connie embarcou e guardou a mala no porta-bagagens acima do assento. Enquanto o trem deixava a estação, olhou para o vagão em volta e viu a mistura habitual de pessoas. Seu estômago vazio roncou e ela fechou os olhos, torcendo para a familiaridade tranquilizadora do movimento do trem ajudar a acalmar seu nervosismo. Em cada estação, porém, seus olhos se abriam para verificar quaisquer recém-chegados ao seu vagão.

Ela trocou de trem em Le Mans e conseguiu comprar um salgado rançoso no quiosque da plataforma. Ao se sentar num banco para esperar o segundo trem, viu pela primeira vez um oficial alemão parado na plataforma conversando com o chefe da estação.

Por fim, na hora do chá, seu trem entrou na estação de Montparnasse, em Paris. Connie se juntou aos outros passageiros que saltavam e foi subindo a plataforma, preparando-se para passar por seu primeiro controle de segurança da milícia. Viu vários outros passageiros serem parados e suas malas postas em cima de mesas para serem abertas. Passou com o coração na boca, mas nenhum dos policiais franceses sequer olhou duas vezes para ela.

Sentindo-se tonta de empolgação por ter passado sem problemas, Connie olhou para o saguão à sua volta em busca do quiosque de *tabac* onde deveria encontrar seu contato. A estação estava lotada de operários voltando para casa, mas ela por fim viu o quiosque num canto e andou até lá. Fez o que lhe fora pedido e comprou um maço de Gauloises. Ao recolher o troco, deixou o maço cair no chão.

– *Ah, mince alors!* – resmungou enquanto pegava o maço de volta e tirava dele um cigarro.

Acendeu-o o mais casualmente possível com os fósforos que Stefan tinha lhe dado, ao mesmo tempo que olhava em volta para ver se alguém se destacava da multidão e caminhava na sua direção.

Connie fumou o cigarro inteiro, mas ninguém apareceu ao seu lado. Ela esmagou a guimba com a sola do sapato, consultou seu relógio e suspirou, como se alguém que devesse encontrar estivesse atrasado. Depois de dez minutos, pegou outro cigarro e usou os mesmos fósforos para acendê-lo. Fumou esse até a bituca também.

Depois do terceiro cigarro, entendeu que ninguém iria aparecer.

– Vamos passar para o plano B – resmungou consigo mesma, e ao sair da estação se viu pela primeira vez nas ruas da Paris ocupada. A caminhada até a rue de Rennes era curta. Com poucos sinais visíveis de qualquer mudança, e por estar numa cidade que conhecia tão bem e que amava tanto, andar a acalmou. Naquele início de noite quente de verão, com as ruas lotadas de parisienses cuidando de seus afazeres normais, era quase possível imaginar que nada havia mudado.

A noite estava caindo quando ela chegou à rue de Rennes. Após localizar o número do prédio, passou por ele na calçada oposta, com os olhos discretamente atentos a qualquer perigo. Chegando ao fim da rua, atravessou e voltou pela outra calçada, sentindo-se terrivelmente exposta com sua mala na mão.

Por fim, ao chegar na entrada do prédio, ela rumou a passos decididos para a imponente porta de entrada e girou a maçaneta com um gesto confiante. A porta se abriu com facilidade, e ela atravessou o hall de mármore e subiu os degraus fazendo seus passos ecoarem na escadaria ampla. Parou no terceiro andar, encontrou o número 17 logo à sua direita, e após inspirar fundo, bateu duas vezes e logo em seguida três, conforme as instruções.

Ninguém veio atender. Sem saber se esperava ou se tornava a bater, com o coração a martelar nos ouvidos à medida que sua pressão arterial aumentava, Connie resolveu que era melhor desistir. Fora instruída a tentar somente uma vez, e agora precisava ir embora dali o quanto antes. Estava claro que os temores de Stefan em relação à rede haviam se confirmado. Ela deu meia-

-volta e estava prestes a descer a escada quando a porta do apartamento ao lado do número 17 se abriu muito de leve.

– Madame! – sibilou uma voz. – Seus amigos foram todos embora. A Gestapo veio buscá-los ontem. Com certeza devem estar vigiando o prédio agora. Não saia pela entrada da frente. Há uma porta nos fundos por onde se chega a uma pequena área interna. E um portão que leva a um caminho usado pelos garis para retirar o lixo, que vai dar numa outra rua. Vá depressa, madame!

A porta se fechou tão depressa quanto tinha se aberto, e Connie, lembrando-se enfim do seu treinamento, tirou os sapatos para não fazer barulho na escada e fugiu o mais depressa que pôde. Encontrou a porta sugerida pela mulher no final do corredor, rezou para não ser uma armadilha, abriu-a e viu que ela dava para uma pequena área interna. Tornou a calçar os sapatos, abriu o portão, seguiu o caminho estreito e foi parar numa rua vizinha. Pegou o sentido oposto ao da rue de Rennes e, forçando-se a andar devagar, afastou-se casualmente do seu primeiro encontro real com o perigo.

Por fim, tonta de fome e de adrenalina, e agora a um bom quilômetro do apartamento 17, Connie viu um café com clientes sentados a mesas nas calçadas. Temendo que suas pernas não a levassem mais adiante a não ser que ela se sentasse, encontrou uma mesa vazia e pôs a mala embaixo dela. Examinou o cardápio limitado, porém bem-vindo, e pediu um *croque-monsieur*. Enquanto devorava a comida, esfomeada, respirou profundamente para desanuviar os pensamentos.

Nunca tinha se sentido tão sozinha naquela cidade com milhões de habitantes. E muito embora houvesse pessoas em Paris que conhecia dos seus tempos de Sorbonne, e também parentes do lado materno, qualquer contato era estritamente proibido.

O fato de a familiaridade e a ajuda estarem tão perto e ao mesmo tempo tão fora de alcance tornavam a sua situação ainda mais tocante. Pelo visto Stefan estava certo, e a sua rede tinha fugido quando a Gestapo dera início à série de prisões. Connie terminou seu café sabendo que tudo que precisava fazer era ir ao lugar que ele tinha sugerido como último recurso. Pagou a conta, pegou sua mala e saiu andando pela rua.

Levando um susto sempre que escutava o barulho de uma caminhonete nazista se aproximando, Connie seguiu rumo ao norte e finalmente chegou à rue de Varenne, um bulevar largo margeado de árvores e ocupado por casas graciosas e elegantes. Muitas delas estavam escuras e silenciosas, mas ao olhar de longe o endereço que tinha recebido ela viu que, sem dúvida, havia gente na casa. Havia luzes em todas as janelas, e ela até pôde ver silhuetas se movendo num dos cômodos da frente.

Connie inspirou fundo, atravessou a rua, subiu os degraus até a porta da frente e tocou a campainha.

Segundos depois, uma empregada já de certa idade veio abrir. Olhou-a de cima a baixo e disse, arrogante:

– Pois não?

– Vim falar com Herói – sussurrou Connie. – Por favor, diga a ele que Stefan mandou lembranças – emendou ela.

O comportamento da empregada mudou na mesma hora. Seus traços enrugados registraram alarme.

– Por favor, madame, entre sem fazer barulho. Vou chamá-lo – disse ela, conduzindo Connie para dentro.

– Ele está aqui? – O alívio da jovem inglesa era palpável.

– Está, mas… – A empregada pareceu em dúvida. – Um instante, madame.

Enquanto a mulher desaparecia numa das portas do corredor, Connie ficou admirando os belos móveis antigos e a elegante escadaria que ocupava o centro do hall. Os moradores daquela casa pertenciam a um mundo endinheirado que ela conhecia bem e no qual se sentia à vontade.

Segundos depois, um homem alto de cabelos escuros e vestindo um smoking, que com sua postura sólida e bem marcada era inconfundivelmente francês, surgiu de um dos cômodos.

Ele andou até ela a passos largos e estendeu os braços.

– Boa noite, minha querida! – exclamou, abraçando uma Connie tomada de espanto. – Não estava esperando você. – Sem soltá-la, ele sussurrou no seu ouvido. – Temos convidados, e pode ser que eles a tenham visto subir os degraus da frente. – Em voz alta, ele continuou. – Como foi a viagem?

– Longa – respondeu ela, espantada.

– Você é francesa? – sussurrou ele, ainda abraçando-a com força e falando bem próximo do seu ouvido.

– Sou, minha família é de Saint-Raphaël – sussurrou ela depressa.

– Como você se chama?

– Constance Chapelle. Minha tia é a baronesa Du Montaine.

– Eu conheço a família. – Um alívio repentino surgiu nos olhos do homem. – Então você é a minha prima de segundo grau que veio fazer uma visita. Suba até o andar de cima com Sarah. Conversaremos mais tarde. – Ele a soltou e disse num tom de voz normal: – Viajar do sul até aqui é muito cansativo hoje em dia, principalmente com todos os controles de segurança. Desça para nos encontrar depois que tiver se trocado, Constance querida.

A expressão nos olhos dele não lhe deixou alternativa. Ele se virou para a sala outra vez e então empurrou a porta para entrar no cômodo.

Quando ele fez isso, Connie viu vários uniformes alemães em pé la dentro.

11

Depois de ser conduzida pela empregada até um suntuoso quarto no andar de cima e em seguida ser deixada sozinha enquanto ela lhe preparava um banho de banheira, Connie se sentou numa poltrona, chocada e ofegante, e tentou assimilar o que acabara de ver lá embaixo. Tinha imaginado muitos cenários e chegara a participar de simulações durante o seu treinamento, mas nenhuma vez sequer imaginara a possibilidade de passar sua primeira noite na Paris ocupada socializando com o inimigo.

Sarah a conduziu pelo corredor até o banheiro, e ela se deu ao luxo, por alguns minutos, de aproveitar a água quente após dois dias sem conseguir tomar banho. Permitiu-se um sorriso passageiro ao pensar na ironia das confortáveis circunstâncias pelas quais tinha passado enquanto saía com relutância da banheira e voltava depressa ao quarto que lhe fora designado.

Sarah estava sentada na *chaise longue* ao pé da cama. Indicou com um gesto a poltrona ao seu lado.

– Por favor, Constance, sente-se.

Connie se sentou.

– Édouard, que você encontrou lá embaixo, pediu que conversássemos antes de você se juntar a ele para jantar. Não temos muito tempo, então preste atenção no que vou lhe dizer. Em primeiro lugar, meu nome é Sarah Bonnay e eu trabalho há muitos anos para a família La Martinières. Édouard me contou que o seu amigo Stefan a mandou e me pediu para lhe explicar o que deve acontecer agora.

– Obrigada – foi a resposta nervosa de Connie.

– Posso ouvir o medo na sua voz, Constance, e entendo que esteja assim. Mas por favor, acredite: você tem sorte de ter caído em mãos confiáveis neste momento em Paris – tranquilizou-a Sarah. – Mas a sua chegada põe todos nós em perigo. Ninguém tinha como saber que hoje à noite haveria... um festejo na casa. Então Édouard disse que precisamos fazer tudo que pudermos para salvar a situação. Constance, na sua primeira noite em Paris você terá que fazer a melhor atuação da sua vida. Édouard sugeriu que você seja uma prima dele do sul que veio fazer uma visita. Ele disse que você tem parentes lá, é isso?

– Sim. Minha tia, a baronesa Du Montaine, tem um château em Saint--Raphaël.

– E ele tem um em Gassin, que fica lá perto – disse Sarah. – De modo que é perfeitamente possível os Montaines e os La Martinières serem parentes. Durante o jantar você dirá que veio a Paris visitar seus queridos primos e lhes trazer a triste notícia da morte do seu tio em comum, Albert.

– Entendi.

– Deixe Édouard falar, Constance – continuou Sarah. – Fale o menos possível e somente se lhe perguntarem alguma coisa. Se for você mesma, será tudo mais fácil.

– Farei o melhor que puder.

Sarah a avaliou.

– Acredito que você tenha um tipo de corpo parecido com o da finada Émilie de la Martinières, mãe de Édouard. Precisa saber que ela morreu quatro anos atrás, logo antes da guerra. Talvez tenha tido mais sorte... – Sarah suspirou. – Então vou lhe trazer um dos vestidos dela. Se quiser, posso ajudá-la com os cabelos. Quanto mais bela, charmosa e ignorante você parecer, menos perigo irá representar para todos nós. Entendeu, Constance?

– Sim, entendi.

– Agora você vai se arrumar depressa e assim que possível deve se juntar aos outros no salão. Enquanto isso vou dizer a Édouard o que combinamos quando ele vier buscar a irmã mais nova, Sophia, para acompanhá-la até lá embaixo. Por favor, não nos decepcione esta noite. É fundamental que as pessoas que estão hoje aqui reunidas não desconfiem de nada. Caso contrário... – Sarah tornou a suspirar ao se levantar da *chaise longue*. – Caso contrário, estará tudo perdido para os La Martinières.

– Prometo dar o melhor de mim – conseguiu responder Connie.

– Rezemos para que assim seja.

Vinte minutos depois, Connie estava em pé diante da porta fechada do salão. Conforme a sugestão de Sarah, fez uma prece silenciosa, abriu a porta e entrou.

– Constance! – Édouard se afastou de imediato das pessoas reunidas no salão e foi beijá-la calorosamente nas duas faces. – Sente-se recuperada dos rigores da viagem? Com certeza parece que sim – concluiu ele em tom de admiração.

– Estou, sim – respondeu Connie, sabendo que pelo menos sua aparência física estava melhor do que nunca.

Sarah tinha feito um belo penteado em seus cabelos, depois a maquiara e a ajudara a pôr um lindo vestido de noite, fabricado por monsieur Dior, como ela pôde reparar. Diamantes emprestados nas orelhas e no pescoço completavam o disfarce.

– Venha, deixe eu lhe apresentar meus amigos. – Édouard lhe estendeu o braço, e enquanto ela andava na direção dos homens um mar de uniformes que fora treinada para identificar dominou seu campo de visão.

– Hans, permita-me apresentar minha querida prima Constance Chapelle, que nos presenteia com sua bela presença durante uma curta estadia em Paris. Constance, permita-me apresentar o Kommandant Hans Leidinger.

Constance sentiu os olhos do homem imenso a avaliarem; ele usava o que ela sabia ser o uniforme de um oficial de alta patente da Abwehr, o serviço secreto militar alemão.

– Fräulein Chapelle, é um prazer conhecer mais uma encantadora integrante da família de Édouard.

– Coronel Falk von Wehndorf. – Édouard tinha passado para o homem seguinte, que trajava o uniforme da temível Gestapo.

Von Wehndorf era o perfeito e louro macho ariano. Correu os olhos de cima a baixo pelo corpo dela com um interesse mal-disfarçado. Em vez de apertar a mão que Connie lhe estendia, levou-a à boca e a beijou. Seus olhos azul-claros se cravaram nos dela por um instante antes de ele dizer, num francês perfeito:

– Fräulein Chapelle, onde seu primo Édouard a estava escondendo?

As palavras, ditas com inocência, desencadearam um pânico imediato em Connie.

– Coronel von Wehndorf…

– Por favor, aqui somos todos amigos. Me chame de Falk… se eu puder chamá-la de Constance? – sugeriu ele.

– Claro. – Constance abriu o que torceu para ser seu sorriso mais encantador. – Ele não estava me escondendo. Acontece que eu moro no sul e acho a viagem até Paris cansativa.

– Em que lugar do sul sua família mora?

Mas Édouard já a estava apresentando ao homem seguinte, vestido com o uniforme da SS, a polícia nacional alemã.

– Com licença. – Connie desviou os olhos de Falk e transferiu sua atenção para o Kommandant Choltitz.

– *À bientôt*, Fräulein Constance – ouviu Falk dizer em voz baixa atrás de si.

Uma taça de champanhe foi posta na sua mão por Édouard, e ela foi apresentada a outros três oficiais alemães e um oficial de alta patente da milícia francesa. Foi então apresentada a dois franceses, um deles advogado, o outro um professor universitário cuja esposa, Lilian, era a única outra mulher presente. Com os nervos à flor da pele, Connie sorveu um gole generoso do champanhe e rezou para que Édouard fosse previdente o bastante para sentá-la à mesa junto à segurança de seus conterrâneos.

– *Mesdames et Messieurs*, queiram se dirigir à sala de jantar. Vou buscar minha irmã – disse Édouard, e se adiantou até a porta do salão.

Espremendo-se do modo mais sutil possível entre o professor universitário e sua esposa, Connie passou para a sala de jantar. Sarah indicou seu lugar à mesa. Ela se sentou, aliviada ao ver que o professor estava sentado a seu lado e o advogado, em pé atrás de uma cadeira, no outro. Sarah então se moveu rapidamente na direção do advogado, bem na hora em que ele ia se sentar. Cochichou algo no seu ouvido, e o advogado prontamente se dirigiu ao outro lado da mesa. Connie de repente viu Falk von Wehndorf, o oficial alemão da Gestapo, ao seu lado.

– Fräulein Constance, espero não ofendê-la por ter pedido para me sentar ao seu lado hoje no jantar – disse ele com um sorriso. – Não é sempre que tenho o prazer de ter uma mulher tão linda comigo à mesa. Mas precisamos de mais champanhe. – Falk fez sinal para Sarah, que se apressou em trazer a garrafa no momento exato em que Édouard entrava na sala.

De braço dado com ele vinha uma linda jovem: Sophia, lembrou-se ela, sua irmã. Pequenina e tão perfeita que quase parecia uma boneca, Sophia estava usando um vestido de noite azul-marinho que ressaltava a brancura de sua pele e de seus olhos azuis penetrantes. Os cabelos louros estavam presos num coque, e o pescoço semelhante ao de um cisne enfeitado com um colar de safiras azuis.

Enquanto Édouard a guiava até a mesa, Connie reparou que Sophia estendeu os braços e procurou a cadeira, tateando o encosto de madeira com os dedos delicados. A menina se sentou e sorriu para os convivas reunidos.

– Boa noite. É um prazer recebê-los outra vez em nossa casa.

Ela falava com uma voz baixa e melodiosa, usando o francês impecável da aristocracia.

Muitos dos presentes lhe responderam murmurando uma afetuosa saudação.

– E prima Constance... Édouard me disse que você enfim chegou em segurança para ficar conosco. – Os olhos cor de turquesa de Sophia não se viraram na direção de Connie quando ela falou.

– Sim, e fico feliz em vê-la tão bem – respondeu Connie, sem se comprometer.

O olhar de Sophia se virou na direção da sua voz, e ela abriu para Connie um sorriso ofuscante.

– E temos muita conversa para pôr em dia, estou certa.

Connie observou o vizinho de Sophia puxar conversa com ela. Mesmo assim, os olhos da moça não encararam seu rosto enquanto ele falava.

Com um súbito choque, ela se deu conta de que Sophia de la Martinières era cega.

Connie viu os olhos de Édouard relancearem na sua direção e na de Falk von Wehndorf, prestando atenção na alteração dos lugares à mesa. O próprio Édouard estava sentado do lado oposto ao de Constance, cercado pelos alemães.

– Em primeiro lugar, um brinde. Este jantar é em homenagem ao 35º aniversário de nosso convidado e amigo Falk von Wehndorf. – A mesa inteira ergueu suas taças num brinde. – A você, Falk.

– A Falk! – disse o coro de vozes.

O alemão fez uma mesura de brincadeira.

– E ao nosso anfitrião, conde Édouard de la Martinières, por dar esta festa. E ao que parece ele também me providenciou um presente de aniversário inesperado – disse ele, olhando de lado para Connie. – A Fräulein Constance, que se juntou a nós vinda do sul para esta ocasião.

Connie controlou os nervos quando todos os olhos em volta da mesa se fixaram nela. Jamais tinha lhe passado pela cabeça que a sua chegada em Paris seria saudada com um brinde por um grupo de oficiais nazistas. Ela tomou um gole de champanhe, consciente de que deveria se manter sóbria e não beber mais. Ficou grata quando Sarah começou a servir o primeiro prato e as atenções na sala se dispersaram.

No futuro, ao recordar sua primeira noite na Paris ocupada, Connie teria certeza de que alguém a estava protegendo. O professor universitário à sua esquerda dava aulas na Sorbonne, de modo que ela pôde, diante da atenção insistente de Falk, fazer um relato verdadeiro e honesto do tempo em que estudara lá. A conversa deu credibilidade ao seu disfarce, e ela reparou no olhar de aprovação de Édouard quando conseguiu se esquivar das perguntas de Falk e usar seu charme para redirecioná-lo com sorrisos e olhares.

Ao fim da noite, quando os oficiais alemães estavam indo embora, Falk mais uma vez segurou sua mão e a beijou.

– Fräulein, apreciei muito a sua companhia hoje. Pude notar que, além de linda, a senhorita é também inteligente. – Ele aquiesceu com aprovação. – Quanto tempo vai ficar em Paris?

– Ainda não decidi – respondeu ela, sincera.

– Constance vai ficar conosco o tempo que quiser. – Édouard chegou para resgatá-la, guiando os cavalheiros em direção à porta e dizendo boa-noite.

– Então espero ter o prazer de reencontrá-la. E muito em breve. *Heil Hitler!* – Lançando-lhe um último olhar, Falk saiu atrás dos outros pela porta da frente. A porta foi fechada, e o próprio Édouard a trancou e passou o trinco.

Em pé no hall de entrada, depois de terminado seu martírio, Connie sentiu toda a energia abandonar seu corpo. Suas pernas ficaram bambas, e ela cambaleou de repente. Édouard estava ali para segurá-la e passar um braço reconfortante em volta do seu ombro.

– Venha, Constance – disse ele, guiando-a em direção aos fundos da casa. – Você deve estar exausta. Vamos tomar um conhaque antes de nos deitarmos. – Ele fez sinal para Sarah, que aguardava no corredor. – Leve, por favor, uma bandeja para a sala.

Connie se sentou no sofá, agradecida, tão cansada que chegava a se sentir catatônica. Édouard passou algum tempo observando-a enquanto Sarah trazia a bandeja de conhaque. Uma vez servida a bebida e depois de Sarah sair, ele ergueu seu copo na direção dela.

– Parabéns, Constance. Você foi esplêndida hoje. – Ela o viu sorrir de verdade pela primeira vez, e seu belo rosto de repente ganhou vida.

– Obrigada – falou, com uma voz débil. Reunindo forças, ergueu o copo de conhaque e o levou à boca.

– Talvez tudo que reste a dizer seja... – Édouard tornou a sorrir. – Bem-vinda à nossa família.

O comentário fez os dois rirem. E à medida que a terrível tensão do jantar foi se dissipando, eles começaram a chorar de rir lembrando da farsa que tinham conseguido encenar.

– Ah, Constance, você não imagina o choque que foi vê-la surgir aqui na porta. Pensei que tudo estivesse perdido. Uma casa repleta de altos oficiais da milícia, da Gestapo e da Abwehr, e uma agente do EOE aparece aqui para falar comigo na frente de todos eles!

– Não acreditei quando vi os homens de uniforme no salão. – A lembrança fez Connie balançar a cabeça, horrorizada.

– Vamos conversar amanhã sobre como isso aconteceu – disse Édouard. – Mas por enquanto só posso lhe dizer muito obrigado por ter estado à altura do desafio e por ter tido uma atuação perfeita. É claro que Deus esteve do nosso lado hoje sob muitos aspectos. Sua origem tornou fácil fazer com que todos acreditassem que você é um membro da nossa família.

– No curso do EOE me avisaram várias vezes que o meu francês me identificaria como burguesa – disse Connie com uma risadinha. – Isso não seria adequado para o meu disfarce de professora parisiense. Segundo eles, meu francês revelava uma criação aristocrática demais, e fiz tudo que pude para mudar meu jeito de falar.

– Bom, hoje à noite a sua origem a salvou. E, pelo visto, você ganhou um admirador. – A expressão de Édouard se tornou subitamente tensa. – Ele é um dos poucos nazistas que eu conheço aqui em Paris que vem de uma família de aristocratas. Mas não se deixe enganar por uma sensação de falsa segurança em relação a ele. Falk von Wehndorf é um dos mais letais entre os homens que mandam atualmente em Paris. É implacável quando se trata de desmascarar os traidores da causa nazista – acrescentou Édouard. – Ele foi o principal responsável por prender muitos dos membros da rede à qual você veio se juntar.

Um calafrio desceu pela coluna de Connie.

– Entendo – disse ela, sombria. – Ele com certeza é bem-educado e parece amar a França.

– Ele valoriza a história, a cultura e a elegância do nosso país, mas as cobiça para si e para a sua pátria-mãe. Isso o torna ainda mais perigoso. Como nós dois vimos hoje, ele também aprecia as nossas mulheres – disse Édouard, arqueando as sobrancelhas. – E se ele a deseja... bom, falaremos sobre o futuro amanhã. – Édouard pousou seu copo, levantou-se, foi até ela e lhe deu tapinhas no ombro. – Tudo que você precisa saber por hoje é que está segura em Paris conosco e pode dormir em paz com essa certeza. – Ele lhe ofereceu o braço. – Vamos nos recolher?

– Sim. – Ao se levantar, Connie disfarçou um bocejo. Eles avançaram pelo corredor e subiram até o patamar da escada.

– Boa noite, prima Constance. – Édouard sorriu.

– Boa noite, Édouard.

Depois de tirar as joias e as roupas, Connie subiu na cama grande e confortável. Uma onda de exaustão a dominou, e ela mergulhou num sono profundo e agradecido.

Acordou na manhã seguinte sobressaltada, desorientada por alguns instantes ao olhar para o quarto em volta. Ao se lembrar de onde estava, recostou-se com um suspiro nos travesseiros macios. Verificou as horas no relógio e viu que passava das dez. Levou a mão à boca, consternada. Nunca em toda sua vida tinha dormido até tão tarde. Desceu da cama, abriu a mala, e vestiu a blusa e saia simples que a Seção F tinha julgado adequadas como parte do seu guarda-roupa de professora. Arrumou os cabelos apressadamente diante do espelho, então desceu em busca de Édouard ou Sophia.

– O conde está na biblioteca, mademoiselle – disse Sarah ao interceptá-la no corredor. – Ele disse para a senhorita ir encontrá-lo quando acordasse. Posso lhe levar uma bandeja com o desjejum?

– Só um café seria maravilhoso, obrigada – respondeu Connie, com o estômago ainda saciado pelo suntuoso jantar da noite anterior.

Pelo visto os cupons de racionamento não eram necessários naquela casa. Ela seguiu Sarah até uma porta, bateu e entrou.

Édouard estava sentado numa confortável poltrona de couro na biblioteca ocupada por estantes do chão ao teto. Quando ela entrou, ele ergueu os olhos do jornal que estava lendo.

– Bom dia, Constance. Sente-se, por favor. – Ele indicou uma cadeira do outro lado da lareira.

– Obrigada – disse ela, e sentou-se. – Que coleção maravilhosa de livros você tem aqui. – Ela encarou admirada as estantes.

– Herdei do meu pai, mas é a minha paixão também. Pretendo ampliá-la se puder. Tantos milhares de livros foram queimados Europa afora pelos nazistas que esta coleção ficou ainda mais preciosa do que antes. – Édouard suspirou fundo e se levantou. Connie pôde ver que ele estava com um aspecto cansado e sério, sem nenhum sinal da efervescência da véspera. Ao estudá-lo à luz do dia, viu as finas rugas que marcavam seu rosto e calculou que ele devesse ter trinta e poucos anos. – Mas Constance, eu gostaria que você me contasse em detalhes as circunstâncias que a fizeram bater à minha porta ontem à noite.

Connie então explicou que o contato que ela deveria ter encontrado em Montparnasse não tinha aparecido e que ela fora ao endereço na rue de Rennes que Stefan tinha lhe dado.

– Sabe se alguém a viu entrar no prédio? – Édouard exibiu uma expressão alarmada.

– Eu olhei com muito cuidado, como Stefan orientou, e não vi ninguém de uniforme por perto. Quando estava a ponto de ir embora, uma mulher do apartamento ao lado me disse que a Gestapo tinha estado ali e capturara os ocupantes. Ela me disse para sair pela porta dos fundos do prédio – acrescentou Connie.

– Ela viu seu rosto?

– Se viu, foi só por alguns segundos.

– Então vamos rezar para ela ser de confiança – disse Édouard num sussurro. – Bem, Constance, pelo visto, até agora você teve a sorte dos abençoados. O apartamento 17 era um dos muitos aparelhos da rede Cientista. Como a vizinha confirmou, ele foi descoberto pela Gestapo na noite anterior à sua chegada. E eles continuam estourando subgrupos e prendendo mais gente. É quase certo que o apartamento devia estar sendo vigiado quando você apareceu. Eles deviam estar lá para pegar agentes que ainda não estavam cientes do ataque alemão. – Ele suspirou. – Então tudo que nos resta é torcer para ninguém ter reparado em você por ser uma cara nova, que nunca tinha sido vista entrando no apartamento. Eles podem ter achado que você era só conhecida de algum morador.

– Stefan disse que eu era a única que ele podia mandar para Paris, porque era desconhecida e não estaria em nenhuma lista da Gestapo – explicou Connie.

– Ele tem razão. Pelo menos é alguma coisa. – Édouard coçou o queixo, pensativo, enquanto Sarah servia café e biscoitos para ambos. – Devo assinalar que você teve sorte por Stefan fazer parte do seu comitê de recepção. Ele é um integrante altamente treinado do Maquis, organização à qual os seus agentes dão apoio. Ele me conhece por outros meios que não o EOE. Quando entendeu que estava havendo dificuldades em Paris, deu meu nome a você como último recurso. O problema é que...

– Sim? – Connie estava achando difícil entender onde Édouard se encaixava.

– Por causa da minha... – Ele buscou a palavra certa. – Por causa da minha posição, nenhum vínculo com o EOE ou com a Resistência pode ser descoberto. Não tenho como lhe dizer o quanto isso é vital. E aqui está você, claro, o vínculo de que os alemães precisam: uma agente britânica do EOE tomando café comigo em minha biblioteca.

– Eu realmente sinto muitíssimo por ter lhe causado todo esse transtorno, Édouard.

– Constance, por favor, não estou pondo a culpa em você. Stefan precisava mandar alguém a Paris para descobrir a gravidade e o escopo da situação. E posso lhe garantir que é ainda pior do que ele imaginava.

– Ele me pediu para informar Londres o quanto antes – emendou ela.

– Não vai ser necessário. Eu não trabalho para o governo britânico, mas sei quem são os membros mais graduados do seu serviço secreto e nós trocamos informações. Já entrei em contato com Londres hoje de manhã para alertar sobre o que tinha acontecido – explicou Édouard. – Stefan vai receber notícias muito em breve. Tanto Próspero, o líder da rede Cientista, quanto seu operador de rádio estão presos. Todos os outros integrantes da rede fugiram de Paris ou estão escondidos em algum lugar da cidade até segunda ordem. Minha cara Constance, no momento simplesmente não existe rede nenhuma aqui para a qual você possa entrar – concluiu ele.

– Nesse caso eu com certeza devo ser transferida de Paris para outra rede, não? – indagou Connie.

– Em circunstâncias normais, sim, é isso que iria acontecer – concordou Édouard. – Só que, por pura coincidência, você ontem à noite conheceu alguns dos alemães mais poderosos de Paris. – Ele pousou a xícara de café e se inclinou mais para perto. – Imagine só, Constance: você é transferida para outra rede e começa com sucesso a executar a missão para a qual foi treinada. Então, *puf!* – Ele estalou um dedo. – É presa e levada para ser interrogada no quartel-general da Gestapo. E lá, outra coincidência acontece: um dos homens que você conheceu ontem, digamos, o coronel Falk, aparece para conduzir o interrogatório. E quem ele vê ali, amarrada numa cadeira? Ora, ninguém menos do que a prima do seu bom amigo conde La Martinières, que ele conheceu semanas antes num jantar na casa do próprio conde. Então o que ele pensa? Por acaso imagina que seu amigo Édouard não sabe sobre as atividades da prima? Talvez, no mínimo, ele comece a se interessar mais pelo conde, a examinar os outros convidados franceses que estiveram sentados ao redor da mesa, e talvez comece a questionar se eles são mesmo os apoiadores leais e genuínos dos governos de Vichy e da Alemanha que alegam ser.

– Sim, eu entendo – concordou Connie. – Mas qual é a solução? E para quem você trabalha, Édouard?

– Constance, você não precisa saber – respondeu ele de pronto. – Na verdade, é melhor se não souber. Mas tudo que eu faço tem a ver com libertar o meu país das garras do regime nazista. E do governo fantoche de Vichy liderado por nossos conterrâneos fracos, que, para salvar a própria pele, concordam com tudo que os alemães dizem. Passei os últimos quatro anos trabalhando para conquistar a confiança deles. A minha fortuna, aliada à ganância deles, torna isso nauseante, mas possível. Nunca esqueça o que eu preciso sacrificar para fazer isso, Constance. Toda vez que um deles entra pela minha porta, meu desejo é pegar minha espingarda e abatê-lo com um tiro.

Connie viu que os traços dele estavam contorcidos, as mãos apertadas com força uma contra a outra, as articulações esbranquiçadas.

– Mas em vez disso eu os convido para a minha casa, lhes ofereço os melhores vinhos das nossas adegas, gasto dinheiro no mercado paralelo para conseguir as melhores carnes e os melhores queijos para encher suas barrigas e converso educadamente com eles. Por quê?, você pergunta. Como posso fazer isso?

Connie se manteve calada; sabia que ele não esperava uma resposta sua.

– Eu faço isso porque, muito de vez em quando, depois de muito conhaque, escuto um fragmento de informação que alguma boca alemã descuidada deixa escapar. E às vezes esse pedacinho de informação me permite alertar os que estão correndo perigo e quem sabe salvar a vida dos meus conterrâneos. E por isso, sim, por isso eu suporto a presença deles à minha mesa.

Connie assentiu.

– Então você entende que jamais pode haver nenhuma sugestão de qualquer envolvimento meu com qualquer organização que os nazistas estão desesperados para eliminar? Isso não apenas resultaria na morte dos muitos homens e mulheres corajosos que trabalham comigo, mas também poria em risco as valiosas informações que eu consigo passar para aqueles que mais precisam. Não é tanto com a minha vida que me preocupo, Constance, mas, por exemplo, com a de Sophia. Viver aqui comigo nesta casa torna impossível ela não fazer parte da farsa. E não ser culpada caso eu seja desmascarado. Sendo assim… – Ele se levantou de repente, foi até a janela e olhou para o sol que banhava de luz o belo jardim mais adiante. – Por todos esses motivos, infelizmente é impossível você continuar sua carreira de agente britânica.

Connie foi registrando aos poucos as palavras que Édouard acabara de dizer. Certamente todas aquelas semanas de treinamento, de preparação mental *e* emocional, com certeza tudo aquilo não podia ter sido em vão, podia?

– Entendo. O que você vai fazer comigo? – perguntou ela por fim, sabendo que estava soando queixosa.

– Muito boa pergunta, Constance. Já informei Londres que você está aqui comigo. E que eles precisam destruir imediatamente qualquer registro da sua chegada à França. Os poucos que sabiam serão avisados, e daqui em diante eles não farão nenhum contato. Você vai trazer seus documentos para mim agora mesmo, e juntos nós vamos queimá-los na lareira. Também vai me entregar sua mala, da qual vou me livrar para você. Já mandei lhe preparar novos documentos. De agora em diante, você é simplesmente Constance Chapelle, moradora de Saint-Raphaël e conhecida por aqueles que já a encontraram como minha prima.

– E o que eu vou fazer? – perguntou ela. – Vou ser mandada de volta para a Inglaterra?

– Ainda não, é perigoso demais. Não posso correr o risco de você ser capturada. – Édouard abriu um sorriso pesaroso. – Constance, infelizmente você terá que passar as próximas semanas encenando a história que contou ontem à noite. Vai ficar aqui nesta casa, como nossa hóspede. Talvez em algum momento no futuro possa viajar até o sul como se estivesse voltando para casa em Saint-Raphaël, e veremos o que é possível ser feito para levá-la de lá até a Inglaterra. Mas por enquanto, sem ter culpa nenhuma nisso, você está presa aqui conosco.

– E Londres concordou com isso? – indagou Connie, incrédula.

– Eles não tiveram escolha. – Édouard descartou a pergunta como algo irrelevante. Virou-se para ela, e seu olhar subitamente se abrandou. – Posso entender seu desejo valente de ajudar seu país e a sua decepção por não poder executar essa tarefa. Mas acredite: você está sacrificando sua carreira por uma causa digna e superior. – Ele deu de ombros. – Além do mais, talvez haja outras maneiras de ajudar. Você é uma mulher linda, que deixou um homem poderoso muito impressionado. Falk é um convidado frequente nesta casa. Nunca se sabe o que ele pode vir a lhe contar.

Connie estremeceu ao pensar naquilo, mas entendeu o que Édouard estava dizendo.

– Enquanto isso, Sophia ligou para a costureira dela, que vai chegar daqui a pouco. Você vai precisar de um guarda-roupa digno de uma nobre da linhagem dos Montaines e dos La Martinières. E vai ser agradável para Sophia ter outra companheira em casa. Ela raramente sai, por causa da sua… da sua condição, e se sente muito sozinha. Também sente muita falta da mãe. Talvez você possa passar algum tempo com ela? – sugeriu Édouard.

– Ela é cega desde que nasceu? – perguntou Connie.

– Sophia tinha parte da visão quando nasceu, então meus pais não perceberam o problema de imediato – explicou ele. – A visão foi se deteriorando aos poucos, mas quando eles se deram conta da extensão do problema, já era tarde para os médicos reverterem o quadro. Sophia se adaptou bem à sua limitação. Sabe escrever, habilidade que aprendeu antes de ficar totalmente cega. Os poemas que ela escreve são lindos. De verdade.

Connie pôde ver a emoção nos olhos dele.

– Com que idade ela perdeu de vez a visão?

– Sophia tinha sete anos quando a luz se apagou para ela por completo. Apesar disso, é assombroso o modo como seus outros sentidos compensaram isso. Ela tem a audição mais aguçada do que qualquer outra pessoa que eu conheça e em geral sabe quem está entrando num cômodo só pelo som do movimento que a pessoa faz. Gosta muito de ler também. Estou mandando fabricar para ela em braile alguns livros daqui e da minha biblioteca de Gassin. Sua paixão são os poetas românticos ingleses como Byron e Keats. E ela também sabe desenhar. Ao tocar o modelo, de algum modo consegue transferir o formato e a cor para o papel. – Édouard sorriu suavemente. – Ela é uma artista, e é a coisa mais preciosa que tenho.

– Além de ser muito linda – emendou Connie.

– Sim. Não é triste que nunca vá poder ver isso num espelho com os próprios olhos? Ela não faz a menor ideia – disse ele. – Os homens que a conhecem... Bom, eu posso ver o efeito que ela tem sobre eles. Sophia é um esplendor.

– É mesmo.

– Bem... – A expressão de Édouard mudou de repente. – Vá lá em cima buscar sua mala e seus documentos. Não me sentirei tranquilo enquanto eles ainda estiverem dentro da casa.

Não foi um pedido, e sim uma ordem. Connie lhe obedeceu e subiu para buscar sua mala. Dez minutos depois, viu sua identidade virar pó. Quanto ao conteúdo de sua mala, Édouard o transferiu para um saco e então apontou para os seus sapatos.

– Esses daí também, Constance. Nós dois sabemos o que tem escondido num dos saltos.

– Mas são meus únicos sapatos – afirmou Connie.

– Vamos providenciar outro par para você agora mesmo – respondeu ele.

Parada na biblioteca, calçada só com as meias finas, Connie se sentiu terrivelmente vulnerável. Não possuía nada no mundo a não ser as roupas do corpo.

Como se já tivesse feito isso uma centena de vezes, Édouard retirou os francos escondidos no forro da mala. Entregou o dinheiro a ela e reparou na sua expressão tensa.

– Pode ficar com isto aqui, claro, com os cumprimentos dos governos britânico e francês pelas dificuldades que a fizeram passar. Sophia e eu nos responsabilizaremos por provê-la do ponto de vista material enquanto estiver conosco. Tudo do bom e do melhor, claro. Sophia a está esperando lá em cima para lhe apresentar à costureira. Mais uma coisa... – Édouard se deteve na soleira da porta. – É improvável que alguém tente entrar em contato com você. Poucas pessoas da sua organização sabem da sua presença aqui. Mas,

124

na eventualidade de alguém descobrir seu paradeiro, você não deve, repito, *não deve* tentar responder às mensagens deles. Entendido?

– Sim.

– Caso contrário, tudo isso de nada valeria, e você estaria colocando muitas vidas em grave perigo – disse ele, fulminando-a com os olhos.

– Eu entendi.

– Ótimo. Agora suba depressa para falar com Sophia.

12

Um mês tinha se passado desde que Constance passara a integrar a residência dos La Martinières. Haviam mandado lhe entregar roupas novas e elegantes, sapatos de couro macio – de um tipo que ela não via desde antes da guerra – e várias meias finas de seda. Ao guardar as peças na cômoda do quarto, Connie pensou na amarga ironia da sua situação e suspirou. Estava vivendo como uma princesa numa casa onde o dinheiro não parecia ser um problema e onde os empregados atendiam a todas as suas necessidades. Apesar disso, a suntuosidade externa da vida que ela agora era forçada a levar nada ajudava a conter a dor daquilo que não passava de um cativeiro. Não só ficava deitada à noite na cama sentindo tanta saudade de Lawrence que o seu coração chegava a doer, como também se atormentava pensando nos outros corajosos homens e mulheres que tinham sido treinados com ela e agora estavam em campo, correndo perigo constante e sofrendo privações que ela mal tinha como imaginar. A culpa pela situação em que se encontrava a consumia dia e noite. Naquela prisão dourada, privada de qualquer contato com o mundo exterior, Connie pensou que fosse enlouquecer.

Seu único alento era Sophia, a quem ela já tinha se afeiçoado. Com uma percepção afiada pelo fato de ser cega, a moça percebia num instante, apenas pelo tom da sua voz, quando Connie estava desanimada.

Aos 25 anos, exatamente a mesma idade de Connie, Sophia se mostrava empolgada para ouvir e aprender sobre a vida da amiga na Inglaterra, já que nunca tinha saído da França. Connie passava as tardes quentes de julho descrevendo as charnecas remotas porém magníficas de Yorkshire e a mansão de Blackmoor Hall, onde a família de Lawrence morava. Isso a confortava e perturbava em igual medida, mas pelo menos mantinha o marido vivo na sua memória.

Recentemente, quando estavam as duas sentadas no terraço diante de um pôr do sol ameno, Connie havia confidenciado a Sophia quanto sentia falta do marido. Sophia tinha se mostrado um retrato da empatia, perguntando detalhes sobre Lawrence e amparado Connie com palavras tranquilizadoras.

Depois disso, Connie havia entrado em pânico. Tinha falado demais; afinal, nada lhe provava que os La Martinières não a estavam mantendo ali como um prêmio para entregar aos nazistas se e quando lhes aprouvesse... mas ela precisava confiar em *alguém*.

Então, duas noites depois, o coronel Falk von Wehndorf apareceu na porta sem avisar. Sarah foi chamar Connie, que estava sentada com Sophia na biblioteca.

– Madame Constance, visita para a senhora – disse a empregada, alertando-a somente com o olhar.

Connie meneou a cabeça e, com o coração disparado, foi até a sala para onde Falk havia sido conduzido.

– Fräulein Constance! Ora, acho que a senhorita está ainda mais linda do que da última vez que a vi. – Ele foi até ela e beijou-lhe a mão.

– Obrigada, coronel. Ahn...

– Por favor, lembre-se – interrompeu Falk. – Devemos nos tratar apenas pelo primeiro nome. Eu estava passando por aqui no caminho de volta para o quartel-general e pensei: *Vou visitar a encantadora prima de Édouard para ver se Paris está lhe fazendo bem.* E pelo visto está.

– Sim, com certeza é uma mudança agradável em relação à minha vida rural lá no sul – respondeu Connie, desconfortável.

– Estive pensando... – Ele fez uma pausa. – Hoje mais tarde, depois que eu tiver terminado um compromisso, será que eu poderia vir buscá-la e levá-la a uma casa noturna para jantar e dançar um pouco?

Connie sentiu um nó se formando na garganta.

– Ahn...

Bem nesse instante, obviamente alertado por Sarah sobre a presença do coronel, Édouard entrou na sala.

– Falk! Mas que surpresa agradável – cumprimentou, e os dois homens trocaram um aperto de mão efusivo.

– Estava aqui sugerindo à sua encantadora prima que talvez pudesse ter o prazer da companhia dela hoje à noite – repetiu Falk.

– Infelizmente nós já fomos convidados para jantar perto de Versalhes por um primo nosso em comum. – Édouard olhou afetuosamente para Connie.

– Minha querida, você passou tempo demais longe de Paris. Pelo visto está concorrida. Mas quem sabe numa outra ocasião não gostaria de sair com Falk e aceitar o seu gentil convite?

– Sim. Fico honrada com o seu convite, Herr Falk. – Connie forçou um sorriso.

– A honra seria toda minha, Fräulein. Como você disse, Édouard, numa outra ocasião.

Falk juntou os calcanhares e, numa paródia daquilo que Connie só tinha visto nos programas de notícias granulados da Pathé, esticou o braço e disse:

– *Heil, Hitler!* Agora preciso ir.

– Talvez o vejamos na ópera sábado à noite? – perguntou Édouard ao conduzir Falk até a porta.

– Vocês vão estar num camarote? – O olhar de Falk estava fixo em Connie.

– Sim. Gostaria de se juntar a nós, Herr Falk? – perguntou Édouard.

– Seria muito agradável. Até lá, Fräulein Constance. – Ele se curvou.

Depois de o alemão sair, Connie afundou numa cadeira. Édouard tornou a entrar.

– Eu sinto muito, Constance, mas pelo visto nosso coronel está caidinho pela minha linda prima. – Ele segurou as mãos dela. – Sugeri que ele nos acompanhasse à ópera porque pelo menos vamos estar lá para protegê-la.

– Ah, Édouard... – Connie soltou um suspiro impotente e balançou a cabeça.

Ele afagou suas mãos.

– Eu sei, minha cara. É uma farsa terrível. E talvez seja uma pena não termos inventado um noivo para você lá no sul na noite em que conheceu Falk. Mas agora é tarde. E você vai ter de lidar com isso da melhor maneira que conseguir.

A Place de l'Opéra fervilhava com uma glamorosa multidão formada por alemães de alta patente, oficiais do governo de Vichy e a burguesia parisiense. A milícia francesa montava guarda diante da entrada.

A noite de julho estava extremamente quente, e Connie, usando um vestido de gala com um corpete justo verde-esmeralda, se sentia um frango posto para assar no forno a uma temperatura excessivamente alta. Ela olhou para o Ritz, hotel onde muitas vezes tinha encontrado a tia para tomar chá quando vinha de Saint-Raphaël visitá-la. As bandeiras nazistas agora tinham assumido o lugar das tricolores nos mastros. Sentindo um nó avassalador na garganta, ela fechou os olhos por um instante. Embora a cena daquela noite fosse a vida seguindo seu curso, era tudo uma farsa, um pastiche sombrio de como as coisas deveriam ser. É claro que não era a mesma coisa... nada estava igual a antes.

Enquanto Édouard parava para cumprimentar amigos a caminho do camarote, Connie guiava Sophia pela escadaria imponente.

– Estou muito ansiosa por esse espetáculo – disse Sophia, iluminando o lindo rosto com um sorriso enquanto Connie a acomodava no confortável assento de veludo. – Embora preferisse que não fosse uma ópera de Wagner. – Ela franziu o nariz. – Mas é claro que nossos amigos que estão governando o país preferem assim. Já eu gosto mais de Puccini.

A pessoa seguinte a chegar no camarote foi Falk.

– Fräulein Constance – disse ele após beijar a mão dela, como de hábito, olhando-a de cima a baixo. – Seu vestido é lindíssimo. É verdade que as damas francesas são as mais elegantes do mundo. Quem sabe um pouco dessa elegância francesa não consegue contagiar nossas conterrâneas?

Ele pegou uma taça de champanhe da bandeja que lhe estendiam, e no mesmo instante a porta voltou a se abrir, revelando Édouard e... Connie ficou encarando, sem entender, uma cópia idêntica de Falk em pé atrás dele.

A surpresa de Connie fez Falk sorrir.

– Acha que está vendo dobrado, Fräulein? Posso lhe garantir que ainda não exagerou no champanhe. Permita-me apresentar-lhe meu irmão gêmeo, Frederik.

– Madame, honrado em conhecê-la. – Frederik deu um passo à frente, segurou a mão de Connie e a apertou com educação.

Ela reparou que, embora os dois fossem idênticos fisicamente, Frederik exibia uma expressão calorosa nos olhos quando lhe sorriu, em pé ao lado do irmão.

– E esta é minha irmã Sophia – interrompeu Édouard.

Frederik se virou para cumprimentá-la. Encarou-a, abriu a boca para falar, mas nenhuma palavra saiu. Ficou parado como se estivesse hipnotizado, olhando para ela maravilhado.

Durante essa longa pausa, Sophia estendeu a mão para ele e quebrou o silêncio.

– Coronel von Wehndorf, encantada em conhecê-lo.

Connie viu os dedos dos dois se tocarem pela primeira vez. Frederik ainda não tinha dito nada, mas segurou a mão diminuta com delicadeza durante um tempo que pareceu constrangedoramente longo. Por fim, conseguiu articular um "encantado, mademoiselle". Com relutância, soltou a mão de Sophia, e Connie a viu abrir um sorriso radiante, como se algo maravilhoso tivesse acabado de acontecer. Por sorte Édouard estava entretido com outros dois convidados que chegavam, e Falk tinha os olhos fixos somente em Connie.

– Mas quem de vocês é o mais velho? – perguntou ela, tentando dissipar a tensão.

– Infelizmente eu sou o mais novo – respondeu Falk. – Cheguei uma hora depois do meu irmão. Por pouco não venho a este mundo; talvez ele tenha roubado toda a energia da minha mãe! – Falk lançou a Frederik um olhar que fez Connie perceber a rixa entre os dois. – Não concorda, Frederik?

– Desculpe, irmão, não escutei o que você disse. – Frederik conseguiu enfim tirar os olhos de Sophia e encarou Falk com uma expressão intrigada.

– Não foi nada importante. Estava só dizendo que você chegou primeiro. Como fez muitas outras vezes desde então. – Falk riu da própria piada maldosa, mas havia dureza no seu olhar.

– E você nunca vai me perdoar por isso, não é? – Fredrik sorriu de modo afável e deu uns tapinhas afetuosos no ombro do irmão.

– Quando chegou em Paris, Frederik? – indagou Sophia. – É uma surpresa não termos nos conhecido antes.

– Meu irmão mais velho tem coisas mais importantes a fazer do que tomar conta de uma cidade. – interveio Falk. – Ele tem trabalhado diretamente para o Führer como parte do seu núcleo estratégico. Frederik é um intelectual, não um soldado, e está muito acima de nós, meros mortais da Gestapo.

– Fui incumbido de visitar Paris como emissário, sim – respondeu Frederik. – O Führer está preocupado com a alta taxa de sucesso das sabotagens organizadas ultimamente pela Resistência.

– Em suma, Frederik está aqui porque não acha que nós da Gestapo estamos fazendo o nosso trabalho bem o bastante.

– É claro que não se trata disso, Falk – interrompeu Frederik, constrangido. – Essas pessoas são inteligentes e bem-organizadas, só isso. E levam a melhor sobre nós com demasiada frequência.

– Irmão, nós acabamos de efetuar nossa mais bem-sucedida prisão de resistentes e agentes do EOE – disse Falk. – A rede Cientista está um caos. Por ora ela não pode causar mais nenhum dano.

– E você vai ser parabenizado por isso – concordou Frederik. – Só estou aqui para ter uma noção geral da situação e ver como podemos continuar a capturá-los.

Connie observou a tensão entre os dois irmãos e tentou permanecer imune às suas palavras. Por sorte, as luzes diminuíram e todos ocuparam seus lugares. Frederik se apressou em tomar o assento bem ao lado de Sophia. Connie se viu ladeada pelos dois irmãos.

– Gosta de Wagner, Fräulein Chapelle? – perguntou Falk, esvaziando sua taça de champanhe e a colocando de volta na bandeja.

– Não é um compositor que eu conheça particularmente bem, mas estou ansiosa para me familiarizar mais com ele – respondeu Connie, diplomática.

– Espero que a senhorita, Fräulein Sophia e Édouard possam ir jantar conosco depois da ópera – acrescentou Falk. – Sinto-me no dever de mostrar o melhor de Paris ao meu irmão enquanto ele estiver aqui.

Connie não precisou responder, pois as palavras de Falk foram abafadas pelo coro de abertura dramático de *Die Walküre*.

Por nunca ter gostado de Wagner, cuja obra considerava excessivamente pesada, Connie passou boa parte do tempo olhando discretamente para a plateia em volta. Sentia-se muito desconfortável por estar sendo vista em público com o inimigo, mas o que podia fazer? Se, como Édouard tinha lhe explicado, suas ações fossem em nome de uma causa maior, ela precisava engolir a repulsa enquanto Falk estendia a mão em direção ao seu joelho coberto de seda e dar um jeito de suportar aquilo.

Discretamente, olhou para a esquerda, e foi quando viu a expressão de êxtase de Frederik. Então viu que os olhos dele não encaravam o palco lá embaixo, mas Sophia.

Após o espetáculo quase interminável, Édouard aceitou o convite de Falk e Frederik para ir jantar com eles num clube. Uma limusine preta da Gestapo os aguardava do lado de fora.

Quando Édouard estava acompanhando as moças até a porta traseira do carro, algo o acertou na nuca.

– *Traître! Traître!* – gritou uma voz vinda do meio da multidão.

O chofer fechou depressa as portas enquanto o carro era alvejado com ovos podres. Enquanto eles se afastavam da calçada, Connie ouviu tiros serem disparados mais atrás. Édouard deu um suspiro, sacou o lenço e fez o possível para limpar o ovo fétido do ombro do smoking.

Com o rosto petrificado de medo, Sophia segurava o outro ombro do irmão.

– Porcos! – cuspiu Falk do banco diante dela. – Estejam certos de que os responsáveis serão pegos e interrogados pessoalmente por mim amanhã.

– Não tem problema, Falk, mesmo – disse Édouard depressa. – Foram só uns ovos, não armas. Só um patriota amargurado que ainda precisa enxergar a luz.

– O quanto antes isso acontecer, melhor para todos nós – retrucou Falk.

Dentro do restaurante, enquanto Édouard pedia licença e se afastava imediatamente para ir se limpar no banheiro, Frederik guiou Sophia cuidadosamente escada abaixo.

– Sua mão está tremendo, pobrezinha – disse ele com delicadeza.

– Não gosto de nenhum tipo de violência – respondeu Sophia, e estremeceu.

– Muitos de nós tampouco – respondeu ele, apertando sua mão com força e a guiando pelo meio das pessoas em direção à sua mesa. Ao fazê-la se sentar, pôs as duas mãos nos seus ombros e sussurrou no seu ouvido. – Não se preocupe, mademoiselle Sophia. Estará sempre segura comigo.

As mãos de Falk subiam e desciam pelas costas de Connie enquanto eles dançavam. Toda vez que os dedos do homem tocavam a pele nua entre seus ombros e seu pescoço, ela sentia um arrepio de repulsa e medo. Sabia, por Édouard, que aqueles eram dedos que não hesitavam em cingir o metal frio de um gatilho e matar um ser humano com um tiro à queima-roupa. Sentiu no rosto o hálito rançoso permeado de álcool de Falk enquanto ele tentava manobrar os lábios na direção dos seus.

– Constance, você certamente sabe o quanto eu a desejo... Por favor, diga que poderei tê-la – gemeu ele, afundando o rosto no seu pescoço.

Enojada, Connie se esforçou para não seguir os instintos e se desvencilhar daquele abraço. Entendeu que, fosse outra a nacionalidade daquele homem, ela ainda assim teria se esquivado do seu toque. Olhou em volta para as outras francesas que dançavam com alemães pelo salão, nenhuma vestida com tanto luxo quanto ela. Pelo aspecto, algumas não passavam de prostitutas comuns. Mas e ela, por acaso era melhor?

Viu Sophia do outro lado da pista, dançando com Frederik. Eles não estavam dançando; na realidade mal se mexiam. Em vez disso, Frederik segurava suas duas mãos e lhe falava em voz baixa. Sophia sorriu, aquiesceu e se aninhou mais ainda no seu abraço. Connie reparou como ele a segurava com ternura, como a cabeça dela repousava de modo natural no seu peito. Havia ali uma... ela buscou a expressão certa. Havia na linguagem corporal dos dois uma *intimidade*, uma cumplicidade que contradizia o fato de eles terem acabado de se conhecer.

– Quem sabe na semana que vem possamos escapar do seu primo protetor – disse Falk para Connie, olhando de relance para Édouard, que observava cada um de seus movimentos da mesa. – E consigamos ficar a sós.

– Quem sabe – disse Connie, perguntando-se quanto tempo levaria para se livrar daquele homem acostumado a conseguir o que queria. – Com licença, preciso ir ao toalete – falou quando a banda tocou as últimas notas da música.

Falk lhe deu um breve meneio de cabeça e a acompanhou para fora da pista.

Ao chegar de volta à mesa depois de ir ao toalete, Connie ouviu a conversa entre Falk e Édouard.

– Meu amigo preferiria um Renoir, mas se não for possível ele também gosta de Monet.

– Como sempre, Falk, verei o que posso fazer. Ah, Constance. Você parece cansada – disse Édouard com empatia enquanto ela se sentava à mesa com eles.

– Sim, um pouco – respondeu ela, sincera.

– Vamos embora assim que eu conseguir arrastar Sophia para fora da pista – disse Édouard.

– Sim – disse Falk com um sorriso, tomando mais uma golada de conhaque. – Pelo visto os homens da minha família apreciam as mulheres da sua.

Um carro da Gestapo deixou os três em frente à casa na rue de Varenne. Connie não disse nada durante o trajeto, nem Sophia. As tentativas de Édouard de puxar conversa não surtiram efeito com as mulheres. Quando Sarah abriu a porta da frente, Connie disse um boa-noite abrupto aos irmãos e se encaminhou para a escada.

– Constance – disse Édouard, detendo-a quando ela começava a subir os degraus. – Venha tomar um conhaque comigo na biblioteca.

Não era um convite, mas uma ordem. Enquanto Sarah conduzia uma Sophia deslumbrada até a cama, Connie deu meia-volta e foi com Édouard até a biblioteca.

– Eu não quero conhaque – disse ela enquanto Édouard se servia.

– O que foi, minha cara? Você está obviamente muito abalada. Foram os ovos podres que jogaram em nós? Ou a insistência de Falk?

Connie se deixou afundar numa cadeira e levou os dedos à testa. Seus olhos se encheram de lágrimas que ela não conseguiu estancar.

– É que… – Ela balançou a cabeça, desolada. – Eu simplesmente acho que não vou conseguir suportar isso. Estou traindo tudo que me ensinaram e tudo em que acredito. Estou vivendo uma mentira!

– Vamos, Constance, por favor, tente não se abalar. Eu compreendo totalmente como está se sentindo. Quem vê de fora talvez pense que você está tendo uma guerra fácil. Mas o que nós três estamos passando… você por coincidência, eu por convicção, e Sophia por associação… é de fato um tormento para a alma – concordou ele.

– Me perdoe, Édouard, mas você pelo menos sabe *por quê!* – exclamou ela. – Ao passo que eu não tenho prova alguma de que as coisas que você me disse são verdade! Sou uma agente treinada pelo governo britânico e estou aqui para defender dois países pelos quais tenho apreço, não para jantar, dançar e jogar conversa fora com oficiais alemães! Hoje à noite, quando ouvi aquela mulher gritar "traidor"… nunca senti tanta vergonha em toda a minha vida. – Connie enxugou as lágrimas com um gesto bruto. – Talvez ela morra por nossa causa.

– É, talvez ela morra – concordou Édouard. – E talvez não. Mas pode ser também que… – Ele a encarou com seus firmes olhos castanhos. – Pode ser que graças à noite de hoje eu consiga alertar uma dúzia de homens e mulheres que vão se encontrar amanhã à noite, numa casa clandestina não muito longe daqui, que os nazistas estão a par de seus planos. E, portanto, talvez eles não só se salvem, como também salvem outras centenas de almas valentes que trabalham para a rede.

Connie o encarava espantada.

– Como?

– Os agentes pertencem a um subcircuito da rede Cientista, e seus nomes foram arrancados à base de tortura daqueles capturados na última leva de prisões. Falk me contou isso enquanto você estava no toalete. Estava todo contente com esse desdobramento. Eu o conheço bem... ele sempre fica indiscreto quando exagera no conhaque. E todas as vezes sua arrogância o trai. Ele quer que eu saiba como executa bem seu trabalho. E sim... – Édouard deu um suspiro desolado. – Ele de fato é demasiadamente bom no que faz.

Connie passou algum tempo calada a encará-lo, tentando acreditar nele.

– Por favor, Édouard, estou lhe implorando, me diga para quem você trabalha, aí pelo menos vou poder dormir à noite sabendo que não estou traindo o meu país.

– Não. – Édouard balançou a cabeça. – Não posso fazer isso. Você precisa acreditar que é verdade. E talvez descubra por outra fonte mais cedo do que pensa. Afinal, hoje não foi a última vez que vimos nosso amigo Falk. Se ele estiver se gabando de uma nova leva de prisões, então, sim, eu sou o traidor que você me acusa de ser. Mas se por acaso o lugar estiver vazio quando a Gestapo chegar, então talvez eu esteja falando a verdade. Constance... – Édouard deu outro suspiro. – Entendo que seja difícil, já que você não escolheu este caminho. Mas posso apenas prometer, como já fiz tantas vezes, que estamos lutando no mesmo lado.

– Se ao menos você pudesse me dizer para quem trabalha – tornou a tentar ela.

– E pôr em risco a sua vida e a de tantos outros? – Édouard balançou a cabeça. – Não, Constance. Nem mesmo Sophia conhece os detalhes, e é assim que deve continuar. E agora os riscos parecem ter ficado ainda maiores. Eu já sabia quem era Frederik, irmão de Falk. Ele pertence a um grupamento de agentes de elite da SS que integram a SD, o braço do serviço secreto da Gestapo. Ele se reporta diretamente aos mais altos poderes. Se ele também passar a ser um visitante assíduo desta casa, precisamos ser ainda mais cautelosos.

– Ele pareceu muito impressionado com Sophia – comentou Connie. – E o mais preocupante, ela com ele.

– Como já comentei, os dois irmãos vêm de uma família prussiana aristo-crática. São homens bem-educados, cultos, e no entanto, como pude ver hoje, muito diferentes entre si. Frederik é o intelectual, o pensador. – Édouard fez uma pausa antes de erguer os olhos para Connie. – Eu poderia ter gostado de Frederik se ele estivesse do lado certo.

Eles passaram algum tempo sentados em silêncio, perdidos nos próprios devaneios.

– Quanto a Sophia, ela é muito inocente – disse Édouard por fim. – Sempre foi protegida do mundo, primeiro por meus pais e depois por mim. Pouco sabe sobre os homens ou sobre o amor. Vamos torcer para Herr Frederik voltar logo para a Alemanha. Eu também testemunhei a química entre os dois.

– E eu, o que faço em relação a Falk? – perguntou Connie. – Édouard, eu sou uma mulher casada!

Sem tirar os olhos dela, Édouard segurou seu copo de conhaque com as duas mãos.

– Acabamos de concordar que às vezes precisamos viver uma mentira. E, Constance, talvez você possa se fazer a seguinte pergunta: se eu fosse o líder da rede à qual você foi originalmente designada e lhe desse a ordem para seguir em frente e estreitar seu relacionamento com Falk na esperança de que ele deixe escapar algum fragmento útil de informação que possa ajudar nossos compatriotas na luta, você se recusaria a me obedecer?

Connie evitou encará-lo. Entendia exatamente o que ele queria dizer.

– Considerando o que nós conversamos, eu concordaria, claro – respondeu ela, com relutância.

– Então quem sabe, no seu relacionamento com Falk, você consiga se separar da própria alma e lembrar, toda vez que quiser se desvencilhar do abraço dele, que enquanto estiver lá estará ajudando uma causa maior do que sua própria repulsa. É isso que eu preciso fazer 24 horas por dia.

– Não se importa que seus conterrâneos o considerem um traidor?

– É *claro* que eu me importo, Constance. Mas o mais importante não é isso, certo? Mais do que na minha reputação, eu penso nos meus concidadãos franceses trancafiados em masmorras fétidas, sendo torturados e violentados, ou então perdendo a vida. E então acredito que a minha sina é fácil em comparação à deles. Agora preciso deixá-la. Tenho trabalho a fazer.

Ele se levantou, dirigiu-lhe um sorriso breve e saiu da biblioteca.

13

Embora Connie não tivesse como provar que fora o próprio Édouard quem alertara os agentes da rede sobre a ameaça de serem detidos pelos alemães, tanto Falk quanto Frederik não falavam em outra coisa quando foram jantar na casa do conde alguns dias depois. Falk estava uma fera, talvez mais ainda pelo fato de o irmão estar presente para testemunhar seu fracasso. A inimizade que nutria por Frederik era palpável, uma rivalidade fraterna em seu grau mais elevado. Frederik havia chegado mais longe, e era sob todos os aspectos superior ao irmão. Connie se perguntou se a lendária agressividade de Falk em relação àqueles que conseguia capturar em suas armadilhas seria movida pela frustração de sentir que jamais poderia ocupar o primeiro lugar.

– A Resistência está se tornando um problema pior a cada dia que passa – resmungou Falk enquanto tomava um prato de sopa. – Ontem mesmo um comboio alemão foi atacado em Le Mans. Os oficiais foram mortos e as armas, roubadas.

– Eles são de fato bem-organizados – concordou Frederik.

– E é óbvio que estão recebendo informações de dentro. A Resistência parece saber exatamente onde e quando atacar. Precisamos descobrir o elo mais fraco, irmão – concluiu Falk.

– Se alguém vai conseguir isso, estou certo de que será você – respondeu Frederik.

Falk saiu cedo nessa noite, dizendo que precisava resolver uns assuntos no quartel-general da Gestapo. O fato de estar preocupado com o fracasso em esmagar a Resistência e ter dedicado menos atenção a Connie foi uma compensação pequena pelas duas horas insuportáveis escutando como ele conseguiria fazer isso. Frederik disse que iria ficar mais um pouco, mas, quando ele acompanhou Édouard e Sophia até o salão, Connie pediu licença e subiu para se deitar. Entrou no quarto e fechou a porta, sentindo-se mentalmente exaurida pela pressão do fingimento constante. Embora estivesse vivendo no centro de uma cidade que era o foco do mundo inteiro naquele momento, nunca tinha se sentido tão sozinha. Com as rádios proibidas meses antes pelos nazistas, após descobrirem que os Aliados as estavam usando para se comunicar com seus colaboradores, e apenas os jornais cheios de propaganda do regime de Vichy para ler, ela se sentia totalmente isolada. Não fazia ideia de como os Aliados estavam se saindo ou se a invasão prometida e esperada justo para quando ela havia pegado o avião para a França realmente estava acontecendo.

Édouard se recusava a ser arrastado para conversas sobre tais assuntos, e muitas vezes quando ela descia para tomar café da manhã com Sophia ele já tinha saído. Ela não fazia ideia de para onde ele ia ou de quem encontrava. Certamente, pensou, se a Seção F tivesse sido avisada por Édouard sobre o seu paradeiro, tentaria estabelecer algum tipo de contato com ela, não? E não a deixariam assim, impotente e largada, vivendo sob uma fachada inútil de luxo e privilégio depois de ter sido treinada para matar.

– Ah, Lawrence... – suspirou ela, em desalento. – Queria que você me dissesse o que fazer.

Deitou-se com a cabeça tomada por pensamentos sombrios e se perguntou pela centésima vez se algum dia tornaria a vê-lo.

Pelo menos se sentiu aliviada quando o mês de agosto chegou e as expedições de bombardeio aéreo dos Aliados se intensificaram. A adega, condizente com o luxo ao qual os La Martinières tinham sido acostumados, fora mobiliada com várias camas confortáveis, um fogareiro a gás para fazer café e todo tipo de jogo de salão para manter os moradores da casa ocupados. Pelo menos aqueles terríveis ruídos de destruição indicavam que talvez a tão aguardada invasão fosse iminente, pensou ela, lendo um livro e sentindo a casa tremer acima deles. Já não era sem tempo, pensava Connie; de uma forma ou de outra, aquilo a libertaria do roteiro surreal que ela estava vivendo.

Como sempre em Paris, o mês de agosto se mostrou desagradavelmente abafado, e, por mais que se procurasse, mal era possível sentir sequer uma brisa. Connie adotou o costume de ir se sentar todas as tardes com Sophia no jardim. Como Édouard certa vez comentara, sua irmã tinha um talento artístico notável. Connie encontrava uma flor ou um pedaço de fruta e dava para ela segurar durante um tempo. As mãos minúsculas exploravam o formato do objeto, e Sophia lhe pedia para descrevê-lo. Então pegava seu lápis de carvão e seu caderno de desenho e após meia hora havia um limão ou um pêssego perfeito no papel.

– Como ficou? – perguntava Sophia, ansiosa. – Consegui reproduzir com exatidão o formato e a textura?

A resposta de Connie era sempre afirmativa.

– Conseguiu, sim, Sophia.

Numa tarde pegajosa de tão quente, quando Connie sentiu que iria enlouquecer se as nuvens escuras e carregadas no céu não despejassem sua carga refrescante, Sophia deu um pequeno muxoxo de irritação.

– O que foi? – perguntou Connie, abanando-se com um livro.

– Tenho a impressão de estar desenhando as mesmas frutas há semanas. Você não conseguiria pensar em outras? No nosso château em Gassin temos um pomar repleto de árvores diferentes, mas não consigo me lembrar das frutas que elas dão.

Como não conseguia pensar em nenhuma outra fruta, Connie aquiesceu.

– Vou fazer o possível – falou, tomada de alívio ao sentir o frescor bem-vindo das primeiras gotas de chuva. – Precisamos nos abrigar. Lá vem chuva, graças a Deus – acrescentou.

Depois de guiar Sofia para dentro de casa e deixá-la aos cuidados de Sarah para ela poder se trocar, Connie entrou na biblioteca. Passou um tempo em pé junto à janela, escutando o rugido estrondoso do céu, reconfortada pelo fato de aquele som ser natural, não produzido pelo zumbido de aeronaves anunciando uma destruição iminente. O temporal foi espetacular, e enquanto a chuva caía ela começou a examinar as prateleiras da biblioteca de Édouard em busca de outras frutas que Sofia pudesse desenhar.

Édouard entrou na biblioteca com um ar mais tenso e preocupado do que de costume.

– Constance. – Ele abriu um sorriso contraído. – Posso ajudar?

– Estou procurando um livro que descreva frutas. Sua irmã está cansada de desenhar laranjas e limões.

– Acho que talvez eu tenha o livro perfeito... Comprei faz só algumas semanas. – Seus dedos compridos se esticaram até uma das prateleiras e ele pegou um livrinho fino. – Aqui está.

– Obrigada – disse Connie quando ele lhe entregou o livro. – *História das frutas da França, Volume Dois* – leu em voz alta.

– Isso deve lhe dar muitas ideias. Mas duvido que consiga encontrar muitas dessas frutas disponíveis em Paris durante a guerra – acrescentou Édouard num tom de pesar.

Connie virou as páginas de ilustrações coloridas que descreviam as frutas com desenhos e palavras.

– São absolutamente lindas – falou, maravilhada.

– Sim, e muito antigas. Esse livro foi impresso no século XVIII. Meu pai já tinha comprado o primeiro volume para a biblioteca do nosso château de Gassin – explicou Édouard. – E por acaso um livreiro que conheço descobriu o segundo aqui em Paris algumas semanas atrás. O par vale muito dinheiro. Não que eu colecione livros por esse motivo, mas sim por considerá-los belos objetos.

– É mesmo de uma beleza rara – concordou Connie, alisando de leve a delicada encadernação de tecido verde. – Mais de duzentos anos de idade, e apesar disso quase intacto.

– Vou levar esse volume para o nosso château na minha próxima visita – disse Édouard. – Os dois juntos vão constituir uma obra de referência perfeita para o pomar que temos lá. Por favor, fique à vontade para usá-lo. Sei que vai cuidar bem dele – disse Édouard. – Agora com licença, Constance, preciso cuidar de alguns assuntos.

À medida que agosto foi se transformando em setembro, Connie notou que Sophia estava preocupada. Em geral, quando lia para a jovem, ela escutava com atenção, pedindo-lhe para repetir alguma frase caso não tivesse entendido direito, mas agora mal parecia estar escutando. Seus desenhos exibiam a mesma falta de concentração; muitas vezes, depois de Connie usar todo o potencial de sua imaginação para descrever uma bulbosa ameixa roxa, o lápis de Sophia ficava parado acima do papel em branco enquanto seus pensamentos vagavam.

Em vez de desenhar, ela havia adquirido o hábito de rabiscar num pequeno bloco encadernado em couro. Connie observava com fascínio Sophia erguer os olhos para o alto, obviamente em busca de inspiração, e tatear o tamanho da página para avaliar o melhor posicionamento da caneta. Mas quando Connie pedia para ver o que estava escrevendo, Sophia se recusava a lhe mostrar.

Numa tarde, quando as duas estavam sentadas na biblioteca e o dia de setembro mais frio do que o habitual tornara necessário acender a primeira lareira da estação, Sophia de repente falou:

– Constance, você é tão boa em descrever as coisas para mim... Então pode me explicar como é estar apaixonada?

A xícara de Connie ficou suspensa a meio caminho entre o pires e sua boca enquanto ela examinava a expressão sonhadora de Sophia.

– Bem – falou, tomando um gole de chá e pousando a xícara no pires. – Isso é mesmo muito difícil. Acho que é uma sensação diferente para cada um.

– Então me diga o que *você* sente – pediu Sophia.

– Puxa – disse Connie, vasculhando a mente em busca das palavras certas. – Bem, no meu caso, com Lawrence, era como se, quando eu estava com ele, o mundo inteiro se acendesse. Até mesmo o mais sem graça dos dias parecia cheio de sol, e uma caminhada qualquer pelas charnecas se transformava num momento mágico pelo simples fato de ele estar ao meu lado. – Ao relembrar aqueles dias envolventes do seu começo de namoro com Lawrence, Connie sentiu um nó na garganta. – Eu ansiava pelo toque dele e nunca o achava ameaçador, só excitante e reconfortante ao mesmo tempo. Ele me fazia sentir... invencível, especial e muito segura, como se com ele ao meu lado não houvesse nada a temer. E os momentos em que não estávamos juntos pareciam se arrastar. Em contrapartida, quando nos encontrávamos, as horas passavam voando. Ele fazia eu me sentir viva, Sophia... Eu... me perdoe. – Connie pegou um lenço no bolso e enxugou os olhos.

– Ah, Constance. – Sophia tinha as mãos unidas, e seus imensos olhos também estavam marejados. – Posso lhe contar uma coisa?

– É claro que sim – respondeu Connie, tentando se recompor.

– Você descreve a sensação com muita eloquência. E agora eu tenho certeza de que é *mesmo* amor. Constance, por favor, preciso contar isto a alguém, senão vou ficar louca! Mas você não pode comentar nada com meu irmão. Jura que não vai falar?

– Se você me pedir isso, claro que juro. – Com um peso no coração, Connie já sabia o que Sophia queria dividir com ela.

141

– Bem...– Sophia inspirou fundo. – Já há algumas semanas eu sei que estou apaixonada por Frederik. E, melhor ainda, ele também está apaixonado por mim! Pronto! Falei, graças a Deus, eu falei. – Sophia riu aliviada e ficou com as bochechas coradas.

– Ah, Sophia...– Dessa vez Connie realmente não soube o que dizer.

– Constance, eu sei o que você vai dizer: que é impossível, que nosso amor nunca poderá existir. Mas será que consegue me entender? Eu lutei, lutei muito para negar, para entender que nunca poderemos ficar juntos, mas o meu coração se recusa a escutar. E Frederik... para ele é a mesma coisa. Nenhum de nós dois pode fazer nada em relação ao que sente. Nós simplesmente não conseguimos viver um sem o outro.

Connie a encarou horrorizada. Por fim, falou:

– Mas você com certeza entende que qualquer relacionamento entre vocês é impossível, tanto agora quanto no futuro, não entende? Sofia, Frederik é um oficial nazista graduado. Se a guerra terminar no ano que vem com uma vitória aliada, ele provavelmente vai ser preso, se não executado.

– E se eles ganharem?

– Eles *não vão* ganhar. – Connie não conseguia sequer imaginar essa possibilidade. – Seja qual for o desfecho desta guerra terrível, duas pessoas de lados opostos jamais poderiam ter uma vida juntas depois. Isso é simplesmente inimaginável.

– Nós entendemos isso, claro – concordou Sofia. – Mas Frederik já sugeriu algumas opções para quando a guerra acabar.

– Vocês estão falando seriamente sobre um futuro juntos? – Connie tinha o maxilar contraído de tensão. – Mas como? Onde?

– Constance – explicou Sophia. – Você precisa entender que o fato de o líder de um país ditar um regime não significa que aqueles obrigados a ajudá-lo também acreditam na mesma coisa.

Nesse ponto, Connie segurou a cabeça entre as mãos e a balançou, desconsolada.

– Está tentando me dizer que Frederik a convenceu de que *não é* um verdadeiro nazista convicto? Aquele homem é parcialmente responsável pela onda de morte e destruição que os nossos países estão enfrentando hoje. O irmão dele me contou que ele se reporta diretamente a Himmler. Ele...

– Não! – Sophia a interrompeu. – Frederik está vivendo uma mentira, Constance, igualzinho a nós. Ele é um homem educado e culto, e um cristão devoto que não acredita na ética do seu líder. Mas o que podemos fazer? – Ela suspirou. – Se ele dissesse o que pensa, já estaria morto.

Connie encarava a pobre e iludida Sophia com uma expressão de desespero. Uma mulher não apenas cega fisicamente, mas cujos sentimentos lhe tinham permitido acreditar em tudo que seu amante lhe dissera.

– Sophia, não consigo acreditar no que você está me dizendo. E, meu Deus! Você também não deveria. Será que não entende o que esse homem está tentando fazer? Ele está usando você, Sophia; no pior dos casos, talvez esteja desconfiado de Édouard e ache que você pode ser involuntariamente o caminho para a verdade!

– Você está errada, Constance! – rebateu Sophia com veemência. – Não conhece Frederik, não escuta o que conversamos quando estamos a sós. Ele é um homem bom e eu confio completamente nele! E quando a guerra acabar, nosso plano é simplesmente fugir daqui.

– Não, Sophia, por favor. Não vai haver para onde fugir, nenhum lugar onde Frederik possa se esconder. – A ingenuidade de Sophia lhe dava vontade de gritar. – Eles vão caçá-lo, depois o farão responder e pagar por seus crimes contra a humanidade.

– Nós vamos encontrar um lugar e vamos ficar juntos.

O biquinho de Sophia fez Connie pensar numa menina mimada a quem tinham negado um brinquedo que ela cobiçava. O que a moça sugeria era tamanha ilusão que ela não sabia se gargalhava ou se gritava de raiva. Tentou outra tática.

– Sophia – falou, com brandura. – Entendo que os seus sentimentos por Frederik sejam fortes. Mas, como você mesma disse, é a primeira vez que se apaixona. Talvez daqui a algumas semanas consiga pensar com mais clareza. Talvez isso seja só uma paixão passageira…

– Por favor, Constance, não me trate feito criança. Eu posso ser cega, mas sou uma mulher adulta e sei que o que sinto é verdadeiro. Frederik vai precisar voltar para a Alemanha em breve por algumas semanas, mas vai vir de novo para me buscar, espere e verá. Por favor, chame Sarah para me ajudar a subir – ordenou ela, imperiosa. – Estou cansada e quero descansar.

Ao se retirar, chocada, Connie se deu conta pela primeira vez que por baixo do exterior doce e vulnerável de Sophia havia uma mulher a quem nunca, em toda a vida, fora negado nenhum desejo.

14

Ao longo dos dias seguintes, Connie passou horas debatendo consigo mesma se deveria falar com Édouard sobre a revelação de Sophia. Se o fizesse, estaria traindo a única amiga e companhia que tinha no momento. Por outro lado, se não dissesse nada, certamente estaria colocando Édouard, Sophia e a si própria em mais perigo ainda, não?

Sophia se afastara dela depois da confissão, e durante as tardes Connie passara a sair de casa para dar um passeio pela Ponte de la Concorde, que ia desembocar nos Jardins das Tulherias, apenas para se afastar da claustrofobia da casa e de seus moradores complexos. Num desses passeios, estava voltando para casa quando um rosto conhecido surgiu vindo de bicicleta pela ponte na sua direção. Ela estacou, chocada, e os olhos verdes da ciclista exibiram um reconhecimento momentâneo, mas a bicicleta passou por ela sem parar.

Venetia...

Connie se forçou a não se virar para ter certeza, só para o caso de haver algum olho inimigo à espreita, e continuou andando de volta em direção à casa dos La Martinières. Os longos cabelos negros de Venetia estavam cortados curtos, e as roupas que ela usava tinham sido pensadas para se misturar ao entorno em vez de roubar a cena, como costumava preferir a Venetia de antigamente.

No dia seguinte, Connie repetiu a caminhada pela ponte até os jardins num horário parecido, sentou-se num banco e ficou admirando o magnífico tapete de folhas vermelhas e douradas, presente do outono. Talvez Venetia morasse ali perto... Seu coração ansiava por ver de perto aqueles olhos conhecidos, por vislumbrar algo, ou *alguém*, próximo e familiar do seu passado.

Repetiu a mesma caminhada no mesmo horário diariamente por uma semana, mas não tornou a ver Venetia.

Frederik agora era um visitante mais assíduo da casa do que Falk. Aparecia sem avisar, embora Sophia nunca parecesse espantada ao vê-lo quando o cumprimentava com um prazer evidente à porta do salão. Connie só podia torcer para o próprio Édouard reparar no que estava acontecendo bem debaixo do seu nariz, mas ele passava muito tempo fora e, quando estava em casa, parecia exausto e preocupado. Então Connie guardou seus temores para si, e muitas vezes tentava se juntar aos namorados no salão. Quando o fazia, os olhos expressivos de Sophia lhe diziam que ela não era bem-vinda, e após 15 minutos de conversa engessada ela se retirava.

Por sorte, encontrou uma aliada bem-vinda em Sarah, que havia cuidado de Sophia desde o seu nascimento e que adorava a patroa. Muitas vezes, quando ela estava parada à porta do salão, Sarah vinha falar com ela.

– Por favor, madame, confie em mim, vou garantir que mademoiselle Sophia não esteja correndo nenhum perigo.

Connie interrompia de bom grado sua vigília, sabendo que nada de mal iria acontecer com Sophia. Sarah era quase uma mãe para ela.

Embora, visto de fora, nada houvesse mudado no ritmo cotidiano da casa, sua pulsação subjacente havia se acelerado. Certa manhã, Connie soube que Édouard só tinha chegado em casa de manhã. Foi com um ar exausto que ele se juntou a ela na sala de jantar para o café da manhã.

– Preciso ir ao sul a trabalho – anunciou ele ao fim da refeição. Levantou-se, andou até a porta, então parou. – Se alguém perguntar para onde fui, estou visitando nosso château em Gassin. Volto na quinta. Se algum convidado inesperado aparecer, Constance, confio em você para proteger minha irmã.

– E com isso ele se foi.

Mais um dia vazio se estendia diante de Connie. Como Sophia ainda não tinha acordado, ela foi até a biblioteca e abriu um livro de Jane Austen; os livros estavam se tornando sua única válvula de escape, e ela vivia por intermédio dos personagens de suas leituras. Ao sair da biblioteca para subir e se trocar antes do almoço, viu uma carta em cima do capacho. Ao se abaixar para pegá-la, viu, com surpresa, que estava endereçada a ela.

Apressando o passo ao subir a escada, fechou a porta do quarto e abriu a carta com um gesto abrupto.

Querida Constance,
   Soube que você está morando em Paris atualmente. Por coincidência, estou aqui também. Como sabe, sua tia é uma velha conhecida da minha família e me pediu para conseguir notícias suas enquanto eu estivesse aqui. Estou hospedada no Ritz, e seria um prazer encontrá-la para tomar chá hoje no Salon às três da tarde. Vai ser maravilhoso relembrar as noites que passamos juntas no quarto que dividíamos no alojamento da escola.
   V.

Venetia.

Connie apertou o bilhete junto ao peito, agoniada de indecisão, em igual medida desesperada para fazer contato e culpada por trair a promessa feita a Édouard.

Almoçou na casa silenciosa, pois Sophia comeu no quarto, supostamente por estar com dor de cabeça.

Depois do almoço, ainda indecisa, Connie se vestiu como se fosse sair, em seguida afundou na cama. Ficou olhando os ponteiros do relógio avançarem até as duas e meia. Então tomou uma decisão, prendeu o chapéu na cabeça e saiu de casa.

Quinze minutos depois, ao adentrar o Hôtel Ritz, dirigiu-se sem hesitar ao Salon d'Été, onde já tinha tomado chá muitas vezes. O recinto estava repleto de mulheres animadas e bem-vestidas, e felizmente não havia oficiais alemães. Dez minutos transcorreram enquanto ela examinava o cardápio, cada segundo mais longo do que o anterior. Talvez aquilo fosse uma armadilha, talvez ela estivesse sendo observada e devesse ir embora... talvez a tensão de Édouard fosse um sinal de que algo estava acontecendo, e ele já tivesse sido preso e ela fosse a próxima...

– Querida! Ora, mas você está mais linda do que nunca!

Connie se virou e deu de cara com Venetia, toda glamorosa, vestida com peles e muito maquiada, irreconhecível em comparação com a mulher que tinha passado por ela de bicicleta três semanas antes.

Venetia chegou mais perto e lhe deu um abraço enquanto sussurrava, de modo bem claro:

– Me chame de Isobel, eu moro perto de você em Saint-Raphaël. – Ela se afastou e se sentou ao lado de Connie – Gostou do meu cabelo? – perguntou, afofando os fios. – Cortei faz pouco tempo. Achei que estava na hora de um visual mais adulto!

– Ficou muito bem em você… Isobel – respondeu Connie.

– Vamos pedir? Estou faminta, passei a manhã inteira fazendo compras – continuou Venetia. – E quem sabe uma tacinha de champanhe, já que não nos vemos há tanto tempo?

– Claro – disse Connie, acenando para chamar um garçom.

Enquanto fazia o pedido, notou que Venetia ficou com a cabeça abaixada, aparentemente revirando a bolsa em busca dos cigarros, que por fim encontrou assim que o garçom se afastou.

– Aceita um? – Ela ofereceu a Connie um Gauloises.

– Obrigada.

– Então, está gostando de Paris? – indagou Venetia, acendendo o cigarro de Connie e tragando fundo o seu.

– Muito. E você?

– Com certeza é diferente do ritmo lento do sul, não é?

Quando o champanhe chegou numa bandeja, Connie observou Venetia esvaziar metade da taça de modo muito pouco condizente com uma dama. Também reparou que suas mãos tremiam ao levar o cigarro à boca. Quando Venetia tirou o casaco de pele e o chapéu, ela viu os ombros muito ossudos destacados por baixo da blusa, o rosto cansado, e as olheiras sob os olhos que a maquiagem não conseguia esconder. Venetia parecia uns bons dez anos mais velha do que da última vez em que se encontraram.

Ao longo da meia hora seguinte, as duas tiveram uma conversa inventada sobre a tia de Connie em Saint-Raphaël e amigas imaginárias de escola das quais ambas "se lembravam". O chá chegou, e Venetia atacou os delicados sanduíches e bolinhos como se não comesse há semanas. Connie se recostou na cadeira e sentiu culpa ao ver os olhos da amiga, protegidos pela pesada franja, mas que mesmo assim não paravam de olhar de um lado para outro, nervosos.

– Estavam uma delícia, não? – comentou Venetia, entusiasmada. – Agora tenho hora com meu costureiro na rue de Cambon. Quer me acompanhar? Assim podemos continuar nossa conversa sobre os velhos tempos.

– Claro – concordou Connie, sabendo que o pedido não admitia recusa.

– Encontro você no lobby. Vou ao toalete enquanto você paga a conta.

Venetia saiu e Connie fez sinal para o garçom. Então, após pagar o champanhe e os bolinhos com a maior parte dos francos que a Seção F lhe dera, foi esperar no lobby. Ao voltar, Venetia deu o braço a Connie e as duas saíram do Ritz e partiram em direção à rue de Cambon.

– Graças a Deus! – disse Venetia com um suspiro. – Agora podemos conversar, lá dentro não dava para arriscar. Nunca se sabe quem pode estar espiando e escutando. As paredes têm mesmo ouvidos nesta cidade. Mas gostei do rango – arrematou ela. – A primeira comida decente que como em dias. Mas Connie, onde raios você se meteu? James me disse que vocês vieram para a França juntos no avião. Aí você simplesmente evaporou.

– Você esteve com James? – indagou Connie, empolgada ao escutar um nome conhecido.

– Estive, mas uns dias atrás soube que ele não está mais entre nós, coitado – disse Venetia. – Não durou muito tempo, o pobrezinho, mas enfim, acontece com quase todos nós. – Ela deu uma risada áspera.

– Ele morreu? – perguntou Connie, horrorizada.

– Sim. Mas enfim, me conte, onde tem se escondido? E que diabos está fazendo morando naquela casa imensa na rue de Varenne?

– Venetia, ahn… – Connie suspirou, ainda abalada com a notícia da morte do amigo. – É uma longa história e eu realmente não posso contar. Em parte porque eu mesma não entendo muito bem – concluiu.

– Uma resposta altamente insatisfatória, mas acho que vou ter de me conformar. Você não virou a casaca, virou? – perguntou ela. – Quando mandei um amigo meu segui-la das Tulherias até em casa, ele disse que viu um oficial nazista entrar na casa pouco depois de você.

– Venetia, por favor – implorou Connie. – Eu não posso contar, mesmo.

– Mas ainda é uma de nós ou não? É uma pergunta bem simples de responder, certo? – continuou Venetia, insistente.

– É claro que sou! Olhe, aconteceu uma coisa na noite da minha chegada em Paris que levou à minha… situação atual. Você melhor do que ninguém vai entender que não devo dizer mais nada – sublinhou Connie. – E se a pessoa que me salvou nessa noite soubesse que eu estou aqui… Bom, ele iria achar que eu o estou traindo.

– Até parece – resmungou Venetia. – Entrar em contato com uma velha amiga com relações familiares em comum não é trair ninguém, na minha opinião. Escute, Con. – Venetia a puxou até o outro lado da rua, aproveitando a oportunidade para olhar para os lados. – A questão é que eu preciso da sua ajuda. Tenho certeza de que você já sabe que a rede Cientista ruiu. No momento, sou a única operadora de rádio que sobrou. E estou sendo obrigada a me deslocar frequentemente para poder transmitir para Londres, senão os *boches* vão localizar meu sinal. Dois ou três dias atrás escapei por um triz… Eles chegaram ao apartamento onde eu estava escondida depois de uma denúncia, e fazia só vinte minutos que eu tinha saído. No momento, meu rádio está guardado em outro aparelho, mas lá não é seguro. Preciso encontrar um lugar de onde fazer transmissões urgentes para Londres e também para outros colaboradores aqui. Algo importantíssimo está para acontecer, planejado para amanhã à noite, e é fundamental fazer essa transmissão. Você com certeza deve saber de algum lugar onde eu possa fazer isso, não sabe, Con?

– Venetia, sinto muito, mas eu realmente não sei. Não posso explicar agora, mas estou presa lá onde estou. Recebi ordens de não falar com ninguém que pudesse rastrear meu vínculo com a pessoa em questão e chegar até ele.

– Meu Deus, Con! – exclamou Venetia, parando de repente no meio da rua. – Você foi mandada para cá como agente do governo britânico! Não estou nem aí para quem é essa "pessoa" que você está tentando proteger, nem para a lavagem cerebral que ele fez em você. Mas eu e muitos outros envolvidos na operação de amanhã à noite sabem que, se tivermos sucesso, isso significará que milhares de franceses não vão ser presos e mandados para trabalhar como escravos em fábricas alemãs. Precisamos da sua ajuda! Você deve saber de algum lugar aonde eu possa ir – disse ela, em desespero. – Eu *preciso* fazer essa transmissão hoje à noite de qualquer maneira.

Com certa relutância, Venetia tornou a dar o braço a Connie, e as duas continuaram a andar em silêncio.

Connie teve a sensação de estar presa numa teia de aranha, emaranhada nos delicados fios de verdades, mentiras e farsas que conduziam a todo lugar e a lugar nenhum. Estava num beco sem saída moral, sem saber mais a quem deveria ser leal ou em quem deveria confiar. Encontrar Venetia a levara de volta à realidade das tarefas que ela estava ali para executar. Sua presença desarvorada, sua fome e seu desespero só serviam para fazer Connie se sentir ainda mais culpada e confusa.

– Você poderia ir à casa da rue de Varenne, mas lá não é seguro – afirmou ela. – Como você sabe, há muitos visitantes alemães.

– Eu não me importo com isso – disse Venetia. – Aqueles porcos muitas vezes não veem o que está bem debaixo dos seus narizes.

– Mas, Venetia, não é arriscado demais? E eu não conheço nenhum outro lugar – disse Connie.

Num canto de sua mente, Connie já estava secretamente pensando que Édouard iria passar a noite fora e que havia uma porta separada no jardim que descia até a adega. Durante o verão, ela a havia usado nas vezes em que estava no jardim quando as sirenes de ataque aéreo tinham começado. Mas e se houvesse um ataque naquela noite? E se Venetia fosse vista entrando ou saindo da casa? E se um dos gêmeòs Von Wehndorf fizesse uma visita inesperada bem na hora em que ela estivesse transmitindo lá da adega?

– Con, para dizer a verdade eu nem ligo mais para isso – falou Venetia, com um suspiro. – Quase todos os aparelhos de Paris foram desmontados, embora atualmente outros novos estejam sendo criados. Além do mais, simplesmente ninguém iria imaginar que um agente britânico fosse transmitir da adega de uma casa conhecida por confraternizar com o inimigo. – Venetia a encarou. – Tem certeza absoluta de que você não virou a casaca? – Ela riu de repente. – Bom, se tiver virado eu já estou morta mesmo, então de que importa?

Venetia estava lhe pedindo para provar sua lealdade. Connie soltou um suspiro e aceitou o inevitável. Fossem quais fossem as consequências, sua lealdade precisava ser para com sua amiga e seu país.

– Está bem, eu vou ajudá-la.

Connie voltou para casa, então inventou para Sarah a desculpa de ter esquecido um livro na adega da última vez que houvera um ataque aéreo. Destrancou a porta da adega, de onde uma escadinha subia até o jardim, então voltou para a sala e se sentou com Sophia. Enquanto a francesa tateava de leve com os dedos delicados uma nova versão em braile dos poemas de Byron, com um sorriso radiante no rosto, Connie não conseguiu mais ficar parada. Às seis e meia, fingiu uma dor de cabeça e disse que iria jantar no quarto.

Às oito, tornou a descer e disse a Sarah que não haveria convidados naquela noite e que ela estava liberada. Sophia já tinha subido para o quarto. Com os nervos à flor da pele, Connie ficou andando de um lado para outro conforme o relógio avançava. Venetia provavelmente já estava lá embaixo, na adega, naquele exato momento.

Cheia de culpa ao pensar na inocente Sophia, alheia ao fato de que a mulher acolhida e protegida por sua família estava traindo sua segurança bem debaixo do seu nariz, Connie ficou observando a hora seguinte passar tomada por uma tensão angustiante.

Às dez, desceu de fininho até o térreo. Estava na cozinha, nos fundos da casa, a caminho da adega para ver se Venetia já tinha ido embora, quando ouviu alguém bater de leve à porta da frente.

Com o coração descompassado, Connie abriu a porta da cozinha que dava para o hall de entrada e viu que a porta da frente já tinha sido aberta por Sophia, que conseguira descer a escada sem ajuda. E ali, na soleira, estava Frederik, envolvendo a moça num abraço. Agoniada de tão tensa, Connie tornou a se esgueirar até as sombras para decidir o melhor curso de ação. Deu-se conta de que os dois deviam ter combinado aquele encontro. Dez horas da noite não era nem de longe um horário apropriado para uma visita, quanto mais para um cavalheiro visitar uma dama desacompanhada. Pensou se deveria estar mais preocupada com a decência de Sophia do que com a possibilidade de ainda haver uma agente britânica na adega lá embaixo, com um oficial nazista graduado perambulando poucos metros acima dela.

Por fim, acabou decidindo que o melhor era deixá-los em paz. Pelo menos Frederik estava entretido admirando os olhos de Sophia. Depois de ver os dois entrarem no salão, Connie subiu correndo até seu quarto no primeiro andar. Sentou-se com as costas retas feito um cabo de vassoura na cadeira junto à janela, aflita, desejando com todas as células do seu corpo que aquela noite acabasse e o dia raiasse.

Então se controlou. Como podia ser tão egoísta? Venetia e os outros agentes, seus companheiros, corriam diariamente um perigo terrível. Uma noite de agonia mental não chegava a ser grande coisa.

Por fim, Connie ouviu passos no corredor lá embaixo e o rangido da escada. Uma porta no andar de cima se fechou com um clique, e ela suspirou aliviada, certa de que Frederik devia ter ido embora e Sophia, ido se deitar.

Ficou surpresa por não tê-lo escutado sair, mas ele poderia ter se esforçado para deixar a casa o mais silenciosamente possível.

Ela bocejou, sentindo de repente a tensão se esvair e ser substituída pela exaustão. Subiu na cama e caiu num sono profundo e sem sonhos. E não escutou a porta da frente se fechar quase sem fazer ruído quando o dia começou a raiar em Paris.

15

Blackmoor Hall, Yorkshire, 1999

A neve caía densa quando Sebastian pagou o motorista de táxi e tirou a mala de Émilie do bagageiro. Ela se virou para ver Blackmoor Hall pela primeira vez e se deparou com uma mansão gótica, escura e tenebrosa, toda feita de tijolos vermelhos. Uma gárgula de pedra se empoleirava de modo ameaçador no arco acima da porta principal, com um sorriso banguela carcomido pelo tempo e o alto da cabeça coberto por um gorro de neve.

Era impossível tecer qualquer juízo em relação à paisagem ao redor da casa; naquele exato momento, o lugar parecia a Sibéria, não um vilarejo inglês aninhado entre as charnecas de Yorkshire. Até onde a vista de Émilie alcançava, tudo era branco, ermo e vazio. Ela estremeceu involuntariamente, tanto por causa da desolação quanto do frio.

– Caramba, essa foi por pouco – falou Sebastian, aparecendo ao seu lado. – Espero que o taxista chegue bem em casa – emendou ele enquanto o carro abria caminho com dificuldade pela nevasca cada vez mais forte. – Talvez amanhã nem dê para passar.

– Quer dizer que podemos ficar ilhados por causa da nevasca? – perguntou Émilie enquanto eles caminhavam pela neve, agora na altura das canelas, até a porta da frente.

– Sim – confirmou ele. – Acontece quase todos os anos por aqui. Por sorte nós temos um Land Rover e um vizinho com um trator à nossa disposição.

– Quando neva nos Alpes franceses, as pessoas sempre dão um jeito de manter as estradas limpas – comentou Émilie.

Sebastian segurou a grande maçaneta esmaltada da porta e a girou.

– Minha princesa da França, seja bem-vinda à Inglaterra, onde qualquer manifestação meteorológica inesperada é capaz de paralisar o país – disse ele com um sorriso. – E agora, Émilie, bem-vinda à minha humilde morada.

Sebastian abriu a porta da frente com um empurrão, e os dois adentraram um hall que contrastava radicalmente com o branco do lado de fora. Tudo era revestido de madeira escura: as paredes cobertas por painéis, a deselegante escadaria de verniz escuro; até a imensa lareira que ocupava o centro do cômodo era rodeada por uma pesada grade de mogno. Infelizmente, o fogo não tinha sido aceso, e Émilie sentiu pouca diferença de temperatura em relação ao lado de fora.

– Venha – disse Sebastian, largando a mala dela no pé da feia escadaria. – Com certeza a lareira do salão deve estar acesa. Avisei à Sra. Erskine que iríamos chegar.

Ele a puxou por um labirinto de corredores com paredes cobertas de papel verde-escuro e enfeitadas com pinturas a óleo de caçadas a cavalo. Empurrou uma porta, e eles entraram num grande salão com paredes forradas de papel bordô, com mais quadros amontoados de qualquer maneira.

– Droga! – praguejou ele ao encarar a lareira ocupada apenas pelas cinzas de um fogo antigo. – Isso não é do feitio dela. Não vá me dizer que ela se demitiu outra vez. – Sebastian suspirou. – Nada de pânico, meu amor. Eu acendo isso num instantinho.

Émilie se sentou na borda da lareira, tremendo de frio, enquanto ele fazia um fogo de modo rápido e experiente. Quando Sebastian conseguiu avivar as chamas, ela já estava batendo os dentes, e foi com gratidão que esquentou as mãos.

– Certo – disse ele. – Fique aqui sentada descongelando enquanto eu vou fazer um chá e descobrir que diabos aconteceu por aqui desde que eu viajei.

– Sebastian... – chamou Émilie enquanto ele saía da sala, querendo saber em que direção ficava o banheiro mais próximo, mas a pesada porta de carvalho se fechou.

Torcendo para ele não demorar, ela ficou sentada se aquecendo em frente à lareira, vendo os flocos de neve se adensarem até virarem uma tempestade e se acumularem nos peitoris externos das janelas.

Seu conhecimento sobre a Inglaterra era limitado; ela tinha viajado com a mãe poucas vezes para ficar com amigos em Londres. Mas a sua visão de aconchegantes chalés ingleses adornados por telhados de sapê e aninhados em vilarejos pitorescos não poderia ser mais distinta daquele monolito austero e congelante em forma de casa e da paisagem à sua volta.

Vinte minutos depois, Sebastian ainda não tinha voltado, e Émilie estava entrando em desespero. Levantou-se e, em busca do banheiro, se aventurou a sair do salão para o corredor, onde começou a abrir portas que davam para outros cômodos escuros. Finalmente encontrou um toalete, e o imenso assento de madeira da privada a fez pensar num trono. Ao sair, ouviu vozes altas vindas de algum lugar da casa. Uma delas era desconhecida, mas a segunda com certeza era de Sebastian. Não conseguiu entender o que ele dizia, mas era óbvio que estava muito zangado.

Agora, desejava ter perguntado mais detalhes sobre a vida de Sebastian ali em Yorkshire antes de entrar num avião com ele e se mudar para a Inglaterra. Mas as semanas desde que ele a pedira em casamento tinham sido uma maratona de atividades. As conversas entre os dois tinham sido mais sobre o seu fascinante passado em comum do que sobre o seu futuro.

Ao voltar do château para Paris, Émilie tinha lhe contado tudo o que Jacques lhe dissera.

– Que história – comentara ele com um suspiro. – E pelo visto é só o começo. Quando ele vai poder lhe contar mais detalhes?

– Ele prometeu contar quando eu voltasse para encaixotar a biblioteca. Acho que relembrar a história o deixou esgotado emocionalmente – respondera Émilie.

– Deve ter deixado mesmo. – Sebastian tinha lhe dado um abraço. – Mas que bela sinergia no modo como nossas famílias se reencontraram.

Émilie levou os dedos ao pescoço e tocou as pérolas brancas foscas de sua mãe, recordando o momento em que Sebastian a presenteara com elas na manhã do seu casamento.

– Eu as comprei de volta para você no leilão, amor – dissera ele ao prender o colar no seu pescoço. Então tinha lhe dado um beijo. – Tem certeza de que não acha ruim a cerimônia ser tão pequena? Digo, não é assim que a última sobrevivente dos La Martinières deveria se casar. Tenho certeza de que metade de Paris deve ter ido ao casamento dos seus pais. – Ele abrira um sorriso.

– Sim, e é por isso que fico feliz em ter um casamento discreto – respondera com franqueza, horrorizada com a possibilidade de ser o centro das atenções. As núpcias discretas tinham sido perfeitas para ela.

Depois da cerimônia, testemunhada por Gérard e por um *marchand* de arte parisiense amigo de Sebastian, Gérard fizera questão de levar os quatro para almoçar no Ritz.

– É o mínimo que os seus pais teriam querido para você, Émilie – acrescentou ele.

O *notaire* fez um brinde à saúde e felicidade do casal, então perguntou quais eram seus planos. Émilie respondeu que iria se mudar com Sebastian para a Inglaterra enquanto durasse a reforma do château. Gérard a alcançou quando eles estavam saindo do Ritz e insistiu para que ela mantivesse contato com ele.

– No que eu puder ajudar, você sabe que estou sempre ao seu dispor.

– Obrigada, Gérard, você foi muito gentil – agradeceu ela.

– E Émilie, por favor, tente lembrar que, apesar de agora estar casada, você é a dona do château, dos lucros do leilão da casa de Paris e do nome La Martinières. Depois eu gostaria de conversar com você sobre os detalhes do patrimônio e das finanças, não só com o seu marido.

– Sebastian me conta tudo que preciso saber – respondeu Émilie. – Ele tem sido maravilhoso, Gérard, e eu não teria conseguido passar por isso sem ele.

– Concordo, de fato. Mas mesmo assim é bom manter a independência no casamento. Sobretudo do ponto de vista financeiro – arrematou ele, dando um beijo na mão dela e indo embora.

Por fim, depois de só restar a Émilie ler vários exemplares antigos de uma revista sobre equitação, Sebastian reapareceu no salão parecendo bravo e contrito em igual medida.

– Me desculpe, querida, tive que resolver umas coisas. Quer uma xícara de chá? Eu com certeza sim – disse ele, suspirando e correndo uma das mãos pelos cabelos.

– O que houve?

Émilie se aproximou, e ele a enlaçou.

– Ah, nada fora do normal, pelo menos para esta casa – respondeu ele. – Eu tinha razão. A Sra. Erskine pediu demissão e foi embora ofendida, jurando nunca mais voltar. Vai voltar, claro. Ela sempre volta.

– Por que ela foi embora?

– Isso é algo que eu quero tentar lhe explicar enquanto tomamos alguma bebida quente – disse ele.

Quando estavam munidos cada qual de uma grande caneca de chá e sentados confortavelmente em duas almofadas grandes em frente à lareira, Sebastian começou a explicar.

– Quero lhe contar sobre meu irmão, Alex. E vou logo avisando: é uma história que eu não tenho prazer nenhum em contar. Na verdade, estou me sentindo culpado por não ter lhe contado antes, mas nunca me pareceu relevante. Até agora, pelo menos.

– Então me conte agora – encorajou Émilie.

– Certo. Bem... – Sebastian tomou um gole do chá. – Eu já lhe contei que a minha mãe nos largou aqui com nossa avó quando éramos pequenos e depois desapareceu no mundo. Eu sou um ano e meio mais velho do que Alex. E nós dois somos totalmente opostos, pelo visto um pouco como Falk e Frederik, a julgar pela história que Jacques contou a você sobre minha avó. Como você sabe, gosto de ser organizado, enquanto Alex sempre foi um... um espírito livre, sempre em busca de algo, incapaz de viver uma rotina. Enfim, fomos os dois mandados para um colégio interno, e enquanto eu adorei e me adaptei bem, Alex teve dificuldades – explicou Sebastian. – Ele foi expulso e perdeu a vaga na universidade depois de ser preso por dirigir embriagado. Então, quando estava com 18 anos, ele saiu do país, e ficamos alguns anos sem notícias.

– Para onde ele foi? – perguntou Émilie.

– Na verdade não fazíamos a menor ideia, até que um dia vovó recebeu o telefonema de um hospital na França. Aparentemente, Alex tinha tido uma overdose de heroína. Estava quase morto quando alguém o encontrou, mas conseguiu escapar por pouco. – Sebastian suspirou. – Então vovó pegou um avião, foi buscá-lo e o internou numa clínica de desintoxicação. Justiça seja feita, ele cumpriu o prometido e voltou para casa limpo. Só que sumiu no exterior outra vez, e só o vimos de novo depois que vovó morreu. Acho que eu preciso de uma bebida forte. E você?

– Estou bem, obrigada – recusou Émilie.

Sebastian saiu da sala, e ela se levantou para fechar as cortinas diante da neve que continuava a cair lá fora. Quando voltou a se sentar e encarou as chamas vermelhas do fogo, sentiu empatia por seu novo marido. O irmão dele parecia terrível.

Sebastian voltou com um gim-tônica e tornou a se aninhar nos braços dela. Émilie afagou seus cabelos.

– O que aconteceu depois? – perguntou ela.

– Bem, logo depois de vovó morrer, depois de Alex enfim voltar para casa e se mudar de volta para cá, tivemos uma briga feia. Ele partiu em direção ao carro e eu me ofereci para lhe dar uma carona, pois sabia que ele estava bêbado, mas ele insistiu em dirigir. Eu fiz a besteira de entrar no carro com ele, e alguns quilômetros mais adiante na estrada, numa curva particularmente perigosa, ele perdeu o controle e bateu de frente com outro carro que vinha na direção contrária. Ficou gravemente ferido. Eu tive uma sorte incrível e escapei com fraturas nas costelas, um braço quebrado e uma lesão no pescoço por efeito chicote.

– Ai, meu Deus! – disse Émilie num arquejo. – Coitado de você!

– Como eu disse, quem se machucou mais foi Alex – sublinhou Sebastian.

– Que tristeza. – Émilie balançou a cabeça. Então o encarou. – Você devia ter me contado tudo isso antes.

– Sim, e lhe dado a chance de desistir de se casar comigo antes que fosse tarde demais. – Ele deu um sorriso abrupto.

– Não! Não foi isso que eu quis dizer – repreendeu Émilie. – Mas aprendi com você que sempre ajuda dividir os problemas em vez de guardá-los só para si.

– É, tem razão – concordou ele. – Sabe, o mais trágico é que Alex sempre foi muito inteligente. Bem mais do que eu. Passava em todas as provas sem ter estudado nada, enquanto eu precisei me esfalfar para conseguir tudo que tenho. Ele poderia ter tido uma vida maravilhosa se não fosse tão problemático e irresponsável.

– Eu muitas vezes acho que as pessoas inteligentes demais sofrem tanto quanto as menos inteligentes – comentou Émilie. – Meu pai sempre dizia que, em matéria de dons, o melhor era a moderação. Uma quantidade grande ou pequena demais de qualquer coisa causa problemas.

– Pelo visto você teve um pai muito sábio, e eu gostaria muito de tê-lo conhecido. – Sebastian beijou seu nariz e a encarou. – Então é isso. Essa é a história do meu irmão aventureiro. Mas agora você deve estar faminta. Por que não vem até a cozinha e me faz companhia enquanto eu improviso alguma coisa com o que tem na geladeira? Pelo menos com o fogão aceso lá fica quentinho. E depois sugiro nos recolhermos ao nosso gélido quarto. Tenho certeza de que vamos conseguir pensar num jeito de nos aquecermos. – Sebastian a puxou do chão ao se levantar. – Venha, vamos comer o mais depressa possível e subir.

Enquanto ele a conduzia pelos corredores gelados em direção à cozinha, Émilie sentiu que precisava fazer a pergunta.

– E onde está Alex agora?

– Eu não falei?

– Não – disse ela.

– Aqui, claro. Alex mora em Blackmoor Hall.

16

Émilie acordou cedo depois de uma noite inquieta. Isso se devera em parte ao frio cortante, de um tipo que ela jamais tinha experimentado na vida. Tinha a sensação de que seus ossos congelados poderiam se quebrar a qualquer segundo. Sebastian havia se desculpado profusamente e explicado que o antigo sistema de calefação não estava funcionando porque alguém tinha se esquecido de pôr óleo diesel na caldeira e que ele iria resolver isso o quanto antes.

Émilie remexeu de leve os dedos dos pés frios junto ao calor da canela de Sebastian. O quarto estava totalmente às escuras, e nem a mais ínfima nesga de luz entrava pelas cortinas de adamascado desbotadas. Será que Sebastian se importaria se eles dormissem com as cortinas abertas?, perguntou-se ela. Ela sempre havia dormido com janelas sem cortinas, e gostava de acordar com a luz suave de um novo dia.

Émilie ficou remoendo o que Sebastian tinha lhe contado sobre o irmão na noite anterior. Após soltar a bomba de que o irmão morava em Blackmoor Hall, seu marido lhe explicara que ele havia quebrado a coluna no acidente e agora vivia numa cadeira de rodas. Tinha uma cuidadora que morava com ele em tempo integral e vivia numa parte da casa adaptada especialmente para ele, no andar térreo da ala leste.

– É claro que os cuidados com ele custam uma fortuna, sem contar as adaptações que precisaram ser feitas na casa para acomodar uma pessoa com deficiência, mas o que se pode fazer? – Sebastian suspirou. – Enfim, não se preocupe com Alex. Ele costuma ficar quietinho no canto dele e raramente se aventura a circular pela ala principal.

– Ele conseguiu largar as drogas e a bebida depois do acidente? – perguntou Émilie com hesitação.

– Em grande parte, sim. Mas ele teve várias cuidadoras, e fui obrigado a dispensar duas delas depois de o meu irmão convencê-las a lhe arrumar bebida alcoólica. Alex pode ser extremamente charmoso e muito persuasivo quando quer – acrescentou ele.

Apesar das palavras tranquilizadoras do marido sobre o fato de Alex ter uma existência separada, Émilie estremeceu ao pensar no rapaz paraplégico viciado em drogas que morava debaixo do mesmo teto que ela, fosse em aposentos separados ou não.

Sebastian também havia mencionado que Alex era um mentiroso contumaz.

– Não acredite em nada do que ele lhe disser. Meu irmão é capaz de manipular até a mais inteligente das pessoas.

– Amor?

Émilie sentiu uma mão quentinha se esgueirar na sua direção.

– Sim?

– Meu Deus! – exclamou Sebastian ao tocar seu ombro, coberto por todas as camadas de roupa que ela vestira durante a noite. – Você está mais embalada do que um presente – disse ele, rindo. – Venha cá me dar um abraço.

À medida que ela se aconchegava naquele abraço deliciosamente cálido e que ele começava a beijá-la, todos os temores matinais que tinham vindo assombrá-la se dissiparam.

– Duvido que dê para passear hoje – comentou Sebastian. Os dois estavam na cozinha tomando café e observando os montinhos de neve empilhados do lado de fora da janela. – Essa neve deve estar com quase meio metro de profundidade, e pela cor do céu parece que vai cair mais. Vou ligar para o Jake, meu vizinho fazendeiro, e ver se ele traz o trator para limpar o acesso. Os mantimentos estão acabando, e vou precisar ir ao mercado no vilarejo comprar alguns itens básicos. Que tal acomodar você no salão com uma boa lareira acesa? Tem uma biblioteca no final do corredor, e tenho certeza de que vai conseguir encontrar um livro com que se distrair.

– Tá bom – concordou Émilie, sentindo não ter muita opção.

– E vou mandar entregar um pouco de diesel para podermos religar a calefação central. Ele custa caro pra caramba hoje em dia, e parece que boa parte do calor vaza pelas frestas das janelas. – Ele deu um suspiro. – Desculpe, querida. Como eu disse, descuidei da casa nos últimos meses.

– Posso ajudar com alguma coisa? – perguntou Émilie.

– Não, mas obrigada por se oferecer. Enquanto estiver no vilarejo, também vou dar uma passada para falar com a Sra. Erskine e ver se consigo convencê-la a voltar. Prometo que as coisas vão entrar nos eixos nos próximos dias. – Eles andaram até o salão. – Deve estar se perguntando onde é que foi se meter – acrescentou ele, curvando-se para tirar as cinzas da grade da lareira. – Vai melhorar, eu juro. Esta região é linda, de verdade.

– Deixe que eu faço isso. – Émilie se ajoelhou ao lado dele. – Vá lá fazer o que precisa.

– Tem certeza? Desculpe a falta de empregados por aqui – brincou ele. – Sei que você não está acostumada com isso.

– Sebastian, eu posso aprender – respondeu Émilie, com o rosto vermelho.

– É claro que pode, só estou brincando. E fique à vontade para explorar a casa, embora provavelmente vá ficar horrorizada com o que vai encontrar. Em comparação com este lugar aqui, o seu velho château até fica parecendo moderno! – Com uma careta, ele saiu do salão.

Vestida com dois suéteres grossos de Sebastian, Émilie passou uma hora percorrendo a casa. Muitos dos cômodos do andar de cima obviamente não eram usados havia anos, e ao contrário das imensas janelas do château, construídas para deixar entrar o máximo de luz possível, as daquela casa eram pequenas e mirradas, projetadas para não deixar o frio entrar. As cores sem vida e os pesados móveis de mogno davam a impressão de que se estava entrando no cenário de uma peça eduardiana.

Émilie tornou a descer. Estava claro que aquela casa precisava desesperadamente de cuidados. Ao contrário do château, porém, a reforma ali seria imensa. E ela se deu conta de que não fazia a menor ideia de quanto dinheiro Sebastian tinha para bancar a obra. Mas isso não importava; sabia que as próprias finanças eram muito robustas e que eles tinham dinheiro suficiente para gastar como quisessem até o fim de suas vidas.

De volta ao salão, novamente ficou pensando sobre o fato de nunca ter lhe ocorrido perguntar sobre a condição exata das finanças de Sebastian antes de se casar com ele. Não que considerasse isso relevante para sua decisão, mas agora que era sua esposa, isso era algo importante de saber. Talvez abordasse o assunto mais tarde, pensou, e bem nessa hora viu o trator do vizinho e o

Land Rover de Sebastian saírem um atrás do outro pelo escorregadio acesso que conduzia à casa.

Quando a hora do almoço chegou, como estava com fome e entediada, Émilie foi até a cozinha ver o que conseguia encontrar para comer na geladeira. Preparou um sanduíche com a última casca de pão que ainda restava e sentou-se à mesa para comer. Assim que o fez, ouviu uma porta bater com força em algum lugar na casa, em seguida uma voz exaltada. Dessa vez era uma voz feminina. A porta da cozinha se abriu, e uma mulher magricela de meia-idade apareceu.

– O Sr. Carruthers está? Preciso falar com ele agora mesmo – afirmou ela.

Émilie notou que a mulher estava tremendo de raiva.

– Não, infelizmente ele saiu. Foi ao vilarejo.

– Quem é a senhora? – perguntou a mulher, grosseira.

– Émilie, esposa dele.

– É mesmo? Bem, tudo que posso dizer é: boa sorte! E já que a senhora é a esposa dele, pode passar o recado de que eu estou pedindo as contas. Não vou mais tolerar a falta de educação do irmão dele. Nem a violência! Ele acabou de jogar uma xícara de café quente em mim. Se eu não tivesse saído da frente, poderia ter sofrido queimaduras de terceiro grau nos braços. Liguei para uma amiga que tem um jipe e ela está vindo me buscar daqui a no máximo uma hora. Não vou ficar nem mais um minuto nesta maldita casa junto com esse… *louco!*

– Entendo. Eu lamento muito – disse Émilie, reparando que a mulher tinha a voz um pouco arrastada, decerto por causa da raiva. – Posso lhe oferecer algo para beber? Talvez seja melhor conversarmos antes de a senhora ir. Tenho certeza de que Sebastian não vai demorar…

– Não há nada que a senhora ou ele possam dizer para me fazer mudar de ideia – interrompeu a mulher. – Ele já me convenceu outra vez e eu me arrependi. Só espero, para o seu bem, que seu marido não jogue o irmão nas costas da senhora. Dito isso, não imagino que vocês consigam encontrar mais ninguém para ocupar o meu lugar. A senhora sabia que a Sra. Erskine também se demitiu?

– Sim, mas meu marido falou que ela vai voltar.

– Bem, nesse caso ela é uma tola. A Sra. Erskine é uma boa mulher e só fica aqui por lealdade à avó deles. Eu conheci Constance quando era jovem e morava no vilarejo aqui perto. Uma mulher maravilhosa, mas não dá nem para imaginar tudo que esses dois a fizeram passar. De toda forma, não é mais problema meu. Vou arrumar minhas coisas. Ele já almoçou, então deve ficar bem sozinho até o seu marido voltar. De toda forma, eu o deixaria sozinho agora. Espere até que se acalme – acrescentou ela. – Ele em geral se acalma.

– Certo. – Émilie não soube o que mais dizer.

A mulher deve ter visto o medo em seus olhos, pois sua expressão subitamente se abrandou.

– Não se preocupe. Alex na verdade é um bom rapaz, mas é que ele fica frustrado, como todos nós ficaríamos no lugar dele. No fundo ele é um bom menino, mas teve uma vida difícil. Só que eu estou velha demais para aguentar isso tudo. Quero cuidar de um idoso gentil e calmo, não de um menino temperamental que nunca cresceu.

Émilie só conseguia pensar que aquela mulher iria embora antes de Sebastian voltar. Consequentemente, ela ficaria sozinha numa casa desconhecida e assustadora, da qual não poderia escapar devido à neve. E na companhia de um homem louco e bêbado que ela ainda não conhecera. Sua vida parecia mais um filme de terror, e ela sentiu uma vontade repentina de rir do ridículo daquela situação.

– Enfim, parabéns pelo casamento – disse a mulher.

– Obrigada. – Émilie abriu um sorriso irônico.

A mulher tornou a andar até a porta da cozinha, então parou e se virou.

– Espero, para o seu bem, que a senhora saiba no que está se metendo. Adeus.

Meia hora depois, de volta ao salão, Émilie viu um carro se aproximar cuidadosamente pelo acesso que conduzia à casa e a mulher que havia encontrado na cozinha atravessar a neve a passos firmes e guardar uma mala no bagageiro. O carro deu meia-volta, derrapando um pouco no chão, e então se afastou da casa com dificuldade.

Émilie ficou olhando a neve recomeçar a cair, preenchendo o ar com torvelinhos rodopiantes de grandes flocos que formaram um muro ainda mais impenetrável entre ela e o mundo exterior. Seu coração começou a bater forte dentro do peito. O cunhado louco estava a alguns metros dela, e os dois estavam inteiramente a sós. E se nevasse tanto a ponto de Sebastian não conseguir voltar? Às três da tarde, o céu de janeiro já escurecia em preparação para o crepúsculo, e depois viria a escuridão... Ela se levantou; seu coração acelerado já indicava a chegada de uma crise de pânico. Ela tivera várias crises no fim da adolescência, e após superá-las vivia num terror constante de que elas pudessem voltar.

– Fique calma e respire – disse a si mesma, sentindo as ondas incontroláveis tomarem conta de seu corpo.

Começou a arfar, e percebeu que estava fora de controle e que era tarde demais para raciocinar.

Afundou num sofá e levou a cabeça até o meio dos joelhos. Sua força física a abandonou, e por trás das pálpebras fechadas ela foi atacada por cores berrantes enquanto lutava para recuperar o fôlego.

– Por favor, *mon Dieu, mon Dieu...*

– Posso ajudar?

Com a cabeça girando e as mãos e pés formigando, ela escutou uma voz masculina grave vinda de algum lugar distante. Não conseguia levantar a cabeça, pois não podia desperdiçar a energia de que precisava para respirar.

– Perguntei se eu posso ajudar.

A voz agora estava mais próxima, na verdade quase ao seu lado. Talvez ela tenha sentido um hálito morno na bochecha, outra mão segurando a sua... mas não conseguiu responder.

– Imagino que você seja a esposa francesa de Seb. Fala inglês?

Émilie conseguiu fazer que sim com a cabeça.

– Está bem. Vou ver se acho um saco para ajudá-la a respirar. Continue aí enquanto eu procuro. Pelo menos isso significa que ainda está viva.

No seu estado desconectado, Émilie não teve ideia de quantos minutos se passaram até um saco de papel se aproximar de sua boca e nariz e ela ser instruída pela mesma voz calma a inspirar e expirar lentamente. Não lhe importava se aquilo fazia parte de um sonho ou de um pesadelo. A pessoa parecia saber a coisa certa a fazer e, como uma criança impotente, ela seguiu suas instruções.

– Isso, muito bem. É só continuar inspirando e expirando dentro do saco. Pronto, está passando. Vai acabar logo, eu prometo – tranquilizou a voz.

Por fim, seu coração acelerado começou a voltar a um ritmo próximo ao normal, suas mãos e seus pés começaram a se reconectar ao corpo, e Émilie afastou o saco da boca. Recostou-se exausta no sofá, os olhos fechados, e sentiu o alívio do corpo ao se acalmar.

Foi só depois de alguns minutos de satisfação com o fato de ter sobrevivido que seu cérebro começou a questionar quem poderia ter sido o seu salvador. Forçou uma das pálpebras cansadas e trêmulas a se abrir e viu um homem que ao mesmo tempo era e não era Sebastian. Era um Sebastian ainda mais bonito, com os olhos de um castanho mais hipnotizante, as íris salpicadas de pontos cor de âmbar, cabelos iluminados por reflexos ruivos alourados e o rosto dotado de um nariz perfeito, lábios mais carnudos e maçãs do rosto definidas sob a maciez de uma pele sem marcas.

– Eu sou o Alex – disse ele. – Prazer em conhecê-la.

Émilie fechou na mesma hora a pálpebra que tinha aberto e ficou sentada sem se mexer, sem saber se a visão do cunhado louco sentado a pouco centímetros dela não iria desencadear um novo ataque de pânico.

Uma mão quente afagou a sua.

– Entendo que não queira desperdiçar seu fôlego falando comigo agora. Sei pelo que você acabou de passar. Já tive inúmeras crises de pânico. O que você precisa é de uma boa bebida forte.

Aquele homem se dirigia a ela com uma voz muito suave, que não combinava com a imagem pintada por Sebastian. A mão cobrindo a sua trazia conforto, não pavor. Ela se atreveu a abrir os olhos e examiná-lo direito.

– Olá. – Os lábios carnudos sorriram, e ela viu que os olhos dele exibiam uma expressão bem-humorada.

– Olá – Émilie conseguiu responder com uma voz fraca, de quem ainda estava recuperando as forças.

– Vamos falar em inglês ou *préférez-vous le français?*

– *En français, merci.*

Seu cérebro ainda estava demasiado confuso para pensar em outra língua.

– *D'accord.*

Émilie o observou enquanto ele a examinava.

– Você é muito bonita – comentou ele. – Meu irmão já havia dito isso. Mas você é bem mais bonita com esses grandes olhos azuis abertos, devo dizer – continuou ele num francês impecável. – Certo, seu último remédio. – Alex sacou uma garrafa de uísque de uma das laterais da cadeira de rodas. – A megera que acabou de ir embora achava que eu não sabia onde ficava o seu alambique secreto. Mas consegui resgatar a garrafa da mala dela enquanto ela estava aqui reclamando com você do pesadelo que eu sou. Sebastian não acreditou quando eu falei, mas aquela mulher é uma pinguça…

166

entornava fácil uma garrafa disto aqui por dia. Então... – Alex manobrou a cadeira com desenvoltura até um armário e o abriu, revelando uma coleção empoeirada de taças eduardianas. – Vamos tomar esse uísque juntos, que tal? Beber sozinho nunca é boa ideia. – Ele serviu duas doses generosas da bebida nos copos e, encaixando-os com habilidade entre as coxas, tornou a guiar a cadeira na sua direção.

– Eu acho melhor não... – disse Émilie quando ele lhe entregou um dos copos.

– Por que não? Você pode dizer com total honestidade que é exclusivamente por motivos de saúde. Vamos – instou ele. – Sério, é a minha vez de bancar o enfermeiro, para variar um pouco, e eu juro que isso vai ajudar.

– Não, obrigada. – Émilie balançou a cabeça, sem querer incentivá-lo.

– Bom, se você não vai beber, eu também não vou. – Alex pousou seu copo com firmeza na mesa. – Certo, está um gelo aqui dentro, e se eu não posso aquecê-la com uma dosezinha de uísque, pelo menos posso acender a lareira de novo.

Ela se sentou e ficou observando enquanto ele avivava o fogo, fascinada demais para ajudar.

– Mas onde está Seb? – perguntou ele. – Foi implorar à pobre Sra. Erskine que volte pela enésima vez?

– Sim, ele disse que iria visitá-la enquanto estivesse no vilarejo comprando comida – respondeu Émilie.

– Duvido que vá achar grande coisa no mercado. Todos os moradores daqui devem ter visto que ia nevar pesado, se preparado para o isolamento e esvaziado as prateleiras. É o momento do ano em que as lojas mais lucram, e as pessoas levam até as latas de manteiga do século passado. Vai ser pura sorte se ele tiver conseguido até mesmo isso hoje. Não para de cair neve – acrescentou Alex, olhando para a tempestade incessante. – Eu na verdade até que gosto. E você?

Com todo o peso daquele olhar penetrante pousado nela, Émilie tentou se lembrar do que Sebastian tinha dito sobre como Alex sabia ser charmoso e convincente.

– Na verdade, não. Estou sentindo frio desde que cheguei.

– Não duvido. As caldeiras estão vazias há semanas. Por sorte eu tenho um estoque secreto de aquecedores elétricos que pelo menos mantêm meu sangue circulando. Mas não conte a Seb; ele os confiscaria na hora. Enfim, tirando o fato de morarmos na versão inglesa de um iglu, eu até que gosto da neve. Mas, de qualquer forma... – Ele suspirou. – Eu gosto de qualquer coisa que quebre a monotonia dos dias. E esse clima é muito impressionante.

– Sim – concordou Émilie com a voz fraca.

Alex olhou para os dois copos de uísques em cima da mesa.

– Acho que a gente deveria beber isso agora. Me parece uma pena desperdiçar.

– Não quero, sério. – Ela tornou a balançar a cabeça.

– Ah. – Alex arqueou as sobrancelhas. – Imagino que Seb tenha comentado sobre o meu terrível alcoolismo e vício em drogas?

– É, comentou, sim – respondeu ela com franqueza.

– É verdade que já tive problemas com drogas – admitiu Alex com naturalidade. – Mas alcoólatra eu nunca fui. O que não significa que não goste de beber. Todos nós gostamos. Quer dizer, você é francesa... com certeza deve beber desde o berço, não?

– Claro.

– Mas como acabou se casando com meu irmão?

– Ahn... – A pergunta direta a desconcertou. – Eu me apaixonei. É por *esse* motivo que a maioria das pessoas se casa.

– Um motivo tão bom quanto outro qualquer – disse Alex, assentindo. – Bem, acho que eu deveria lhe dar as boas-vindas à família.

A porta do salão se abriu. Sebastian apareceu, com a neve derretida pingando dos cabelos.

Sentindo-se culpada, Émilie se levantou de um pulo para recebê-lo.

– Oi! Que bom que você chegou bem.

– Não ouvimos o carro chegar – emendou Alex.

Com o semblante fechado, Alex encarava os dois copos de uísque em cima da mesa.

– Não, porque eu tive que deixar o carro lá embaixo e atravessar a neve com duas sacolas imensas de compras. Você andou bebendo? – perguntou ele a Alex num tom de acusação.

– Não. Mas confesso que tentei convencer sua esposa de que ela deveria tomar uma dose, porque ela não estava se sentindo muito bem – respondeu Alex, impassível.

– Isso é a sua cara – disse Sebastian, erguendo as sobrancelhas. Ele se virou para Émilie com uma expressão zangada, sem qualquer empatia. – Está se sentindo melhor?

– Agora sim, obrigada – respondeu ela, nervosa.

– Alex, já falei para você não entrar nesta parte da casa – disse Sebastian, virando-se para o irmão.

– Bem, como eu estava explicando para Émilie, minha cuidadora me abandonou, então eu vim avisar você.

– Como é? Ah, pelo amor de Deus, o que você fez dessa vez? – exclamou Sebastian.

– Joguei uma xícara daquele café nojento dela na parede. Ela estava tão bêbada que tinha colocado sal em vez de açúcar – explicou Alex. – E achou que eu tivesse mirado nela.

– Bom, Alex, dessa vez você conseguiu. – Sebastian estava uma fera. – A Sra. Erskine se recusou terminantemente a voltar, e com razão. Quanto àquela pobre mulher que acabou de ir embora... do jeito que você se comporta, não me espanta que ela também tenha fugido. Onde diabos vou arrumar uma substituta imediata para vir aqui nessa nevasca eu não sei.

– Olhe aqui, Seb, como você bem sabe, eu não sou um completo incapaz – disparou Alex. – Consigo me vestir, me alimentar, tomar banho e limpar minha própria bunda. Consigo até subir e descer da cama à noite. Já disse mil vezes que não preciso mais de uma cuidadora em tempo integral, só de alguém para me ajudar com as tarefas domésticas.

– Você sabe que isso não é verdade – retrucou Sebastian, com raiva.

– Mas é, sim. Sério. – Alex arqueou as sobrancelhas e se virou para Émilie. – Ele me trata como se eu tivesse 2 anos de idade. Mas, olha... – Ele apontou para a cadeira de rodas. – Não vou conseguir arrumar muita encrenca sentado num troço desses, certo?

Émilie se sentiu como uma espectadora de uma luta de boxe. Ficou calada, sem conseguir contribuir em nada para aquela conversa.

– Pelo visto, você consegue fazer isso muito bem – rebateu Sebastian. – Enfim, este vai ser o seu teste, pelo menos por alguns dias. Porque não tem a menor chance de eu conseguir alguém.

– Por mim tudo bem, sério – afirmou Alex, categórico. – Já falei que isso é dinheiro jogado fora, mas você não me ouve. Bom, vou deixar vocês em paz. – Ele manobrou a cadeira até a porta e empunhou a maçaneta. Parou, virou-se outra vez e sorriu para Émilie. – Foi um prazer conhecê-la, e bem-vinda a Blackmoor Hall.

A porta se fechou depois de ele sair, e o silêncio tomou conta do salão.

Sebastian estendeu a mão para os copos de uísque, pegou um deles e o virou numa única golada.

– Eu sinto muito por isso, Émilie. Deve estar se perguntando onde diabos fui meter você. Ele é um pesadelo, e eu simplesmente não aguento mais.

– Claro – disse ela. – E, por favor, não se preocupe comigo. Vou fazer o que puder para ajudar.

– É muita gentileza sua, mas no momento estou sem ideias. Vai querer isso? – Ele apontou para o outro copo de uísque.

– Não, obrigada.

Sebastian pegou o segundo copo e o virou também.

– Émilie, acho que a gente precisa ter uma conversa franca, porque estou achando mesmo que me casei com você sob premissas falsas. Está tudo um caos aqui. E se você decidir que quer pular fora, eu com certeza não vou culpá-la. – Ele afundou no sofá ao seu lado e segurou sua mão. – Eu sinto muito, muito mesmo.

– Sebastian, estou começando a entender que a sua vida não é um livro aberto como eu pensava – concordou ela. – Mas eu me casei com você porque o amo. Agora sou sua esposa, e sejam quais forem os seus problemas, eles são meus também.

– Você não sabe da missa a metade – gemeu Sebastian.

– Então me conte.

– Tá bom, lá vai. – Ele suspirou. – Além da situação do Alex, a verdade é que estou falido. Quando vovó morreu, ainda havia bastante dinheiro sobrando, mas eu esperava que o meu trabalho deslanchasse e eu conseguisse pelo menos começar a pagar pela reforma desta casa. Aí, é claro, dois anos atrás Alex sofreu o acidente, e o custo dos cuidados com ele simplesmente acabou com as minhas economias. Eu hipotequei a casa, claro, mas mal consigo pagar as prestações, e certamente o banco não vai mais me emprestar nada. Agora estou no ponto em que a caldeira está sem diesel em pleno inverno simplesmente porque não tenho dinheiro para pagar o combustível. Então, pelo visto, vou precisar vender a propriedade. Isso se Alex concordar. Afinal, metade do imóvel é dele, e ele diz que não sai daqui de jeito nenhum.

– Sebastian – aventurou-se Émilie a dizer, por fim. – Eu entendo quanto é doloroso vender a casa da sua família. Mas pelo que estou entendendo você não tem escolha. Nem você nem Alex.

– Você tem razão, claro. Mas... a verdade é a seguinte: logo antes de nos conhecermos, o meu trabalho estava realmente começando a deslanchar. Eu tomei umas decisões acertadas, e as coisas estavam indo na direção certa. Enfim... Acho que tudo isso é irrelevante. Estou falando sobre o ponto de chegada, mas atualmente estou no ponto de partida. E a grande questão é como vou conseguir passar de um para o outro. – Ele deu de ombros. – E, por mais que eu queira, não acho que vá poder ficar com esta casa. O que vou fazer com nosso vizinho mais próximo é outra história. Ele vai lutar com unhas e dentes para ficar aqui, e nós dois somos donos. Como você pode imaginar, as alternativas de moradia para alguém na situação de Alex são limitadas.

– Mas você não iria abandoná-lo, iria? – perguntou Émilie.

– É claro que não! – Sebastian se exaltou de repente. – Quem você acha que eu sou? Como já pôde ver, eu levo as minhas responsabilidades muito a sério.

– Sim – respondeu ela depressa. – Não foi isso que eu quis dizer. Estava só pensando para onde ele iria se a propriedade fosse vendida.

– Bem – falou Sebastian. – Acho que o dinheiro que ele ganharia com a venda da casa pagaria muitos anos dos melhores cuidados numa instituição adequada. Por mais que ele negue, Alex precisa de supervisão constante e...

– Sebastian – interrompeu Émilie. – Desde o começo desta conversa você está dizendo "eu". Por favor, lembre que agora não é mais "eu", e sim "nós". Eu sou sua esposa agora, nós temos uma parceria, e vamos resolver esses problemas juntos, do mesmo jeito que você me ajudou a resolver os que tive lá na França.

– Você é um amor, Émilie, mas eu realmente acho que não há grande coisa que possa fazer para ajudar – disse ele com um suspiro.

– Por que está dizendo isso? Em primeiro lugar, você sabe que eu tenho dinheiro. E como sua esposa, tudo que é meu é seu. É claro que eu posso ajudar você. Eu *quero* ajudar você – reafirmou ela. – Principalmente se, como você diz, o dinheiro só for necessário para lhe dar uma ajuda até o seu trabalhar começar a gerar mais renda. Se preferir, pense em mim como uma investidora – sugeriu ela.

Sebastian tirou as mãos do rosto e a encarou, assombrado.

– Está falando sério sobre me ajudar financeiramente?

– Claro – disse ela, e deu de ombros. – Não vejo qual é o problema. Você passou os últimos meses me ajudando. Agora eu posso retribuir.

– Émilie, você é um anjo. – Ele a tomou nos braços de repente e a apertou com força. – Sinto tanta culpa por não ter lhe contado tudo isso antes de nos casarmos... Para ser sincero, foi só quando chegamos aqui ontem que me dei conta do quanto a situação é desesperadora. E reconheço que tentei esconder a situação, sem necessidade. Meu Deus, hoje de manhã consultei meu extrato bancário e ele parecia a versão financeira de um acidente de trânsito.

– Por favor, pelo menos com dinheiro você não precisa mais se preocupar – tranquilizou ela. – Quando tiver calculado de quanto precisa, eu mando transferir para a sua conta aqui na Inglaterra. Pessoalmente, acho que no momento temos problemas mais urgentes do que dinheiro. Como pôr diesel na caldeira, por exemplo. – Ela arqueou uma das sobrancelhas. – Tenho certeza de que podemos pagar pelo telefone com o cartão de crédito. Aí pelo menos ficaremos aquecidos.

– Ah, meu amor. – Sebastian se virou para ela com o semblante retorcido de angústia. – Você está sendo tão maravilhosa... Eu realmente sinto muito, de verdade.

– Shh – fez Émilie. – Além do diesel, que é um problema fácil de resolver, com certeza o próximo passo é arrumar alguém para cuidar do seu irmão. Certo?

– Sem dúvida – concordou Sebastian. – A solução mais imediata seria um cuidador temporário de uma agência, mas essas empresas cobram os olhos da cara...

– Acabamos de chegar à conclusão de que dinheiro não é um problema – repetiu Émilie. – Alex estava mentindo quando disse que conseguia se virar sozinho?

– Bom, a verdade é que nunca confiei nele o suficiente para deixar que se cuidasse sozinho – reconheceu Sebastian. – Ele tem muita tendência a se acidentar, Émilie. Se bem o conheço, ele vai acabar pondo uma lata de feijão no micro-ondas e se eletrocutando, ou então usando o computador para comprar litros de bebida nos vinhedos mais próximos.

– Então ele na verdade não precisa de uma enfermeira profissional para cuidar dele do ponto de vista médico? – indagou ela.

– Bom, ele toma uns remédios de manhã para ajudar na circulação, mas é mais por necessidades físicas, práticas.

– Se não encontrarmos ninguém, eu poderia ajudar a cuidar dele, pelo menos temporariamente – sugeriu Émilie. – Tenho um pouco de experiência por causa da minha mãe, que passou as últimas semanas de vida numa cadeira de rodas. Além disso, sou veterinária de profissão, então sei como funciona um corpo.

– Mas será que eu poderia confiar em você para não sucumbir ao charme de Alex? – Ele olhou para os copos de uísque vazios e a encarou com uma expressão de quem estava achando aquilo um pouco engraçado. – Ou à influência dele?

– Mas é claro! – Ela evitou comentar que fora o próprio Sebastian quem esvaziara os dois copos, não ela nem Alex. – Com certeza não é de espantar que ele se sinta frustrado. Ele costuma sair de casa?

– É raro, mas eu de fato não consigo imaginá-lo querendo ir ao clube todas as quartas se juntar aos outros deficientes da cidade para uma partida de tapão e um copo de laranjada. Ou pelo menos seria assim que ele veria essa possibilidade. Alex sempre foi um solitário. Enfim, é isso… – Sebastian soltou Émilie e tornou a afundar no sofá. – A vida do seu marido em resumo, sem cortes… e no momento um desastre total.

– Por favor, não diga isso – pediu ela. – Muitas dessas coisas não são culpa sua. Você fez o possível para ajudar seu irmão e manter seu trabalho e esta casa de pé. Não deve se culpar.

– Obrigado, amor. Fico tocado com o seu apoio, de verdade. Você é mesmo maravilhosa. – Sebastian se inclinou na direção dela e a beijou de leve nos lábios. – Então agora precisamos ligar para a empresa do diesel antes de ela fechar e de precisarmos entrar na fila inevitavelmente longa das multidões sem diesel ilhadas pela neve. Se não se importa que eu use o seu cartão, poderia deixá-lo comigo para eu poder passar o número quando telefonar para eles?

– Claro. Está lá em cima na minha bolsa. Vou pegar.

Émilie depositou um beijo no topo da cabeça do marido e saiu. Enquanto subia a escada, percebeu que estava sentindo um calorzinho de satisfação. Agora podia ajudar o marido do mesmo jeito que ele a havia ajudado nos últimos meses. Era uma sensação boa.

17

Uma semana depois, as coisas em Blackmoor Hall estavam mais calmas. A neve, que caíra durante três dias e depois congelara, formando imensas placas de gelo traiçoeiro, finalmente começava a derreter à medida que a temperatura subia. A empresa mandara entregar o diesel na véspera, e ao acordar Émilie constatou que o frio cortante havia diminuído um pouco.

Sebastian tinha contratado uma cuidadora temporária de uma agência para ficar com Alex. Émilie não o via desde o dia da crise de pânico. Na verdade, estava se sentindo bem mais calma agora, pensou, enquanto ligava a cafeteira elétrica para fazer um café que tomaria na cama. Sebastian tinha revelado de quanto dinheiro precisava para atravessar os meses seguintes e ela mandara transferir imediatamente a quantia para a sua conta bancária. Desde então, ele havia relaxado de modo perceptível.

– Já que estamos ilhados pela neve, acho que deveríamos encarar esse hiato forçado como uma espécie de lua de mel improvisada – anunciara ele. – Temos vinho na adega e comida na geladeira, um bom fogo na lareira e um ao outro. Vamos tentar aproveitar, que tal?

Depois disso, eles haviam passado longas e preguiçosas manhãs juntos debaixo das cobertas e vestido casacos grossos e galochas para enfrentar a curta caminhada até o vilarejo de modo a experimentar a revigorante gastronomia britânica servida no pub. Na volta, haviam brincado de guerra de bolas de neve e chegaram em casa energizados pelo ar puro e gelado. À noite, eles ficavam aninhados diante da lareira, bebiam o vinho que Sebastian trazia da adega, conversavam e faziam amor.

– Você é tão linda... – dizia ele ao beijar seu corpo nu diante da luz do fogo. – Estou tão feliz por ter me casado com você...

Na manhã anterior, como o gelo havia começado a derreter, Sebastian tinha levado Émilie até Moulton, uma cidade próxima, para repor os estoques cada vez mais baixos de comida. Insistira para ela dirigir o Land Rover na volta, provação terrível para uma pessoa desacostumada a dirigir com neve e ainda por cima respeitando a mão inglesa.

– É importante você saber isso, amor – dissera Sebastian durante o trajeto a passo de lesma de volta até a casa. – Quando eu estiver em Londres, você precisa conseguir sair.

Depois de fazer o café, Émilie olhou com prazer para a cozinha. Os simples gestos de lavar as cortinas imundas que pendiam desenxabidas diante das janelas e pôr um vaso de flores sobre a mesa de pinho escovado tinham dado outra vida ao cômodo. Ela havia encontrado umas porcelanas brancas e azuis bonitas numa coleção dentro de um dos armários e as dispôs na prateleira acima do fogão. Ao subir a escada com as duas canecas de café, viu que o sol estava brilhando e o gelo desaparecia, agora transformado em pingos. Talvez ela até pudesse sugerir a Sebastian decorar a cozinha... Uma tinta amarelo-clara ficaria perfeita.

Subiu na cama ao lado dele e tomou um gole do café quente.

– Dormiu bem? – perguntou Sebastian, sentando-se e estendendo a mão para sua caneca.

– Sim. Concluí que no fim das contas eu gosto desta casa – comentou Émilie. – Ela é como uma tia velha e carente que só precisa de um pouco de carinho e atenção.

– E muito dinheiro – acrescentou Sebastian. – Falando nisso, agora que a neve derreteu e você está instalada, acho que infelizmente preciso ir passar uns dias em Londres. Vai ficar bem sem mim? Alex parece satisfeito com a nova cuidadora, e tenho certeza de que não vai incomodá-la. Você poderia ir comigo, mas vou trabalhar o tempo todo e não vou ter tempo nem energia para lhe dar atenção. Seria um tédio para você.

– Onde você fica quando está em Londres? – perguntou Émilie.

– Ah, eu costumo ficar no apartamento de um amigo. Não chega a ser o Ritz, mas para a quantidade de tempo que passo lá, serve – explicou ele.

– Quantos dias vai ficar fora?

– Estava pensando que, se for amanhã de manhã, no máximo três. Volto na sexta à noite – prometeu ele. – Vou deixar o Land Rover com você, claro, para o caso de o tempo virar outra vez. Tenho uma lata-velha que uso para ir até a estação. E quem sabe da próxima vez podemos nos planejar para você ir comigo?

– Tá – disse ela, tentando não se preocupar com a perspectiva de ficar sozinha ali com o volátil Alex e um carro que ela tinha pavor de dirigir. – Andei pensando em pintar a cozinha. Você acha ruim?

– É claro que não. Preciso mesmo passar na cidade para ir ao banco. Na volta podemos escolher uma tinta na loja de material de construção. – Ele se virou para ela e lhe acariciou a bochecha. – Você é um milagre, Émilie, um verdadeiro milagre.

Sebastian partiu para Londres na manhã seguinte. Cheia de planos para o dia, entre os quais começar a pintar a cozinha, Émilie desceu e fez café cantarolando sozinha. Então começou a trabalhar.

Quando a hora do almoço chegou, já tinha conseguido pintar toda a parede do duto da chaminé, e se arrependeu por não ter pedido a Sebastian para afastar a imensa cômoda que ocupava uma das paredes inteira. Ao sentar-se para comer o sanduíche que havia feito, ouviu um carro se aproximar da entrada e ir embora. Imaginou que fosse o carteiro e o ignorou. Depois do almoço, começou a pintar a parede onde ficava a pia.

– Oi outra vez – disse uma voz em francês atrás dela.

Émilie sentiu um peso no coração ao se virar e deparar com Alex em sua cadeira de rodas junto à porta da cozinha.

– O que está fazendo aqui? – perguntou ela; o nervosismo fez sua voz soar mais ríspida do que gostaria.

– A casa é minha... – respondeu ele num tom afável. – E pensei que deveria avisar a vocês que a minha última cuidadora deu no pé.

– Ah, Alex! O que você aprontou dessa vez? – Ainda trepada na escada, ela começou a descer com cuidado.

– Por favor! – exclamou ele com um horror fingido. – Vai começar a me tratar feito criança também?

– Bom, o que você esperava? Faz só uma semana que estou aqui e já vi duas cuidadoras irem embora – retrucou ela.

– Pelo visto meu irmão fez a sua cabeça – disse Alex com tristeza.

– Não, de jeito nenhum – respondeu ela em inglês para acentuar o quanto ele estava errado.

– Adoro o jeito como você diz "de jeito nenhum" com esse seu lindo sotaque francês – disse ele, sorrindo.

– Não mude de assunto – disse ela, voltando ao francês.

– Desculpe – disse Alex. – Enfim, ela foi embora. E agora somos só você e eu.

– Então preciso ligar agora mesmo para a agência e arrumar uma substituta – rebateu ela.

– Olhe, Émilie, por favor, não faça isso, estou implorando. Pelo menos por uns dois dias. Eu gostaria de provar para você e Seb que sou mesmo perfeitamente capaz de me cuidar. Prometo me comportar… Nada de bebida, nada de drogas, nada de idas ao pub mais próximo etc… – Ele a encarou com uma expressão desesperada. – Pode me conceder um adiamento de pena? Ao primeiro sinal de mau comportamento você pode chamar reforços. – Ele balançou a cabeça. – E não faz ideia de como eu *não* quero que isso aconteça.

Émilie hesitou, sentindo-se encurralada. Certamente deveria ligar para o marido e debater aquilo com ele, não? Por outro lado, sabia que, se o fizesse, ele provavelmente voltaria correndo para casa. E do jeito que ele tinha dito que o seu trabalho precisava de atenção, isso era a última coisa de que precisava.

Émilie tomou uma decisão. Era a esposa de Sebastian e iria lidar com o irmão dele no seu lugar.

– Está bem – concordou. – Precisa de alguma coisa? – Ela tornou a pousar um dos pés na escada para retomar a pintura do difícil canto superior da parede.

– No momento, não, obrigado.

– Se precisar, me avise. – Virando-lhe as costas, ela subiu na escada, molhou o pincel na tinta e continuou seu trabalho.

Alex nada falou. Émilie se concentrou nas pinceladas.

– Bela cor. Escolheu bem – comentou ele por fim.

– Obrigada. Eu gostei.

– Eu também. E como tecnicamente metade desta cozinha é minha, acho que isso é uma coisa boa, não?

– Sim.

Outro silêncio. Então:

– Posso ajudar?

Émilie evitou fazer qualquer tipo de comentário irônico.

– Não precisa, obrigada.

– Na verdade eu sei manejar um rolo muito bem – confirmou Alex, lendo seus pensamentos.

– Tá. Tem um ali perto da pia. Derrame um pouco de tinta na bandeja.

Ela ficou observando Alex discretamente enquanto ele se aproximava da pia, pegava a lata de tinta na bancada e derramava um pouco na bandeja com gestos precisos.

– Começo por aqui? – Ele indicou um pedaço à esquerda da cômoda.

– Fique à vontade – concordou ela. – Uma pena eu não conseguir arrastar esse móvel.

– Tenho certeza de que posso ajudá-la com isso. Meu tronco é mais forte do que o da maioria das pessoas capazes de andar – afirmou ele. – Vamos conseguir arrastar sem problema.

– Tá.

Émilie desceu da escada e começou a esvaziar as prateleiras de cima enquanto Alex liberava a parte de baixo. Então os dois juntos afastaram a cômoda da parede.

– Agora me conte sobre você – pediu Alex, simpático, enquanto ela tornava a subir na escada e ele começava a pintar a parede com o rolo.

– O que você quer saber?

– Ah, o básico: sua idade, sua patente e seu número de série, esse tipo de coisa – disse ele com um sorriso.

– Bom, eu tenho 30 anos e nasci em Paris. Meu pai era bem mais velho do que a minha mãe, então morreu quando eu era muito nova. – Ela estava decidida a revelar o mínimo possível sem ser grosseira. – Me formei em Veterinária e morava num apartamento no Marais, então conheci seu irmão logo depois de a minha mãe morrer. É basicamente isso.

– Eu acho que você está se subestimando – comentou Alex. – Para começar, você vem de uma das famílias mais aristocráticas da França. A morte da sua mãe saiu até no *The Times*.

– Seu irmão lhe contou isso?

– Não, soube pelas minhas pesquisas – admitiu ele. – Na internet.

– Então, se sabe tudo sobre mim, por que está me fazendo essas perguntas? – retrucou Émilie.

– Porque estou interessado no que você tem a dizer. Afinal, agora somos parentes – disse ele. – E, para ser franco, você não é o que eu imaginava. Com a sua origem, me espanta não ser uma típica princesa mimada cujo simples sobrenome a faz irradiar autoconfiança. A maioria das moças da sua classe não iria decidir virar veterinária, não é? Com certeza preferiria arrumar um marido rico e passar os dias viajando entre o Caribe, os Alpes e Saint-Tropez, a depender da estação.

– Sim, você acaba de descrever perfeitamente a vida da minha mãe. – Émilie se permitiu um sorriso.

– Então! – Alex fez um floreio triunfante com seu rolo de pintura. – Você escolheu uma vida que é exatamente o contrário da que sua mãe tinha. – Ele esfregou o queixo, fingindo pensar. – E a pergunta é: por quê? Talvez sua mãe estivesse tão ocupada sendo linda e sociável que não teve tempo para dedicar a você. E todo aquele luxo, glamour e os excessos da vida dela lhe causavam repulsa, porque sempre a colocavam em segundo lugar. Ela era o suprassumo da elegância francesa, e talvez você tenha pensado que jamais conseguiria estar à altura das suas expectativas. Sentia-se pouco amada e ignorada por ela. Tudo isso quer dizer que você cresceu com uma autoestima muito baixa. Você então rejeitou o que era seu por direito, da mesma forma que sentia que *isso* e que sua mãe a tinham rejeitado, e tomou a decisão de levar uma vida muito diferente.

Émilie precisou se segurar no alto da escada para não cair.

– E é claro – prosseguiu Alex, agora sem conseguir interromper sua análise certeira – que, quando chegou a hora de escolher uma profissão, você decidiu ser veterinária, ou seja, mais uma vez ser uma cuidadora, algo que sua mãe nunca foi. E quanto aos homens... Duvido que tenha tido muitos namorados. Aí meu irmão surge do nada como um príncipe encantado, e você sucumbe por completo...

– *Chega!* Pare! Como pode dizer essas coisas quando nem sequer me conhece? – Émilie tremia involuntariamente, e a escada balançava debaixo dela. Para a própria segurança, ela desceu os degraus e foi até ele. – Como *se atreve* a ter a pretensão de falar assim comigo? Você não sabe nada sobre mim! Nada!

– Ah... – Alex sorriu. – Vejo que despertei um pouco da princesa francesa altiva que espreita em algum lugar nas profundezas da sua alma, por mais que você tente escondê-la.

– Eu disse *chega*!

Antes de conseguir se conter, Émilie estendeu a mão por instinto e deu um tapa bem forte na cara de Alex. O estalo ecoou pela cozinha. Ela ficou parada, em choque com o que acabara de fazer. Era a primeira vez na vida que batia em alguém.

– Ai. – Alex levou a mão à bochecha e a esfregou.

– Me desculpe. Eu não deveria ter feito isso – disse Émilie na mesma hora, horrorizada.

– Tudo bem, eu mereci. – Alex parecia acuado. – Passei dos limites, como sempre. Por favor, Émilie, me perdoe.

Sem responder nada, ela se virou e saiu da cozinha. Ao chegar ao hall, começou a correr e subiu os degraus da escada de dois em dois. Ofegante, entrou no quarto, bateu e trancou a porta e se jogou na cama.

Pôs-se a soluçar alto, com o rosto afundado no travesseiro. Sentia-se nua, exposta... Como ele podia ter a *pretensão* de conhecê-la? De brincar com seus sentimentos mais íntimos como se estivessem em uma espécie de jogo, e ele pudesse usá-los como uma ferramenta para humilhá-la?

Que tipo de monstro era ele?

Ela cobriu a cabeça com um travesseiro, pensando se deveria ligar para Sebastian e lhe dizer que não podia ficar ali e que estava indo para Londres. Iria com o Land Rover até a estação, embarcaria num trem e estaria segura nos braços do marido dali a poucas horas.

Não, *não*, disse a si mesma. Tinha sido alertada em relação a Alex: ele era um manipulador, e ela não podia se deixar abalar nem sair correndo feito uma criança incapaz ao encontro do marido, que no momento tinha problemas demais para administrar. De alguma forma, precisava enfrentar aquilo... Alex era apenas um menininho entediado que gostava de provocar. E se ele fosse se tornar um elemento permanente da sua futura vida com Sebastian, ela precisava assumir o controle.

Acalmada por esses pensamentos, mas exausta por ter sentido tanta raiva, Émilie pegou no sono.

Mas não sem antes pensar que tudo que Alex tinha dito a seu respeito era verdade.

Quando ela acordou, sentindo-se desorientada e exaurida, já estava escuro. Esticou a mão para pegar o relógio e viu que passava um pouco das seis. Desceu de mansinho, acendendo as luzes conforme avançava, torcendo apenas para Alex ter voltado para a sua ala da casa. Ao abrir a porta da cozinha, nervosa, viu aliviada que o cômodo estava vazio. Acendeu a chaleira elétrica e reparou que os pincéis tinham sido cuidadosamente lavados e postos para secar no escorredor. Apoiado na fruteira sobre a mesa da cozinha havia um bilhete.

Cara Émilie, mil desculpas por ter chateado você. Eu perdi a linha, como de hábito. Podemos recomeçar do zero? Pensando nisso, para me desculpar, preparei um jantar para nós. Por favor, quando quiser, venha me encontrar no meu lado da casa.
    Sinceramente,
    Alex

Ela deu um suspiro e sentou-se pesadamente diante da mesa, ponderando como agir. O bilhete era uma oferta de paz evidente. Apesar da antipatia que sentia por Alex, se os dois fossem morar debaixo do mesmo teto, seria preciso estabelecer algum tipo de trégua entre eles. Além do mais, pensou enquanto preparava uma xícara de chá, na verdade nada do que ele tinha dito a seu respeito era negativo. O problema era apenas o fato de tê-la tratado com uma intimidade que ainda não fora estabelecida. Ele mal a conhecia, mas apesar disso a conhecia muito bem... e era isso que a deixara inteiramente desconcertada.

Além do mais, de um ponto de vista prático, Émilie se deu conta de que não fazia ideia se Alex era *mesmo* fisicamente capaz de se cuidar sozinho. No dia seguinte, pensou enquanto tomava um gole do chá, iria ligar para a agência e tomar providências para encontrar outra cuidadora temporária. Sebastian tinha deixado o telefone da empresa, só por precaução. Nessa noite ela precisava pelo menos checar como o cunhado estava. Não havia motivo algum para ficar lá e comer o jantar que ele pelo visto tinha preparado. Devia ser só torradas com feijão enlatado, de qualquer forma.

O telefone fixo tocou, e ela se levantou para atender.

– Oi, amor, sou eu.

– Olá, "eu". – Émilie sorriu ao escutar a voz do marido. – Como você está? E como está Londres?

– Ocupado. Ainda estou tentando dar conta da pilha de papelada que estava pegando poeira há meses em cima da minha mesa. Só queria saber se estava tudo bem em casa.

Houve uma leve pausa antes de ela responder com cuidado:

– Sim, por aqui tudo bem.

– Alex não está dando trabalho?

– Não.

– Não está se sentindo muito sozinha?

– Bom, estou sentindo a sua falta, mas estou bem. Comecei a pintar a cozinha.

– Ótimo. Bom, então boa noite. Você tem meu celular se precisar entrar em contato. Ligo para você amanhã.

– Sim. Não trabalhe demais – pediu ela.

– Ah, vou trabalhar, sim, mas é por uma boa causa. Amo você, querida.

– Eu também amo você.

Émilie recolocou o fone no gancho e tomou coragem para ir encontrar Alex. Enquanto percorria o corredor que ia dar na ala leste, ficou imaginando o que iria encontrar. A porta que dava para os aposentos dele estava entreaberta. Ela inspirou fundo e deu uma batida hesitante.

– Pode entrar! Estou na cozinha.

Ela empurrou a porta e adentrou um pequeno vestíbulo. Então, seguindo o som da voz de Alex, virou à direita e chegou a uma sala. A confusão e desordem que imaginava encontrar não poderiam estar mais distantes do recinto calmo no qual se viu. As paredes eram pintadas de cinza-claro, e as janelas, emolduradas por cortinas de linho marrom-claras. Um fogo ardia alegremente numa lareira ladeada por duas estantes que iam do chão até o teto, com livros organizados de modo impecável. Um sofá moderno e confortável ocupava uma das paredes, e acima dele estava pendurada uma série de litografias em preto e branco emolduradas. Duas elegantes poltronas vitorianas reformadas estavam dispostas de um lado e outro da lareira. Acima desta pendia um grande espelho dourado, e um vaso de flores frescas enfeitava uma mesa de centro muito bem encerada.

A ordem, a limpeza e a atenção aos detalhes daquele cômodo foram tão inesperadas, principalmente em contraste com a situação triste e degradada do resto da casa, que ameaçaram desestabilizar Émilie outra vez. A suave melodia de um concerto de música clássica saía de caixas de som invisíveis e contribuía para a serenidade do ambiente.

– Bem-vinda à minha humilde morada. – Alex apareceu na porta do outro lado da sala.

– Que lugar... lindo – comentou Émilie, sem conseguir se conter. Era exatamente assim que ela gostaria de decorar um cômodo.

– Obrigado. Minha teoria é que, se a pessoa precisa passar a vida inteira no cárcere, então deve se esforçar ao máximo para tornar sua cela o mais agradável possível. Não concorda?

Ela teve apenas tempo de aquiescer antes de ele emendar:

– Émilie, eu sinto muito mesmo pelo que aconteceu hoje à tarde. Foi imperdoável. Juro que nunca vai se repetir. Você não merecia aquilo. Por favor, podemos esquecer e seguir em frente?

– Sim. E me desculpe por ter batido em você.

– Ah, é totalmente compreensível. Eu pelo visto sou especialista em pisar no calo das pessoas. E reconheço inclusive que às vezes faço isso de propósito. Deve ser o tédio. – Alex deu um suspiro.

– Você gosta de testar as pessoas, é isso? – perguntou Émilie. – De levá-las até o limite? De chocá-las ao dizer em voz alta o que a maioria dos outros seres humanos não se atreveria a dizer? Para enfraquecê-las e fazer com que baixem a guarda, o que imediatamente coloca você no controle?

– *Touché*, madame. – Alex a encarou com um respeito renovado. – Bem, com essa réplica tão incisiva e o tapa de hoje à tarde, eu diria que estamos quites, não? – Ele estendeu a mão.

Émilie foi até ele e apertou sua mão com formalidade.

– Sim, estamos quites.

– Viu? Eu já despertei seu espírito combativo. Você encarou meu desafio sem cair.

– Alex...

– Sim – concordou ele na hora. – Chega desse joguinho mental. Tenho uma garrafa maravilhosa de Raspail-Ay que estava guardando para uma ocasião especial. Aceita uma taça?

O sabor aveludado daquele vinho do Ródano havia alegrado muitas vezes a mesa dos pais de Émilie e era extremamente agradável.

– Só um pouco, por favor – aceitou ela.

– Ótimo. E se isso a faz se sentir melhor, não vou acompanhá-la. Posso lhe garantir que tenho total controle sobre meu consumo de álcool. Mas o fato é que a vida pode ser bem mais divertida com uma quantidade moderada de bebida. E na realidade, se formos examinar a história, nossos antepassados sempre a usaram para aliviar sua jornada. – Alex se virou e guiou a cadeira de volta para a cozinha. – Até Jesus foi aplaudido por transformar água em vinho. E desde a Idade Média até a era vitoriana, todo mundo tomava cerveja ou uma bebida alcoólica à base de vinho no lugar da nossa xícara de cafeína ao acordar. Não podiam beber água... senão morreriam de febre tifoide, ou de peste negra, ou de algum parasita repulsivo que teria devorado as paredes do seu estômago. Depois disso eles continuavam bebendo o dia inteiro, e quando iam se deitar estavam totalmente embriagados. – Ele deu uma risadinha.

– É, acho que você tem razão. – Aquilo a fez sorrir.

– E que mal faz aliviar um pouco a dura realidade da vida, afinal? – perguntou Alex. – No fundo, estar vivo é uma longa e dura caminhada rumo à morte. Por que não tornar o caminho o mais prazeroso possível?

Émilie o havia seguido até a cozinha pequena, porém moderna e ergonômica. Vidro, aço inox e armários de fórmica branca reluziam, limpíssimos. Em cima de uma ilha mais baixa do que o normal estava a garrafa de vinho, aberta, porém intacta.

– Mas tudo com moderação, certo? – sugeriu ela, encarando-o.

– Sim. E foi nesse ponto que eu às vezes fracassei – reconheceu Alex. – Mas não mais. Como pode ver pela minha casa, hoje em dia tenho essa mania de organização. Gosto de tudo do jeito certo, inclusive eu mesmo.

– Mas qual é o "jeito certo", exatamente?

– Boa pergunta. – Ele serviu o vinho da garrafa em duas taças. Entregou uma delas a Émilie. – "Jeito certo" não quer dizer muita coisa. É uma expressão frouxa, que abarca várias possibilidades. Mas quanto ao fato de eu ter gastado ou, melhor dizendo, jogado fora minha juventude sem nunca ter chegado nem perto do "jeito certo", e isso por motivos diversos sobre os quais podemos falar outro dia, o "jeito certo" da minha vida tem a ver com controlar o que está ao meu alcance. E uma dessas coisas é o ambiente onde eu vivo. – Ele tomou um gole do vinho. – Falando nisso, se eu der qualquer sinal de embriaguez, você pode fugir das minhas garras, voltar para o seu museu eduardiano e me esquecer. Então não há o que temer.

– Eu não tenho medo de você, Alex – declarou Émilie com firmeza.

– Que bom. – Ele a encarou do seu jeito perspicaz e ergueu a taça até a dela. – Um brinde ao seu casamento.

– Obrigada.

– E a um novo começo para a nossa relação. Mas então, como você é francesa, aposto que trocaria sua cidadania pela britânica antes de se tornar vegetariana. Então fiz um filé para o nosso jantar.

– Obrigada.

Émilie observou Alex abrir a geladeira e colocar duas peças de contra-filé marinadas na ilha central. Ele virou a cadeira de frente para o forno baixo, que emitia um zumbido de atividade, e verificou algo lá dentro.

– Posso ajudar em alguma coisa? – perguntou ela.

– Não, obrigado. Saboreie o vinho. Já fiz a salada. Você se importa se comermos aqui? A sala de jantar é um pouco formal para dois.

– Você tem uma sala de jantar?

– Claro. – Ele ergueu uma das sobrancelhas.

– Não, não me importo nem um pouco. Como comprou esta comida? – perguntou ela.

– Nunca ouviu falar em delivery? – Ele sorriu. – Eu passo uma lista por telefone e o mercado aqui perto manda entregar.

– Bom saber – disse Émilie, mais desconcertada ainda com a independência inesperada de Alex. – Então, há algo que você *não* consiga fazer?

– Em termos de tarefas práticas consigo fazer quase tudo, e é por isso que me frustra tanto que fiquem jogando cuidadoras em cima de mim. Sim, no começo eu fiquei bem incapacitado, e precisava dos cuidados em tempo integral que Seb arrumou para mim. Mas nos últimos dois anos eu me adaptei e desenvolvi bastante força na parte superior do corpo, o que me permite impulsionar a cadeira e também subir ou sair dela… – explicou ele. – Sim, já houve umas duas ocasiões em que eu calculei mal e acabei de bunda no chão, mas felizmente isso está se tornando cada vez menos frequente. – Alex mexeu a salada para misturar o molho e a pôs na mesa. – Uma das minhas grandes frustrações é a quantidade de tempo que levo para fazer qualquer coisa. Se eu tiver deixado um livro na sala quando vou me deitar à noite, preciso me sentar de novo na cadeira, guiá-la até lá, voltar e subir na cama outra vez. O mesmo vale para coisas como tomar banho de chuveiro ou me vestir. Todas as funções humanas normais precisam ser planejadas como uma operação militar. Mas, como a nossa espécie é adaptável, meu cérebro já programou minhas necessidades corporais, e a rotina funciona bastante bem.

– Você acha que conseguiria se virar sem cuidadora? – perguntou ela.

– Émilie, olhe para mim. – Ele abriu os braços. – Estou sentado na minha casa toda arrumada, preparando um jantar para você. *Sozinho*. Já disse isso a Sebastian inúmeras vezes, mas ele se recusa a escutar.

– Bom, talvez ele se importe com você e não queira que nada de mau aconteça.

Alex suspirou.

– Eu acho que devemos fazer um pacto agora de não falar sobre o meu irmão ou as motivações dele. É melhor para todos os envolvidos que esse assunto não seja abordado.

– Mas não dá para criticá-lo, não é? – disse Émilie. – Sebastian obviamente gastou muito dinheiro para garantir o seu conforto aqui, enquanto ele mora numa parte da casa que precisa urgentemente de dinheiro para uma reforma.

Alex deu um misto de muxoxo com risada.

– É, bom, como eu falei, é melhor evitarmos falar sobre meu irmão. Mas agora que tal se sentar para eu servi-la?

Já eram onze e meia da noite quando Émilie deu boa-noite a Alex e abriu com um empurrão a porta que a levaria de volta para o seu lado frio e triste da casa, que a claridade e modernidade dos aposentos de Alex realçavam mais ainda. Ao subir a escada para ir se deitar, ela de fato teve a sensação de estar despencando pelo outro lado do espelho, como Alice.

A calefação na parte principal da casa tinha desligado horas antes, e o quarto estava um gelo. Ela trocou de roupa o mais depressa que pôde e mergulhou debaixo das cobertas. Não estava com o menor sono, apenas empolgada por ter testemunhado o funcionamento daquilo que obviamente era uma mente brilhante.

Depois de o sublime vinho do Ródano tê-la feito se acalmar e relaxar, os dois tinham conversado sobre Paris, onde Alex vivera por dois anos, e sobre seus autores franceses preferidos. Em seguida tinham conversado sobre música e ciência, e ela ficara escutando assombrada o conhecimento cultural imenso e variado de Alex.

Quando ela expressou sua admiração, Alex deu de ombros e fez pouco caso.

– Uma das vantagens de não ter um tostão no bolso e morar em grandes cidades como eu muitas vezes fiz era que os melhores lugares para se aquecer e passar o tempo eram museus, galerias de arte e bibliotecas. Também tenho uma memória fotográfica insuportável. – Ele sorrira ao ouvi-la comentar sobre a sua impressionante capacidade de lembrar das coisas. – Sou como um elefante, não esqueço nada. E que isso lhe sirva de alerta no futuro, Émilie – acrescentara ele.

Ela também se lembrou de ficar sentada diante da mesa da cozinha na frente de Alex enquanto eles jantavam, e, mais tarde, de vê-lo manobrar com habilidade sua transferência da cadeira de rodas para o sofá, um homem como outro qualquer, exceto pelo ângulo incomum que as pernas formavam em relação ao joelho. Ela havia notado como ele era alto e comentou a respeito. Alex confirmara ter um metro e noventa de altura, o que, segundo acrescentara, se revelara uma grande vantagem após o acidente, uma vez que os centímetros a mais lhe davam um "alcance" maior.

Émilie reconheceu para si mesma que ele era um homem muito atraente. E tecnicamente bem mais bonito do que o irmão. Com aquela aparência, somada aos seus inegáveis carisma e inteligência, ela não conseguia nem imaginar quantos corações ele devia ter partido antes do acidente. A masculinidade de Alex não fora afetada pela paralisia nas pernas. Ele não era nenhuma vítima, quanto a isso não restava dúvida.

Émilie tentou equacionar a descrição negativa que Sebastian tinha feito do irmão com o homem bem-articulado e adulto com o qual acabara de jantar. E pensou então na primeira vez que o havia encontrado, quando, de modo calmo e eficiente, ele a ajudara a passar por uma crise de pânico.

Então... qual seria o *verdadeiro* Alex Carruthers?

Enquanto o sono a dominava, Émilie teve um último pensamento: como teria sido para o seu marido crescer ao lado de um irmão mais novo que, como o Frederik da história de Jacques, decerto o havia suplantado em todos os aspectos possíveis?

18

Émilie ficou surpresa ao encontrar Alex na cozinha na manhã seguinte, quando chegou para ligar a chaleira. Ele já havia pintado com o rolo a metade inferior da parede atrás da cômoda.

– Bom dia, dorminhoca – comentou, num tom alegre.

Émilie corou, encabulada, e desejou ter trocado a camisola, o suéter de Sebastian e o par de meias grossas que estava usando. Não imaginava que fosse ter companhia.

– São só oito e meia da manhã – respondeu, na defensiva, enquanto ligava a chaleira.

– Eu sei, foi brincadeira. Uma das desvantagens de ter dois gravetos dormentes no lugar das pernas é que eles passam a noite inteira tendo espasmos e dando trancos involuntários, o que significa que eu tenho tendência a não dormir muito. Também comecei a ter umas sensações de formigamento estranhas, o que talvez queira dizer que parte da sensibilidade esteja voltando. Segundo os médicos, isso é ótimo sinal.

– Que notícia maravilhosa, não? – Ela se recostou na pia e o encarou. – Qual foi o prognóstico original?

– Ah, o de sempre – respondeu ele, distraído. – Que tinha afetado os nervos da medula, que eles não sabiam dizer se algum dia eu iria recuperar a sensibilidade, mas que achavam improvável. Blá, blá, blá.

– Então disseram que havia uma possibilidade de você voltar a andar?

– Meu Deus, não, eles não chegariam a tanto. Hoje em dia, se um médico der falsas esperanças a um paciente, é processo judicial na certa, minha cara. – Ele sorriu. – Só que em vez de ser turrão como sempre e não dar ouvidos a ninguém da área médica, fui um bom menino e dei duro nas sessões de fisioterapia no hospital, e continuei os exercícios aqui em casa.

– Então existe uma chance de você se recuperar totalmente? – perguntou Émilie para confirmar.

– Eu duvido, mas sabe como é, onde há vida há esperança… Mas agora acho que mereço uma xícara de café, pois estou ralando aqui desde que o dia raiou. Você não acha?

– Claro. – Émilie encheu a cafeteira de água e pegou duas canecas num armário.

– Obviamente deixei a metade de cima da parede para você pintar. Ninguém iria querer me ver subir numa escada – disse ele, e riu. – Dormiu bem?

– Sim, obrigada. E… Alex? – perguntou ela devagar, enquanto esperava o café ficar pronto.

– Sim, Em? – respondeu ele. – Posso chamá-la assim? Não sei por quê, mas é mais suave. Combina com você.

– Pode, se quiser. Eu estava só pensando em como ontem à noite você foi diferente do retrato que seu irmão pinta de você.

– Eu dou ao meu irmão o que ele quer, só isso – disse Alex, e deu de ombros.

– O que isso quer dizer? Como Sebastian poderia "querer" que você se comportasse mal? – perguntou ela.

– O seu marido é um tema que eu detesto debater, você sabe disso. Ainda mais desse jeito, coberto de tinta amarela, e a esta hora da manhã.

– Mas, por exemplo, por que insiste em criar tantos problemas para as suas cuidadoras a ponto de elas abandonarem o barco e o deixarem sozinho? – insistiu ela.

– Em. – Alex deu um suspiro. – A gente combinou que não falaria sobre isso. Tudo que vou dizer é que, como eu na verdade não quero essas acompanhantes, nem participo da escolha delas, preciso me livrar delas de alguma forma, não é? Quer dizer, eu sou fisicamente incapaz de impedir Sebastian de trazê-las aqui. Como comentei ontem à noite, sou perfeitamente capaz de me cuidar sozinho hoje em dia.

– Tem certeza absoluta de que consegue se virar sozinho?

– Não comece, por favor. – Ele arqueou as sobrancelhas. – Infantilizar o paraplégico não é uma atitude que eu mereça depois do desempenho impecável que tive na sua frente ontem à noite.

– É, mas eu fiquei responsável por você e…

– Em – interrompeu Alex. – Ninguém é *responsável* por mim, menos ainda você. Talvez, para meu irmão, seja conveniente achar que ele é responsável, mas como você pôde ver no curto tempo desde que chegou aqui, eu tenho o péssimo hábito de estragar essa ilusão.

– O que estou tentando dizer é que, se eu não seguir as instruções do meu marido e arrumar uma nova cuidadora em tempo integral para você, e depois alguma coisa lhe acontecer, pode ser que ele jamais me perdoe.

– Eu lhe dou minha palavra, Em – disse Alex, enfim sério. – Nada vai acontecer comigo. Agora, pelo amor de Deus, pare de fazer drama e faça alguma coisa útil, como por exemplo me servir essa xícara de café.

Uma hora depois, Alex resmungou algo sobre ter trabalho a fazer e voltou para a sua ala. Émilie acabou de pintar a parte de cima da parede, então pincelou com cuidado os pontos que tinha deixado escapar. Enquanto lavava os restos de tinta das mãos diante da pia, olhou pela janela e viu o débil verde da grama surgindo sob o gelo que derretia depressa. Depois de passar tantos dias presa dentro da casa, pensou que seria uma boa ideia sair para dar uma volta e se familiarizar com a paisagem em torno da casa.

O sol brilhava quando ela saiu pela porta dos fundos. Atravessou o que estava certa de que, no verão, seria um jardim formal bastante bonito e passou por um portão para entrar num pomar. As árvores muito antigas estavam peladas, parecendo mortas, mas os detritos de folhas decompostas congelados a seus pés desmentiam aquela impressão.

Em pé na borda de uma quadra de tênis de grama que não recebia cuidados havia muitos anos, deu-se conta de que a casa ficava delicadamente aninhada num vale suave entre morros baixos. Ao longe, no horizonte, podia distinguir com alguma dificuldade as formas escuras de picos mais altos e escarpados. Caminhou até mais adiante e viu que a casa era cercada de pastos, evidentemente habitados por ovelhas, a julgar pelos excrementos congelados no chão. Em pé no alto de um morrinho coberto de grama, concluiu com alegria que aquela era uma região de fato linda, ainda que um tanto estéril.

Mais tarde, deu alguns telefonemas para a França. Ficara combinado com o arquiteto e os encarregados da obra que ela pegaria um avião dali a umas duas semanas para ir encontrá-los. E, o mais importante, para supervisionar o encaixotamento do conteúdo da biblioteca de seu pai antes de a reforma começar para valer.

Diante de uma xícara de chá na cozinha, ponderou se deveria retribuir a gentileza de Alex e convidá-lo para jantar naquela noite. O enigma em torno do relacionamento dele com seu marido e a animosidade que existia entre os dois era algo que ela precisava esclarecer. E certamente agora que Sebastian estava ausente seria o momento perfeito para fazer isso, não?

Ao bater à porta de seu quarto, encontrou Alex digitando no computador em seu escritório impecável.

– Desculpe incomodar, mas quer vir jantar comigo hoje? E me ajudar a pôr aquela cômoda no lugar?

– Ótimo – disse ele, assentindo. – Até mais tarde – emendou, com um aceno, pelo visto muito concentrado no que quer que estivesse fazendo.

– Você está bonita hoje – disse Alex mais tarde, em tom de admiração, ao entrar na cozinha em sua cadeira de rodas. – Esse suéter turquesa combina com seu tom de pele.

– Obrigada – disse Émilie, sem dar importância ao elogio. – Primeiro, será que podemos colocar a cômoda de volta? Aí posso liberar a mesa da cozinha para comermos.

– Deixe comigo.

Émilie o observou recolocar a cômoda encostada na parede quase sem transpirar. Então ele tornou a guardar a louça nos armários de baixo enquanto ela se encarregava das prateleiras mais altas.

– Pronto! – Émilie correu os olhos pela cozinha com prazer. – Não ficou melhor?

– Ficou maravilhoso. Quase me dá vontade de vir para cá. – Alex sorriu. – Você leva mesmo jeito para dona de casa, não é?

– É que eu simplesmente não suporto coisas soturnas. Gosto de calor, de claridade – afirmou ela.

– Com certeza, já que morou boa parte da vida no sul da França. Então, eu trouxe outra garrafa de vinho decente, pois sei que a adega daqui está nas últimas. Ah, e também trouxe isto aqui para você olhar. – Ele sacou um livrinho da lateral da cadeira e lhe entregou. – Suponho que tenha sido escrito por algum parente seu, e imaginei que você fosse se interessar. Eu achei bem bonitinhos, apesar de ingênuos.

Enquanto Alex abria o vinho, Émilie examinou o bloco de anotações antigo encadernado em couro. Ao virar a primeira página amarelada, espiou a caligrafia em francês, tentando decifrá-la.

– São poemas – disse Alex, afirmando o óbvio. – A caligrafia é horrível, né? Levei horas para entender o que estava escrito. Aqui estão as versões que digitei. – Alex lhe passou algumas folhas de papel. – Eles parecem ter sido escritos por uma criança de cinco anos, e de fato alguns foram escritos quando a autora era jovem. Mas, conforme ela cresce, a qualidade do conteúdo demonstra um talento genuíno. Viu o nome no pé dos poemas?

– Sophia de la Martinières! – leu Émilie. Ela encarou Alex sem entender. – Onde conseguiu este caderno?

– Seb pegou um livro na biblioteca algumas semanas atrás, algo a ver com frutas da França, se bem me lembro. Disse que tinha encontrado este caderno junto e me deu os poemas para ler e decifrar. Você sabe quem foi Sophia de la Martinières?

– Sim, foi minha tia, irmã do meu pai. Ele não falava muito nela, mas descobri sobre a sua história na última vez em que estive na França. Ela era cega.

– Ah – fez Alex, arqueando uma das sobrancelhas. – Está explicada a letra horrível.

– Você disse que Sebastian encontrou os poemas junto com um livro sobre frutas da França, é isso?

– Sim, foi o que ele falou.

– Jacques, que foi quem me contou a história da sua avó e de Sophia durante a guerra, me disse que Constance costumava usar um livro sobre frutas para descrever a Sophia as formas e texturas, de modo que ela pudesse desenhá-las. E que Sophia escrevia poemas. Talvez Constance tenha trazido esses livros para a Inglaterra quando voltou para cá depois da guerra.

– Que história bonita – comentou Alex.

– É. Sabe onde está o livro sobre as árvores frutíferas? Eu adoraria ver – perguntou-lhe ela.

– Eu não o vejo desde que Seb o tirou da prateleira da biblioteca – disse Alex, subitamente reticente. – Mas enfim, não consigo olhar nas prateleiras de cima, pode ser que esteja lá.

– Vou procurar, e se não conseguir encontrar pergunto para Sebastian quando ele chegar. – Émilie voltou a prestar atenção nos poemas. – São lindos. Sophia escreveu a idade dela no pé deste aqui. – Émilie apontou para a assinatura. – Tinha só nove anos quando o escreveu. É sobre o que ela desejaria ver. – Quase com lágrimas nos olhos, Émilie balançou a cabeça. – Que tristeza.

– Gosto especialmente deste aqui. – Alex folheou as páginas até encontrá-lo. – "A luz através da janela." É simples e elegante, e gosto da estrutura das rimas. Em, você me contaria o que sabe sobre o tempo que minha avó passou na França? Eu ficaria fascinado em saber.

Enquanto preparava o risoto, Émilie contou para Alex a história de Constance conforme narrada por Jacques. Alex escutou com atenção, fazendo perguntas sempre que não entendia alguma coisa.

– E foi só até essa parte da história que eu cheguei – disse ela ao servir o risoto. – Que coincidência, tantos anos depois, sua família e a minha estarem outra vez conectadas!

– Sim – concordou Alex, empunhando o garfo. – Incrível mesmo.

Émilie detectou o viés de ironia em sua voz e o encarou.

– O que está querendo dizer? Se acha que Sebastian teve algum motivo para ir atrás da minha família, está enganado. Foi uma total coincidência nos conhecermos por acaso em Gassin quando eu estava no Var cuidando de assuntos de família. Ele me reconheceu dos jornais. E me contou sobre a conexão entre nossas famílias no nosso primeiro encontro.

– Ótimo. Nesse caso não há problema, certo?

– Não, nenhum – disse Émilie com firmeza.

– Ótimo. Vamos mudar de assunto então, que tal? – sugeriu Alex.

Depois disso, a noite não seguiu nem de longe tão descontraída quanto a anterior. Uma tensão ficara pairando no ar. Alex fora embora depois de comer, e Émilie subira para o andar de cima com uma xícara de chocolate quente.

Não havia motivo algum para pôr em dúvida as motivações de seu marido, pensou ela enquanto subia na cama e se sentava recostada nos travesseiros, segurando a caneca com as duas mãos. Não importava como fora o seu primeiro encontro, o fato era que os dois tinham se apaixonado e em seguida se casado.

Ela ficou deitada na cama lendo os poemas de Sophia, escritos com tanto encanto e candura, e se perguntou mais uma vez por que motivo o pai nunca se referia à irmã caçula. Só ficara sabendo da existência de Sophia por acaso, ainda na infância, quando havia reparado num quadro na parede do escritório do pai em Paris. Era o retrato de uma linda jovem, com cabelos dourados que escorriam pelas costas e olhos azul-turquesa, sorrindo enquanto acariciava o gato persa deitado no seu colo.

– Quem é essa, *papa*? – perguntara Émilie.

Houvera uma longa pausa antes de ele responder.

– Essa era a minha irmã, sua tia Sophia – respondera Édouard por fim.

– Que linda.

– É, ela era linda mesmo.

– Ela já morreu?

– Já.

– Como ela morreu, *papa*?

– Eu não quero falar sobre isso, Émilie. – O semblante de seu pai tinha se fechado.

E, naquele instante, pensou ao recordar, talvez ela tivesse notado lágrimas nos seus olhos.

Na manhã seguinte, agarrando a coragem com as duas mãos, Émilie enfrentou o trajeto de carro até Moulton e fez um estoque de mantimentos para o fim de semana seguinte. Sebastian retornaria de York no trem das nove daquela noite e tinha dito que estaria com ela antes das dez. Émilie abraçou o marido quando ele chegou em casa, muito contente em vê-lo.

– Como você tem passado? – perguntou ele.

– Tudo bem – respondeu ela, puxando-o em direção à cozinha. – Gostou?

Sebastian olhou em volta para o cômodo recém-pintado.

– Sim, que diferença – falou, com admiração – Como você conseguiu arrastar essa cômoda sozinha?

– O Alex me ajudou.

– O Alex? – O semblante de Sebastian se tornou sombrio. – O que ele estava fazendo nesta parte da casa? Não andou incomodando você, andou?

– Não. Ele se comportou perfeitamente bem. Tenho muitas coisas para contar, mas podemos falar sobre elas amanhã. Está com fome? Fiz uma sopa mais cedo e comprei pão.

– Ótimo – falou Sebastian, sentando-se à mesa. – E uma taça de vinho, se tiver.

– Tem, sim. – Émilie pegou a garrafa que Alex havia trazido na noite anterior, já pela metade, e o serviu.

– Está muito bom – disse ele em tom de aprovação. – Certamente você não comprou isso no supermercado da cidade?

– Não, foi Alex quem trouxe. – Ela mudou de assunto depressa, decidida a não passar o resto da noite falando sobre o cunhado. – Mas como foi lá em Londres?

– Bom, como eu disse ao telefone, está tudo uma bagunça, mas estou chegando lá. Passei a maior parte do dia de hoje retomando contato com os clientes que estão no meu banco de dados. Na verdade, acho que vou ter de ir à França na semana que vem. O cliente que me levou lá daquela vez em que conheci você continua interessado, e acho que eu talvez tenha encontrado para ele um Picasso num château perto de Menton.

– Não fica muito longe de Gassin – animou-se Émilie. – Quem sabe eu não vou com você?

– É uma boa ideia, mas não vale a pena, porque vai ser uma visita relâmpago. Além do mais, você não disse que irá à França daqui a uma semana?

– Sim – confirmou ela. – É que estou com saudades de lá. – Ela suspirou.

– É claro que está. – Sebastian segurou sua mão. – Esse seu começo de estadia na Inglaterra não foi nada auspicioso. Quando a primavera chegar, este lugar vai se iluminar, querida, eu juro. E devo dizer que é bem gostoso voltar para casa tendo você aqui. Esta sopa está uma delícia. Parece que não vai chover no fim de semana, então pensei que amanhã podíamos sair para eu lhe mostrar alguns dos lugares bonitos aqui por perto.

– Eu adoraria. – Émilie sorriu. – É estranho estar aqui sem você.

– Eu sei, e morar aqui na Inglaterra é uma baita mudança para você. Mas como eu disse uns dias atrás, é só por alguns meses, um ano no máximo, até podermos fazer planos mais sólidos em relação a onde nos instalar. E achei que, depois das últimas semanas, poderia ser agradável para você simplesmente fazer uma pausa e cuidar do seu marido.

– Contanto que ele esteja em casa...

– Émilie – protestou Sebastian com um viés de irritação na voz. – Eu disse que vou fazer o possível, mas infelizmente acho que vamos ter de nos contentar com condições longe das ideais enquanto eu recoloco meu trabalho nos trilhos.

Émilie repreendeu a si mesma pelo egoísmo.

– Claro... e quem sabe depois do meu sucesso aqui na cozinha eu possa pensar em pintar alguns dos outros cômodos para dar uma vida nova? Como o nosso quarto, talvez?

– Fique à vontade. Qualquer coisa que alegre este mausoléu, por mim tudo bem. Vou logo avisando: quando você começar não vai conseguir parar, mas é muito legal que queira fazer esse esforço. Mas agora... estou um caco. Vamos para a cama?

– Por que não sobe e toma um banho de banheira enquanto eu arrumo aqui? – sugeriu Émilie.

– Obrigado – disse ele, e se levantou. – Esses últimos dias foram mesmo difíceis.

Ela o escutou subir a escada, depois ouviu o encanamento velho ranger quando ele abriu as torneiras. Na mesma hora, saiu da cozinha e andou pelo corredor até os aposentos de Alex, sentindo-se culpada por ainda não ter dito ao marido que seu irmão estava sozinho, sem cuidadora. Ela não estava preparada para o drama que essa revelação iria causar. Bateu à porta, e uma voz disse lá dentro:

– Quem é?

– Émilie. Posso entrar?

– Não está trancada.

Alex estava lendo sentado perto da lareira. Sorriu ao vê-la entrar.

– Oi.

– Oi. Vim só checar se você está bem.

– Não, como você pode ver, eu estou completamente embriagado e prestes a morrer sufocado no meu próprio vômito – gracejou ele. – Suponho que tenha contado a Seb que estou sem cuidadora?

– Não, ainda não. Ele está muito cansado e eu não quis estressá-lo. Amanhã vou sugerir a ele que você não precisa de ninguém em tempo integral. E se mesmo assim ele insistir que é preciso alguém para cuidar de você, direi que você é capaz o suficiente e que só precisa de alguém em tempo parcial que o ajude com as tarefas domésticas. Afinal, assim ele vai economizar dinheiro.

– Em... – O último comentário dela o fez arquear as sobrancelhas, mas ele balançou a cabeça. – Nada. Obrigado por me apoiar. É uma mudança e tanto por aqui.

– Sim, mas boa parte depende de você provar a Sebastian que somente precisa de apoio doméstico – ressaltou ela.

– Claro. E reconheço que não sou muito jeitoso para esfregar o chão ou fazer a cama. Em geral, quem acaba enrolado no edredom sou eu. – Ele sorriu. – Mas prometo tentar ser um bom menino. De toda forma, obrigado pela sua ajuda. Boa noite.

– Boa noite.

Émilie falou sobre Alex no dia seguinte, quando estava com Sebastian num aconchegante pub bem no alto das charnecas. Seu marido fechou a cara quando ela lhe contou sobre a partida da última cuidadora, mas ela acrescentou depressa que, na sua opinião, Alex era capaz de fazer muito mais coisas sozinho, e eles deveriam lhe dar uma chance.

– Émilie… – Sebastian suspirou. – Nós já falamos sobre isso. É muita gentileza sua tentar ajudar, mas simplesmente não acho que você entenda o quanto Alex é volátil. E se ele começar a beber outra vez? Ou sofrer um acidente tentando subir e descer da cadeira?

– Se isso acontecer, nós ameaçamos trazer outra cuidadora em tempo integral. Talvez, se ele tivesse mais independência, não ficasse tão frustrado – insistiu ela. – E se instalássemos um botão de pânico na parte principal da casa, pelos menos saberíamos que ele está seguro.

– Então está dizendo que *você* está disposta a assumir a responsabilidade pelo bem-estar dele. – Sebastian tomou um gole da cerveja. – Porque nos próximos meses eu simplesmente não vou ter tempo de ficar atendendo a cada capricho do meu irmão. E vou lhe dizer uma coisa: a tirar pelo passado, vai haver muitos.

– Até agora ele não me pediu nada. Na verdade, me ajudou a pintar a cozinha e fez um jantar para mim.

– Ah, é? Bom, pelo visto ele lançou uma ofensiva integral para seduzir você. – Sebastian balançou a cabeça. – Desculpe, Émilie. Eu já vi essa história mil vezes. Já avisei a você o quanto ele pode ser manipulador. E pelo visto ele já a conquistou completamente. Talvez o objetivo seja fazer você cuidar dele. Alex sempre gostou de roubar qualquer coisa que fosse minha – arrematou ele, emburrado feito uma criança.

– É sério, Sebastian? – Ela ficou chocada com a reação infantil do marido.

– Às vezes eu acho que vocês dois se merecem. É claro que não é isso. Sei que não cabe a mim interferir, mas será que posso sugerir tentarmos fazer as coisas do jeito dele por um tempo? Ele está louco para ser independente, e se isso acontecer talvez seja mais fácil lidar com ele. Por que não dar a ele pelo menos uma chance de mostrar que consegue?

Houve uma longa pausa, e Sebastian então falou:

– Está bem, eu me rendo. Se é isso que você quer, tudo bem. Mas será que não vê? Ele já conseguiu puxar você para o lado dele, e se eu recusar vou ficar parecendo um rabugento.

– Obrigada. – Ela pousou a mão na dele num gesto reconfortante e a apertou. – Só quero que as coisas lá na casa fiquem mais calmas do que quando eu cheguei. Principalmente por sua causa, porque eu amo você. Mudando de assunto, será que dá tempo de irmos até Haworth? Eu queria muito ver a casa paroquial em que as irmãs Brontë moraram.

Naquela mesma noite, enquanto Sebastian estava trancafiado no escritório diante do computador, Émilie foi visitar Alex, que estava jantando na cozinha.

– Sebastian concordou com a minha sugestão.

A expressão de Alex mostrou seu alívio.

– Então você opera milagres, meus parabéns. Obrigado, Em, de verdade.

– Vou tentar arrumar alguém para ajudar você em casa nos próximos dias, mas se até lá tiver alguma coisa que precise que eu faça, é só pedir, por favor.

– Ficaria aqui me fazendo companhia por meia hora? – sugeriu ele.

– Não posso, estou preparando o nosso jantar.

– Claro. – Ele voltou a atenção novamente para a própria comida. – Boa noite, então.

– Obrigada. Para você também.

Sebastian já estava na cozinha quando ela entrou.

– Onde estava? Eu chamei você.

– Fui ver como Alex estava, e ele está bem – respondeu Émilie.

– Ótimo.

Sebastian passou o jantar inteiro mais calado do que o normal.

– Está tudo bem? – perguntou Émilie enquanto tirava a mesa. – Você parece... incomodado. Algum problema?

– Não, nada. Bem, para ser sincero, sim. Venha, sente-se aqui. – Ele deu uns tapinhas no próprio joelho.

Émilie se sentou no colo dele e lhe deu um beijo de leve na bochecha.

– Pode falar.

– Certo... Sei que isso vai soar grosseiro e infantil, mas a verdade é que eu não quero dividir você.

– Como assim?

– Bom, olhe só o que já aconteceu. Alex conseguiu seduzir você a ponto de convencê-la de que não precisa de ninguém para cuidar dele. Como agora ele está sozinho, você sente que é dever seu ir verificar se ele está bem, como fez antes do jantar. Ele já está atraindo você, chamando a sua atenção, provavelmente reclamando da crueldade do irmão mais velho e contando todo tipo de mentira sobre mim.

– Sebastian, isso simplesmente não é verdade. Alex nunca fala sobre você – disse Émilie com firmeza.

– Bom, essa situação não me deixa nada à vontade, Émilie. Eu não vou estar aqui o tempo todo e posso imaginar quantos *tête-à-têtes* aconchegantes Alex vai convencer você a ter com ele. Sei que acha que eu estou exagerando, mas você não faz ideia de como ele é. Como falei mais cedo, talvez ele tente roubar você de mim.

– Isso nunca vai acontecer. – Ela afagou os cabelos do marido. – É você que eu amo. Estou só tentando ajudar.

– Eu sei, meu amor – concordou Sebastian. – E sei também o quanto estou soando bobo, mas Alex é muito manipulador. E não quero que ele destrua o nosso relacionamento maravilhoso.

– Isso não vai acontecer, prometo – insistiu ela.

– Talvez não tenha sido uma boa ideia trazer você para cá – suspirou Sebastian. – Mas nas atuais circunstâncias não vejo que outra escolha nós temos.

– Você sabe que eu... que *nós* podemos pagar um apartamento em Londres. Aí poderíamos estar juntos lá e...

– Émilie, você disse "eu". – Sebastian tinha o semblante contraído de tensão. – Eu sei muito bem que a minha esposa rica poderia comprar e vender um pequeno país sem sequer arranhar sua fortuna, mas entenda que o seu marido também tem o orgulho dele. Eu preciso fazer isso com as minhas próprias pernas, por mais difícil que seja para nós dois. – Ele inclinou o rosto dela em direção ao seu. – Entende isso?

– Sim.

– Enfim, desculpe estar sendo difícil, mas eu não quero que ninguém pense que eu me casei por dinheiro.

– Eu sei que não foi por isso.

– Ótimo. Cama?

Sebastian partiu na segunda-feira de manhã para Londres, e em seguida para a França. Como a manhã estava bonita, Émilie encontrou uma bicicleta velha no celeiro e decidiu ir pedalando até o mercado no vilarejo. Deixou a bicicleta apoiada na parede externa da loja, entrou e ficou esperando na fila junto com outros moradores para falar com a mulher atrás do balcão.

– Posso pôr isto aqui no seu quadro de avisos? – Ela lhe entregou um cartão-postal requisitando serviços de faxina.

A mulher pegou o anúncio, leu e ergueu os olhos para ela com uma expressão de súbito interesse.

– Sim. É uma libra por semana. Então a senhora é a nova esposa que o Sr. Carruthers trouxe da França?

O sotaque de Yorkshire era muito forte, e Émilie teve dificuldade para entender o que a mulher dizia. Pelo visto as notícias corriam depressa por aquelas bandas, e Émilie sabia que o próprio sotaque era claramente francês.

– Sou, sim. Vou deixar duas semanas pagas – falou, pegando as moedas na bolsa.

– Certo. – A mulher aquiesceu e pegou o cartão da sua mão. – Mas duvido que vá conseguir muitas respostas. Se fosse a senhora, eu tentaria o jornal da cidade.

– Vou tentar, *merci*… digo, obrigada.

Émilie saiu do mercado, e estava caminhando de volta em direção à sua bicicleta quando uma mulher veio atrás dela apressada.

– Sra. Carruthers?

Desacostumada a ser chamada pelo sobrenome de Sebastian, Émilie levou alguns segundos para se dar conta de que a mulher estava falando com ela.

– Pois não?

– Meu nome é Norma Erskine. Eu trabalhei por muitos anos como empregada em Blackmoor Hall. Pedi as contas logo antes de a senhora chegar.

– Sim, Sebastian me contou – disse Émilie.

– Ele veio me procurar outro dia e pediu para eu voltar, mas eu disse que para mim não dava mais e que ele não conseguiria me convencer.

Émilie a estudou: a mulher era roliça, baixinha, dona de um par de olhos simpáticos e cheios de vida.

– Eu sinto muito se Alex a chateou – desculpou-se.

– Hmm – foi a resposta. – Bom, tem muita coisa que a senhora não sabe sobre o que acontece naquela casa, e não sou eu quem vai começar a contar histórias – disse Norma. – Tudo que posso dizer é que a avó deles deve estar se revirando no túmulo. Eu fiquei o quanto pude, como tinha prometido a ela, mas não consegui mais aguentar. Enfim, foi bom conhecer a senhora. Só espero que saiba no que se meteu ao se casar com ele. Mas isso não é da minha conta, certo, querida?

– Já entendi que é uma situação difícil – defendeu-se Émilie.

– Difícil é pouco, isso eu posso lhe dizer – falou Norma, revirando os olhos. – Está se adaptando bem?

– Estou me acostumando, sim, obrigada – respondeu ela, educada.

– Bom, se algum dia quiser tomar um chá, minha casa é a última à esquerda para quem sai do vilarejo. Passe lá para me visitar um dia e contar como está se virando.

– Obrigada. A senhora é muito gentil.

– Certo, então. Até logo.

– Até logo.

Como estava subindo na bicicleta, Émilie não notou o brilho de pena no olhar de Norma Erskine.

Nos dias seguintes, Émilie pintou o quarto que dividia com Sebastian num tom de rosa suave. Foi a Moulton comprar um edredom grosso e lençóis novos, pois achava que os cobertores da cama pinicavam e eram desconfortáveis de tão pesados. Tinha tirado as velhas cortinas de adamascado e comprado alguns metros de *voile* para pôr nas janelas, o que maximizava a fraca luz vinda de fora. Então procurou pela casa quadros menos soturnos para pendurar na parede.

Naquela noite, tinha ido checar como Alex estava, e deixara seu número de celular, caso precisasse de alguma coisa. A irritação de Sebastian durante o fim de semana a fizera decidir ter o menor envolvimento possível com o cunhado. Após dar os retoques finais no quarto, ela desceu em busca de algo para comer. O telefone fixo da casa tocou e ela atendeu.

– Alô?

– Ah, boa noite. É a Sra. Erskine? – perguntou uma voz de mulher.

– Não, ela foi embora.

– Ah. Sebastian está?

– Não, ele está na França.

– É mesmo? Então vou ligar para o celular dele. Obrigada.

A linha ficou muda. Émilie deu de ombros e voltou ao seu jantar.

– Encontrei uma moça muito jeitosa para fazer a sua faxina – disse ela alguns dias depois, quando foi procurar Alex e o encontrou diante do computador.

– Maravilha. – Ele ergueu os olhos e sorriu. – Quem é?

– Ela se chama Jo e mora no vilarejo com a família. Está tirando um ano antes de começar a faculdade e quer ganhar um dinheirinho extra.

– Bom, pelo menos ela tem menos de 60 anos. Vai ser diferente – comentou Alex.

– Ela vem conhecer você amanhã à tarde. Por favor, seja gentil, sim? – implorou ela.

– Claro, Em – respondeu ele.

Émilie viu várias telas diferentes piscando continuamente no computador de Alex.

– O que você está fazendo?

– Negociando na bolsa.

– Na bolsa? Ações, você quer dizer?

– É. Mas não se atreva a contar para o meu irmão. Ele não aprovaria nem um pouco. Provavelmente iria me acusar de estar jogando e confiscar meu computador. – Alex esticou os braços para cima e os pôs atrás da cabeça. – Quer uma xícara de chá?

Sentindo-se culpada por não ter chegado perto dele nos últimos dias, ela aceitou.

– Deixe que eu faço – falou, e foi até a cozinha. Reparou, satisfeita, que estava tudo limpo e arrumado. – Com açúcar?

– Uma colher, por favor.

Enquanto esperava a água ferver, Émilie deu uma olhada discreta dentro da geladeira para ver se estava bem abastecida. Estava. Até ali, tudo bem... Alex havia cumprido o prometido e estava se comportando. Ela deu um suspiro de alívio e pôs numa bandeja duas canecas, o bule, o açucareiro e um pouco de leite.

– Leve para a sala – indicou Alex. – Estou precisando sair da frente desta tela.

Ela o fez, e ele empurrou sua cadeira até lá.

– Como aprendeu a negociar na bolsa? – perguntou Émilie enquanto servia o chá e lhe estendia uma das canecas.

– Na verdade foi por tentativa e erro… Sou totalmente autodidata – explicou ele. – É o jeito perfeito de ganhar a vida para quem não sai muito de casa. E para os insones, já que a qualquer hora da noite tem uma bolsa abrindo em algum lugar do mundo.

– E você tem tido sucesso?

– Sim, cada vez mais. Estou nessa há quase um ano e meio e já passei pelo que as pessoas do ramo chamariam de sorte de principiante. Cometi alguns erros no começo, mas hoje em dia até que estou me saindo bem.

– Eu não sei nada sobre esse assunto – reconheceu Émilie.

– Bom, assim eu mantenho o cérebro ativo, além de estar começando a ganhar bastante dinheiro. Mas e você, como está? – perguntou Alex.

– Muito bem, obrigada.

– Não está entediada sozinha naquele seu mausoléu?

– Andei pintando a casa.

– Legal. – Ele aquiesceu. – Achei que fosse ver você de vez em quando.

– É que eu andei ocupada.

– Bom, que tal ficar para jantar? Acabei de receber um *foie gras* fantástico do mercado.

– Tenho muita coisa para fazer…

– Então ele lhe disse *mesmo* para ficar longe de mim, não foi? – brincou Alex.

– Não, não é isso.

– Tá bom – disse ele com um suspiro, erguendo as mãos em um gesto de rendição.

– Desculpe.

– Émilie, pelo amor de Deus – deixou escapar Alex. – Me parece inteiramente ridículo nós dois estarmos presos juntos no meio do nada e comendo sozinhos em pontos diferentes da casa.

– Tá bem, eu janto com você – aceitou ela por fim.

– Ótimo. Vejo você lá pelas sete e meia. E eu não contarei para Sebastian se você não contar – emendou ele com uma piscadela enquanto ela se levantava e ia até a porta.

Antes de voltar aos aposentos de Alex naquela noite, Émilie tentou ligar para o celular de Sebastian. Como a ligação caiu na caixa postal, deixou um recado, sentindo-se culpada por não lhe contar que ia jantar com seu irmão. Não tinha notícias do marido desde que ele saíra de casa na segunda-feira de manhã.

– Entre, entre! – Alex estava atiçando o fogo na lareira da sala. – Acabei de ter uma notícia excelente! Uma das petrolíferas novas na qual investi tempos atrás acabou de encontrar uma reserva no litoral do Québec.

– Fico muito feliz por você – disse Émilie.

– Obrigado! – Alex parecia muito animado. – Branco ou tinto? – Ele apontou para duas garrafas de vinho em cima da mesa de centro.

– Tinto, por favor.

– Onde está Sebastian, aliás? – indagou ele, estendendo-lhe uma taça.

– Na França.

– Você está parecendo mesmo uma esposa abandonada. Talvez devesse sugerir acompanhá-lo nas viagens.

– Eu já sugeri – disse ela, sentando-se no sofá. – Mas ele disse que estaria ocupado demais, e não quero incomodá-lo enquanto ele trabalha. Quem sabe da próxima vez.

– Bem – disse Alex. – E já pensou no que poderia fazer em Yorkshire enquanto está presa aqui esperando seu maridinho voltar?

– Na verdade, não. Até agora estive ocupada, além do mais essa situação é temporária.

– É, certamente – respondeu ele. – Saúde – emendou, tomando um gole de vinho.

– E você? Acha que vai ficar aqui para sempre? – perguntou Émilie.

– Espero que sim. Eu amo esta casa, sempre amei.

– Então por que passou tanto tempo fugindo dela quando era mais novo?

– Ah, isso é outra história. – Alex a encarou. – E uma história que seria melhor evitar, dada a situação.

– Por favor, pelo menos me diga: se parece haver tanta… animosidade entre você e seu irmão, por que você continua disposto a dividir a casa com ele? E se ele não puder continuar bancando Blackmoor Hall? A casa precisa de tantas reformas…

– Émilie, por favor, não me pressione. Sugiro passarmos agora mesmo para um território neutro – aconselhou Alex. – Nós combinamos, lembra?

– Tem razão. Desculpe. É óbvio que eu não sei muita coisa, e estou achando a situação difícil de entender.

– Bom, não sou eu quem vou contar. – Alex abriu um sorriso melancólico. – Mas que tal jantarmos?

Depois de comer o delicioso *foie gras*, que fez Émilie se lembrar de casa, pois aquela era uma das comidas preferidas do seu pai, ela preparou um café e os dois tornaram a se refugiar junto ao calor da lareira da sala.

– Você não se sente sozinho aqui, Alex? – perguntou ela.

– Às vezes, mas sempre fui meio solitário, então não sinto tanta falta de companhia quanto outros poderiam sentir. E como também não tenho muita paciência com gente idiota, fico sem muitas opções de companheiros de jantar. Exceto pela presente companhia, claro – acrescentou ele. – Mas, Em, você também não diria que é solitária?

– Sim – reconheceu ela. – Nunca tive muitos amigos, mas isso porque nunca me senti à vontade em nenhum círculo social. Achava minhas colegas do colégio particular em Paris mimadas e bobas. E na universidade, por causa do meu sobrenome, a maioria das pessoas também parecia se sentir pouco à vontade comigo.

– Não me lembro quem foi que disse que, antes de amar qualquer outra pessoa, é preciso amar a si mesmo. Pelo visto nós dois enfrentamos esse problema espinhoso. Eu, pelo menos, com certeza enfrentei – admitiu Alex.

– Bom, como você um dia me disse de modo tão preciso, eu tinha o sentimento de ser uma decepção para minha mãe. Era difícil "amar" a mim mesma, como você observou – disse Émilie.

– Eu não tive pai nem mãe, então não posso usá-los como desculpa – disse Alex, dando de ombros.

– É, Sebastian me contou. Mas com certeza o fato de não ter tido pais é parte do motivo, não? Você tem notícia da sua mãe? – perguntou Émilie.

– Nunca tive.

– Tem alguma lembrança dela?

– Às vezes tenho um ou outro flashback, a maioria relacionada a cheiros. Um baseado sempre me faz pensar nela, por exemplo. Vai ver você tem razão, e é por isso que eu fui um usuário tão contumaz de drogas. – Alex sorriu. – Foi a genética.

– Eu não entendo por que alguém iria querer perder o controle. – Émilie balançou a cabeça com veemência. – Eu mesma detesto isso.

– Todos nós, viciados, estamos fugindo de nós mesmos. E da realidade. Qualquer coisa que alivie a dor de estar vivo ajuda – explicou Alex. – O triste é que algumas das pessoas mais interessantes que eu conheci eram viciadas. Quanto mais inteligente você é, mais você pensa; quanto mais pensa, mais se dá conta de como a vida é em vão e mais quer fugir disso. A boa notícia é que já superei isso tudo. Parei de culpar os outros pelos meus problemas. É uma estrada que não leva a lugar nenhum. Parei de me fazer de vítima e comecei a assumir responsabilidade por mim mesmo. Assim que fiz isso, alguns anos atrás, muita coisa voltou para o lugar.

– Bom, é mesmo muito triste você e Sebastian terem crescido sem pai nem mãe. – Émilie deu um suspiro. – Se bem que, quando eu era mais nova, tinha a fantasia de que era adotada. Aí podia imaginar que minha mãe verdadeira talvez tivesse me amado, ou pelo menos gostado um pouco de mim. Apesar de morar em casas lindas, com todos os luxos que poderia querer, eu me sentia muito sozinha.

– A maioria das pessoas quer o que não pode ter – comentou Alex com gravidade. – No dia em que você acorda e percebe que isso é um desejo totalmente inútil e olha para aquilo que *tem*, é nessa hora que você começa a trilhar o caminho rumo a um relativo contentamento. A vida é uma loteria... Os dados são lançados, e precisamos fazer o melhor com o que temos.

– Você já fez terapia? – perguntou Émilie.

– Claro. – Alex sorriu. – Quem nunca?

– Eu. – Ela também sorriu.

– Que bom para você – comentou Alex. – Mas veja bem, aí eu percebi que estava me viciando nisso também, e parei. Muitas terapias não funcionam. Elas explicam por que você tem problemas, e isso em geral significa que a culpa é de outra pessoa. O que naturalmente dá a você uma desculpa para se comportar da pior maneira possível. Um terapeuta chegou a me dizer que eu tinha todo o direito de sentir raiva. Então durante um ano eu senti. E foi ótimo... – Ele suspirou. – Até eu me dar conta de que tinha magoado e afastado todo mundo com quem me importava.

– Eu nunca sinto raiva – refletiu Émilie.

– Você não se saiu tão mal assim quando me deu aquele tapa há alguns dias – observou Alex com um sorriso irônico.

Ela corou.

– Tem razão.

– Desculpe, foi um comentário infeliz, mas o que eu estava tentando dizer é que um acesso de raiva de vez em quando é saudável. Mas a raiva nunca deveria ser um estado permanente, como foi no meu caso durante algum tempo. Somos humanos, não é, Em? – Alex balançou a cabeça. – Como somos complexos e problemáticos.

– Você parece se conhecer muito bem – disse Émilie com uma admiração genuína.

– Me conheço, sim, e também tenho consciência de que nunca paro de surpreender a mim mesmo. Eu passei de viciado raivoso a um obcecado por controle que fica todo incomodado quando sua rotina é perturbada. Mas enfim, talvez essa seja minha única forma de lidar com a situação – analisou ele. – Tudo que eu posso controlar *de fato* sou eu mesmo. E jamais quero correr o risco de voltar a seguir o perigoso caminho do vício.

– Eu admiro a sua disciplina – disse Émilie com franqueza. – Você se importa de eu perguntar se algum dia já foi próximo de alguém?

– De alguma mulher, você quer dizer?

– Isso.

– Com certeza já fui "próximo" fisicamente de inúmeras mulheres, mas ninguém nunca durou muito tempo. Para ser sincero, antigamente eu não tinha condições de manter um relacionamento com ninguém.

– Mas agora que se estabilizou, você gostaria de tentar?

Alex a encarou por alguns instantes.

– Com a pessoa certa, sim. Acho que eu gostaria muito.

– Bom, talvez você a encontre um dia.

– É, talvez. – Ele olhou para o relógio. – Agora vou ser mal-educado e mandar você embora, porque preciso verificar minhas ações da petrolífera. Já passa da meia-noite, e as bolsas da Ásia devem estar abrindo.

– Não percebi que era tão tarde. – Émilie se levantou. – Obrigada pela companhia e pelo *foie gras*.

– Foi um prazer, Em.

– Amanhã trago a faxineira até aqui quando ela chegar. – Émilie parou junto à porta. – Queria que Sebastian visse você assim, sabe, Alex?

– Meu irmão me vê como quer. E eu reajo de acordo com isso. Boa noite, Em.

– Boa noite.

Vinte minutos depois, deitada na cama e aproveitando a transformação que tinha feito no quarto, Émilie ficou pensando no jantar.

Tinha se sentido muito relaxada com Alex. Talvez pelo fato de não haver entre eles nenhuma das complexidades de um relacionamento. Gostava de quem ele era quando estava na sua companhia. Mas o fato de os dois se darem tão bem não agradaria ao seu marido, embora devesse, então ela precisaria tomar cuidado.

Émilie deu um suspiro. Se ao menos os irmãos conseguissem perdoar e esquecer o passado, independentemente do que tivesse acontecido, a vida em Blackmoor Hall poderia ser muito mais tranquila.

19

Sebastian chegou exausto em casa no fim da semana. Quando Émilie tentou conversar com ele durante o jantar, ele se mostrou distante. Mais tarde, quando os dois foram para a cama, ela tornou a lhe perguntar qual era o problema.

– Desculpe, mas é que as coisas estão muito difíceis no momento.

– Profissionalmente, você quer dizer? – indagou Émilie.

– É. Acabei de descobrir que a droga do banco não vem cobrindo meus débitos automáticos. E o sujeito que eu tinha encontrado na França, de quem eu esperava conseguir um Picasso, se revelou um completo aventureiro. Disse que já tinha recebido lances de mais de sete milhões pelo quadro, e tudo que consegui ver em matéria de prova foi um par de fotos borradas. Então, não, meu humor não está dos melhores – grunhiu ele.

– Você sabe que eu ajudo você financeiramente se precisar. É só pedir. – Émilie massageou seus ombros enquanto ele estava deitado na cama, de costas para ela.

– Obrigado, Émilie, mas você sabe como eu me sinto em ter de recorrer a você toda vez que tenho um problema.

– Sebastian, por favor, você me ajudou tanto quando eu precisei... Se você ama alguém, com certeza não tem problema pedir ajuda a essa pessoa, não é?

– Talvez para as mulheres seja diferente. – Sebastian deu de ombros. – Enfim, preciso dormir um pouco.

Sebastian passou o resto do fim de semana trancado no escritório, em frente ao computador. À noite, durante o jantar, mal dirigiu a palavra a Émilie, e na cama não estendeu a mão para tocá-la. No domingo à noite, ela subiu até o quarto e o encontrou fazendo a mala.

– Você vai viajar? – perguntou.

– Sim. Vou para Londres amanhã.

– Então eu vou com você.

– Duvido que a espelunca onde vou me hospedar esteja à sua altura.

– Eu não ligo para isso – afirmou ela, decidida.

– Bom, talvez *eu* ligue.

– Eu poderia pagar para ficarmos num hotel.

– Pela última vez, não quero mais a porcaria do seu dinheiro!

Chocada, Émilie se retraiu; sentia como se tivesse levado um tapa na cara. Ficou deitada na cama ao lado dele, sem conseguir dormir, sem saber o que dizer ou fazer, e desejando ter alguém com quem conversar.

Sebastian partiu para Londres na manhã seguinte, após lhe dar um beijo rápido no rosto, e disse que voltaria na sexta.

O dia estava feio, úmido e chuvoso, um reflexo perfeito do humor de Émilie. A casa cheirava a mofo, e ela agradeceu a Deus pela viagem que faria no meio daquela semana, para a claridade solar da França.

Ao entrar na biblioteca, lembrou-se do livro de frutas sobre o qual Alex tinha comentado e vasculhou as estantes, sem sucesso. Em vez disso, encontrou um livro de F. Scott Fitzgerald, levou-o até a sala e se aconchegou em frente à lareira.

Seu celular tocou e ela viu que era o número de Alex.

– Alô?

– Oi – disse ele. – Tudo bem?

– Tudo, e você?

– Tudo bem – respondeu ele. – Jo, a menina que você me mandou, é um encanto. Não fica se intrometendo e trabalha direitinho. Gostei dela. Queria agradecer.

– Que bom.

Houve uma pausa.

– Tem certeza de que você está bem, Émilie?

– Tenho.

– Tá bom, então. Bom dia para você – disse ele.

– Obrigada.

Émilie pressionou a tecla para encerrar a ligação, orgulhosa por não ter revelado o que a afligia. Por mais que desejasse ter alguma pista em relação ao estranho e desestabilizador comportamento do marido, Alex tinha deixado claro que ele não era a pessoa indicada para conversar sobre isso.

Vinte minutos depois, porém, ela ouviu alguém bater à porta da sala.

– Oi, Alex – falou, com um suspiro.

– Oi, Em. Se eu estiver incomodando, por favor, é só me dizer para cair fora. É que eu deduzi pelo tom da sua voz que não estava tudo bem. Então vim verificar, como um bom vizinho, se você está bem.

– Obrigada. E, sim, estou um pouco de baixo astral – admitiu ela.

– Imaginei. Quer conversar a respeito?

– Ahn… não sei. – Ela sentiu as lágrimas fazendo seus olhos arderem.

– Às vezes falar ajuda, e eu teria prazer em fazer as vezes do seu primeiro terapeuta se você quiser, mantendo, é claro, um papel neutro e sem envolvimento. Vai ser uma mudança para mim. – Ele sorriu, e Émilie soube que estava tentando animá-la. – Imagino que quem a chateou assim foi meu irmão. Só digo isso porque ele entrou no meu quarto no outro dia sem bater, o que me irrita profundamente, e me espinafrou por ter incomodado você.

– Ah! Mas eu não contei nada para ele, Alex. Por favor, acredite em mim – pediu ela.

– Tenho certeza de que não contou, mas ele só queria gritar comigo por algum motivo – respondeu Alex sem se alterar.

– É. Ele passou o fim de semana muito tenso. Eu realmente não sei o que ele tem – admitiu ela.

– Bom, Em… – Alex deu um longo suspiro. – É uma pergunta bem difícil. Eu poderia, é claro, fazer um resumo da psiquê do seu marido e ajudá-la a entender com quem se casou, mas nós já concordamos que não devo fazer isso. O que posso dizer é que Sebastian sempre foi dado a mudanças de humor súbitas e sombrias. E espero, para o seu bem, que essa de agora passe depressa.

– Eu também. – Ela estava louca para fazer mais perguntas, mas isso comprometeria Alex, e, além do mais, ela se sentiria desleal em relação a Sebastian. – O clima daqui não ajuda. Estou muito feliz de estar viajando para a França na quarta.

– Que sorte a sua. Tenho certeza de que vai melhorar seu astral. E talvez você consiga descobrir mais sobre Sophia e os poemas que ela escreveu.

– Com certeza vou pedir a Jacques para continuar a história – concordou Émilie.

– Eu adoraria conhecer a biblioteca do château sobre a qual você falou. – Alex sorriu. – Sou apaixonado por livros, principalmente os antigos.

– E eu preciso mandar encaixotar todos eles e despachá-los para o guarda-móveis antes de a reforma começar. Estou muito apreensiva – admitiu ela. – Mas é por uma boa causa.

– Tenho certeza de que o seu pai estaria orgulhoso de você. É uma tristeza que o grande nome La Martinières vá desaparecer... que, na verdade, *já tenha* desaparecido quando você se casou com meu irmão.

– Ah, não. Eu pretendo manter meu sobrenome. Sebastian e eu conversamos sobre isso e ele concordou.

– Mas se vocês dois tiverem um filho, o sobrenome vai ser Carruthers, não?

– Tenho certeza de que falta muito para isso – disse Émilie abruptamente, e mudou de assunto. – Enquanto eu estiver fora, quer que Jo durma aqui na casa? Quando eu a entrevistei, ela disse que não teria problema em fazer isso de vez em quando.

– Não, não precisa mesmo, e ela já me deu o telefone dela para o caso de acontecer algum desastre. Pode confiar em mim, Em, você sabe que pode – insistiu Alex. – Eu sou mesmo autossuficiente.

– É triste você nunca sair de casa. Não sente falta?

– Às vezes fico claustrofóbico, sim – admitiu ele. – Mas quando o tempo melhorar pelo menos posso ir dar uma volta e ver o que sobrou do nosso lindo jardim. E não comente nada com Sebastian, mas estou pensando em comprar um carro adaptado.

– Que ótima ideia! – disse ela, contente. – Quando eu voltar da França, quem sabe podemos pôr sua cadeira na mala do Land Rover e ir a algum lugar? Você gostaria?

– Adoraria. – Ele abriu um sorriso de prazer. – Ah, uma cerveja de verdade num pub.

– Então combinado – concordou ela, perguntando-se vagamente por que Sebastian nunca tinha feito aquilo. No entanto, considerando a tensão entre os dois, provavelmente a última coisa que ele queria era ter de encarar o irmão diante de uma mesa no pub.

– Mas então eu vou indo – disse Alex, destravando os freios da cadeira de rodas. – Preciso cuidar da minha família de ações de petróleo, que está cada vez maior. Aproveite lá na França, Em. Vou querer saber qualquer informação que você descobrir sobre a minha avó. *Adieu* e *bon voyage*.

E com um pequeno aceno ele se retirou.

Émilie tinha ligado para a empresa de táxi recomendada por Sebastian e chegado ao aeroporto de Leeds Bradford tomada por um formigamento de animação. Quando o avião decolou e começou a sobrevoar o coração cinza e industrial do norte da Inglaterra, em seguida tomando o rumo do sul da França, seu único desejo era ter conseguido falar com Sebastian antes de viajar. Mas o celular dele só caía na caixa postal, e ele ainda não respondera a nenhuma das mensagens dela.

O comentário de Alex sobre as mudanças de humor do irmão eram tudo a que ela podia recorrer para se reconfortar. Mesmo assim, ficara acordada até de madrugada, com o estômago revirado de medo de algo estar errado. A mudança abrupta de marido amoroso e companheiro para um homem que sequer atendia suas ligações era difícil de processar.

O sol fraco do mês de março brilhava quando o avião pousou em Nice. Émilie pegou seu carro alugado e partiu rumo ao lugar que rapidamente começava a parecer a coisa mais próxima que tinha de um lar, um território conhecido capaz de lhe trazer calma e conforto.

O château pulsava de tanta atividade. Um caminhão imenso estava parado do lado de fora como um sentinela.

Agitada, Margaux a cumprimentou com um abraço na porta da frente.

– Madame, como é bom vê-la!

– É bom ver você também – disse Émilie, retribuindo o abraço.

– Eu fiz o que pude para responder às perguntas, mas não sei tudo. – Margaux parecia assoberbada. – Já começaram na biblioteca.

– O quê?! Eles foram avisados para não começar sem mim! – exclamou Émilie.

– Bom, a culpa foi minha, madame. Eles chegaram faz três horas, e eu não quis que ficassem sem fazer nada.

– Não faz mal – disse Émilie depressa, contendo a irritação. – Agora estou aqui.

– Posso lhe oferecer alguma coisa para beber depois da longa viagem? – perguntou Margaux.

– Sim, por favor, um chá. Pode levar até a biblioteca para mim?

– Claro, madame.

Émilie avançou pelo corredor comprido, e ao chegar à biblioteca deparou com as prateleiras já meio vazias. O ar estava tomado pela poeira dos séculos passados.

– Olá – disse ela aos quatro ou cinco operários ocupados em empilhar os livros dentro de caixotes à prova d'água. – Sou Émilie de la Martinières.

– Prazer, madame. – Um homem parrudo se levantou e ergueu a mão calejada para cumprimentá-la – Como pode ver, estamos avançando bem. A senhora tem uma coleção e tanto. Alguns destes livros são muito antigos.

Giles, nome com o qual ele se apresentou, prosseguiu explicando que eles estavam numerando cada caixote conforme a prateleira correspondente, que também tinha sido numerada.

– Assim vai ser possível recolocar os livros no lugar de origem – concluiu ele.

– Ótimo – disse Émilie, sentindo-se aliviada por eles ao menos parecerem organizados e competentes e estarem manuseando os livros com cuidado. Correu os olhos pelo caos, e viu Anton, filho de Margaux, sentado no chão entretido com um livro apesar da agitação em volta.

– Oi, Anton – disse ela ao se aproximar.

Espantado, o menino ergueu os olhos para ela. Sua expressão traía uma pitada de medo.

– Madame La Martinières, me desculpe, minha mãe me mandou aqui para ajudar, mas eu encontrei isto aqui, abri e…

Émilie olhou para o livro. Era um velho exemplar de *Os miseráveis*, de Victor Hugo, que ela tinha lido naquela mesma biblioteca quando mais jovem. Émilie sorriu quando Anton se levantou, pois lhe lembrou Gavroche, o menino dos barracos de Paris da história.

– Continue, por favor. – Ela pousou a mão no ombro do menino e, delicadamente, o fez tornar a se sentar. – Você gosta de ler?

– Ah, sim, muito. E gosto daqui. – Ele indicou a biblioteca. – Quando minha mãe me traz com ela para o trabalho, eu venho para cá e fico olhando os livros. Mas nunca toquei em nenhum até hoje, madame, eu juro – emendou ele depressa.

– Bom, acho que deveria levar esse daí e acabar de ler em casa – sugeriu Émilie. – Tenho certeza de que vai cuidar bem dele.

– Sério, madame? – O semblante de Anton se iluminou. – Eu adoraria. Obrigado, madame.

– Me chame de Émilie, por favor.

– Anton! Não está causando problemas aqui, está?

Margaux entrou na biblioteca trazendo o chá de Émilie, com uma expressão tomada de preocupação.

– Não, claro que não. – Émilie pegou o chá. – Ele é igual a mim e a meu *papa*: um rato de livros. E pelo visto um menino muito inteligente – acrescentou ela com um sorriso. – Escolheu *Os miseráveis...* um desafio para qualquer adulto, quanto mais para uma criança.

– Sim! – Os olhos de Margaux brilharam de orgulho. – Ele é o melhor aluno da turma e quer estudar literatura numa grande universidade. Quanto tempo vai ficar aqui, madame? Tudo que sobrou no resto da casa foram os móveis do quarto no qual costuma dormir. Como sabe, Jean e Jacques lhe ofereceram um quarto no chalé.

– Sim, mas hoje eu vou dormir aqui. A cama e o guarda-roupa do meu quarto não valem nada e podem ser jogados numa caçamba depois. Aí amanhã à noite eu me mudo para o chalé. Você foi maravilhosa, Margaux, obrigada – disse Émilie, agradecida, enquanto elas saíam da biblioteca e entravam na cozinha deserta.

– Deixei alguns pratos, garfos e facas, e uma chaleira, claro – explicou Margaux. – E não levaram a geladeira... É muito antiga, e talvez a senhora queira comprar outra, afinal.

Émilie de repente começou a se dar conta de como era imensa a empreitada que havia iniciado. Até ali, abrigada atrás do escudo seguro e protetor de Sebastian, tudo lhe parecera administrável.

– Vamos substituir, certamente – concordou. – O arquiteto vem me encontrar aqui amanhã de manhã junto com o chefe de projeto que vai supervisionar a obra.

– Quanto tempo acha que vai durar, madame?

Émilie reparou que Margaux parecia exausta.

– Não faço ideia. Um ano, talvez? Um ano e meio?

– Entendi. É que... Desculpe, madame, mas imagino que eu deva procurar outro emprego, não? Afinal, não vai ter nada aqui para cuidar.

– Margaux – disse Émilie, sentindo-se culpada ao pensar que deveria ter conversado com a empregada semanas antes –, você trabalha para a nossa família há quinze anos, e é claro que vou pagar seu salário normalmente enquanto o château estiver em reforma. Você pode continuar de olho nos operários e na casa para mim enquanto eu estiver na Inglaterra e me avisar se houver algum problema.

– Madame, quanta gentileza sua... É claro que eu farei isso – respondeu Margaux, obviamente aliviada. – Se tivesse de ficar sem salário eu ficaria, mas a senhora sabe que não sou rica. E poupo tudo para os futuros estudos de Anton. – De repente, os olhos dela se anuviaram. – Às vezes me preocupo com o que iria acontecer se eu não estivesse aqui.

– Mas você *está* aqui, Margaux – disse Émilie, tranquilizando-a com um sorriso. – Por favor, não se sinta culpada. Tenho certeza de que vai mais do que compensar o tempo passado sem trabalhar depois que o château estiver pronto, quando for preciso limpar tudo.

– Bom, acho que isso que a senhora está fazendo é lindo, e seus pais ficariam muito orgulhosos – acrescentou Margaux, com os olhos subitamente marejados. – A casa vai estar segura para a França e os futuros descendentes que a senhora e seu marido irão gerar. Enfim, eu lhe deixei um jantar, e agora preciso ir para casa preparar o meu e o de Anton.

– Claro. Nos vemos antes de eu partir, para lhe pagar seu salário. E obrigada mais uma vez por tudo.

Margaux saiu da cozinha. Émilie passou algum tempo sozinha no espaço vazio e cheio de ecos, então voltou para a biblioteca para ver o que poderia fazer para ajudar.

Quando a noite começou a cair sobre o château, os livros estavam todos no caminhão e prontos para serem levados.

– Madame La Martinières, preciso lhe pedir que assine estes formulários. Eles atestam que a senhora verificou o conteúdo e que são 24.307 livros no total. Quando nos falamos semana passada, seu marido sugeriu uma cobertura de 21 milhões de francos – disse Giles.

– É mesmo? – Émilie arqueou as sobrancelhas. – Não é demais?

– É uma coleção muito impressionante, madame. Se eu fosse a senhora, quando ela voltasse, mandaria um especialista em livros raros vir avaliá-la direito. Hoje em dia, livros antigos podem valer uma pequena fortuna.

– Sim, claro – disse Émilie. Sebastian aconselhara a mesma coisa, mas ela nunca tinha avaliado a coleção do ponto de vista financeiro, apenas emocional. – Obrigada pela sua ajuda e pelo conselho.

Ela ficou olhando o caminhão se afastar noite adentro, então voltou para a cozinha para comer a rabada que Margaux tinha lhe deixado. Na sua frente estava o conteúdo da escrivaninha de seu pai, que ela havia guardado apressadamente em dois sacos de lixo pretos quando a peça partira para o guarda-móveis algumas semanas antes. Enquanto comia, Émilie pôs a mão dentro de um dos sacos e pegou um punhado de objetos aleatórios. Havia muitas cartas cujas datas remontavam aos anos 1960, uma mistura de correspondência social e profissional. Havia também uma coleção de fotografias de seus pais em Paris e ali no jardim do château, divertindo-se em eventos sociais.

Havia muitas dela bebê também, depois criança, depois adolescente desengonçada, com uma franja pesada cobrindo a testa e um corpo rechonchudo repleto de hormônios. Ela perdeu a noção do tempo e foi examinando tudo, confortada por aqueles resquícios íntimos da vida do pai. Aquilo a aproximava dele, e ela chorou ao ler algumas das cartas de amor que a mãe tinha lhe mandado.

As cartas não deixavam dúvida de que Valérie amara o marido, e por isso Émilie sentiu gratidão. Enxugou o nariz nas costas da mão, ao mesmo tempo emocionada e ironicamente mais feliz com o fato de parte da sua dor estar sendo apagada aos poucos, conforme ela compreendia melhor o passado.

Percebeu também que, em retrospecto, isolar-se da família e da sua história servira apenas para atravancar seu presente e seu futuro. Havia coisas que jamais poderiam ser perdoadas, claro... mas pelo menos se ela entendesse *por que* elas tinham acontecido, talvez finalmente conseguisse se libertar.

Olhou para o relógio e viu que passava da meia-noite. Verificou a caixa postal. Mais cedo, ela havia deixado um recado para Sebastian avisando que já chegara à França.

Uma gravação lhe informou que ela não tinha nenhuma mensagem nova. Ela suspirou ao deixar o calor do fogão rumo ao frio da cama, satisfeita por ter se lembrado de pôr na mala sua confiável bolsa de água quente.

Deitada, sentiu a onda de adrenalina habitual ao pensar na frieza de Sebastian durante o fim de semana e em sua subsequente falta de comunicação, mas se recusou a ceder àquela sensação. Se por algum motivo Sebastian tivesse deixado de amá-la, iria superar. Afinal, sua infância a tinha ensinado a viver sozinha.

20

A manhã seguinte foi um caos. Émilie recebeu o arquiteto e o responsável pela supervisão da obra e, depois de os três percorrerem a casa conversando em detalhes sobre a reforma, ela engoliu em seco ao ver o orçamento revisado, mas o arquiteto lhe garantiu que a obra valeria cada *centime* se comparada ao valor que o château teria uma vez restaurado.

– Tenho certeza de que vamos nos falar muitas vezes nos próximos meses – disse Adrien, o supervisor. – E a senhora precisa entender que o château vai estar com um aspecto muito desolador na próxima vez que o vir... e vai demorar muito tempo para sua linda casa recuperar o antigo esplendor.

Por fim, depois de todos irem embora, Émilie fechou a porta e percorreu lentamente o interior da casa. Sentindo-se boba e sentimental, garantiu aos cômodos que o processo de transformação pelo qual estavam prestes a passar era para o seu próprio bem.

Tinha ligado para Jean mais cedo e ele a convidara para jantar e dormir no chalé. Voltando à copa onde tinha deixado a mala e os dois sacos de lixo preto, retirou lá de dentro a última pilha de papéis e fotos ainda por examinar. Pegou um envelope amarelado e o abriu. Dentro estava a foto de um Édouard muito jovem, provavelmente com 20 e poucos anos, em pé numa praia com os braços ao redor dos ombros de uma linda menina de cabelos louros, num gesto protetor. Émilie a reconheceu do retrato no escritório do pai: Sophia, sua tia. Havia também outro papel dentro do envelope, arrancado de um caderno... Émilie o desdobrou e viu a caligrafia conhecida, irregular e infantil.

Mon frère...

– Meu irmão – sussurrou para si mesma, e então deu o melhor de si para desvendar a letra difícil. Aquilo era uma elegia a Édouard e, assim como os outros poemas que ela já lera, estava assinado por Sophia de la Martinières, "14 anos".

Percebendo que seus dedos estavam dormentes devido ao frio penetrante da casa vazia, Émilie voltou para a cadeira junto ao fogão e se sentou. Aquele poema ilustrava mais do que tudo a adoração que a jovem Sophia sentia pelo irmão. Então por que Édouard nunca tinha falado nela? O que teria acontecido entre os dois para gerar tamanha tristeza e tamanho silêncio? Pelo afeto evidente entre os irmãos mostrado na fotografia, Émilie sabia que tinha de haver um motivo.

Guardou o poema e a foto na bolsa de mão, pegou os sacos de lixo e sua mala, e fechou a porta do château pela última vez. Quando estava dirigindo o carro pelo caminho de cascalho até a casa de Jean, seu celular de repente tocou. Ao ver que era Sebastian, ela parou com um tranco e atendeu.

– Onde você estava? Quase morri de preocupação! – Ela praticamente gritou no aparelho, a raiva abastecida por um misto de ansiedade e emoção.

– Amor, mil desculpas. Deixei o carregador do celular em Yorkshire e a bateria acabou na terça de manhã.

– Sebastian, isso não é desculpa! Com certeza deve haver outros telefones no mundo que você poderia ter usado para me ligar! – Ela não conseguiu se controlar.

– Eu liguei! Liguei para Blackmoor Hall na terça à noite, mas ninguém atendeu, e desde então você está na França

– Então por que não deixou recado no meu celular? – perguntou ela.

– Émilie, por favor! Me deixe explicar. Na verdade é muito simples. O único lugar em que eu tinha gravado o seu número de celular era no *meu* celular, e a bateria acabou, lembra? Então só recuperei seu número quando cheguei em casa hoje à tarde e carreguei o aparelho.

– Não poderia ter ligado para Gérard? Ele tem meu número. – Ela ainda estava tremendo de raiva.

– O número dele também estava gravado no meu celular que morreu. Émilie, por favor, eu sinto muito mesmo. – A voz dele soou cansada. – E, antes que você pergunte, sim, eu tentei comprar outro carregador em Londres, mas meu celular é um modelo tão antigo que nenhuma das lojas perto de onde eu estava vendia mais o carregador. E eu realmente não estava com tempo de ir mais longe. Enfim, é o que se poderia chamar de sequência infeliz de aconte-cimentos. E simplesmente não há mais nada que eu possa dizer, a não ser que isso me ensinou o valor de uma boa e velha agenda de endereços em papel. Além do mais, que outro motivo poderia haver para eu não entrar em contato?

O sentido das palavras dele penetrou qualquer outro desabafo frustrado e temeroso que Émilie pudesse ter feito. Como ele mesmo tinha dito, que outro motivo poderia haver?

– Você não imagina como eu fiquei preocupada. Principalmente depois de você ter parecido tão... estranho no fim de semana – admitiu Émilie. – Comecei até a me perguntar se tinha me abandonado. – A raiva tinha passado, e agora ela estava quase chorando.

O comentário provocou nele uma risadinha suave.

– Abandonado você? Émilie, faz só umas poucas semanas que nos casamos. O que você acha que eu sou? Sim, reconheço que estava muito para baixo no último fim de semana. Mas todo mundo fica mal de vez em quando, não?

– É, acho que sim. – Ela mordeu o lábio, sentindo-se equivocada e culpada por ter tirado conclusões precipitadas.

– Aquele meu irmão andou influenciando você? Plantando sementes na sua cabeça que começaram a criar raízes? – Ela quase pôde ouvi-lo aquiescer para si mesmo. – É, aposto que foi isso.

– Não, Sebastian, Alex nunca diz nada contra você, eu juro.

– Não minta, Émilie, eu sei como ele é. – A voz dele se tornou subitamente ríspida.

– Ele não falou nada – reiterou Émilie, sem querer entrar numa discussão na primeira conversa que os dois tinham em quatro dias. – Você disse que está em casa agora, em Yorkshire, certo?

– É, estou. E por aí, como vão as coisas?

– Os livros já saíram do château, e ele agora está aguardando a cirurgia plástica.

– Bom, sinto muito não ter podido estar aí para ajudar você. As coisas andaram supermovimentadas por aqui.

– E isso é bom, não? – indagou Émilie em voz baixa.

– É, não está indo tão bem quanto poderia, mas... Quando você volta?

– Amanhã – respondeu ela.

– Então vou preparar alguma coisa deliciosa para o seu jantar de boas--vindas, e para tentar me redimir pelo fiasco do meu celular – disse ele. – Desculpe, Émilie, mas realmente a culpa não foi minha. E eu juro que tentei falar com você na terça à noite.

– Bom, vamos esquecer isso, está bem? – sugeriu ela.

– Sim. E se tiver algo que eu possa fazer daqui para ajudar, é só dizer.

– Obrigada, mas até agora está tudo sob controle.

– Tá bom, querida. Veja se não some, por favor – disse Sebastian.

– Nem *você*! – Émilie conseguiu abrir um débil sorriso. – Nos vemos amanhã.

Ela ficou sentada por algum tempo encarando o nada, pensando se acreditava nele. Seu pai costumava lhe dizer que os mais simples dos motivos tendiam a explicar as mais dramáticas das circunstâncias, e ela torcia para também conseguir ver as coisas assim. Mas o silêncio de quatro dias tinha *sim* plantado sementes de dúvida na sua mente.

E muito embora Alex não tivesse dito nada de negativo nem de chocante sobre o irmão, fizera questão de evitar entrar em uma conversa sobre o tema. A verdade é que Émilie sentia que havia muito mais a descobrir sobre o seu marido do que Alex estava lhe contando. Ela tornou a ligar o motor, percorreu os últimos cem metros até o chalé e parou em frente à casa.

Deixou seus pertences na mala e tentou primeiro a porta da cave, pois sabia que Jean muitas vezes ficava trabalhando até mais tarde. Dito e feito: ali estava ele, sentado à mesa e cercado por seus registros.

Os olhos castanhos simpáticos se vincaram e ele abriu um sorriso.

– Émilie! Seja bem-vinda. – Ele se levantou, deu a volta na mesa e a beijou em ambas as faces. – Que prazer tê-la aqui. Seu quarto está pronto e fizemos um jantar. Você deve estar exausta.

– É muita gentileza sua me receber, Jean. Onde está Jacques? – Émilie espiou dentro da penumbra da cave em direção ao grande banco nos fundos onde Jacques costumava ficar embrulhando as garrafas.

– Mandei *papa* na frente para acender as lareiras da casa. Está frio hoje, principalmente aqui, e não quero que ele pegue um resfriado. Como sabe, ele não esteve bem durante todo o inverno. Mas enfim, está ficando velhinho. – Jean suspirou, e Émilie notou a preocupação nos seus olhos. – Então, tudo pronto lá no château?

– Sim. Vai ser uma mudança e tanto – respondeu ela, aquiescendo.

– Bom, nem consigo expressar o quanto *papa* e eu estamos felizes por saber que o château vai ficar na família La Martinières. Você não só salvou nosso ganha-pão, como também a casa que meu pai e eu tanto amamos. Realmente acho que poderia ter sido o fim para *papa* se ele tivesse que ir embora – disse Jean. – Agora vamos para o chalé, sentar em frente à lareira e tomar uma taça de vinho. O rosé deste ano ficou especialmente bom. As condições climáticas da temporada passada foram perfeitas. Na verdade, em breve vou saber se ganhamos uma medalha pelo rosé no prêmio Vignerons. Vai ser a primeira vez da nossa vinícola, e estou com grandes esperanças.

Émilie ajudou Jean a apagar as luzes da cave, e os dois seguiram pelo curto corredor que ia dar no chalé. Quando Jean abriu a porta da cozinha, um cheiro delicioso de comida tomou conta do ar.

– Vamos até a sala. Tenho certeza de que meu pai já sacou a rolha da garrafa que vamos tomar – disse ele.

Jacques estava novamente cochilando na poltrona em frente à lareira. Até mesmo Émilie, que tinha crescido considerando o pai de Jean muito velho, pôde notar sua deterioração. Virou-se para Jean.

– Vamos para a cozinha, assim o deixamos dormir – sussurrou.

– Não precisa. – Jean sorriu. – Ele está surdo feito uma porta. Sente-se. – Ele indicou uma cadeira e pegou a garrafa de vinho aberta sobre a mesa. – Experimente um pouco disto aqui.

Émilie pegou a taça que ele lhe estendia, agitou de leve até as bordas o líquido rosa-claro espetacular que ela continha e sentiu o perfume denso e pungente.

– O cheiro está uma delícia.

– Adicionei mais uva Syrah do que de costume, e acho que a mistura ficou boa.

Émilie tomou um gole e abriu um sorriso de prazer.

– Maravilhoso.

– A competição aqui nas redondezas é grande, claro, e os empresários têm investido pesado nas mais novas tecnologias. Mas eu vou fazer tudo que puder para me equiparar. – Jean deu de ombros. – Mas agora chega dessa conversa de trabalho, podemos falar disso depois. Como vai a Inglaterra? E a vida de casada?

A atmosfera estranha, tensa e fria de Blackmoor Hall nunca parecera mais distante da sensação familiar de estar sentada confortavelmente com Jean no seu aconchegante chalé.

– Tudo bem. Mas estou demorando a me acostumar à Inglaterra. E Sebastian tem passado muito tempo fora por causa do trabalho – respondeu ela, com sinceridade.

– Eu sei que ele viaja muito. Semana passada mesmo, numa noite, eu vi um carro que não reconheci passando em direção ao château. Então, como eu sou o segurança extraoficial depois que Margaux vai embora, quando não vi o carro voltar fui lá investigar – explicou Jean. – Era o seu marido.

– Sério? Sebastian esteve aqui semana passada? – Émilie fez o melhor que pôde para disfarçar o choque e não deixá-lo transparecer no rosto.

– Sim. Você não sabia? – Jean a encarou por alguns instantes com um ar pensativo.

– Eu sabia que ele estava na França, então talvez estivesse passando aqui perto e tenha decidido dar uma olhada no château – esquivou-se ela depressa.

– É, deve ser. Acho que ele se assustou quando cheguei lá. Ele estava na biblioteca, cercado por pilhas de livros.

– Ah! Bom, pelo visto ele estava tentando me ajudar começando a encaixotar os livros – disse ela, sentindo uma onda de alívio.

– Ele passou dois dias aqui, mas eu não o vi depois da primeira vez porque não queria incomodá-lo. Afinal, ele é seu marido, portanto tem o direito de vir ao château quando quiser.

– É – concordou Émilie, mas em seu íntimo se perguntou por que Sebastian não havia comentado com ela sobre ter passado dois dias no château. Mais uma vez, a ansiedade começou a lhe revirar o estômago. – Foi gentileza dele ter se dado ao trabalho de ajudar com a biblioteca – conseguiu dizer.

– Eu sei que ele ajudou e apoiou você numa época muito difícil.

– Sim. Mas… – Ela estava louca para mudar de assunto. – Eu queria lhe mostrar uma coisa que encontrei na casa de Yorkshire. – Ela pegou o envelope com os poemas que Alex tinha lhe dado. – Foram escritos pela minha tia, Sophia de la Martinières. Quando falamos sobre o passado da última vez, Jacques comentou que ela escrevia poemas. – Ela entregou os papéis para Jean, e ao fazê-lo viu um dos olhos de Jacques se abrir.

– São lindos… – murmurou Jean depois de ler. – Quer ver, *papa*?

– Quero.

Agora Jacques estava com os olhos bem abertos, e Émilie se perguntou se a sua aparente surdez estaria sendo convenientemente exagerada. Jean pôs os poemas nas mãos trêmulas do pai. Ficaram todos sentados em silêncio enquanto ele lia. Ao erguer o rosto, Jacques tinha os olhos marejados.

– Ela era tão linda… Que fim mais trágico… Eu… – Jacques balançou a cabeça, tomado pela emoção.

– Jacques, pode me contar como ela morreu? – pediu Émilie com delicadeza. – E por que meu pai nunca falava nela? E por que Constance tinha esses poemas na casa dela em Yorkshire?

Jean tocou seu braço de leve.

– Émilie, calma. Posso ver que *papa* teve um choque ao ler esses poemas. Que tal jantarmos e quem sabe darmos um pouco de tempo para ele organizar os pensamentos?

– Claro. – Ela recuou. – Me desculpe, Jacques. Como perdi minha família, pensar que você conhece o passado deles me deixa animada.

– Vamos comer primeiro – disse Jacques num tom grave.

Jean lhe passou a bengala e o ajudou a se levantar.

Jacques falou muito pouco durante o jantar. Com tato, Jean mudou o rumo da conversa de volta para a vinícola e seus planos de modernizá-la e expandi-la.

– Com os investimentos necessários, sei que em cinco anos poderíamos gerar um bom lucro. Seria maravilhoso poder contribuir nas despesas da propriedade, em vez de ser uma delas – disse ele, animado.

Enquanto ouvia Jean, e ao vê-lo tão entusiasmado pela sua paixão, pensou em como ele ainda era um homem bonito; com a pele lisa, ainda morena apesar do longo inverno, e os cabelos castanhos ondulados emoldurando o rosto, ele parecia mais jovem do que seus 39 anos. Quando Émilie era adolescente e os dois conviviam, ela tivera uma paixonite por ele.

Enquanto ela ajudava Jean a tirar a mesa, Jacques deu um bocejo.

– *Papa*, quer que eu o ajude a ir para a cama?

– Não! – Sua voz saiu alta e firme. – Eu não quero dormir. É a emoção que está me fazendo bocejar. Jean, encontre o Armagnac, e vou tentar continuar contando a Émilie sobre o que sei. E infelizmente para mim isso é tudo mesmo. – Jacques produziu um ruído a meio caminho entre um grunhido e um muxoxo. – Desde que você foi embora, Émilie, fiquei pensando se deveria levar o resto da história comigo para o túmulo. – Ele deu de ombros. – Mas como se pode entender o presente quando não se conhece o passado?

– É uma lição que eu também estou aprendendo, Jacques – retrucou ela suavemente. – Não sei se você se lembra, mas já me contou sobre a chegada de Constance em Paris. Ela havia acabado de encontrar Venetia e aceitara ajudá-la...

Irmão

Meu esteio, braço forte
No meu ombro qual timão.
Sempre atento e amoroso
Está me vendo, meu irmão?

Misterioso, forte, estoico,
Com seu livro assim na mão.
Protetor que nunca dorme,
Está me vendo, meu irmão?

Vivo eu na sua sombra,
Você que é como um clarão.
Eis-me aqui, virando gente,
Está me vendo, meu irmão?

Um dia as estradas da vida
Nossos caminhos bifurcarão
Sem que o meu amor fraqueje.
Você me viu, meu irmão?

SOPHIA DE LA MARTINIÈRES
1932, 14 anos

21

Paris, 1943

Édouard voltou do sul dois dias depois. Parecia exausto e subiu direto para o quarto, parando na escada para dizer a Connie que eles teriam convidados naquela noite. Ela precisava estar no salão às seis e meia.

Connie se perguntou quem seriam os convidados e fez uma prece silenciosa para que não fossem Falk e Fredrik. Estava se acalmando aos poucos depois da aflição de duas noites antes, quando Frederik aparecera na casa sem avisar enquanto Venetia estava fazendo uma transmissão na adega.

Na manhã seguinte, depois de Sarah sair para fazer compras, tinha descido até lá embaixo e verificado tudo, com a intenção de trancar a porta. Só que não havia chave para fazer isso. Ela procurou tanto dentro quanto fora, mas não achou nem sinal de uma. Tranquilizou-se pensando que tampouco havia qualquer sinal da presença de Venetia: nem um indício de Gauloises no ar, e nada que ela pudesse ver fora tocado ou removido. E até ali não houvera represálias, que ela sabia por experiência ser algo que ocorria depressa. Se os *boches* tivessem captado um sinal de rádio nas redondezas, teriam conduzido na mesma hora uma revista nas casas, pois sabiam que o operador de rádio em geral juntava suas coisas e sumia em poucas horas.

No fim desse dia, às seis e meia, Connie estava a postos no salão conforme solicitado. Sophia, linda de morrer e parecendo um sonho em seu vestido de festa novo, foi trazida por Sarah.

Quando a moça se sentou na cadeira, Connie a examinou e constatou que ela tinha uma aura inexplicável. Ela estava simplesmente radiante: uma jovem no auge de seus poderes de sedução.

Édouard chegou ao salão parecendo refeito e descansado, e aparentava ter recuperado a calma de sempre. Beijou a irmã, comentou como ela estava bonita naquela noite e lhes comunicou quem seriam seus convidados. Era a mistura habitual de franceses da burguesia, oficiais de Vichy e oficiais alemães.

Às sete e meia todos os convidados já tinham chegado, menos Falk. Frederik transmitira as desculpas do irmão pelo atraso, mas disse que ele chegaria mais tarde.

– O escritório do STO na rue des Francs-Bourgeois foi arrombado ontem à noite – explicou. – A Resistência roubou 65 mil dossiês e conseguiu escapar. Como se pode imaginar, meu irmão não ficou nada satisfeito.

Durante seu treinamento no EOE, Connie fora informada sobre o programa chamado Service du Travail Obligatoire. Tratava-se de um sistema que mantinha uma lista de jovens franceses, reunindo quase 150 mil nomes. Muitos deles eram continuamente detidos e mandados para a Alemanha, onde iam trabalhar em fábricas de munição ou linhas de produção. A deportação desses milhares de rapazes vinha causando uma crescente insatisfação pública na França e havia tornado o regime de Vichy extremamente impopular. O STO fizera muitos cidadãos franceses, antes respeitadores da lei, passarem para o lado da Resistência e apoiarem o movimento. A expressão preocupada de Connie ao escutar Frederik falar não traía em nada a satisfação que ela sentia em seu íntimo com o sucesso da missão da Resistência. E com a evidente participação bem-sucedida de Venetia.

– É claro que vai haver represálias – comentou um alto oficial de Vichy. – Nós vamos ficar ainda mais vigilantes para esmagar esses rebeldes que dilaceram nosso país.

Enquanto o café e o conhaque eram servidos no salão, a campainha tocou. Segundos depois, Falk entrou.

– Desculpe, Édouard. Fui impedido de me sentar à sua mesa pelos militantes deste país, que continuam a prejudicar nosso regime.

Enquanto Édouard lhe servia um conhaque, Connie reparou que Falk exibia uma expressão severa e que seus olhos brilhavam. Cerrou os dentes quando ele se aproximou.

– Fräulein Constance, como está hoje?

– Bem, obrigada, Falk. E você?

– Como já ficou sabendo, tivemos alguns problemas com a Resistência, mas pode ficar descansada: estamos cuidando disso, e o que eles fizeram não vai passar em branco. Mas chega de falar sobre trabalho. Estou precisando me divertir um pouco. – Ele estendeu a mão e acariciou o rosto dela.

Aquele toque foi como água gelada escorrendo por sua face.

– Quem sabe você poderia, Fräulein...

– Então agora você tem um problemão para resolver. – Édouard apareceu ao seu lado para salvá-la.

– Sim, mas os responsáveis serão capturados e punidos. Já temos informações do público francês que não aprova a Resistência e quer nos alertar sobre os traidores. E acreditamos que eles estejam operando bem perto daqui. Anteontem, uma de nossas escutas captou um sinal forte que estava sendo transmitido de uma das casas desta rua. Na mesma hora foi feita uma revista nas propriedades vizinhas à sua, mas nada foi encontrado. Eu naturalmente disse a meus agentes para não o incomodarem com tal intrusão – disse Falk.

O sangue de Connie gelou nas veias, enquanto Édouard exibia uma surpresa genuína.

– De onde pode ter vindo esse sinal? – perguntou ele. – Tenho certeza de que todos os meus vizinhos são pessoas leais e respeitadoras das leis.

– Irmão – disse Frederik, interrompendo subitamente a conversa. – Se isso aconteceu duas noites atrás, eu estive aqui para fazer uma visita rápida a mademoiselle Sophia, e ela disse que queria escutar um pouco de música. Como o gramofone não funcionava, ela comentou que havia um rádio na casa. É claro que ela não o usa, pois sabe que é contra a lei – emendou ele depressa. – Mas como naquele momento eu quis lhe agradar, liguei o rádio e sintonizei para tentar encontrar uma música clássica que ela pudesse escutar. – Frederik deu um suspiro contrito. – Então, Falk, acho que a culpa pode ter sido minha. Me desculpe se lhe dei trabalho a mais. Mas posso lhe garantir que a SS estava presente nesta casa com força total nessa noite, e a única coisa que eu vi entrar e sair daqui foi o gato.

Até mesmo a calma de Édouard pareceu perturbada pela estranha confissão de Frederik. Falk também pareceu desconfiado.

– Bom, eu não tenho como prender meu superior por conduzir uma operação ilegal em sua missão de agradar a uma dama – respondeu ele, e a irritação em seu tom de voz foi evidente. – Vamos esquecer isso, mas, Édouard, sugiro que você entregue seu rádio imediatamente, assim não haverá mais confusão.

– Claro, Falk – disse Édouard. – Eu não estava em casa nessa noite. Sophia, você não devia ter incentivado uma coisa dessas.

– Mas a música que nós escutamos foi linda – disse Sophia, sorrindo na cadeira atrás deles. – Com certeza o "Réquiem" de Mozart vale todo esse incômodo, não? – perguntou ela, e seu charme inocente dissipou a tensão.

Connie reparou que o olhar de Frederik se demorava constantemente em Sophia com uma expressão de ternura. Se os olhos eram de fato as janelas da alma, ela soube que Frederik e Falk, por mais idênticos que fossem por fora, tinham almas bem diferentes.

Na manhã seguinte, Édouard foi procurar Connie na biblioteca.

– Quer dizer que Frederik veio aqui enquanto eu estava fora? – indagou ele.

– Sim. Mas não fui eu quem o convidou, foi sua irmã. E eu não sabia nada a respeito.

– Entendo. – Édouard cruzou os braços e deu um suspiro. – Ontem à noite eu vi que o relacionamento deles evoluiu. Eles estão profundamente apaixonados um pelo outro. Sophia comentou alguma coisa com você?

– Sim – respondeu Connie, sincera. – E eu tentei alertá-la sobre a impossibilidade de ter qualquer relacionamento com Frederik. Mas ela não se deixou convencer.

– Só podemos torcer, pelo bem de Sophia, para Frederik retornar à Alemanha em breve. – Édouard se virou para ela. – Você ficou com os dois na noite em que ele esteve aqui?

– Não. Ele chegou depois de eu ir me deitar. Eu estava na cama.

– Meu Deus! – Édouard levou a mão à testa, horrorizado. – Sophia enlouqueceu mesmo! Receber um homem sozinha já é inaceitável, mas fazer isso em segredo, e tarde da noite, é inconcebível!

– Édouard, por favor, me perdoe, mas eu não soube mesmo como agir – explicou Connie. – Mesmo que tivesse dito a Sophia que não era apropriado receber Frederik sozinha em casa àquela hora, eu sou apenas uma hóspede aqui, e a casa é dela. Não tenho o direito de lhe dizer o que fazer ou não. Menos ainda quando ela está com um oficial alemão tão graduado. Me perdoe.

Tomado por um súbito desespero, Édouard se deixou cair numa poltrona.

– Será que já não basta violentar e destruir nosso lindo país e roubar seus tesouros? Eles precisam roubar minha irmã também? Às vezes eu...

– O que foi, Édouard?

Ele encarou o vazio por alguns instantes, então falou:

– Me perdoe, Constance. Estou cansado e chocado com o comportamento da minha irmã. Sinto que estou lutando nesta guerra há muito tempo. Então vamos esperar e ver se Frederik volta logo para a Alemanha. Caso contrário, será preciso tomar atitudes mais drásticas.

– Pelo menos a notícia de que os dossiês do STO foram roubados com sucesso pela Resistência foi ótima, não? – indagou Connie.

– Sim. – Ele se virou para ela com uma expressão estranha no rosto. – E vem mais por aí, pode estar certa, vem mais por aí.

Ele saiu da biblioteca e Connie ficou sentada com seu livro no colo, certa naquele instante de que Édouard de la Martinières tinha feito parte do ataque ao STO na noite anterior. Esse pensamento a reconfortou, mas não mudava o fato de que ela estava presa numa teia que não ajudara a tecer, de que estava passiva quando fora treinada para ser ativa... e enlouquecendo aos poucos...

E o que levara Frederik a providenciar um álibi para a casa com a menção ao tal rádio? Estaria Sophia dizendo a verdade ao afirmar que ele não acreditava na causa dos nazistas? Ou será que ele já sabia que havia um sinal sendo transmitido da casa e tinha ido lá pessoalmente investigar?

Connie segurou a cabeça entre as mãos e chorou. A causa pela qual ela fora alistada para lutar havia se perdido numa névoa de confusão. Todos os outros pareciam conhecer o jogo que estavam jogando e seu papel. Mas ela se sentia um mero objeto à deriva, jogado para lá e para cá ao sabor de caprichos e objetivos secretos alheios.

– Lawrence, me ajude – sussurrou.

Ela olhou para a biblioteca ao redor e os livros a encararam de volta, duros, frios e inanimados, com as capas muito parecidas entre si, pouco revelando o que continham. Uma metáfora perfeita para a vida que ela estava sendo obrigada a levar.

Na hora do almoço, Sophia, que Connie pouco vira nos dias anteriores, pareceu pálida e cansada. Connie percebeu que ela mal tocara a comida, então se levantou e pediu licença da mesa.

Duas horas depois, como Sophia não saía do quarto, Connie foi bater à sua porta. Ela estava deitada na cama, com o rosto sem cor e um pano molhado na testa.

– Não está se sentindo bem, minha cara? – Connie se sentou na cama e segurou sua mão. – Posso fazer algo para ajudar?

– Não, eu não estou doente. Pelo menos não fisicamente... – Sophia deu um suspiro. – Obrigada por ter vindo, Constance. Parece que não temos passado muito tempo juntas ultimamente. Tenho sentido a sua falta.

– Bem, eu estou aqui agora – garantiu Connie.

– Ah, Constance... – Sophia mordeu o lábio. – Frederik me falou que vai ter de voltar para a Alemanha daqui a algumas semanas. Como vou suportar isso? – Seus olhos cegos ficaram marejados.

– Porque precisa suportar. – Connie apertou sua mão. – Assim como eu preciso suportar ficar sem Lawrence.

– Sim – concordou Sophia. – Sei que você deve me achar ingênua e deve pensar que eu não entendo o que significa o amor. Que vou esquecer Frederik porque não existe futuro para nós. Mas eu sou uma mulher adulta e sei o que meu coração sente.

– Sophia, só estou tentando proteger você – disse Connie. – Entendo como isso tudo é difícil.

– Constance, eu sei que Frederik e eu vamos ficar juntos. Eu sinto isso em meu coração... – Sophia levou a mão ao peito. – Bem aqui. Ele disse que vai dar um jeito, e eu acredito nele.

Connie suspirou. Comparado às dificuldades dos últimos quatro anos, quando milhões de pessoas tinham perdido na guerra a própria vida ou então a de alguém próximo, o romance de Sophia podia ser considerado uma coisa trivial. Mas para Sophia aquilo era a coisa mais importante do mundo, pelo simples fato de ser *seu*.

– Bem, se Frederik diz que vai dar um jeito, ele vai dar – consolou Connie, entendendo haver pouca coisa que pudesse dizer além disso. Se Frederik iria partir em breve, podia apenas rezar para que a situação se resolvesse naturalmente.

As semanas seguintes foram cheias de noites interrompidas, pois as sirenes antiaéreas estilhaçaram o ar silencioso de Paris, e os habitantes mais uma vez tiveram de buscar refúgio na segurança dos abrigos subterrâneos. Connie ouviu falar em bombardeios da RAF às fábricas da Peugeot e da Michelin, na zona industrial nos arredores de Paris. Na Inglaterra, teria recebido essa notícia com alegria ao lê-la no *The Times*, mas ali os jornais só falavam nos numerosos e inocentes civis franceses que trabalhavam nesses lugares e tinham perdido a vida.

Ao dar seu passeio diário pelas Tulherias, ela quase podia sentir a pulsação da cidade enfraquecendo, e as pessoas aos poucos perdendo sua fé de que a guerra algum dia fosse acabar. A invasão prometida pelos Aliados ainda não tinha se concretizado, e ela estava começando a se perguntar se algum dia iria acontecer.

Émilie sentou-se no seu banco de sempre. O ar já pesado de névoa parecia estar com pressa para se livrar daquele dia triste. Foi então que viu Venetia caminhando na sua direção.

Elas realizaram o procedimento habitual de trocar cumprimentos educados, e Venetia sentou-se ao seu lado. Embora estivesse usando seu uniforme de "rica", nesse dia ela não se importara com a máscara criada pela maquiagem. Tinha a pele quase translúcida de tão pálida, e o rosto assustadoramente magro.

– Obrigada pela ajuda com a adega daquela vez. Muito agradecida mesmo. – Ela sacou um Gauloises. – Aceita?

– Não, obrigada.

– Eu vivo destas porcarias, elas tiram a fome – acrescentou Venetia, e acendeu o cigarro.

– Está precisando de dinheiro para comprar comida? – perguntou Connie, sentindo que ao menos com isso podia ajudar.

– Não, obrigada. O verdadeiro problema é que eu vivo pulando de um lugar para outro e nunca posso ficar no mesmo local por muito tempo para os *boches* não captarem meu sinal. Vivo me deslocando na porcaria da minha bicicleta, então é difícil achar tempo para sentar e comer.

– Como estão as coisas? – perguntou Connie.

– Ah, Con, você sabe como é – respondeu Venetia, tragando fundo o cigarro. – Um passo para a frente, dois para trás. Pelo menos nosso pessoal está um pouco mais organizado do que no verão em que cheguei. Mas sempre temos serventia para um par de mãos a mais. E eu estava pensando: talvez não tenha importância você não ser mais uma agente oficial. Não há motivo para não nos dar uma mãozinha como uma cidadã francesa normal. E aí, quem sabe, se você conhecer as pessoas com quem eu trabalho, elas talvez possam ajudá-la a ir embora da França.

– Sério? – O desânimo de Connie se dissipou na mesma hora. – Ah, Venetia, eu sei que a minha vida é um mar de rosas em comparação com a sua, mas eu faria qualquer coisa, qualquer coisa mesmo, para voltar para a Inglaterra e sair daquela casa.

– Bom, eu já disse à minha rede que você me ajudou, e tenho certeza de que eles podem ajudá-la a sair da França. O que sugiro é que você participe da nossa próxima reunião. Não posso prometer nada, e você precisa se lembrar que tem sempre o risco de haver algum traidor que vai informar nosso paradeiro aos alemães, mas um favor merece outro em troca. Além do mais, nós somos amigas. E estou com pena de você, presa naquela casa recebendo aqueles porcos.

Venetia lhe abriu um sorriso caloroso, e Connie pôde ver um clarão repentino da beleza da amiga aparecer através do véu da exaustão.

– Aliás, acho que o cara com quem você está morando talvez seja um peixe graúdo da Resistência. Ouvi dizer que existe um ricaço em Paris que só fica abaixo de Moulin, nosso finado e idolatrado líder. Se for esse o seu sujeito, amoreco, dá para entender por que Londres precisou sacrificar sua promissora carreira de agente quando você apareceu na porta da casa dele bem na frente da Gestapo. Enfim, preciso correr. – Venetia se levantou. – Vou lhe informar os detalhes exatos de onde e quando vai ser a reunião de quinta-feira. Então tchau, e nos vemos lá.

22

Como combinado, Connie foi ao jardim na quinta, mas Venetia não apareceu. Por fim, depois de ela ir se sentar no banco na hora combinada nos quatro dias seguintes, sua amiga chegou pedalando a bicicleta. Não registrou a presença de Connie, apenas parou, fixou o olhar à frente e disse, entre dentes:

– Café de la Paix, nono *arrondissement*, às nove da noite de hoje. – E se foi.

Connie passou as horas seguintes pensando em como poderia sair da casa sem ninguém notar. Édouard certamente não a deixaria sair à noite desacompanhada. Ela decidiu que o melhor era anunciar que estava com dor de cabeça e se recolher ao seu quarto depois do jantar. A essa hora, Édouard costumava se fechar no seu escritório. E, quando ele estivesse lá, Connie iria até a cozinha e sairia pela adega, que continuava destrancada por causa da chave perdida.

Nessa noite, depois do jantar, justo quando Édouard já tinha saído da mesa e ela estava fazendo o mesmo, a campainha tocou e Sarah foi atender. Ela entrou na sala de jantar.

– É o coronel Falk von Wehndorf para falar com a senhora, madame Constance. Ele está esperando no salão.

Quase chorando por causa daquela infeliz coincidência, Connie se dirigiu ao hall e pôs um sorriso radiante no rosto ao entrar no salão.

– Olá, Herr Falk. Como vai?

– Vou bem, mas faz alguns dias que não a vejo, Fräulein, e senti falta da sua beleza. Gostaria de lhe perguntar se me daria o prazer de me fazer companhia e sair para dançar hoje mais tarde?

Connie começou a balbuciar um pedido de desculpas, mas Falk balançou a cabeça e levou um dedo à sua boca.

– Não, Fräulein. Já me disse não demasiadas vezes. Hoje eu não me deixarei dissuadir. Virei buscá-la às dez. – Falk começou a se retirar, então parou como se tivesse se lembrado de alguma coisa. – Espero estar de muito bom humor. Meus agentes têm um compromisso importante esta noite no Café de la Paix. – Ele lhe sorriu. – Até mais tarde, Fräulein.

Horrorizada, Connie o observou sair sentindo o coração esmurrar o peito. Aquele era o café ao qual ela também deveria ir. Precisava alertar Venetia de que a Gestapo sabia sobre a sua reunião. Subiu correndo a escada, prendeu o chapéu, tornou a descer correndo e foi até a porta. Abriu-a, e já estava com um pé para fora quando alguém a segurou pelo braço.

– Constance, para onde vai com tanta pressa assim a esta hora?

Ela se virou para Édouard; sabia que sua expressão traía o pânico que estava sentindo.

– Eu preciso sair agora! É uma questão de vida ou morte! Por favor, você não entende!

– Venha, vamos conversar na biblioteca, e você vai me dizer o que a deixou desse jeito.

Puxando-a com firmeza outra vez para dentro de uma forma que não deixava espaço para resistência, ele entrou e fechou a porta.

– Por favor – implorou Connie. – Eu não sou sua prisioneira! Você não pode me manter aqui contra a minha vontade. Preciso sair agora, senão pode ser tarde demais!

– Você não é minha prisioneira, Constance, mas eu também não posso me arriscar a deixá-la sair sem saber aonde está indo. Ou você me diz, ou eu de fato serei forçado a trancá-la no quarto. Não pense que as suas atividades passaram despercebidas, como por exemplo seu encontro com uma "amiga" no Ritz – disse ele, severo. – Eu já lhe disse mil vezes que não podemos correr o risco de nenhuma ligação ser feita entre a Resistência e esta casa.

– Sim – confessou Connie, consternada por ele saber. – A mulher que eu encontrei no Ritz treinou comigo na Inglaterra. Ela pediu minha ajuda, é minha amiga e eu não pude dizer não.

– Então me diga, para onde precisa ir hoje? – repetiu Édouard.

– Minha amiga me disse hoje à tarde que a rede dela vai fazer uma reunião às nove da noite no Café de la Paix. Falk acabou de me informar que ele também sabe disso. A Gestapo vai estar esperando por eles lá. Preciso avisá-los, Édouard. Por favor – implorou Connie. – Me deixe ir!

– Não, Constance! Você sabe que eu não posso deixá-la fazer isso. Se você for pega e presa, nós sabemos quais serão as consequências para os outros moradores desta casa.

– Mas eu não posso simplesmente ficar sentada aqui enquanto ela está a caminho de uma armadilha mortal! Me desculpe, Édouard, mas independentemente do que você disser, eu vou. – Ela avançou determinada em direção à porta.

– NÃO!

Édouard a segurou pelos ombros. Ela se debateu para se soltar e começou a chorar de frustração ao entender que aquela era uma disputa física que não podia ganhar.

– Constance, por favor, acalme-se, ou vou ser obrigado a lhe dar um tapa na cara. *Você* não vai sair hoje à noite para avisá-los. – Ele a encarou e soltou um profundo suspiro. – Eu vou.

– Você?

– Sim. Tenho mais experiência nesse tipo de situação do que você jamais vai ter. – Ele verificou o relógio. – A que horas sua amiga disse que a reunião estava marcada?

– Às nove. Daqui a uma hora.

– Então talvez dê tempo de entrar em contato com alguém que possa passar um recado antes de a reunião começar. – Ele abriu um sorriso breve e forçado. – Caso contrário, eu mesmo vou. Deixe isso comigo. Farei tudo que puder, eu juro.

– Ai, Édouard, meu Deus. – Os últimos vestígios de autocontrole de Connie ruíram, e ela segurou a cabeça entre as mãos. – Me perdoe por trair sua confiança.

– Conversamos mais tarde. Preciso sair se quiser chegar a tempo. Se alguém aparecer aqui... – Ele arqueou as sobrancelhas. – Eu estou com enxaqueca e fui deitar.

– Édouard! – Connie se lembrou de repente. – Falk vem me buscar aqui às dez para me levar para dançar.

– Então preciso ter certeza de estar de volta a essa hora.

Quando ele saiu da biblioteca, Connie desabou numa poltrona e, poucos minutos depois, ouviu o barulho da porta da frente se fechando.

– Por favor... – Ela torceu as mãos e se dirigiu aos céus. – Faça com que ele chegue a tempo.

Connie ficou sentada de sentinela no salão, junto à janela, para poder ver quando Édouard voltasse. Apesar de a noite não estar fria, o medo a fazia tremer. O relógio acima da lareira ia marcando os segundos, e quando a campainha tocou ela se sobressaltou, lembrando-se do encontro com Falk. No entanto, mal passava das nove.

Ela foi até o hall, observou Sarah abrir a porta e viu Falk de longe.

– Herr Falk... chegou cedo. Ainda não estou pronta – disse Connie em voz alta para ele.

– Está enganada, Fräulein Constance. – O homem lhe abriu um sorriso atipicamente simpático. – Sou eu, Frederik. Por acaso mademoiselle Sophia está? Talvez ela tenha lhe dito que vou embora amanhã, e queria me despedir.

– Sim, claro – respondeu Connie. – Ela está na biblioteca. – Apontou para lá. – E me perdoe por pensar que o senhor fosse Falk. Eu o estou esperando mais tarde.

– Não se desculpe, por favor – disse Frederik, tranquilizando-a. – Isso já aconteceu muitas vezes, e tenho certeza de que não será a última. – Ele meneou a cabeça ao passar, entrou na biblioteca e fechou a porta.

Ao subir para se preparar para seu calvário, Connie pensou que as coisas não tinham como piorar. Quando ficou pronta, tornou a descer e retomou sua vigília no salão de modo a poder alertar Édouard imediatamente sobre a presença de Frederik na casa.

Os ponteiros do relógio estavam marcando quinze para as dez quando Connie ouviu passos subirem até a porta da frente. Correu até lá na mesma hora, abriu, e Édouard caiu nos seus braços. Ofegante, ele cambaleou para ficar de pé, e ela deu um arquejo de horror ao ver que o ombro direito do seu paletó estava empapado de sangue.

– Édouard, meu Deus, você está ferido! O que houve? – perguntou num sibilo.

– Eu não cheguei a tempo. Quando desci para o bar, o lugar inteiro já estava cercado pela Gestapo. O café estava um caos, e os dois lados abriram fogo... Nem sei direito quem me acertou. Não se preocupe, Constance, o tiro foi de raspão e eu vou ficar bem. Infelizmente não posso garantir o mesmo em relação à sua amiga – disse ele com a voz fraca.

– Édouard, nós temos visita e você não pode ser visto... – disse Connie com urgência.

Era tarde. Os olhos de Édouard não encaravam mais Connie, e sim Frederik e Sophia, em pé do outro lado do hall. Frederik olhou para ele com espanto.

– Você está ferido, Édouard?

– Não, não é nada – respondeu ele depressa. – Estava só saindo de um restaurante e fiquei no meio de uma troca de tiros na rua.

– Frederik, o que aconteceu? – perguntou Sophia, que não conseguia ver o ferimento de Édouard. – Está muito ferido, irmão? Precisa ir para o hospital? – perguntou ela com a voz tomada pelo pânico.

– De jeito nenhum – conseguiu responder ele, trôpego de tanta dor. – Vou subir e me limpar.

– Eu o ajudo – disse Connie.

– Não. Mande Sarah subir e encher a banheira para mim – respondeu ele com uma careta enquanto começava a subir a escada. – Tenho certeza de que amanhã de manhã estarei bem. Boa noite.

Os três o viram subir vagarosamente até o alto da escada. No instante em que ele desapareceu no corredor, a campainha tocou.

– Deve ser seu irmão – disse Connie, pegando o casaco no cabide com pressa. – Por favor, Herr Frederik, volte ao que estava fazendo, e Sophia, vejo você mais tarde.

Connie abriu a porta para Falk. Com um sorriso radiante, falou:

– Estou pronta. Vamos?

Surpreso e satisfeito com tanta animação, Falk concordou, deu o braço a ela, e os dois desceram os degraus em frente à casa até o carro dele. O chofer abriu a porta para Connie, e Falk subiu no banco de trás junto com ela. Como de hábito, ela sentiu seu hálito azedo de bebida rançosa. A suástica no braço do seu paletó roçou sua pele, e ele pousou a mão com firmeza no seu joelho.

– Ah! Que bom sair um pouco. Tive um dia cheio – comentou ele.

– Mas proveitoso? – perguntou Connie, com a maior calma de que foi capaz.

– Extremamente! Pegamos vinte deles, embora por infortúnio eles tenham sacado as armas e tenhamos perdido um bom agente, que era amigo meu. Alguns conseguiram fugir, claro… mas é interessante que quando nós os cutucamos eles guincham e nos dão os nomes dos amigos. Não se preocupe, vamos encontrar os outros que fugiram. – Ele deu um tapinha no seu joelho. – Mas deixemos isso para amanhã. – O tapinha se transformou em carícia. – Hoje muitos deles estão seguros atrás das grades, e eu quero relaxar.

Connie podia sentir que ele vibrava de triunfo. Quando os dois entraram na boate, ela pediu licença, foi até o toalete e se trancou dentro de uma cabine. Sentou na tampa do vaso sanitário e colocou a cabeça entre as pernas. Estava muito tonta e com a respiração curta e acelerada. Eles certamente seriam descobertos, não? Quando Frederik contasse ao irmão que Édouard chegara em casa obviamente ferido a bala, isso despertaria as desconfianças de Falk. Frederik poderia muito bem já ter ido embora e avisado à Gestapo.

E tudo isso por sua causa: fora ela quem traíra a confiança de Édouard e, ao tentar alertar Venetia, comprometera seu disfarce tão arduamente conquistado e bem protegido, fazendo-o correr um perigo irrevogável.

– Ai, meu Deus, ai, meu Deus, o que foi que eu fiz...? – lamentou-se. E Venetia? Teria sido ela um dos poucos sortudos que, assim como Édouard, tinham conseguido escapar? Ou estaria agora trancada numa cela no quartel-general da Gestapo, aguardando a aterrorizante sessão de tortura à qual eram submetidos os agentes do EOE e da Resistência? Isso antes de serem mandados para os campos da morte ou, se tivessem sorte, fuzilados sumariamente.

Connie saiu da cabine e lavou o rosto na pia. Retocou o batom e fez um bom sermão para si mesma no espelho. Sabia que precisava dar a Édouard nessa noite, caso ele não tivesse sido preso ainda, o máximo de tempo possível para se recuperar.

Fosse qual fosse o custo....

Deitado na cama, Édouard trincou os dentes por causa da dor no ombro. Depois do banho, Sarah havia limpado seu ferimento, passado um antisséptico e em seguida feito um curativo.

– Monsieur Édouard – disse ela, aflita. – O senhor sabe que deveria ir ao hospital para cuidarem direito disso. Foi de raspão, sim, mas o ferimento é profundo e talvez ainda tenha algum fragmento de bala dentro.

– Sarah, você sabe que eu não posso. – Ele fez uma careta quando o antisséptico ardeu como a picada de mil abelhas. – Temos de fazer o melhor que pudermos aqui. Frederik já foi?

– Não. Ainda está na biblioteca com mademoiselle Sophia.

Ele estendeu a mão e segurou a de Sarah.

– Você sabe, não é, que provavelmente está tudo acabado para mim? Eu fui visto por pelo menos dois dos agentes da Gestapo no café. E os outros aqui da casa também vão ser alvo da mesma desconfiança. Eu… – Ele tentou se sentar, mas a dor o fez cair deitado sobre os travesseiros outra vez. – Sarah, como nós sempre planejamos caso essa situação acontecesse, você tem de partir o quanto antes e levar mademoiselle Sophia e Constance para o sul, para o château. A Gestapo pode vir nos buscar a qualquer momento.

– Monsieur… – Sarah balançou a cabeça. – O senhor sabe que eu não vou fazer isso. Trabalho para esta família há 35 anos e sei da sua coragem e bravura. Meu marido foi morto a tiros dois anos atrás por esses porcos. Eu não vou abandoná-lo agora.

– Mas você precisa ir, Sarah, por Sophia – insistiu Édouard. – Por favor. Preparei tudo para vocês partirem o quanto antes. Tem dinheiro na escrivaninha da biblioteca, e as identidades que preparei para vocês. Com sorte elas possibilitarão que vocês saiam de Paris, mas vocês precisam arrumar outros documentos antes de cruzar a Linha de Vichy. Mandarei avisar meus conhecidos sobre a sua chegada. Eles irão ajudá-las, e…

Alguém bateu à porta do quarto.

– Abra. E depois faça como acabei de dizer.

Sarah foi até a porta e abriu. Em pé no vão da porta estava Frederik, de braços dados com Sophia.

– Sua irmã quer vê-lo, Édouard – explicou Frederik. – Ela está muito preocupada com a sua saúde, assim como eu. Podemos entrar?

– Claro.

Édouard observou enquanto Frederik, gentil como um pai, guiava Sophia em direção à cama e a ajudava a se sentar.

– Ah, irmão, o que houve? – Ela tateou em busca da mão dele e a apertou. Seu rosto era um retrato da dor. – Você está muito ferido?

– Não, querida. Como eu disse, foi só de raspão. Houve uma troca de tiros e eu fui pego no meio. – Ele sabia que cada palavra que dissesse poderia selar sua pena de morte, e também a da sua irmã. Mas os olhos de Frederik não estavam concentrados nele, nem nos minúsculos estilhaços de bala que Sarah cuidadosamente extraíra do ferimento e dispusera sobre uma bandeja na mesa de cabeceira. Estavam concentrados em Sophia, tomada pela preocupação.

– Sim, eu soube que houve uma série de batidas na cidade agora à noite. – Frederik então dirigiu o olhar para Édouard e os dois se entreolharam. – Agora preciso ir. Édouard, por favor, se estiver precisando de algo, pode me ligar diretamente na minha linha pessoal no QG da Gestapo. Vou anotar o número aqui. – Ele tirou do paletó um lápis e um papel e anotou seu telefone. – Boa noite, Sophia – falou. – Cuide do seu irmão. – Ele beijou a mão da jovem com ternura, meneou a cabeça para Édouard e se retirou.

Connie tinha conseguido voltar para junto de Falk com um sorriso nos lábios tão artificial quanto o batom vermelho-vivo que os coloria. Os dois cearam, e enquanto Falk comeu com vontade ela mal tocou na comida. Ele lhe perguntou mais sobre sua vida antes da guerra, sua casa em Saint-Raphaël e seus planos para o futuro.

– Acho que é difícil para todos nós fazer planos antes de essa guerra se concluir – disse ela, enquanto Falk tornava a servi-la de vinho.

– Mas a conclusão é inevitável, não? – Ele a fuzilou com o olhar.

– Claro – respondeu ela depressa. – Mas até que o povo francês entenda o que é melhor para ele, serão tempos perigosos.

– Sim, de fato. – Falk se acalmou. – Mas e seu primo Édouard? Ele é um homem interessante, não?

– Sim, muito – respondeu ela, neutra.

– Um membro da burguesia francesa com uma história familiar que remonta a vários séculos. Uma árvore genealógica cheia de homens valorosos, que arriscaram a vida para defender o país que amam.

– A família dele de fato é repleta de homens valentes – concordou ela.

– Mas mesmo assim Édouard foi capaz de se aliar à Alemanha e a seu Império em expansão. Muitas vezes me perguntei como e por quê um homem como ele faria isso – refletiu Falk, ainda sustentando o olhar de Connie.

– Talvez porque ele veja o futuro como você – retrucou ela com ênfase. – Ele sabe que a velha França não tem como sobreviver do mesmo jeito de antes, e concorda com a visão de mundo do Führer.

– É verdade que nosso pensamento de direita é vantajoso para homens ricos como ele. – Falk deu um suspiro. – Mas houve momentos em que outras pessoas duvidaram se o seu apoio à nossa causa é tudo que parece ser. O nome de Édouard foi ligado a uma determinada organização clandestina de intelectuais e à Resistência. Eu, é claro, ignorei esses comentários e os pus na conta da fofoca.

– E fez bem, Falk. Pelo visto não há ninguém em Paris que não seja alvo de suspeita de tempos em tempos. Talvez até eu mesma! – Connie deu uma risadinha.

– Não, Fräulein, eu lhe garanto que o seu histórico não contém nenhum ponto de interrogação. Édouard está em casa esta noite? – quis saber Falk. – Talvez, quando tivermos terminado, eu possa conversar com ele e alertar que o seu nome foi mencionado para mim com relação a uma atividade recente da Resistência. Afinal, é isso que um amigo deve fazer pelo outro. Édouard foi muito hospitaleiro comigo e com meu irmão.

– Ele vai estar em casa sim, claro, mas é tão tarde que com certeza já vai estar dormindo. – Connie tomou coragem e pousou de leve a mão no braço dele. – Eu pensei que esta noite fosse para relaxar, não? – Ela inclinou a cabeça de lado e abriu um sorriso sedutor.

O olhar de Falk se alterou e ele deu um soco na mesa.

– Sim! Tem razão. Hoje é uma noite de prazer. Vamos dançar.

Enquanto os dois se moviam ao ritmo da música, Connie pressionou com força o corpo no dele. Aceitou suas carícias como se estivesse ansiando por elas. Pôde sentir na coxa o quanto ele estava excitado quando a beijou nos lábios com força, passeando a língua como se fosse um lagarto pelo interior da sua boca.

– Vamos para algum lugar onde possamos ficar a sós – sussurrou ela no ouvido dele, querendo distraí-lo da sugestão de visitar Édouard.

– Agora.

Falk chamou seu carro e os dois entraram. Após ladrar seu endereço para o chofer, ele não perdeu tempo e começou a explorar as partes do corpo de Connie que estavam ao seu alcance. Eles pararam diante de um prédio sem graça na *Avenue* Foch, a poucos minutos do quartel-general da Gestapo. Falk dispensou o motorista, puxou Connie para dentro, e eles subiram de elevador até o segundo andar. Assim que entraram, ele a conduziu depressa até um quarto na penumbra.

– *Mein Gott!* Estou esperando por isso desde que pus os olhos em você.

Ele rasgou as roupas dela e só parou para tirar o paletó. Então a jogou na cama e abriu a braguilha da calça. Connie fechou os olhos com força para não chorar enquanto ele a penetrava com brutalidade, ao mesmo tempo que lhe apertava agressivamente os seios. Ela ergueu o quadril em direção ao dele para indicar que estava gostando e para que talvez ele terminasse mais depressa.

Ficou ouvindo ele gemer palavrões em alemão enquanto bafejava no seu rosto aquele hálito fétido. Suas partes íntimas ressecadas ardiam de dor conforme ele seguia martelando sua carne delicada. Bem quando ela estava começando a pensar que perderia os sentidos, Falk urrou e desabou em cima dela.

Quando sua respiração se regularizou, ele se apoiou num dos braços e a encarou.

– Para uma aristocrata francesa, você trepa como uma prostituta.

Falk rolou para o lado e fechou os olhos.

Tomada por uma falsa sensação de segurança, ela agradeceu a Deus por tudo ter acabado relativamente depressa.

Dez minutos depois, contudo, Falk acordou. Olhou para ela e começou a se masturbar. Segurou-a pelos ombros, arrastou-a até o outro lado da cama e a fez deslizar até o chão sem qualquer delicadeza. Pousou os dois pés no chão e a posicionou ajoelhada entre as suas pernas.

– Herr Falk! Por favor, eu... – Ela não conseguiu mais falar quando ele a forçou a tomá-lo na boca.

– Vocês da burguesia francesa se acham superiores a nós. – Falk segurou a cabeça de Connie com força e começou a arremeter dentro da boca dela. – Mas não, vocês mulheres são todas iguais: umas prostitutas, umas vadias!

À medida que a noite se transformava num alvorecer cansado, Connie foi submetida a uma série de atos sexuais degradantes. E ao longo de todo o tempo Falk continuou sua diatribe contra as mulheres. Ela chorou, implorou, mas suas palavras ecoaram em ouvidos moucos e ele continuou com os abusos. Em determinado momento, quando ele a tinha virado de bruços e estava invadindo orifícios íntimos inexplorados, a dor foi tanta que ela perdeu os sentidos.

Acordou com uma luz fraca entrando pela janela e constatou que Falk não estava mais no quarto. Com lágrimas escorrendo pelo rosto, recolheu as roupas, cambaleando de tão tonta, e vestiu o corpo dolorido e sangrando. Olhou para o relógio e viu que passava pouco das seis. Conseguiu ficar em pé, e cada passo que dava fazia seus músculos violentados gritarem de dor. Abriu a porta do quarto. Desesperada à procura da saída, acabou indo parar na sala.

Viu uma fotografia, um dos únicos enfeites naquele espaço utilitário. Era uma mulher atraente, roliça e maternal, posando com duas crianças pequenas que pareciam querubins, cópias em miniatura de Falk.

Connie cambaleou de volta até o banheiro para vomitar, lavou o rosto e bebeu um pouco de água da torneira. Então saiu do apartamento.

23

Quando Connie entrou cambaleando pela porta da casa dos La Martinières, foi recebida por Sarah.

– Madame, estávamos à sua espera. Onde a senhora estava? O que aconteceu? – perguntou ela horrorizada ao ver seu estado lamentável.

Connie não respondeu, passou pela empregada e subiu correndo a escada. No banheiro, abriu as torneiras e entrou na banheira, onde esfregou o corpo inteiro até deixá-lo em carne viva.

Lá embaixo, a campainha tornou a tocar. Dessa vez era Frederik.

– Preciso falar com o conde, madame – disse para Sarah.

– Mas ele ainda está dormindo.

Mais uma vez, Sarah foi ignorada, e Frederik subiu os degraus de dois em dois e entrou no quarto de Édouard.

Com os olhos brilhando devido à febre causada por um ferimento que estava infeccionando rapidamente, Édouard o encarou assustado da cama. Não soube na hora qual dos dois irmãos era aquele.

– Monsieur conde, Édouard, me desculpe entrar assim de supetão – disse Frederik depressa. – Mas eu vim avisar que o senhor e sua família estão correndo grave perigo. Meu irmão desconfiava havia tempos que o senhor fazia parte da Resistência. Ele foi ao meu escritório hoje de manhã e me disse que um dos agentes o reconheceu quando os membros da rede Psicologia foram presos ontem à noite no Café de la Paix. Ele vai chegar a qualquer minuto para prendê-lo, e também sua prima e Sophia. Por favor, monsieur, precisa ir embora agora – implorou Frederik. – Não há tempo a perder.

Édouard o encarou com um fascínio chocado.

– Mas... por que o senhor me diria isso? Como posso confiar no senhor?

– Porque o senhor não tem outra escolha, e porque eu amo a sua irmã. Escute... – disse Frederik, chegando mais perto da cama e o encarando. – O ódio que vocês têm por nós é justificado, mas muitos de nós não têm outra escolha senão participar de uma causa na qual não acreditamos mais. E muitos outros estão se juntando a nós. Assim como o senhor, Édouard, eu usei minha posição de todas as formas que pude para minimizar a quantidade de mortes. Também tenho vínculos com seus conhecidos que lutam para impedir nossos amados países de virarem ruínas, e a sua história, de ser esmigalhada sob o peso das botas nazistas. Mas agora não é hora para falar nisso. O senhor precisa se levantar e sair desta casa imediatamente.

Édouard balançou a cabeça.

– Eu não posso, Frederik. Olhe para mim, estou mal. São as damas quem devem partir. Eu só faria chamar atenção e atrapalhar sua fuga.

– Frederik! – Sophia estava na soleira da porta, à procura do amado. – O que está acontecendo?

Ele andou depressa até ela e a abraçou.

– Não se preocupe, Sophia, vou garantir que você fique segura. Estou dizendo ao seu irmão que esta casa está sob suspeita e que a Gestapo vai chegar a qualquer momento. Você precisa ir embora agora mesmo, *mein Liebling*.

– Sarah já fez minha mala. Meu irmão lhe disse para deixá-la pronta ontem à noite. Nós estamos prontas. Édouard, agora você precisa se levantar e se vestir – disse-lhe Sophia.

– Meu carro está lá embaixo. Posso levá-los a qualquer lugar de Paris que vocês queiram – acrescentou Frederik. – Mas temos de sair agora.

– O senhor com certeza está se colocando em grande perigo, não, Frederik? – perguntou Édouard.

Ele tentou se levantar, mas não conseguiu e tornou a desabar sobre os travesseiros.

– Temos de fazer o que é preciso por aqueles que amamos – disse Frederik, ainda segurando Sophia com força junto a si.

Ela se desvencilhou do seu abraço e foi até a cama, onde tateou em busca da mão do irmão e depois da sua testa.

– Você está com febre, mas tem de se levantar! Por Deus, Frederik falou que eles vão chegar a qualquer momento!

– Sophia, você sabe muito bem que é impossível para mim viajar – afirmou Édouard com a maior calma de que foi capaz. – Por favor, acredite, eu vou dar um jeito de chegar até vocês. Você terá Sarah e Constance para acompanhá-la na viagem, e eu irei atrás de vocês assim que puder. Agora vá!

– Mas eu não posso deixá-lo...

– Sophia, só desta vez, faça o que estou mandando! Boa viagem, irmã amada, e reze para em breve nos reencontrarmos.

Édouard estendeu as mãos e a beijou nas duas faces, então fez um gesto para Frederik tirá-la do quarto. A porta se fechou atrás dos dois, e Édouard tentou concentrar a mente febril num plano.

No andar de baixo, Sarah e Connie os aguardavam. Frederik as levou até o carro, e elas embarcaram.

Édouard, agora dolorosamente sentado, ficou olhando pela janela enquanto Frederik se afastava ao volante.

– Para onde devo levá-las? – perguntou o alemão, a quem o quepe de chofer dava um aspecto estranho.

– Para a *Gare de Montparnasse*. Primeiro vamos para a casa da minha irmã, onde poderemos conseguir documentos novos – disse Sarah, a única das três em condições de responder.

– E de lá, para onde vocês vão? – indagou ele.

O olhar que Connie lançou para Sarah foi tão fulminante que a empregada fechou a boca e não respondeu.

– Nós vamos para o château da nossa família em Gassin – respondeu Sophia.

Frederik viu a expressão horrorizada de Connie no retrovisor.

– Constance, sei que não consegue confiar num alemão. Mas, por favor, acredite que eu também estou correndo um grande risco pelo simples fato de fazer o que fiz até agora. Seria fácil para mim prender vocês agora e levá-las direto para o QG da Gestapo. Posso lhe garantir que minhas atividades hoje de manhã não vão passar despercebidas. Isso pode muito bem significar a minha sentença de morte.

– Sim – concordou Connie, com os nervos ainda em frangalhos por causa das últimas horas. – Desculpe, Frederik. Eu agradeço muito a sua ajuda.

– Embora nós tenhamos o mesmo sangue, eu sou muito diferente do meu irmão gêmeo – continuou ele. – Com certeza Falk vai desconfiar que eu ajudei vocês a fugir e fará tudo que puder para convencer os outros de que fui eu o responsável.

As três mulheres saltaram do carro na estação de Montparnasse. Frederik pegou suas malas no bagageiro.

– Boa sorte a todas vocês – sussurrou.

Sophia esboçou um movimento para tocá-lo, mas ele a deteve.

– Eu sou o chofer, lembra? Mas juro que em breve irei ao seu encontro, *mein Liebling*. Agora saia de Paris o quanto antes.

– Amo você, Frederik – disse Sophia num tom urgente, e as três se juntaram à multidão no terminal.

– Também amo você, minha Sophia. Com todo o meu coração – murmurou Frederik ao entrar de novo no carro.

Falk chegou à casa dos La Martinières na rue de Varenne uma hora depois de as mulheres saírem. Como ninguém atendeu quando ele esmurrou a porta da frente, mandou seus agentes arrombarem. Ele e seus homens vasculharam a casa de cima a baixo, e a encontraram vazia.

Falk soltou um palavrão entre dentes e tornou a sair da casa em direção ao seu QG.

Ao entrar na sala do irmão, viu Frederik preparando a pasta para sair.

– Acabei de ir à casa dos La Martinières para prendê-los. Pelo visto eles sumiram. Parece que alguém os avisou. Como é possível? – indagou ele com uma expressão de fúria. – A única pessoa com quem comentei sobre minhas suspeitas foi você, irmão.

Frederick travou o fecho da pasta.

– Sério? É de fato preocupante. Mas como você sempre diz, em Paris as paredes têm ouvidos.

Falk chegou mais perto.

– Eu sei que foi você... Acha que eu sou burro? Você me faz passar por bobo quando na verdade o traidor da causa é *você*. E sei que não é a primeira vez. Deveria ficar atento, irmão – rosnou ele. – Apesar de todas as palavras e ideias inteligentes que você usa para confundir os outros e fazê-los acreditar na sua lealdade, eu sei quem você realmente é.

Frederik o encarou do outro lado da mesa com um olhar brando.

– Então deve falar sobre o que você sabe, irmão. Agora vou me despedir. Estou certo de que em breve tornaremos a nos encontrar.

– Aaah! – Como sempre, a calma superioridade de Frederik irritava Falk quase até o limite. – Você se acha muito superior a mim, com seus diplomas, seus doutorados e os documentos que elaborou para impressionar nosso Führer. Mas quem trabalha de modo incansável pela causa todos os dias sou eu.

Frederik pegou sua pasta na mesa e andou em direção à porta. Então, parecendo se lembrar de algo, parou e tornou a se virar.

– Não sou eu quem me acho superior, irmão, e sim você quem se acha inferior.

– Eu vou encontrá-los! – gritou Falk para o corredor depois de Frederik sair da sala. – E aquela vadia por quem você está tão enfeitiçado!

– Até logo, Falk – disse seu irmão com um suspiro enquanto o elevador o fazia desaparecer.

Falk deu um soco com força na porta da sala.

Édouard acordou de um sono febril. A escuridão era total, e ele tateou em busca dos fósforos que levara consigo. Acendeu um para consultar o relógio e viu que passavam das três; fazia cinco horas desde que ouvira os agentes da Gestapo entrarem no andar de cima da casa. Mexeu os membros enrijecidos para esticá-los, e seus pés tocaram a parede do outro lado do espaço confinado.

Aquele pequeno buraco de tijolo, situado bem abaixo do chão e acessível por meio de um alçapão invisível na adega, fora cavado originalmente para proteger seus ancestrais durante a Revolução. Só havia espaço suficiente para duas pessoas. Apesar disso, rezava a lenda que, naquela noite específica em que Paris ardia em chamas lá fora e os aristocratas eram levados às dezenas em carroças abertas para serem mortos na guilhotina, Arnaud de la Martinières, sua mulher e dois de seus filhos tinham se abrigado ali.

Édouard se ajoelhou e acendeu outro fósforo para localizar os contornos do alçapão acima da sua cabeça. Ao encontrá-lo, usou a pouca energia que lhe restava para abri-lo.

Içou-se até a adega mais acima e ficou deitado no chão úmido de pedra, arfando. Arrastou-se até o armário, onde ficavam guardados cantis de água para as noites em que as sirenes antiaéreas os forçavam a se abrigar ali, e tomou alguns goles. Tremendo e suando em igual medida, olhou para baixo e viu que o ferimento em seu ombro estava vertendo um líquido amarelado que empapava sua camisa. Ele precisava de atendimento médico urgente, caso contrário a infecção iria envenenar lentamente o seu sangue. Mas isso era impossível. Sabia que eles estariam vigiando a residência para o caso de alguém voltar. Ele estava encurralado.

Pensou na irmã e rezou apenas para que ela, Sarah e Connie estivessem a caminho de um lugar seguro.

Ergueu os olhos para o teto rústico e rachado da adega, mas a superfície ondulou diante dos seus olhos. De modo que ele então os fechou e buscou reconforto no sono.

Pelo menos Connie estava aliviada por Sarah ter assumido o comando. As três estavam sentadas num vagão da primeira classe, e ela fechou os olhos para não ver o rosto de dois oficiais alemães sentados na sua frente. Sarah conversava educadamente com eles, e Connie sentiu-se grata pela presença tranquilizadora da mulher mais velha. Calada, Sophia estava virada para a janela, o trem passando pela periferia industrial de Paris a caminho do sul. Que importância tinha se iria viver ou morrer, pensou Connie? Na noite anterior, sua alma tinha sido violentada; ela fora tratada como um animal, um saco inútil de pele e osso, e degradada de maneira insuportável.

Como poderia algum dia voltar a encarar Lawrence? E de que tinha adiantado tudo aquilo? Ela havia se esforçado para proteger Édouard e lhe dar a noite para planejar sua fuga. Mas Édouard continuava em Paris, sozinho e ferido. Naquele exato momento, podia estar nas mãos de Falk no quartel-general da Gestapo.

– Eu tentei, Édouard – lamentou-se em um murmúrio.

Exausta, Connie pegou no sono enquanto o trem transportava seus passageiros pela paisagem plana da zona rural francesa. Em cada estação sentia Sarah se retesar ao seu lado, com os olhos alertas em busca de qualquer agente da Gestapo que pudesse ter sido avisado da sua fuga rumo ao sul. Os oficiais na sua frente desembarcaram em Le Mans, e quando já não havia nenhum outro viajante no compartimento fechado, Sarah se dirigiu em voz baixa às duas mulheres pelas quais estava responsável.

– Nós vamos saltar do trem em Amiens e ficaremos com minha irmã lá perto, onde podemos comprar documentos novos. Édouard ontem combinou de sermos recebidas lá por um amigo dele, que vai nos ajudar a atravessar a Linha de Vichy. É arriscado demais passarmos por um posto oficial. A esta altura, o coronel Falk sem dúvida já deve ter alertado as autoridades para ficarem atentas à nossa procura.

Os olhos cegos de Sophia a encararam amedrontados.

– Mas eu achei que estivéssemos indo para o château...

– E estamos. – Sarah segurou a mão dela e a afagou. – Não se preocupe, querida, está tudo bem.

Horas depois, quando a noite estava caindo, as três saltaram do trem. Sarah avançou confiante pelas ruas estreitas da cidade, aproximou-se da porta de uma casa no vilarejo e bateu.

Uma mulher parecida com ela veio abrir e as encarou com espanto e alegria.

– Florence – disse Sarah. – Graças a Deus você está em casa!

– O que está fazendo aqui? Rápido, entrem. – Florence olhou para as duas mulheres que acompanhavam a irmã. – Suas amigas também.

Quando a porta foi fechada, Florence as levou até uma mesa na pequena cozinha, fez com que se sentassem e ficou se agitando em volta delas, retirando-se em seguida para trazer uma jarra de vinho e um pouco de pão e queijo.

– Quem é Florence? – perguntou Sophia num tom autoritário.

– É a minha irmã, Sophia – respondeu Sarah; a felicidade que aquele reencontro lhe causava era visível no seu olhar. – E esta é a cidade onde eu fui criada.

Connie ficou sentada à mesa, bebendo seu vinho e ouvindo as irmãs conversarem. Seu corpo ainda protestava devido à brutalidade da noite anterior. Ela se forçou a engolir o pão e o queijo, e fez o possível para apagar as imagens terríveis que não paravam de surgir na sua mente.

Florence estava contando como a Gestapo recentemente reunira vários rapazes do vilarejo e os deportara para campos de trabalho na Alemanha em retaliação ao fato de a Resistência ter explodido uma ponte ferroviária muito perto da cidade. Sarah, por sua vez, falou sobre Paris e sobre o patrão Édouard, cujo destino era uma incógnita atualmente.

– Pelo menos vocês estão seguras aqui comigo – disse Florence, afagando a mão da irmã. – Mas só por garantia, vamos pôr suas duas amigas lá no sótão. – Ela olhou para Sophia, sentada diante da mesa sem ter tocado no pão ou no queijo. – A senhorita precisa me perdoar, mademoiselle La Martinières, se as acomodações não se compararem àquelas com que está acostumada.

– Madame, estou simplesmente agradecida pelo fato de a senhora nos dar um teto hoje à noite. E ainda por cima correndo riscos. Tenho certeza de que meu irmão irá recompensá-la se... – Os olhos da moça se encheram de lágrimas, e Sarah passou o braço em volta do seu ombro.

– Minha Sophia, eu conheço Édouard desde que ele era uma sementinha na barriga da mãe. Ele deu um jeito, tenho certeza aqui dentro. – Sarah bateu no próprio peito.

Mais tarde, Sophia e Connie foram levadas até o sótão. Sarah ajudou Sophia a subir a escada íngreme, então a despiu e a pôs na cama como se ela ainda fosse uma criança pequena.

– Durma bem, querida. – Ela lhe deu um beijo. – Boa noite, madame Constance.

Depois de Sarah sair, Connie tirou a roupa, sem se atrever a olhar para o que sabia ser uma coleção de terríveis hematomas escuros, e vestiu a camisola. Subiu na cama estreita, agradecida por poder descansar o corpo dolorido, e puxou a colcha de retalhos por cima de si, sentindo o frio intenso da noite de dezembro.

– Durma bem, Sophia – falou.

– Vou tentar – foi a resposta. – Mas estou com muito frio, e não paro de pensar no meu irmão. Ah, Constance, como vou suportar isso? Perdi Édouard e Frederik no mesmo dia.

O som de um choro sentido incentivou Connie a sair da própria cama e ir até a de Sophia.

– Chegue para lá, vou deitar com você para esquentá-la.

Sophia obedeceu e se aninhou nos braços de Connie.

– Precisamos acreditar que Édouard está seguro e que vai encontrar um jeito de chegar até nós – disse Connie, com uma convicção que não sentia.

Depois de algum tempo, as duas caíram num sono agitado, com os corpos enroscados em busca de calor e reconforto.

Édouard viu a mãe em pé acima dele. Tinha 7 anos e ela estava lhe mandando tomar um pouco d'água porque ele estava com febre.

– *Maman*, você veio – murmurou ele, sorrindo diante daquela presença maravilhosa e reconfortante. Então o rosto mudou e ela se transformou em Falk, de uniforme nazista, com uma arma apontada para o seu peito...

Ele acordou sobressaltado e gemeu ao ver o teto da adega acima de si. Precisava desesperadamente beber água; a sede que sentia era insuportável.

Mas quando ordenou ao corpo que se movesse em direção ao armário onde ficavam os cantis, ele não lhe obedeceu.

Conforme perdia e recobrava os sentidos, aceitou que em breve iria morrer. E a morte seria um alívio. Desejava apenas poder saber se sua adorada irmã estava segura.

– Querido Deus, leve a mim, mas permita que ela viva... – grunhiu. – Permita que ela viva.

Então, mais uma vez, soube que estava tendo uma alucinação enquanto sua alma se preparava para deixar seu corpo, pois viu um anjo de cabelos negros pairando acima dele, pousando na sua testa um pano deliciosamente molhado, e pingando água entre seus lábios ressequidos. Algo com um gosto desagradável lhe estava sendo forçado garganta abaixo numa colher. Ele teve engulhos, mas mesmo assim engoliu o líquido e tornou a adormecer. O mesmo sonho se repetiu várias vezes, e o anjo permaneceu ao seu lado. Em determinado momento, ele sentiu que o anjo o suspendia para cima de uma cama, e começou a se sentir mais calmo, mais fresco e mais confortável.

Então acordou e viu que o teto rachado da adega continuava acima da sua cabeça, só que agora não estava mais girando nem borrado. Pela primeira vez o teto lhe pareceu sólido. Significava que ele ainda não estava morto, pensou Édouard, desolado, mas continuava preso na desesperança da vida.

– Não vá me dizer que você acordou mesmo! – disse uma voz feminina atrás dele.

Ele virou a cabeça e encarou um par de lindos olhos verdes. O rosto pálido que os rodeava estava emoldurado por um halo de cabelos negros. Aquele era o anjo com o qual ele havia sonhado. Na verdade, porém, ela era uma mulher de verdade, viva, que parecia ter conseguido entrar na sua adega não se sabia como.

– Quem... – Édouard pigarreou para encontrar sua voz distante. – Quem é você?

– Que nome prefere? – Os olhos cintilaram, bem-humorados. – Tenho vários. Meu nome oficial é Claudette Dessally, mas pode me chamar de Venetia.

– Venetia... – O nome evocou uma lembrança distante na mente exausta de Édouard.

– E você, presumo eu, é Édouard, conde La Martinières? Proprietário e atualmente único morador desta casa?

– Sim, mas como você pode estar aqui? Eu...

– É uma longa história. – Venetia descartou a pergunta com um gesto vago. – Podemos falar sobre isso mais tarde, quando você estiver mais forte. Tudo que precisa saber por enquanto é que quando eu o encontrei você estava à beira da morte. Não sei como, mas apesar de não ser conhecida por meus dotes de enfermeira, consegui salvar sua vida. Estou bem orgulhosa. – Ela sorriu e se levantou para pegar um cantil de água no armário, que pousou ao lado dele. – Beba o máximo que conseguir. Vou tentar esquentar uma sopa neste fogareiro a gás. Mas vou logo avisando: meus dotes de cozinheira são ainda piores do que os de enfermeira!

Édouard tentou se concentrar no corpo esguio da jovem ajoelhada acima da chama do gás, mas seus olhos tornaram a se fechar.

Mais tarde, quando ele tornou a acordar, ela continuava ali, sentada ao seu lado numa cadeira, lendo um livro.

– Olá – disse ela, e sorriu. – Espero que não se incomode, mas eu dei um pulo lá em cima e encontrei a biblioteca. Estes últimos dias aqui embaixo têm sido um tédio.

Édouard ficou alerta. Tentou se levantar, mas ela o deteve balançando a cabeça.

– Por favor, relaxe. Eu juro que ninguém me viu, mesmo que ainda estejam vigiando a casa. Fique tranquilo, pois eu fui treinada especialmente para este tipo de coisa. Sou uma das melhores – anunciou ela com orgulho.

– Por favor, pode me dizer quem você é? E como me encontrou? – pediu ele.

– Já lhe disse que meu nome é Venetia, e vou explicar tudo se você prometer tomar esta sopa aqui inteirinha. Acho que a infecção passou, mas você ainda está muito debilitado e precisa recobrar as forças.

Ela se levantou e foi pegar a panela de latão, então se sentou na cama e levou a colher à boca dele.

– Eu sei – comentou quando Édouard franziu o rosto com repulsa. – Ficou meio fria. Eu esquentei mais cedo, mas você dormiu antes de conseguir tomar.

Ele só conseguiu tomar umas poucas colheradas, o estômago reclamando do fluxo repentino e ameaçando protestar.

– Certo. – Venetia largou a panela no chão de pedra. – Não lido bem com vômito, então vamos ter que deixar para outra hora.

– Agora quer me contar como me encontrou? – suplicou Édouard, desesperado para saber como aquela mulher tinha salvado sua vida.

– Tenho certeza de que você vai ficar bem chateado se eu contar, mas, por outro lado, se eu não tivesse vindo aqui, você não estaria tendo esta conversa comigo. Nem comigo nem com mais ninguém, aliás – acrescentou ela. – Eu sou operadora de rádio do EOE. Quando a maior parte da minha rede foi presa, localizei Connie... Fizemos o treinamento juntas na Inglaterra. Implorei a ela para me deixar usar esta adega para transmitir mensagens urgentes para Londres. E você deveria estar muito agradecido por eu ter feito isso, Édouard, já que foi na noite anterior à invasão da sede do STO, organização com que eu por acaso sei que você estava muito envolvido. – Venetia ergueu uma das sobrancelhas. – Quando estive aqui, eu peguei a chave da porta da adega, só para o caso de precisar encontrar um abrigo outra vez – disse ela, apontando. – E depois daquela noite no Café de La Paix, quando, como você sabe, muitos agentes foram presos, foi para cá que eu corri para me esconder. É claro que quando cheguei vi que a casa tinha sido invadida e revistada. Então esperei, e quando vi a patrulha lá fora sair para jantar, entrei pulando o muro do jardim, abri a porta da adega e encontrei você quase morto no chão.

Édouard escutava sem surpresa.

– Entendi.

– Por favor, não fique bravo com Connie – emendou Venetia. – Ela estava só tentando fazer o trabalho que foi designado a ela. E, no fim das contas, considerando onde você e eu estamos agora, o fato de ela ter me ajudado se revelou uma bênção disfarçada.

Édouard estava demasiado exausto para pedir mais detalhes. Seu ombro doía, e ele mudou de posição para tentar ficar mais confortável.

– Obrigado por salvar minha vida – falou.

– Deus abençoe o iodo – disse Venetia, sorrindo. – E o fato de ter uma casa repleta de suprimentos lá em cima. Seu ferimento parece estar cicatrizando bem, mas você deve ter uma constituição bem robusta. Vai ver é toda essa comida maravilhosa que come com seus amigos *boches*. Espero que não se importe, mas eu assaltei a geladeira ontem à noite e saboreei um sanduíche de *foie gras* dos deuses.

– Venetia, você entende, é claro, que os inimigos que eu recebia aqui não são meus amigos – disse Édouard com ênfase.

– É claro que eu entendo. Estou só brincando. – Ela abriu um sorriso.

– Eu fui ao café naquela noite porque a sua amiga Constance tinha sido informada por um oficial da Gestapo de que haveria uma batida lá, sabe? – disse Édouard com um suspiro. – Ela estava insistindo para ir pessoalmente avisar você, mas eu fui no lugar dela. E, no caso, cheguei tarde. E ainda por cima levei um tiro.

– Bom, então é isso. Você tentou salvar a minha vida e eu salvei a sua. Estamos quites. – Ela assentiu. – Se importa se eu fumar?

– Não. – Venetia acendeu um Gauloise. – Ainda estão vigiando a casa?

– Não. Foram embora algumas horas atrás e não voltaram. Os *boches* já têm problemas suficientes para perder tempo com passarinhos que pensam já terem voado do ninho. A propósito, onde está Constance? – indagou ela.

– Foi embora com minha irmã e a empregada na manhã depois da batida – explicou Édouard. – Mandei-as para o sul, mas é claro que não tenho ideia de onde elas estão agora.

– Para onde estão indo? – perguntou Venetia.

Édouard a encarou.

– Eu preferiria não dizer.

– Ah, faça-me o favor! – Ela pareceu ofendida com aquelas palavras. – Acho que está bem óbvio que nós dois estamos do mesmo lado. E eu sei exatamente quem você é. A Resistência fala seu nome em tom de reverência. O fato de o seu disfarce ter sido descoberto é uma perda imensurável para a causa. E peço desculpas pela minha participação nisso. Mas parabéns por ter conseguido mantê-lo por tanto tempo. Eu acho, Herói, que você vai ter de sair do país o quanto antes – continuou ela, enfatizando o codinome de Édouard. – É quase certo que agora está no topo da lista de procurados da Gestapo.

– Eu não posso sair do país. Minha irmã é cega e, portanto, extremamente vulnerável. Se a Gestapo pegá-la para tentar descobrir meu paradeiro… – Édouard estremeceu. – Mal suporto pensar numa coisa dessas.

– Imagino que as tenha mandado se esconder?

– Tivemos pouco tempo para falar sobre qualquer coisa – disse Édouard com um suspiro. – Mas elas sabem para onde estão indo.

– Bom, sua irmã está em mãos capazes. Constance foi a melhor aluna do treinamento do EOE – tranquilizou Venetia.

– Sim, Constance é uma mulher excepcional – concordou Édouard. – Mas e você, Venetia? Quais são seus próximos passos?

– Bom, infelizmente, quando eu fugi de onde estava escondida, tive de largar meu rádio para trás. Londres já sabe e está arrumando outro para mim. Disseram para eu me manter discreta por um tempo. Então aqui estou, bancando a sua enfermeira para fazer algo útil. – Ela sorriu.

Édouard a encarou com um ar de admiração. Apesar do perigo a que estava exposta, seu espírito se mantinha firme.

– Você é uma jovem muito corajosa, e temos sorte de tê-la conosco – falou, com a voz fraca.

– Ora, obrigada, meu caro senhor. – Venetia piscou os cílios para ele. – Estou só fazendo o meu trabalho. E o que mais se pode fazer exceto rir? O mundo está uma bagunça tão grande que eu tento viver cada dia como se fosse o último. Porque pode muito bem ser mesmo – acrescentou ela. – Tento enxergar tudo como uma enorme aventura.

Venetia sorriu animada, mas Édouard podia ver o sofrimento em seus olhos.

– Mas enfim, avalio que daqui a alguns dias você talvez esteja forte o suficiente para pensar no seu plano de fuga – sugeriu ela. – Se for do seu agrado, posso envolver meu pessoal na operação para tirá-lo da França. Mas por enquanto, como estamos presos aqui, vou me esgueirar até lá em cima, pegar outro livro e usar o banheiro. Em algum momento você bem que poderia tomar um banho decente. – Ela franziu o nariz. – Me desculpe, mas banho com esponja é demais para mim. Posso te ajudar com alguma outra coisa?

– Não, obrigado. Cuidado lá em cima – disse ele enquanto ela começava a subir a escada que ia dar na casa.

– Não se preocupe, vou tomar – respondeu ela num tom leve.

Édouard se recostou, exausto, e agradeceu a Deus que, por meio de uma série de felizes e inacreditáveis coincidências, aquela mulher extraordinária tivesse aparecido na sua vida e o salvado.

24

Na manhã seguinte, Sarah havia recomendado que as três mulheres por enquanto ficassem onde estavam.

– Precisamos esperar a próxima travessia do rio – explicou a Connie durante o café da manhã. – Então, madame Constance, sugiro que os seus novos documentos a identifiquem como uma empregada doméstica da Provença. Tem algum nome que prefira usar?

– Hélène Latour? – sugeriu Connie, pensando na filha da vizinha de sua tia, com quem ela costumava brincar na praia em Saint-Raphaël muito tempo antes.

– E nesse caso Sophia pode ser sua irmã Claudine. – Sarah baixou a voz. – É claro que, quando chegarmos ao nosso destino, Sophia vai ter de se esconder. Muita gente por lá vai reconhecê-la.

– Os *boches* fatalmente aparecerão lá à nossa procura, não? – disse Connie. – Falk sabia sobre o château.

– Édouard me disse que há um lugar onde podemos esconder Sophia e mantê-la segura. Seria melhor se pudéssemos todas sair do país imediatamente, claro, mas, com as limitações de Sophia, a rota de fuga seria árdua demais para ela. E pelo menos no château vamos depender apenas de nós mesmas. Nem os esconderijos supostamente seguros o são mais. A Gestapo paga muito dinheiro por informações sobre qualquer vizinho que desconfiem estar abrigando pessoas como nós. Então, só para o caso de eles nos fazerem uma visita, eu e a senhora vamos mudar nossa aparência para ficarmos parecidas com as fotografias de nossos passaportes. – Sarah brandiu um frasco de água oxigenada para Connie. – Achou complicado? – perguntou ela, rindo, ao ver a cara de Connie. – Eu vou precisar pintar meus cabelos de ruivo! E depois teremos de fazer alguma coisa em relação às roupas de mademoiselle Sophia. São elegantes demais e vão chamar atenção.

Connie a encarou assombrada.

– Você é uma verdadeira profissional, Sarah – falou. – Como sabe tudo isso?

– Meu marido trabalhou durante dois anos com o Maquis até ser pego e morto a tiros pela Gestapo. E eu ajudei o conde em suas muitas e perigosas missões, claro. É uma questão de sobrevivência. Aprende-se depressa quando é preciso. Mas agora... – Sarah apontou para o toalete atrás da casa, onde havia também uma pequena pia. – A senhora precisa molhar os cabelos antes de aplicar a água oxigenada.

Ao sair em direção ao banheiro externo com o vidro na mão, Connie se sentiu invadida por uma onda de humildade. A despeito de todo o seu grandioso treinamento, Sarah, uma simples criada, era muito mais bem-preparada do que ela para lidar com a situação.

Dois dias depois, quando Connie viu o terceiro carro de patrulha alemão percorrendo a rua estreita em poucas horas, Sarah veio procurá-la e disse que elas iriam embora naquela noite.

– Não posso continuar expondo minha irmã ao perigo – acrescentou ela. – Estamos com nossas novas identidades e vamos seguir viagem. Está tudo organizado para hoje à noite.

– Certo.

Connie aquiesceu e olhou para Sophia, sentada desanimada diante da mesa da cozinha. A jovem parecia perdida no próprio mundo; não fora habilitada nem por sua origem nem por sua constituição física para lidar com o que estava acontecendo. Connie apertou sua mão.

– Nós vamos embora hoje à noite, querida, e você em breve vai estar na casa sobre a qual tanto falava – disse, para reconfortá-la.

Sophia reagiu com um meneio de cabeça; todo o seu ser irradiava desalento. Ela estava usando uma roupa de camponesa, e um grosso cardigã de lã bege acentuava sua tez pálida. Connie mal a vira comer desde que elas haviam chegado, e em mais de uma ocasião a acompanhara até o banheiro lá fora e ficara ao seu lado enquanto ela vomitava. Mesmo depois de elas atravessarem a Linha de Vichy, sabia que ainda teriam centenas de quilômetros a percorrer antes de estarem em segurança. Rezou para Sophia sobreviver. Era óbvio que ela não estava nada bem.

Às dez da noite, Connie, Sarah e Sophia se juntaram a seis outras pessoas reunidas na margem do rio Saône. Embarcaram numa barcaça de fundo chato; Connie subiu primeiro, e Sarah lhe entregou Sophia com todo o cuidado. Enquanto a embarcação navegava na escuridão completa para a curta travessia até a outra margem, ninguém disse nada. Chegando à margem oposta, os passageiros desembarcaram ainda em silêncio e se espalharam, correndo pelo campo congelado até desaparecerem noite adentro.

– Segure uma das mãos de Sophia e eu seguro a outra – instruiu Sarah. – Sophia, agora você vai precisar correr conosco, porque não podemos ser vistas aqui.

– Mas para onde nós vamos? – sussurrou Sophia enquanto as duas mulheres a conduziam pelo campo o mais depressa que conseguiam. – Que frio… mal consigo sentir meus pés.

Sarah, ofegante, já que seu corpo roliço não estava acostumado ao exercício, não gastou seu fôlego para responder.

Por fim, Connie viu uma luz tremeluzindo ao longe.

Sarah diminuiu o passo enquanto o contorno de uma construção aparecia. A luz que Connie tinha visto era um lampião a óleo pendurado num prego do lado de fora de um celeiro.

– Vamos nos abrigar aqui durante a noite, até o dia raiar. – Sarah empurrou a porta do celeiro para abri-la, tirou o lampião do prego e o levou para dentro. Na luz fraca, Connie pôde ver montes de feno empilhados à sua volta.

– Pronto. – Sarah conduziu Sophia até um monte de feno nos fundos do celeiro e a sentou sobre ele, ainda arfando por causa do esforço. – Pelo menos aqui dentro é seco e seguro.

– Nós vamos dormir num celeiro? – perguntou Sophia, horrorizada. – A noite inteira?

Connie quase gargalhou ao ouvir sua indignação. Aquela era uma mulher que tinha dormido quase todas as noites da sua vida nos melhores colchões de crina e travesseiros de penas.

– Sim, e todas precisamos nos acomodar como for possível – disse Sarah. – Agora deite-se, e vou lhe arrumar uma cama de feno quentinha.

Quando Sophia por fim se acomodou no feno, Sarah se deitou ao seu lado.

– A senhora também precisa dormir, madame Constance – disse ela para

Connie. – Temos uma viagem longa e difícil pela frente. Mas antes que eu me esqueça, só para o caso de acontecer alguma coisa comigo, pegue isto aqui. – Sarah lhe passou um pedacinho de papel. – É o endereço do château dos La Martinières. Quando chegar, vá direto para a cave que fica dentro da propriedade. Édouard disse que Jacques Benoît vai estar à sua espera. Boa noite.

Connie leu o endereço, decorou-o, então acendeu um fósforo e o queimou, grata pelo calor momentâneo junto a seus dedos. Então se enterrou no feno, abraçou os próprios ombros e rezou para o dia chegar logo.

Ao acordar, Connie viu que a cama de Sarah já estava vazia. Sophia ainda dormia pesado. Ela saiu do celeiro e deu a volta pela lateral para fazer suas necessidades, então viu Sarah voltando, puxando atrás de si um cavalo preso a uma carroça que sacolejava.

– Este é Pierre, o fazendeiro vizinho daqui, e eu o convenci a nos levar até a estação de Limoges. É perigoso demais embarcar no trem mais perto – disse Sarah.

Sophia foi acordada e, depois de algum tempo, ajudada a subir num dos montes de feno na caçamba da carroça. O condutor, um francês calado e com a pele castigada pelo clima, deu início à viagem.

– Quanto mais a guerra dura, mais essa gente vai ficando gananciosa – resmungou Sarah. – Mesmo eu tendo lhe explicado que a jovem dama de quem cuido é cega, ele me cobrou uma fortuna para nos levar. Mas pelo menos tenho certeza de que posso confiar nele.

Conforme o cavalo estalava os cascos e a carroça avançava pelos campos da Borgonha, Connie pensou como aquele trajeto seria agradável no auge do verão. Dali a poucos meses, o solo congelado estaria repleto de brotos de vinhas. Elas viajaram durante quatro frias e desconfortáveis horas, até que o fazendeiro parou logo antes do acesso à cidade de Limoges e se virou para elas:

– Preciso deixá-las aqui. Não me atrevo a ir mais longe.

– Obrigada, monsieur – respondeu Sarah com cansaço. As três saltaram e iniciaram a caminhada em direção ao centro da cidade.

– Estou muito cansada... e tonta – gemeu Sophia, apesar de as duas mulheres que a ladeavam estarem suportando a maior parte do seu peso.

– Não falta muito, querida, e vamos embarcar no trem que vai nos levar até Marselha – tranquilizou Sarah.

Na estação, Sarah comprou as passagens e elas entraram num café logo ao lado. Connie bebericou agradecida um café quente e mordiscou uma baguete, mesmo o pão estando dormido. Sophia pegou a xícara de café, então sentiu um engulho e a empurrou para longe. Na plataforma, após sentá-la num banco, Sarah se afastou com Connie até onde Sophia não as pudesse ouvir.

– Ela não está nada bem, não é, Sarah? – perguntou Connie, aflita. – E já está assim há semanas, então não pode ser apenas o choque e as dificuldades da viagem.

– Tem razão. O problema não é esse – respondeu Sarah, com uma expressão séria. – Infelizmente é bem mais sério do que isso. Olhe para ela: muito pálida, enjoada o tempo todo… Não a viu empurrar o café para longe agora mesmo porque não suportou o cheiro? O que esses sintomas lhe sugerem, madame?

Connie levou um tempo para seguir o raciocínio de Sarah. Levou a mão à boca.

– Está sugerindo que…

– Eu não estou sugerindo – retrucou Sarah. – Eu *sei*. Lembre-se de que eu preciso ajudar mademoiselle Sophia com muitas coisas. E ela não sangra há semanas.

– Ela está grávida? – Connie fez a pergunta num sussurro horrorizado.

– Está, mas não sei quando pode ter acontecido. – Sarah deu um suspiro. – Não consigo pensar numa ocasião em que os dois tenham ficado sozinhos por tempo suficiente para… – Ela não completou a frase, enojada pela ideia. – Mas não tenho dúvidas de que seja verdade. Ela está com todos os sintomas de uma gestação.

Sentindo um peso no coração, Connie pensou que sabia *exatamente* quando a oportunidade havia se apresentado, e fora sob a sua responsabilidade. Mas nem por um instante ela teria sequer sonhado que Sophia, com a criação que tivera, pudesse fazer uma coisa daquelas. Ela era tão inocente… uma criança…

Não, corrigiu-se. Sophia era mulher feita, com os mesmos sonhos e desejos físicos de qualquer outra… Tinha a mesma idade da própria Connie. Quem sempre a tratara feito criança foram os moradores da residência La Martinières, entre os quais ela se incluía. E ainda por cima… Connie sentiu

263

um nó na barriga ao pensar nas ramificações da notícia que Sarah tinha acabado de lhe dar. Ainda por cima, ela sabia que o pai do bebê era um oficial alemão de alto escalão da SS.

– Sarah. – Ela se virou para a empregada. – As circunstâncias não poderiam ser piores do que estas.

– Verdade – concordou Sarah. – Já é ruim o suficiente ela engravidar fora do casamento, mas se alguém descobrir a identidade do pai... – A voz de Sarah se perdeu. Ela estava abalada demais para continuar.

– Pelo menos ninguém mais sabe – disse Connie para reconfortá-la.

Bem nessa hora, o trem entrou na estação e elas andaram de volta até Sophia.

– Madame, a senhora vai descobrir que tem sempre alguém que sabe – disse Sarah com um suspiro. – E que está disposto a contar. Precisamos apenas nos concentrar em levar Sophia até um lugar seguro, e então poderemos decidir a melhor forma de proceder.

Em vez do luxo da primeira classe, as três embarcaram na terceira classe, como condizia com seu status modesto. O vagão lotado estava sujo e cheirava a corpos mal lavados. Depois de algum tempo o trem saiu da estação, e Connie suspirou aliviada. Cada passo que davam as levava para mais perto do refúgio.

Em cada estação, seu corpo se retesava. Temendo invasões pelo sul do país, os alemães estavam acorrendo em massa a Marselha, e as plataformas estavam abarrotadas de soldados *boches*. O vagão não tinha calefação e era desconfortável, mas ela pôde ver que tanto Sarah quanto Sophia tinham conseguido pegar no sono. Além do medo de ser pega, toda vez que ela fechava os olhos voltava a ter os sentidos subjugados pelo horror do que tinha lhe acontecido três noites antes.

Uma estação antes de Marselha, o fiscal passou avisando que havia alemães a bordo verificando os documentos dos passageiros. Com o coração martelando no peito, Connie acordou as outras para lhes avisar. Todos no vagão estavam preparados para o perigo, e o cheiro do medo era palpável. Ao olhar para aquela coleção heterogênea de pessoas, ela se perguntou exatamente quantos outros passageiros estariam viajando ilegalmente.

Um oficial alemão entrou no vagão e ordenou a todos que mostrassem os documentos, com uma voz que pareceu um latido. Ninguém tirou os olhos dele conforme ele verificava cada fileira. Sarah, Sophia e Connie estavam na última, e a agonia de esperar a sua vez lhes pareceu interminável.

– Fräulein, documentos! – disparou ele para Sarah, que estava sentada mais perto do corredor.

– Claro, monsieur. – Sarah lhe passou os papéis com um sorriso simpático. Ele os examinou, então ergueu os olhos para ela.

– Onde esses documentos foram emitidos, Fräulein?

– Na *mairie* da minha cidade natal, Châlon.

Ele tornou a olhar os papéis e balançou a cabeça.

– Estes documentos são falsos, Fräulein. Não estão com os carimbos certos. Levante-se!

Tremendo de medo, Sarah obedeceu, e o alemão tirou a arma do coldre e a apontou para a sua barriga.

– Monsieur, eu sou uma cidadã inocente, não faço mal a ninguém, por favor… eu…

– *Aus!* Saia, agora.

Enquanto era acompanhada para fora do trem sob a mira da arma, Sarah não se virou em direção a Sophia e Connie. Qualquer sinal de que as três estivessem viajando juntas poderia ter feito com que fossem presas também. Alguns segundos depois, o apito soou e o trem tornou a partir.

Todos no vagão tinham os olhos cravados no lugar em que Sarah estivera sentada. Connie apertou com força a mão de Sophia, um alerta de que ela não devia dizer nada, e deu de ombros para os outros passageiros do vagão num gesto descompromissado. A mulher era apenas outra passageira sentada ao seu lado.

Em Marselha, as duas desceram do trem para esperar sua conexão com destino a Toulon. Connie sentou Sophia num banco da plataforma.

– Constance, meu Deus! – disse Sophia entre dentes, desesperada. – Para onde vão levar Sarah? O que será que vai acontecer com ela?

– Eu não sei, Sophia – respondeu Connie, tentando manter a calma. – Mas não havia nada que eu ou você pudéssemos ter feito. Pelo menos tenho confiança de que Sarah não vai dizer nada sobre nós, nem para quem trabalha em Paris. Ela ama muito você e sua família.

– Ah, Constance, ela estava comigo desde que eu nasci – disse Sophia, chorosa. – Como vou seguir em frente sem ela?

– Você está comigo – disse Connie, afagando sua mão. – E eu vou cuidar de você, prometo.

Quando o trem para Toulon chegou, Connie embarcou, nervosa. Se os documentos de Sarah eram visivelmente falsos, os seus também eram. E fora só por casualidade que os de Sarah tinham sido verificados primeiro e os seus, deixados de lado. Enquanto o trem resfolegava lentamente rumo ao leste, em direção à Provença e à Côte d'Azur, Connie foi obrigada a encarar o fato de que o braço protetor de Sarah já não estava à sua volta. A segurança de Sophia, e a sua própria, agora dependiam integralmente dela.

– Como estamos hoje? – perguntou Venetia ao levar um café para Édouard e pousá-lo ao lado de sua cama. – O leite acabou. Acho que já usei todos os enlatados que encontrei no armário lá em cima.

– Estou melhor, Venetia, obrigado – disse ele, e aquiesceu.

Nos dois dias anteriores, ele pouco fizera além de dormir e comer qualquer coisa de sustância que Venetia lhe oferecesse para tentar recuperar as forças. Mas nesse dia seu cérebro estava alerta, e ele definitivamente sentia estar a caminho da recuperação.

– Ótimo – disse ela. – Hora de tomar um banho, acho eu. Um bom banho sempre faz a pessoa se sentir mais humana e agrada aqueles que dividem o espaço com ela. – Ela franziu o nariz para enfatizar suas palavras.

– Acha que é seguro subir até o andar de cima? – perguntou Édouard.

– Sim, perfeitamente seguro. Além do mais, o banheiro fica na parte dos fundos da casa e tem persianas. Eu tomei banho à luz de velas todas as noites desde que cheguei. Uma delícia! – Venetia se espreguiçou e sorriu. – Agora tome seu café, e eu vou encher a banheira para você.

Uma hora mais tarde, depois de um banho demorado, Édouard de fato se sentiu revigorado. Venetia fora buscar roupas para ele no seu armário e refizera o curativo em seu ferimento já parcialmente cicatrizado.

– Nossa, Édouard! – comentou ela ao vê-lo descer os degraus da adega. – Você é bem alto quando está em pé. Agora acho que vou ter que me aventurar a sair, já que só sobrou comida de gato na cozinha. E até eu tenho limites. – Ela sorriu.

– Não, deixe que eu vou – pediu ele.

– Não seja bobo, Édouard. Eu tenho prática em me misturar à multidão, enquanto você, monsieur conde, infelizmente se sobressai como um farol. Deixe comigo. Volto já, já.

Antes de ele conseguir detê-la, Venetia saiu pela porta da adega, mas voltou vinte minutos depois com duas baguetes fresquinhas. Pela primeira vez ele comeu com vontade, e considerou a volta do seu apetite um sinal muito bom.

– Entrei em contato com minha rede, e eles estão bolando um plano para tirar você da França o quanto antes – explicou Venetia. – O que acha de passar uma temporada em Londres? Meu pessoal entrou em contato com o quartel-general das Forças Francesas Livres de De Gaulle lá. Eles apreciariam imensamente a sua companhia e um relatório. Isso se conseguirmos fazê-lo chegar lá inteiro, claro. Pena você ser tão alto... sua altura o torna bem mais difícil de esconder – concluiu ela.

– Mas e minha irmã? E sua amiga Constance? – Édouard balançou a cabeça. – Não, eu não posso simplesmente abandoná-las e fugir!

– Para ser bem direta, Édouard, provavelmente isso é a melhor coisa que você pode fazer pela sua irmã – afirmou ela. – Como já comentei, você está no topo da lista de mais procurados dos *boches*. E estamos todos torcendo para sua estadia não durar muito: os planos para a invasão aliada continuam.

– Em retrospecto, eu queria ter mantido Sophia aqui em Paris comigo – disse Édouard com um suspiro.

– Bom, agora não tem como voltar atrás – disse Venetia, estoica. – Consegui mandar um recado para o sul, alertando nossos amigos de lá sobre a chegada iminente da sua irmã. Eles vão ficar atentos à chegada dela e ajudarão como puderem.

– Obrigado, Venetia – disse Édouard com gratidão. – Mandei-as de boa-fé, imaginando que pudesse partir em seguida.

– Bom, não pode e pronto – respondeu Venetia, incisiva. – Eu vi seu rosto num cartaz quando estava na rua. Você está famoso em Paris, Édouard. Precisa sair do país assim que possível.

– Então você vai se arriscar para me ajudar.

– Não mais do que de costume. – Venetia arqueou as sobrancelhas e sorriu. – Mas está na hora de irmos, antes que nossa sorte acabe. Sairemos daqui amanhã.

Édouard aquiesceu com relutância.

– Nem preciso dizer quanto sou grato por tudo que você fez e está fazendo por mim.

– Bem, Herói – retrucou Venetia bruscamente para esconder a emoção –, pelo que eu soube, considerando o número incalculável de vidas que você já salvou, a honra é toda minha.

Connie puxou uma Sophia cansada para fora do trem na estação de Toulon. Quando elas saíram da plataforma, chovia a cântaros e a escuridão era total. Connie foi até o guichê de passagens e falou por entre a grade com o funcionário do outro lado.

– Com licença, monsieur. Quando é o próximo trem em direção a Gassin pelo litoral?

– Amanhã de manhã às dez – respondeu o homem com uma voz áspera.

– Entendi. O senhor conheceria um hotel onde possamos passar a noite?

– Vire à esquerda, tem um na esquina desta rua – disse o funcionário, olhando para a aparência desalinhada de Connie e fechando a cortina de seu guichê com um estalo.

Connie segurou Sophia pelo braço, e a duras penas as duas avançaram pela rua até chegarem ao hotel sugerido pelo funcionário da estação. Estavam encharcadas pela chuva torrencial.

O hotel era quentinho por dentro, ainda que em mau estado. O funcionário ofereceu a Connie um quarto a um preço que, em tempos normais, garantiria uma hospedagem no Ritz. Ela ajudou Sophia, exausta e pingando água, a subir a escada. Uma hora mais tarde, depois de as duas terem se lavado e se secado o melhor possível no banheiro decadente, Connie a levou até o pequeno restaurante e a fez se sentar.

– Você está quase em casa – falou, num tom reconfortante. – Por favor, Sophia, tente comer alguma coisa.

As duas mal tocaram na comida. Connie pensava em Sarah, Édouard e Venetia. Pensou em como ela e Sophia tinham sorte por pelo menos estarem vivas, aquecidas e secas naquela noite. Além do mais, aquele era o tipo de operação para a qual fora treinada, e precisava finalmente provar seu valor.

Uma voz interrompeu seus pensamentos.

– Está viajando para longe, madame?

Ela se virou e viu um rapaz sentado na mesa ao seu lado, observando ambas com interesse.

– Estamos voltando para casa – respondeu com cautela. – Moramos mais adiante no litoral.

– Ah, a Côte d'Azur. Acho que não existe lugar mais lindo no mundo – disse ele.

– Não, monsieur. Eu concordo.

– Estavam visitando parentes? – perguntou o homem.

– Sim – respondeu Connie, disfarçando um bocejo. – E a viagem de volta foi longa.

– Qualquer viagem ultimamente é repleta de dificuldades. Eu sou engenheiro agrícola, então viajo muito e vejo muitas coisas. – Ele arqueou as sobrancelhas. – Estão viajando desacompanhadas?

– Sim, mas estamos quase chegando – respondeu Connie, agora nervosa com tantas perguntas.

– É muita coragem fazer isso nestes tempos difíceis. Principalmente sendo a sua companheira... – O rapaz fez um gesto imitando um par de olhos fechados.

Na mesma hora, Connie entrou em pânico. O que estava fazendo, sentada à vista de todos num restaurante com a irmã obviamente cega de um homem procurado pela Gestapo?

– Não, minha irmã não é cega, ela está só cansada. Vamos, Claudine, já está na hora de dormir. Boa noite, monsieur – disse ela, permitindo que Sophia se levantasse sozinha, e só no último segundo segurando-a pelo braço e a conduzindo para fora da sala.

– Quem era aquele homem? – sussurrou Sophia, amedrontada.

– Não sei, mas não tenho certeza se devemos ficar aqui. Eu...

Quando seu pé tocou o primeiro degrau escada acima, alguém agarrou seu ombro e ela teve um sobressalto. Era o homem do restaurante.

– Madame, eu sei quem vocês são. – Ele estava falando em voz baixa. – Não tenha medo, seu segredo está seguro. Um amigo me alertou para o fato de que uma jovem dama assim estaria viajando para cá... – Ele indicou Sophia. – ... e me pediu para ficar atento e ajudá-la e a quem a estivesse acompanhando. Vi vocês na estação de Marselha e teria me apresentado mais cedo, mas também vi o que aconteceu com sua amiga no trem. Eu devo garantir que cheguem em segurança ao fim da viagem. Conheço bem o irmão de mademoiselle Sophia – concluiu o rapaz.

Connie ficou parada sem dizer nada, agoniada por tanta indecisão.

– Ele é um herói, madame – acrescentou o rapaz, encarando-a intensamente.

Ao ouvi-lo usar o codinome de Édouard, Connie assentiu.

– Obrigada, monsieur. Ficamos agradecidas.

– Amanhã vou acompanhá-las pelo litoral até a casa de mademoiselle. Meu nome é Armand e estou a seu dispor. Boa noite.

– Podemos confiar nele? – perguntou Sophia poucos segundos depois, ao subir na cama.

Se até de manhã a Gestapo não tivesse invadido o quarto, então Connie saberia que sim. Mas não foi o que disse a Sophia.

– Acho que podemos, sim. Seu irmão tem muitos contatos na Resistência e deve ter mandado avisar deste lado da linha.

– Quando será que Édouard vai se juntar a nós? – perguntou Sophia, e suspirou. – Ah, Constance, não consigo parar de pensar na pobre Sarah. O que podemos fazer?

– Precisamos torcer para ela ser interrogada, depois liberada para vir nos encontrar de novo. Agora durma tranquila, Sophia, pois amanhã à noite estaremos num lugar seguro.

Na manhã seguinte, após um desjejum de pão fresquinho e até um croissant recém-saído do forno, Connie se sentiu parcialmente revigorada. Armand tinha lhe meneado a cabeça do outro lado do restaurante enquanto bebia um café e em seguida se levantara e olhara para o relógio.

– Foi um prazer conhecê-las, madame. Agora vou indo, e seguirei a pé até a estação para pegar o trem do litoral. – Ele sorriu e saiu do salão.

Alguns minutos depois de Armand sair, Connie guiou Sophia pelas ruas até a estação, e ele tocou o chapéu ao vê-las chegar. Connie comprou duas passagens, conduziu Sophia até um banco na plataforma e ficou observando enquanto Armand lia um jornal com uma atitude descontraída. O pequeno trem chegou à plataforma e todos se aglomeraram diante das portas de um modo nada britânico. Connie ajudou Sophia a embarcar e a sentou junto à janela. Procurou Armand, mas ele parecia ter sumido no segundo vagão.

A viagem até Gassin levou pouco mais de duas horas. Connie ficou admirando a sequência de belos vilarejos litorâneos que, no auge do verão, encaravam um mar azul-turquesa. Agora, no início de dezembro, as ondas lá embaixo eram de um cinza raivoso. Ela estremeceu, torcendo apenas para poder se aquecer quando as duas chegassem ao destino; estava gelada até os ossos.

Felizmente a viagem de trem transcorreu sem incidentes, e elas desembarcaram na estação de Gassin sob uma forte chuva. Quando a composição já tinha seguido seu vagaroso curso e a pequena quantidade de passageiros se dispersou, somente elas duas e uma carroça puxada por um jumento ainda aguardavam pacientemente novas instruções. Poucos minutos depois, Armand apareceu empurrando duas bicicletas.

Connie o encarou horrorizada.

– Monsieur, o senhor precisa entender que Sophia não pode pedalar. Que tal a carroça do jumento? – sugeriu ela.

– Jumenta. O nome dela é Charlotte, e é ela quem leva a correspondência até o vilarejo de Gassin, no alto do morro. – Armand encarou o animal com carinho. – Mas se ela desaparecer isso pode alertar os moradores sobre a presença de Sophia.

– Mas Charlotte com certeza não diria nada, não é, monsieur?

– Ela é de confiança – concordou ele, e uma centelha de sorriso surgiu em seus olhos diante daquela afirmação absurda. – Já seu dono, o carteiro, eu não garanto. O château fica a cinco minutos de bicicleta daqui. Sophia vem agarrada em mim.

– Não! – A jovem ficou indignada. – Eu não posso fazer isso.

– É preciso, mademoiselle. – Ele olhou para Connie. – Agora pegue isto. – Ele lhe entregou a pequena bolsa de viagem de Sophia, que Connie pôs na cestinha dianteira da bicicleta. – E me ajude a fazer mademoiselle subir.

– Por favor, não me obriguem! – gemeu Sophia, apavorada.

Agora encharcada, Connie perdeu a paciência.

– Sophia, pelo amor de Deus, suba logo, senão vamos todos morrer de pneumonia!

A rispidez do seu tom calou os protestos da jovem, e os dois a ajudaram a sentar no selim.

– Segure firme na minha cintura – instruiu Armand, montando na bicicleta. – Pronto. Vamos lá!

Connie ficou olhando Armand avançar cambaleando pela estrada irregular, com Sophia desesperadamente agarrada a ele. Ela o seguiu, e vários minutos depois, enquanto as gotas de chuva escorriam dos seus cabelos platinados, Armand saiu da estrada principal. Alguns metros mais adiante na estradinha estreita, ele parou para deixar Connie alcançá-los.

– Pronto, mademoiselle! Sua primeira viagem de bicicleta. – Ele ajudou Sophia a saltar da bicicleta, trêmula, e a pousou no chão, indicando que

Connie fizesse o mesmo. – Daqui precisamos ir a pé; o chão é acidentado demais para as rodas. Vamos entrar pelos fundos do château, passar pelo meio do vinhedo e ir direto para a cave. A boa notícia é que não cruzamos com ninguém desde que saímos da estação – disse ele, enquanto conduzia Sophia com todo o cuidado pela estrada cheia de buracos e poças. – A chuva nos ajudou.

– Chegamos? – perguntou Sophia.

– Sim. Daqui a poucos minutos estaremos na cave – disse ele num tom tranquilizador.

– Graças a Deus! – exclamou ela, ofegante de medo e de exaustão.

– Jacques está esperando vocês – disse Armand.

Ouvir aquele nome pareceu apressar os passos de Sophia. Uma construção grande e revestida de gesso surgiu em seu campo de visão, e Armand abriu as altas portas de madeira no centro. Quando eles entraram e se abrigaram da chuva, a própria Connie sentiu vontade de chorar de alívio.

O interior da construção era um espaço enorme, mal iluminado, dominado pelo cheiro de uvas em fermentação. Imensas pipas de carvalho margeavam as paredes, e uma figura surgiu por uma porta lateral entre duas delas.

– Sophia? É você? – sussurrou uma voz vinda das sombras.

– Jacques!

Sophia estendeu os braços finos, e um homem alto e corpulento, de 40 e poucos anos, com o rosto enrugado e muito bronzeado pelo sol inclemente, andou até eles.

– Minha Sophia, graças a Deus você está segura! – O homem a apertou junto ao peito largo e forte, e ela pôs-se a soluçar no seu ombro. – Não se preocupe, Jacques está aqui agora. Eu vou cuidar de você.

Connie e Armand ficaram observando a demonstração de carinho sem dizer nada. Jacques então olhou na direção deles.

– Obrigado por trazê-la para casa – disse aos dois com a voz embargada. – Não acreditei que ela fosse conseguir. Alguém os viu chegar?

– Jacques, com essa chuva não dava para ver dois centímetros à frente do nosso nariz – respondeu Armand, rindo. – Não poderia ter sido melhor.

– Ótimo. Então agora, senhoras, tem um fogo aceso na lareira do meu chalé, e vocês duas precisam tirar essas roupas molhadas. – Jacques soltou Sophia e foi até Armand. – Obrigado, meu amigo. Tenho certeza de que o conde nunca vai esquecer o que você fez por ele.

– Eu fiz muito pouco... É a esta dama que o senhor deveria agradecer. – Armand apontou para Connie.

– Onde está Sarah, a empregada de Sophia? – perguntou Jacques.

– Monsieur, eu...

– Foi presa logo antes de Marselha – interveio Armand.

– Então quem é essa? – Jacques estreitou os olhos para Connie.

– Uma amiga de confiança do conde e uma de nós. Mas a própria Constance vai explicar tudo no seu devido tempo – disse Armand.

– Certo. – Jacques pareceu tranquilizado. – Venha, Sophia, precisamos esquentar você. Certamente vou ter notícias suas em breve – disse ele, meneando a cabeça na direção de Armand.

– Claro. Até logo, madame Constance. Estou certo de que esta não vai ser a última vez que nos vemos. – Armand lhe abriu um sorriso agradável.

– Obrigada pela sua ajuda, em nome de nós duas – disse Connie, sincera. – Sua viagem de volta será longa?

– Essa não é uma pergunta que se faça nos tempos atuais. Eu tenho muitas casas. – Ele lhe deu uma piscadela e, puxando inutilmente o casaco encharcado para cima, saiu da cave.

– Venham comigo – disse Jacques, meneando a cabeça para Connie e conduzindo Sophia pela porta entre as duas imensas pipas e por um corredor até outra porta. Ele a abriu e fez as mulheres entrarem numa cozinha bem-arrumada, e um calor abençoado envolveu Connie quando ela adentrou a sala de estar pequenina onde um fogo ardia na lareira.

– Vou subir e encontrar roupas quentes para vocês duas. As que trouxeram devem estar tão ensopadas quanto as que estão usando – disse Jacques, apontando para a bolsa de couro que havia formado uma poça no chão de lajota.

– Ah, Constance! – exclamou Sophia, lhe entregando o casaco. – Nunca me senti tão grata por chegar em um lugar!

– Sim, foi uma viagem terrível – concordou ela. – Mas agora chegamos, Sophia, e você pode descansar.

Jacques desceu com duas camisas grossas de flanela e suéteres de lã para ambas.

– Por enquanto vai servir – falou, abrupto, entregando a cada uma um pano para que secassem os cabelos ensopados. – Vou fazer um café e preparar uma comida enquanto vocês se trocam – emendou ele, saindo do quarto e fechando a porta.

– Por que Jacques não nos leva direto para o château? – perguntou Sophia enquanto Connie a ajudava a tirar o que restava das roupas ensopadas. – Eu tenho um guarda-roupa inteiro de roupas limpas lá.

Sem ter ideia de onde ficava o château em relação ao chalé, ou qual era o plano, Connie deu de ombros.

– Aposto que ele pensou que o mais importante era aquecer e secar você.

– Sim, e fico feliz por estar aqui. O château é meu lugar preferido no mundo inteiro – disse Sophia, tateando os botões da camisa de Jacques, que batia na altura de seus joelhos.

– Agora sente aqui perto do fogo e seque os cabelos – disse Connie.

Ela então se despiu e recolheu a pilha de roupas molhadas, que precisariam ser torcidas numa pia antes de serem postas em frente à lareira. Jacques voltou da cozinha trazendo uma bandeja com café, que pôs sobre a mesa diante delas.

Connie bebeu o café em silêncio enquanto escutava Sophia conversar com Jacques e perguntar sobre os empregados da vinícola.

– Infelizmente estou sozinho aqui agora, Sophia. Todos os outros ou foram para o front, ou foram deportados para trabalhar nas fábricas dos *boches* na Alemanha. Eles me mantêm aqui na cave porque o *schnapps* que eu fabrico abastece os motores dos seus torpedos. Tem uma fábrica a uns poucos quilômetros daqui que faz centenas deles. Na última vez que eles vieram, eu disse que não podia lhes dar o que queriam. Disse que eles próprios tinham bebido *schnapps* demais e que o meu tinha acabado. – Seus olhos brilharam. – Eu estava mentindo, claro.

– Mas pensei que houvesse poucos alemães aqui no sul – declarou Sophia. – Que aqui fosse seguro.

– Infelizmente muita coisa mudou desde a última vez em que você esteve aqui – disse Jacques com um suspiro. – Todo mundo vive com medo, do mesmo jeito que em Paris. Poucas semanas atrás houve uma execução pública no hipódromo de La Foux, perto de Saint-Tropez. Os *boches* fuzilaram quatro integrantes do Maquis, do qual nosso valente amigo Armand faz parte. São tempos turbulentos, e todos precisamos tomar muito cuidado – alertou ele.

– Mas e o château? A governanta? As criadas? – perguntou Sophia.

– Foram todos embora – disse Jacques. – O château está fechado; passou os últimos dois anos assim.

– Mas quem vai cuidar de nós quando estivermos morando lá?

– Mademoiselle Sophia – Jacques segurou sua mão –, você não vai morar no château. É perigoso demais. Se Édouard tiver conseguido fugir, lá é o primeiro lugar em que virão procurá-lo. E se a encontrarem aqui, sem dúvida irão prendê-la e levá-la para ser interrogada. Afinal, você estava morando com seu irmão enquanto ele conduzia uma corajosa vida dupla.

– Mas eu não sei de nada. – Sophia torceu as mãos, desesperada. – O que eles poderiam querer comigo? Além do mais, não sei nem se o coitado do meu irmão está vivo ou morto.

Connie se deu conta do quanto Édouard havia protegido a irmã. Para Sophia, nada tinha mudado nos últimos quatro anos em matéria de privações físicas. Ela ainda levava a mesma vida confortável de antes da guerra. O colchão proporcionado pela indulgência do irmão e pelo dinheiro da família a tinha protegido de qualquer perigo que ela pudesse ter tido que enfrentar.

– Sophia, querida, você precisa entender que não pode ser vista aqui por ninguém. Seu irmão não lhe explicou isso? Ele não a mandou para o château para viver aqui livremente. Você seria levada pelos *boches* assim que eles soubessem da sua presença – tornou a explicar Jacques. – Não, ele a mandou porque sabe, assim como eu, que aqui existe um esconderijo onde você pode ficar até a guerra acabar. E não deve ser por muito tempo, eu prometo.

– Onde fica esse esconderijo? – perguntou Sophia, temerosa.

– Mais tarde eu lhe mostro, depois de comermos. Quanto à senhora, madame Constance… – Jacques se virou para ela. – Vai ficar morando aqui comigo. Diremos que a senhora é minha sobrinha, se alguém se der o trabalho de perguntar.

– Tem certeza de que não é melhor eu seguir meu caminho a partir daqui? – sugeriu Connie. – Talvez Armand possa me ajudar a entrar em contato com uma rede local, e talvez eu consiga voltar para a Inglaterra. Eu…

– Mas quem iria cuidar das necessidades de mademoiselle Sophia? – Jacques pareceu horrorizado com a ideia de Connie. – Eu sou homem, só posso fazer poucas coisas. – Ele se remexeu, constrangido. – Como a presença dela aqui nunca deve vir a público, eu simplesmente não posso arrumar mais ninguém no vilarejo. Não confio em ninguém.

– Constance! Não me deixe aqui! – exclamou Sophia. – Sozinha eu não vou conseguir. Você sabe disso. Por favor, precisa ficar comigo – implorou ela, buscando a mão de Connie.

Mais uma vez, qualquer pensamento de se desvencilhar da família La

Martinières que ela pudesse ter acalentado se evaporou. Ela segurou a mão de Sophia e, resignada, aquiesceu.

– É claro que eu não vou deixar você.

– Obrigada – disse a jovem, aliviada, e Connie reparou que ao dizer isso ela instintivamente levou a mão à barriga num gesto protetor. Então voltou sua atenção para Jacques. – O esconderijo é aqui com você, no seu chalé?

– Não, isso não seria possível. Os *boches* vêm aqui quando querem abastecer as panças de vinho e os torpedos do *schnapps* que a cave produz. – Jacques deu um longo suspiro. – Como eu disse, vou lhe mostrar depois de comermos.

Connie pelo menos ficou aliviada ao ver Sophia comer cada colherada do nutritivo ensopado de feijão com legumes que Jacques havia preparado.

– De repente me deu uma fome... – comentou ela, sorrindo. – Deve ser o ar da Provença.

Connie levou Sophia de volta ao seu lugar junto à lareira e a sentou. A moça deu um bocejo.

– Estou com muito sono, Constance. É quase como se meus olhos não conseguissem ficar abertos.

– Então feche-os – sugeriu Connie.

Quando teve certeza de que Sophia estava dormindo, Connie foi até a pequena cozinha e ajudou Jacques a lavar a louça do jantar. A expressão dele era grave ao guardar os pratos num pequeno armário.

– Sophia não vai gostar do lugar em que vai ter de se esconder, embora eu tenha tentado torná-lo o mais confortável possível. Mas fica num subsolo e é frio, com pouca luz natural. Talvez o único consolo seja o fato de ela não enxergar – suspirou Jacques. – Para qualquer ser humano capaz de ver, acho que esse de fato seria um destino pior do que a morte. Vamos torcer para essa guerra não demorar a ser vencida e para Sophia poder ficar livre.

– Para todos nós podermos ficar livres – murmurou Connie consigo mesma em inglês.

– Ela tem de ir para lá assim que possível; não falei nada na frente dela, mas a Gestapo veio aqui ontem mesmo fazer uma busca no château e na cave. Paris deve ter avisado sobre o desaparecimento de Édouard. Mas eles nunca vão encontrá-la nesse esconderijo – tranquilizou ele. – Mas e a senhora, madame? Como acabou bancando a criada pessoal de Sophia?

– Bom, eu...

Jacques leu a apreensão no seu olhar.

– Madame, minha família administra a cave dos La Martinières há duzentos anos. Édouard e eu fomos criados juntos. Ele foi o irmão que eu nunca tive. Nós temos os mesmos sonhos para o nosso país. Como a senhora estará vivendo debaixo do meu teto até segunda ordem, acho que precisa confiar em mim.

– Sim. – Connie deu um profundo suspiro e contou sua história. Jacques escutou com calma, sem nunca tirar os olhos do seu rosto.

– Então a senhora é uma agente treinada, de elite, cujo talento foi até agora desperdiçado – concluiu ele. – É mesmo uma pena – concordou. – Mas pelo menos se a Gestapo vier novamente visitar a propriedade e encontrá-la aqui comigo eu não estarei lidando com uma amadora. É possível eles terem uma foto sua em arquivo?

– Não – confirmou Connie. – Além do mais, estou bem diferente agora. Pintei o cabelo.

– Ótimo. Amanhã vou arrumar novos documentos para você, dizendo que a senhora é minha sobrinha que veio de Grimaud ajudar o tio a engarrafar o vinho e a cuidar da casa. Está bom para a senhora? – perguntou Jacques.

Connie se perguntou quantos nomes falsos precisaria adotar antes de ir embora da França.

– Claro, Jacques. Como o senhor achar melhor.

– E, felizmente para a senhora, pode se instalar no pequeno quarto ao lado do meu, no andar de cima– continuou Jacques. – É terrível Sophia não poder ter o mesmo luxo, mas a senhora precisa entender, madame Constance, que se a Gestapo decidisse aparecer aqui no meio da noite, a cegueira dela nos impediria de escondê-la depressa o bastante. E eu jurei para Édouard que a manteria segura. Nós todos precisamos fazer o que for necessário.

– Claro. E infelizmente há mais uma coisa que o senhor precisa saber... – Connie tinha decidido contar toda a verdade sobre Sophia. – Ela está grávida.

O semblante de Jacques passou por toda uma gama de emoções, que se concluiu com horror.

– Como assim? *De quem*? Édouard sabe? – perguntou ele por fim.

– Não, e na verdade nem a própria Sophia me contou ainda. Quem confirmou foi Sarah. Ela a conhece intimamente. E o pior não é isso, monsieur. – Connie inspirou fundo. – O pai do bebê é um oficial alemão graduado da SS.

Essa informação deixou Jacques completamente sem fala.

– Sinto muitíssimo lhe contar isso – disse Connie ao constatar seu choque.

– Minha pequena Sophia... Eu simplesmente não consigo acreditar. – Jacques balançou a cabeça. – E eu pensando que ela só corria perigo em relação aos *boches*. Mas se alguém viesse a saber que o pai do bebê é um oficial da SS, ela também teria de suportar a ira da França inteira. Poucas semanas atrás mesmo, no vilarejo aqui perto, uma mulher que notoriamente ia para a cama com o inimigo desapareceu de casa à noite. Seu corpo foi encontrado na praia mais adiante. Ela foi espancada até a morte e jogada no mar. – Jacques balançou a cabeça. – Madame, não tinha como ser pior.

– Eu sei – respondeu Connie com gravidade. – Mas o que podemos fazer?

– Tem certeza de que ninguém mais sabe sobre a relação dela com esse oficial? Nem sobre o fruto disso?

– Tenho, sim.

– Graças a Deus. – Jacques respirou aliviado. – Que continue assim.

– Talvez tudo que eu possa dizer é que Édouard certa vez me disse gostar do homem em questão. Disse que se a vida tivesse sido diferente, os dois poderiam ter sido amigos. Foi Frederik quem nos ajudou a fugir de Paris – arrematou Connie. – Acredito que ele seja um homem bom.

– Não! – Jacques balançou a cabeça com veemência. – Ele é alemão, e violentou nosso país e nossas mulheres!

– Concordo, mas às vezes o distintivo que somos obrigados a usar não indica necessariamente o tipo de pessoa que somos. Nem nossa verdadeira lealdade. – Connie deu um suspiro. – Então é isso.

– Nesse caso, é mais imperativo ainda que Sophia permaneça escondida. Embora eu não saiba dizer quais vão ser as consequências para ela quando essa guerra enfim terminar – disse Jacques, grave. Ele balançou a cabeça e levou a mão à testa. – A senhora precisa entender que eu sempre a amei como se fosse minha própria filha desde quando ela era bebê. Não posso suportar pensar... – Ele estremeceu e tornou a balançar a cabeça. – A guerra nos prejudica de muitos modos distintos. E agora arruinou a vida de uma jovem linda e vulnerável. Não cabe a mim tomar qualquer decisão em relação ao futuro dela, mas apenas como mãe solteira ela já vai ter uma vida difícil. Vamos torcer para que Édouard sobreviva à caçada montada para encontrá-lo e possa mais uma vez assumir as rédeas da vida dela. Por enquanto, eu e a senhora devemos fazer o melhor que pudermos para protegê-la.

À noite, Jacques conduziu Sophia de volta até a cave ocupada pelas imensas pipas de carvalho russo de seis metros de altura que se avultavam acima de Connie, protegendo e incentivando o suco da uva a fermentar em seu interior.

Parando em frente a um tonel mais para os fundos da cave, ele então subiu numa escadinha em frente à grande torneira, removeu a frente do barril e entrou lá dentro. Enquanto esperavam, Sophia e Connie ouviram o barulho de tábuas sendo movimentadas dentro do tonel. Por fim, a cabeça de Jacques apareceu.

– Vai ser difícil para você subir, mademoiselle Sophia, mas não se preocupe, eu estarei aqui para ajudá-la. Madame Constance, a senhora poderia entregá-la a mim e depois subir atrás?

– Nós vamos entrar na pipa de vinho? – perguntou Sophia, sem entender. – Não vou precisar ficar escondida aí dentro nas próximas semanas, vou?

– Dê a mão para Jacques e eu a ajudo a passar pela borda – instruiu Connie enquanto ajudava a jovem a subir a escadinha e a entrar, como Jacques havia feito. Sophia desapareceu no interior escuro, e Connie pôde ouvir Jacques lhe falando com uma voz suave.

– Agora a senhora, madame Constance – ecoou a voz dele lá de dentro.

Connie subiu e repetiu o processo. Ao baixar os olhos para dentro do tonel, viu que três das tábuas tinham sido removidas. Sophia e Jacques, que segurava um lampião, estavam em pé na escuridão debaixo do tonel. Ela baixou o corpo até o buraco e se colocou ao lado deles.

– Venham comigo – disse Jacques, segurando Sophia com uma das mãos e o lampião com a outra.

Connie se agachou até perto do chão enquanto avançava pela passagem estreita, e agradeceu a Deus pelo fato de Sophia ser cega e estar acostumada à escuridão intensa. O túnel – pois conforme eles foram avançando, aquele espaço não se revelou nada além disso – parecia não ter fim. Mesmo Connie, que em geral não era claustrofóbica, estava incomodada quando Jacques chegou a uma porta baixa e a destrancou. Eles entraram num cômodo quadrado, que ela reparou ter uma pequena janela gradeada numa parede nua de tijolo. Conforme sua visão foi se adaptando, viu uma cama, uma cadeira e uma cômoda. Havia até um capacho sobre o piso de pedra rugoso.

– Onde estamos, Jacques? – indagou Sophia, agarrando seu braço enquanto ele a fazia se sentar na cadeira. – Está muito frio e tem um cheiro horrível de umidade!

– Estamos no subsolo do château – respondeu Jacques. – Aqui do lado fica a adega de vinhos. Você vai estar segura aqui, Sophia.

– Quer dizer que eu tenho de ficar aqui? Neste lugar frio e úmido? E passar por aquele túnel comprido sempre que quiser sair do meu quarto? – Sua expressão denotou pânico. – Jacques, você não pode me deixar aqui, *por favor*!

– Mademoiselle Sophia, contanto que você nunca seja vista entrando no château pelo lado de fora, não vejo por que, com todas as persianas fechadas, não poderia de vez em quando se aventurar a subir lá em cima. E quem sabe dar uma caminhada no jardim interno, onde ninguém vai vê-la. Mas, para sua própria segurança, aqui é onde você deve ficar por enquanto.

– Mas e para tomar banho? – A voz de Sophia beirava a histeria. – E todas as outras coisas que uma dama precisa fazer?

Jacques empurrou uma porta e iluminou o interior com o lampião.

– Aqui tem um sanitário para você.

Connie olhou lá dentro e viu uma bacia posicionada abaixo de uma torneira e uma privada. O lampião de parafina que Jacques segurava de repente se apagou, e os três ficaram imersos na mais completa escuridão.

Este é o mundo de Sophia, pensou Connie enquanto Jacques se esforçava para reacender a chama. E naquele momento, ao correr os olhos pelo recinto que seria a sua prisão, ela agradeceu pela primeira vez que assim fosse.

– Eu não posso ficar aqui sozinha – disse Sophia, torcendo as mãos. – Não posso!

– Você não tem escolha – disse Jacques com súbita rispidez. – Durante o dia, como falei, vai poder sair, mas à noite não podemos arriscar.

– Connie! – Sophia estendeu a mão para encontrá-la. – Por favor, não me deixe aqui. Eu imploro! – choramingou ela em desespero.

Ignorando as súplicas da moça, Jacques prosseguiu.

– Também vou lhe mostrar como entrar aqui pelo château, madame Constance. Quem projetou este esconderijo foi esperto: ele tem duas saídas.

Ele foi até a parede do outro lado do cômodo e girou uma chave na fechadura de uma minúscula porta. Empurrou-a e, quando ela se abriu, Connie viu uma imensa adega de vinhos mais adiante. Jacques a levou até o outro lado e indicou uma escada.

– Por aqui se chega direto aos fundos do château. Contanto que nunca abra as persianas da casa, a senhora poderá usar a cozinha para pegar água e preparar a comida de Sophia. Nunca, em hipótese alguma, acenda um fogo. Estamos num vale, e a fumaça seria vista no vilarejo lá em cima – alertou ele.

– Claro – concordou Connie, sentindo-se um pouco aliviada por haver outra saída bem mais fácil da cela subterrânea lá embaixo.

– Vou deixá-la aqui acomodando mademoiselle Sophia para passar a noite. Amanhã poderá subir com ela até o château, onde ela poderá tomar um banho e pegar algumas roupas. Repito: não deve haver nenhuma luz nas janelas do château durante a noite. Isso seria visto a muitos quilômetros de distância e alertaria outras pessoas quanto à presença dela – reiterou ele.

– Entendido – disse Connie.

– Tem certeza de que consegue encontrar o caminho de volta? Vou deixar um lampião – disse Jacques quando os dois estavam voltando para a cela, onde Sophia chorava baixinho com a cabeça entre as mãos.

– Sim.

Depois de Jacques deixá-las, Connie sentou-se na cama ao lado de Sophia e segurou sua mão.

– Minha querida, tente ser corajosa. É só durante as noites que você precisa ficar aqui. Eu acho que é um preço pequeno a pagar pela sua segurança.

– Mas aqui é tão horrível! Esse cheiro... – Sophia suspirou e pousou a cabeça no seu ombro. – Fica aqui comigo até eu dormir, Constance?

– Fico, claro.

Sentada com Sophia nos braços, ninando-a como se ela fosse um bebê, Connie se perguntou como a vida podia ter dado tantas voltas a ponto de mandá-la para a França como agente do EOE e depois obrigá-la a fazer as vezes de protetora e enfermeira de uma aristocrata mimada.

Édouard estava sentado com Venetia na orla de uma mata densa que ia dar num descampado extenso e plano. Eles estavam em algum lugar imediatamente a oeste de Tours, mas devido aos vários meios de transporte extremamente desconfortáveis que ele tivera de suportar para chegar até ali, seu senso de direção estava embaralhado. Mas ele tinha chegado, afinal, e agora o homem agachado ao lado de Venetia estava correndo em disparada pelo descampado com seu lampião enquanto se ouvia o zumbido baixo de uma aeronave se aproximando. O homem fez sinal com o lampião três vezes para avisar ao piloto que estava tudo bem, e o avião começou a descer na sua direção.

– Pronto, Édouard, pelo visto você vai conseguir sair daqui. Mande lembranças minhas para a Inglaterra, sim? – disse Venetia num tom alegre.

– Claro. Você queria ir comigo? – Ele se virou para encará-la. E por um instante viu a fragilidade por baixo da bravata nos seus belos olhos verdes.

– Num mundo perfeito, eu gostaria, claro – disse ela, aquiescendo. – Não vejo minha mãe e meu pai há mais de um ano. Mas o mundo não é perfeito, certo? E eu ainda tenho trabalho a fazer aqui.

– Como poderei algum dia lhe agradecer pelo que você fez por mim? – disse Édouard, e as lágrimas de repente borraram sua visão ao pensar em deixá-la para trás, exposta a novos perigos. Apesar de ele ter adoecido, de ter ficado preso na adega e ter feito aquela viagem arriscada, o bom humor, a coragem e, acima de tudo, a alegria de Venetia o haviam assombrado e encantado. – Vou sentir sua falta – acrescentou.

– E eu de você. – Ela sorriu.

– Se, por algum motivo, nós dois sobrevivermos a essa guerra, eu gostaria muito de revê-la, Venetia.

– Eu também. – Ela baixou os olhos, subitamente encabulada.

– Venetia, eu… – Por instinto, ele a tomou nos braços e lhe deu um beijo apaixonado.

Quando o avião estava aterrissando, ela se desvencilhou do abraço. E Édouard viu que seus olhos também estavam marejados. Ele ergueu o queixo dela na sua direção e disse:

– Seja corajosa, meu anjo. E cuide-se, por mim.

– Depois desse beijo, eu com certeza vou tentar – disse ela. – Vamos, é hora de ir.

Eles correram juntos pelo descampado em direção ao Lysander que levaria Édouard em segurança para longe do seu país natal e em direção ao dela.

Quando estava a ponto de embarcar, ele lhe entregou um embrulho.

– Por favor, se você ou algum outro integrante da sua organização puder entrar em contato com minha irmã no château, isto a fará saber que estou seguro.

– Farei com que chegue às mãos dela, de uma forma ou de outra – prometeu Venetia, guardando o embrulho na bolsa.

Édouard subiu os degraus da aeronave e se virou.

– Boa sorte, meu anjo, e estou rezando para nos reencontrarmos em breve.

Ele embarcou, e a portinha do avião se fechou atrás dele. Venetia ficou observando o aparelho taxiar, então ganhar velocidade e partir sobrevoando o Canal da Mancha em direção ao seu país.

– Vamos, Claudette, temos de ir – disse seu companheiro, Tony, segurando-a pelo braço e arrastando-a para longe pelo descampado.

Venetia ergueu os olhos com nostalgia para o céu noturno, enquanto a lua cheia transformava o gelo que cobria o descampado numa terra de contos de fadas, branca e reluzente. E decidiu que Édouard de la Martinières era um homem que sabia poder finalmente amar.

No dia seguinte, após confiar o embrulho de Édouard a um mensageiro que iria viajar para o sul, Venetia voltou de trem para Paris. Ao chegar em seu novo esconderijo, jogou a bolsa no chão com um suspiro de alívio e foi até a cozinha esquentar um pouco d'água para preparar uma bebida quente.

– Boa noite, Fräulein. Que prazer enfim conhecê-la.

Venetia se virou, e ficou petrificada ao reconhecer os gélidos olhos cinza do coronel Falk von Wehndorf.

Uma semana mais tarde, após ficar detida no QG da Gestapo, ser interrogada e depois brutalmente torturada por se recusar a revelar as informações que eles queriam, Venetia foi conduzida até o pátio.

O agente que a amarrou ao poste de madeira a encarou enojado.

– Uma garota tem direito a um último cigarro – pediu ela, cambaleando e forçando um sorriso.

Ele acendeu um e o enfiou na boca da mulher. Ela deu duas tragadas e enviou seu amor para a família que estava além do Canal da Mancha.

Enquanto o agente assumia sua posição e apontava a arma para o seu coração, o último pensamento de Venetia ao fechar os olhos foi a lembrança do beijo de Édouard de la Martinières.

25

Gassin, sul da França, 1999

Jacques estava pálido de tão exausto.

– Chega, *papa*. Você precisa descansar – ordenou Jean ao ver seu cansaço. – Vou ajudá-lo a subir.

– Mas eu preciso terminar a história… ainda não cheguei ao fim…

– Basta, *papa* – disse Jean. Ele ajudou o pai a se levantar da poltrona e o conduziu em direção à porta. – Há tempo de sobra. Quem sabe você continua amanhã?

Depois de eles saírem, Émilie ficou encarando a lareira acesa. Pensamentos sobre Venetia lhe invadiram a mente. Venetia, a moça que, dias antes de morrer, talvez tivesse encontrado o amor com seu pai. Sentiu-se pequena e assombrada diante da força e da coragem daquela inglesa.

Jean tornou a descer e se apoiou na grade da lareira ao seu lado.

– Uma história e tanto, não? – murmurou.

– Sim. E agora estou pensando que a morte precoce da minha tia teve a ver com o caso de amor dela com Frederik – suspirou Émilie.

– Bom, nós dois sabemos o que aconteceu depois da guerra com as francesas que tinham se relacionado com o inimigo. Elas foram agredidas, ou então mortas a tiros pelos vizinhos enfurecidos – concordou Jean.

Émilie estremeceu.

– De todos os homens que Sophia poderia ter escolhido…

– Mas ninguém escolhe quem amar, não é, Émilie? – disse Jean baixinho.

– E o bebê de Sophia? Será que também morreu? – refletiu ela.

– Quem pode saber? Só podemos esperar *papa* compartilhar conosco o resto da história – disse Jean. – Mas para mim está óbvio que Frederik era um homem bom. E a história de *papa* só faz sublinhar o quanto o lugar e o momento em que se nasce são apenas uma casualidade. Será que algum ser humano realmente escolhe entre lutar ou fugir? Na época, pelo menos, eles simplesmente não tinham escolha, fosse qual fosse o lado em que estivessem.

– O sofrimento e as privações por que nossos antepassados passaram... – Émilie balançou a cabeça. – É algo que nos faz refletir sobre a nossa própria existência.

– Sim. Graças a Deus, depois de duas guerras mundiais, o Ocidente deve ter aprendido a lição. Pelo menos por um tempo – filosofou Jean com gravidade. – Mas a guerra sempre vai recomeçar; faz parte da condição humana desejar mudança e não conseguir sustentar a paz. É triste, mas é assim. O lado positivo é que as circunstâncias extremas que a guerra cria podem fazer aflorar o melhor que existe em nós. Seu pai provavelmente salvou a vida de Constance indo ele próprio ao café para avisar Venetia. E em troca, para proteger Édouard, Constance se submeteu a uma das circunstâncias mais terríveis que se pode suportar. – Ele soltou o ar pela boca. – Por outro lado, claro, a guerra também pode despertar o que existe de pior, como no caso de Falk. O poder muitas vezes corrompe.

– Então que bom que eu não tenho nenhum. – Émilie sorriu.

– Mas é claro que tem, Émilie. – Jean arqueou as sobrancelhas. – Pare de se subestimar. Você é uma mulher inteligente e linda. Só isso já bastaria, mas você também teve a sorte de nascer numa família respeitada e poderosa. Nesse quesito, teve muitos privilégios. Mas já está tarde, e amanhã, como sempre, eu preciso acordar com as galinhas.

– Sim, claro. E tem razão, Jean. Eu tive muitos privilégios. Talvez só agora esteja começando a valorizá-los – disse Émilie baixinho.

– Ótimo. – Jean se levantou. – Nos vemos de manhã.

– Durma bem, Jean.

Vinte minutos depois, ela estava deitada na velha cama do quartinho que Constance devia ter usado no tempo que passara ali. Ouviu Jean usar o banheiro que os dois dividiam, em seguida fechar a porta do seu quarto.

Percebeu que Jean e seu pai eram o que lhe restava de mais próximo de uma família. Confortada por esse pensamento, adormeceu.

Na manhã seguinte, ao entrar na cozinha, encontrou Jean com uma expressão grave.

– A respiração de *papa* está horrível. Eu chamei o médico. Quer café? – ofereceu ele.

– Sim, por favor. Algo que eu possa fazer?

Ao ver a decepção no rosto de Émilie, Jean passou o braço em volta dos ombros dela.

– Não. Ele só está muito velho e fraquinho. Eu sinto muito, Émilie, mas hoje *papa* não vai poder lhe contar mais nada sobre o passado.

– Claro. Estou sendo egoísta – desculpou-se ela. – O mais importante é a saúde do seu pai.

– Isso quer dizer apenas que você tem de voltar aqui muito em breve se quiser ouvir mais. – Jean abriu um sorriso. – Sabe que terá sempre uma cama aqui enquanto o château estiver em obra.

– Talvez eu possa trazer meu marido comigo da próxima vez – sugeriu ela. – Afinal, é a história da avó dele também.

– Sim. Posso deixar você preparar seu próprio desjejum? Tenho um trabalho para terminar antes de o médico chegar. Só espero que *papa* não precise voltar para o hospital. Ele detestou tanto aquilo lá da última vez… Enfim, nos vemos antes de você ir. – Ele meneou a cabeça e se retirou.

Depois de comer, Émilie subiu para empacotar seus poucos pertences. Ouviu Jacques tossindo no quarto ao lado. Bateu com hesitação à porta, então abriu-a e espiou lá dentro.

– Posso entrar?

Jacques levantou a mão em sinal afirmativo.

Ela viu que ele estava de olhos abertos, e, ao caminhar na sua direção, a visão de seu aspecto pálido e extenuado em cima da grande cama fez Émilie se lembrar da mãe logo antes de morrer. Ela se sentou na beira da cama e lhe abriu um sorriso.

– Só queria dizer obrigada por ter compartilhado comigo a história da minha família durante a guerra. Espero que possa me contar o resto quando estiver melhor.

Jacques abriu a boca, e um grunhido rascante saiu.

– Por favor, não tente falar agora – disse ela num tom gentil.

Jacques segurou a mão dela, e a sua mais parecia uma garra, demonstrando força para alguém tão frágil. Abriu um sorriso que mais parecia um esgar e meneou a cabeça.

– Até logo, e melhoras. – Ela se curvou em direção à pele fina feito papel e o beijou de leve na testa.

Jean estava no andar de cima com o pai e o médico quando chegou a hora de Émilie sair para o aeroporto. Para não incomodá-lo, ela deixou um bilhete na mesa da cozinha agradecendo aos dois, entrou no carro e partiu em direção a Nice. Sentiu-se culpada, temendo que a piora de Jacques tivesse sido causada pelo esforço de contar a história. A energia e a emoção que o relato havia exigido tinham tido um impacto evidente.

Quando o avião decolou de Nice, Émilie rezou para Jacques se recuperar, mas se resignou ao fato de talvez jamais vir a saber o resto da história. E em algum ponto, quando estava sobrevoando o norte da França, começou a pensar em casa… ou na casa em que morava agora.

A ideia de voltar para Blackmoor Hall após passar dois dias no lugar ao qual sentia pertencer não era animadora. Precisava se preparar para o céu frio e cinza da Inglaterra e a atmosfera deprimente e tensa da casa. Precisava também perguntar ao marido por que ele fora passar dois dias no château sem lhe dizer nada…

Quando a aeronave pousou, tocando o solo escuro através das espessas nuvens de chuva, Émilie reuniu forças. Aqueles eram o homem e a vida que tinha escolhido, por mais difícil que isso lhe parecesse agora. Ao sair do aeroporto e entrar no Land Rover, repreendeu a si mesma. Uma casa triste e fria e dois irmãos em pé de guerra não eram nada em comparação com o sofrimento atroz que Jacques havia relatado na noite anterior.

Ao chegar em Blackmoor Hall, não viu em frente à casa nenhum sinal do carro velho que Sebastian usava para ir até a estação, e quando entrou tudo estava em silêncio. Como a casa estava gelada outra vez, ela largou a bolsa de viagem no chão e foi até o quartinho da caldeira ligar a calefação. Isso a fez concluir que fazia pelo menos alguns dias que Sebastian não estava ali. O que era estranho, já que quando os dois tinham se falado na véspera ele dissera estar ligando de casa…

Talvez ele estivesse acostumado a viver sem a calefação, pensou ela, dando de ombros, pronta para perdoá-lo, e não tivesse se dado ao trabalho de ligá-la ao chegar. Ela subiu a escada até o quarto do casal e o encontrou exatamente como o havia deixado, dois dias antes. De volta à cozinha para fazer um chá, viu que a meia garrafa de leite que deixara na geladeira ainda estava ali, intacta.

– Pare com isso! – repreendeu a si mesma.

Podia ser muito bem que Sebastian tivesse simplesmente voltado no fim do dia, dormido em casa, depois voltado para Londres. Fosse como fosse, ela precisaria sair e comprar alguns mantimentos de última hora para os dois comerem naquela noite.

Bem quando estava a ponto de abrir a porta da frente para ir de novo até o Land Rover, a velha charanga de Sebastian encostou em frente à casa. Ela parou junto à porta e o observou saltar do carro, sem saber ao certo como agir.

– Querida! – Ele abriu os braços ao se aproximar e a envolveu num abraço. – Que bom que você voltou. – Buscou na mesma hora os lábios dela com os seus e a beijou. – Que saudade.

– Eu também, fiquei tão preocupada... Eu...

– Shh. – Ele encostou um dedo nos lábios da esposa. – Estamos juntos agora.

Felizmente, Sebastian parecia estar bem mais parecido com quem era normalmente, e os dois passaram um fim de semana agradável estreitando seus laços. Fizeram amor, acordaram tarde, cozinharam quando sentiram fome e no domingo à tarde foram dar um passeio pelo terreno que pertencia à propriedade. O jardim, mesmo malcuidado, começava a dar os primeiros sinais da primavera.

– Tem tanta coisa para arrumar aqui que eu nem sei por onde começar – disse ele na volta, com um suspiro, enquanto os dois atravessavam o gramado principal em direção à casa.

– Eu gosto de jardinagem – disse Émilie. – Quem sabe posso ver o que consigo fazer? Isso me ocuparia enquanto você estivesse fora.

– É – concordou ele. Os dois chegaram à cozinha. – Chá?

– Sim, por favor.

– Isso tudo não está muito satisfatório, não é? – perguntou Sebastian. – E infelizmente vou passar muito tempo fora nos próximos meses.

– Então quem sabe eu devesse mesmo pensar em me mudar para Londres com você – disse Émilie com firmeza enquanto ele lhe estendia uma caneca de chá. – Não é bom passarmos tanto tempo separados logo no início da nossa vida em comum. E é ridículo você não deixar sua esposa usar o dinheiro dela para ajudar no relacionamento – acrescentou ela, assombrada com a própria coragem repentina.

– É, tem razão. Por que não pensamos nisso daqui a algumas semanas? – retrucou Sebastian, dando-lhe um beijo no nariz. – Poderíamos procurar um apartamento pequeno. Eu com certeza não iria querer você nem perto do meu cafofo horroroso, minha menina de ouro – disse ele com um sorriso.

Émilie teve vontade de dizer que realmente não ligava para onde eles morassem, mas como ele enfim se mostrara receptivo à ideia de ela se mudar para Londres, decidiu parar por ali.

Nessa noite, porém, abordou o tema da aparição dele no château na França.

Os dois estavam deitados na cama, e Sebastian a encarou com uma expressão esquisita.

– Você não se lembra de eu ter lhe dito que iria? – Ele então deu uma risadinha. – Não está tendo demência precoce, está? Por que cargas d'água eu não teria contado?

– Sebastian, eu tenho certeza de que não contou – insistiu ela, determinada.

– Bom, de uma forma ou de outra, será que isso importa? Quer dizer, eu não iria esperar que você pedisse minha permissão para vir aqui. Minha visita ao château não foi planejada. Eu tive um tempinho livre e pensei que poderia ir lá para ajudar a embalar os livros. Você não se importa, certo?

– Claro.

– Que bom. Boa noite, amor, amanhã preciso acordar cedo para pegar o trem. Vou tentar dormir um pouco.

Depois de ele apagar a luz, ela ficou deitada ali, pensando no poder que o marido tinha de tornar cada um de seus atos inteiramente plausível, o que acabava por fazê-la soar burra e equivocada.

Ou talvez ela estivesse *mesmo* equivocada...

Com um pequeno suspiro, fechou os olhos e lembrou que todo mundo tinha de se esforçar num casamento e estar preparado para ceder de vez em quando.

Sebastian partiu para Londres às seis horas da manhã seguinte, e Émilie fez o possível para voltar a dormir. Acabou desistindo, levantou-se e desceu para fazer um café. Ligou o celular pela primeira vez desde que chegara em

Yorkshire e escutou seus recados. Jean tinha deixado uma mensagem informando que Jacques fora hospitalizado em Nice, mas que estava reagindo bem aos antibióticos e melhorando. Ele lhe avisaria assim que o pai estivesse bem o suficiente para continuar sua história.

O dia estava bonito, e ela decidiu dar outra volta pelo jardim para decidir por onde poderia começar. Era importante se manter ocupada e fazer algo útil no tempo que passasse ali. Ao sair para o jardim, constatou que a maior parte do que era preciso fazer ultrapassava em muito a sua capacidade física. Era preciso remover as ervas daninhas dos extensos canteiros, podar e fertilizar as plantas. A primavera chegaria antes de ela conseguir descobrir o que era possível salvar após anos de negligência. Então foi até o pomar e observou o caos ali.

Desanimada com a enormidade do trabalho, tornou a entrar para fazer mais café e decidiu que o máximo que podia fazer era tentar dar um jeito no belo terraço anexo à cozinha, que pegava o sol da manhã. As velhas pedras do calçamento tinham musgo em todas as fendas, e estavam coloridas por seus rastros verdes parecidos com os de caracóis. Ela fez uma lista dos materiais que precisaria comprar no centro de jardinagem ali perto, que vira alguns quilômetros mais adiante na estrada. Tinha certeza de que, com um pouco de trabalho e algumas mudas novas, poderia transformar aquele pequeno espaço num lugar agradável.

Ao voltar do centro de jardinagem e do supermercado, lembrou que precisava ir ver como Alex estava. Seus sentimentos em relação ao cunhado eram um emaranhado confuso. Ela gostava muito dele, mas toda vez que o via, embora ele não dissesse nada negativo sobre Sebastian, a corrente subjacente do que não era dito a incomodava. Como sua relação com o marido acabara de voltar para os eixos, não queria correr o risco de desestabilizá-la.

Às sete da noite, bateu à porta de Alex.

– Entre.

Ele estava na cozinha, jantando. Ergueu os olhos para ela e sorriu.

– Oi, sumida.

– Oi. – Ela se sentiu constrangida e pouco à vontade. – Vim ver se você está bem.

– Estou muito bem, obrigado. E você?

– Também.

– Ótimo. Quer comer comigo? – Ele indicou o empadão em cima do fogão. – Eu sempre faço demais.

– Não, obrigada. Já fiz o meu jantar lá na casa. Está precisando de alguma coisa?

– Não, obrigado.

– Certo. Vou deixar você comer em paz. Qualquer problema, é só ligar para o meu celular.

– Sim.

– Boa noite, Alex. – Ela abriu um sorriso forçado e se virou para sair.

– Boa noite, Émilie – respondeu ele com tristeza.

Ao longo dos dias seguintes, Émilie se ocupou limpando o pequeno terraço e renovando os vasos cobertos de musgos ocupados pelos resquícios mortos de flores antigas. Plantou neles amores-perfeitos, mas dali a algumas semanas poderia acrescentar petúnias e marias-sem-vergonha, e plantar uma perfumada lavanda nos canteiros.

Jean tinha ligado e dito que Jacques estava em casa de novo e ansioso para continuar a contar sua história; ela então marcou um voo para a França para a semana seguinte. Também abordou Jo, a moça que havia contratado para fazer a faxina de Alex, e lhe perguntou o que ela estava achando do trabalho.

– Ah, Sra. Carruthers, estou adorando – respondeu ela enquanto as duas andavam juntas em direção à bicicleta da jovem. – Alex é um homem muito simpático. E muito inteligente também. Eu vou estudar russo na universidade ano que vem, e ele tem me ajudado.

– Ele fala russo? – retrucou Émilie, espantada.

– Sim. E japonês, e um pouco de chinês e de espanhol. E francês, claro. – Jo suspirou. – Uma pena estar preso àquela cadeira e não poder sair muito. Mas ele nunca reclama, Sra. Carruthers. Eu no lugar dele reclamaria.

– É – concordou Émilie.

Despediu-se de Jo com um aceno enquanto a moça se afastava da casa pedalando, e sentiu-se mais mal-educada ainda por estar evitando o cunhado.

Ficou contente quando o fim de semana chegou. Sebastian tinha ligado uma vez, mas ela estava começando a aceitar que, quando estava fora, ele ficava envolvido demais no trabalho para entrar em contato. Ele chegou em casa de bom humor, dizendo que conseguira vender um quadro de um de seus novos artistas e recebera uma boa comissão. Émilie sugeriu que ele fosse com ela à França na semana seguinte para ouvir o resto da história de Jacques, mas ele disse que estaria muito ocupado. Em relação a Alex, ela lhe garantiu que seu irmão estava bem e que ela mal o tinha visto.

– Ele é realmente autossuficiente.

– Bom, pelo visto você estava certa e eu, errado – comentou ele, ríspido.

– Não foi o que eu quis dizer – respondeu ela.

Os dois estavam sentados do lado de fora, no terraço dos fundos que ela acabara de renovar. Ela estremeceu ao ver a fina nesga de sol de Yorkshire desaparecer atrás de uma nuvem, e então se levantou.

– Vou fazer o jantar.

– Ah, pode ser que eu precise passar uns dias em Genebra, na Suíça, e talvez não volte para casa no fim de semana que vem – disse Sebastian.

Émilie aquiesceu com um ar pensativo.

– Então quem sabe eu vou direto da França encontrar você lá? Poderia ir de carro até Genebra. Não é longe.

– Eu adoraria, mas não é mesmo uma viagem a lazer... Vou passar o tempo todo em reunião.

– Tá – disse ela, sem vontade de discutir, e entrou para fazer o jantar.

Sebastian tornou a viajar na segunda-feira de manhã, e Émilie ficou deitada na cama sentindo-se extremamente desanimada. Embora estivesse dando o máximo de si para não reclamar e tentando apoiar a dedicação dele para reconstruir seu negócio e não exigir que lhe dedicasse muito tempo, o fato é que estavam se vendo cada vez menos. O que deveria fazer sozinha ali em Yorkshire? Passar os dias pintando as rachaduras de uma casa que talvez fosse vendida, e que além do mais não era sua, de repente lhe pareceu totalmente inútil.

Sua decisão de evitar Alex significava que ela estava passando seu tempo todo ali sozinha. Émilie deu um suspiro, levantou-se e se vestiu. Podia passar o dia inteiro de camisola se quisesse, ninguém iria visitá-la mesmo. Pensar isso a deprimiu.

Após pegar a bicicleta para ir ao vilarejo comprar leite e pão, ou o que os ingleses chamavam de pão, ela passou pela padaria até chegar ao último chalé do lado esquerdo. Encostou a bicicleta na áspera pedra de Yorkshire da parede externa, foi até a porta da frente e bateu. Se a Sra. Erskine não estivesse, simplesmente iria embora. Mas a mulher a convidara para passar na sua casa, e estava na hora de ela coletar mais informações sobre os dois irmãos e o relacionamento entre eles.

A porta foi aberta depois da segunda batida, e o caloroso sorriso de boas-vindas de Norma Erskine tranquilizou Émilie de que ela não estava incomodando.

– Oi, querida. Estava me perguntando quando a senhora viria me ver – disse ela, conduzindo Émilie pelo hall estreito. – Pode entrar. Eu estava mesmo pondo água para ferver. Sente-se aqui diante da mesa.

– Obrigada.

Émilie se sentou e viu que estava dentro de uma cozinha antiquada, mas impecável de tão bem-cuidada. Os armários de melamina amarela, o fogão Baby Belling e a geladeira Electrolux com seus típicos cantos arredondados eram relíquias dos anos 1960.

– Então, como aqueles meus gêmeos terríveis a estão tratando? – Ela sorriu.

– Bem, obrigada – respondeu Émilie com educação.

– Que bom ouvir isso. Quer dizer que eles não estão brigando como de costume? Talvez a senhora esteja sendo uma boa influência. – Norma pôs uma xícara de café na frente dela e se sentou do outro lado da pequena mesa. – Embora eu fosse ficar surpresa se alguém conseguisse dar um jeito naqueles dois.

– Não entendo muito bem o que a senhora está querendo dizer – disse Émilie num tom neutro.

– Bom, a senhora deve ter notado a tensão que existe entre eles. Seria de se pensar que eles já tivessem superado isso, agora que são homens feitos. Mas eu diria que nada será capaz de fazê-los mudar.

– Concordo que eles não são chegados.

– Para não dizer outra coisa – falou Norma com um suspiro. Ela estendeu a mão e afagou a de Émilie. – E eu entendo que a senhora esteja casada com um deles e que não queira ser desleal.

– Pois é – concordou Émilie. – Mas tem razão: o clima na casa é difícil. Como não conheço a história por trás, é ainda mais difícil entender. Então vim lhe perguntar se a senhora poderia me explicar as coisas. Se eu souber a causa do problema, talvez seja mais fácil lidar com a situação.

Norma ficou calada e se demorou algum tempo observando-a.

– O problema, querida, é que eu teria de contar algumas coisas bem desagradáveis sobre o homem com quem a senhora acabou de se casar. E não sei se a senhora vai querer escutá-las. Porque se eu começar, vou ter de dizer a verdade como ela é. Tem certeza de que é isso que deseja?

– Não, claro que não desejo isso – respondeu Émilie com honestidade. – Mas seria melhor do que ficar tentando adivinhar.

– O senhor Alex não disse nada, imagino eu?

– Nada. Ele se recusa a falar comigo sobre o irmão ou sobre o passado.

– Ele é um homem leal, isso eu reconheço. Então está certo. – Ela estalou as mãos nos joelhos parrudos. – Só me resta torcer para estar fazendo a coisa certa ao lhe contar isso. Mas lembre-se também de que foi a senhora quem veio me pedir.

– Vou me lembrar – prometeu Émilie.

– Então. Imagino que já saiba que os dois meninos foram trazidos dos Estados Unidos pela mãe, que morava numa comunidade hippie?

– Sim. – Émilie precisava se concentrar muito para entender o forte sotaque de Yorkshire da Sra. Erskine.

– Eles eram muito próximos, só um ano e meio de diferença, e eram as coisas mais fofas do mundo. É claro que, embora Sebastian fosse o mais velho, desde o começo era evidente que o mais excepcional dos dois era o caçula. Alex já sabia ler e escrever antes dos quatro anos. Quando pequeno, ele era um sedutor e sempre conseguia me subtrair um pedaço de bolo na cozinha, mesmo antes do jantar! – Norma deu uma risadinha. – Ele parecia um anjinho, parecia mesmo, com aqueles grandes olhos castanhos. Não me leve a mal, Sra. Carruthers, o seu marido também era um encanto de menino, mas sem querer soar desrespeitosa nem mal-educada, ele não recebeu os mesmos dons que o mais novo tinha aos montes. Era razoavelmente inteligente e nada feio, mas estava claro que jamais seria páreo para Alex. Naturalmente ele vivia competindo para ser o melhor, mas Alex sempre ganhava de lavada sem fazer o menor esforço. – Ela suspirou e balançou a cabeça. – E o fato de Alex ser o preferido da avó também não ajudou.

– Entendi. Deve ter sido duro para Sebastian.

– Ah, foi sim, e conforme eles foram crescendo nada melhorou. Na verdade tudo ficou bem pior. Sempre que Sebastian tinha uma chance de criar problemas para Alex, ele a aproveitava. Precisava "ganhar" de vez em quando, sabe? É claro que Sebastian sempre punha a culpa em Alex por ter começado a confusão, mas ele nunca aparecia com machucado nenhum.

– Entendi – repetiu Émilie, chocada, porém entendendo a situação. – Alex revidava?

– Não, ele nunca revidou – respondeu Norma com uma careta. – Ele idolatrava o irmão mais velho, entende, tudo que queria era agradá-lo, e se Sebastian dissesse a Alex que era tudo culpa sua, ele aceitava sem dar um pio. O seu marido sempre teve talento para convencer os outros. – Ela balançou a cabeça. – Tudo se acalmou por um tempo quando Sebastian foi para o colégio interno e voltou de lá se gabando de seus sucessos. Mas aí Alex acabou ganhando uma bolsa de estudos para a mesma escola. Saiu daqui aclamado, e todos nós tínhamos grandes expectativas para ele. Então Constance, a falecida Sra. Carruthers, começou a receber cartas da escola dizendo que Alex vivia metido em encrenca. Ninguém entendeu nada, pois o menino era uma das criaturas mais dóceis que eu já conheci; tinha mais interesse por livros do que por brigas. De todo modo, um ano depois ele foi expulso e mandado de volta para casa como um pária. Disseram que ele pôs fogo no ginásio novinho.

– E era verdade?

– Segundo a escola, sim, mas Alex se recusava a comentar o assunto, mesmo quando eu e a avó tentamos extrair dele o que tinha acontecido. Eu pelo menos tenho as minhas suspeitas. – A Sra. Erskine arqueou as sobrancelhas, e Émilie entendeu o que ela estava sugerindo. – O resultado da expulsão foi que Alex passou a estudar na escola de ensino médio daqui, onde admito que nem mesmo eu teria querido colocar meus filhos. Era um lugar muito violento, e Alex nunca conseguiu se adaptar. Ele odiava a escola, mas mesmo assim suas notas eram sempre as melhores, apesar da baixa qualidade do ensino, e ele recebeu a oferta de uma vaga em Cambridge. A avó ficou muito feliz que seu menino de ouro tivesse chegado lá apesar de todos os pesares. Sebastian, que tinha tido a melhor educação que o dinheiro podia comprar, mas era um aluno preguiçoso, teve sorte de conseguir uma vaga para estudar História da Arte em Sheffield, uma universidade de menos prestígio.

Norma interrompeu seu relato para tomar um gole de café. Émilie ficou sentada sem dizer nada, aguardando-a retomar.

– Pois bem – disse ela. – Aquele verão, antes de Alex partir para Cambridge, começou bem, com os dois meninos sentindo o primeiro gostinho da vida adulta. Alex tinha economizado dinheiro para comprar um carro, e eles costumavam frequentar o pub. Alex morria de orgulho daquele Mini velho. – Ela sorriu. – Então, um dia, quem chegou em casa à noite não foi Alex, mas a polícia. Alex tinha sofrido um acidente. Pelo visto estava bêbado feito um gambá, e a polícia o tinha deixado numa cela até o porre passar. Graças a Deus ninguém se machucou, mas tanto o carro dele quanto o outro ficaram destruídos. Alex foi indiciado por embriaguez ao volante, e a Universidade de Cambridge se recusou a aceitá-lo por causa da ficha criminal.

– Que horror! Sebastian me disse mesmo que Alex tinha problemas com bebida – especulou Émilie. – Talvez isso tenha sido o começo.

– Bom… – Norma balançou a cabeça. – Antes disso, quando estava dirigindo, eu nunca soube de Alex tomar uma gota de álcool sequer. Ele tinha muito orgulho daquele carro, não teria feito nada para colocá-lo em risco. Até hoje ele jura de pés juntos que só bebeu suco de laranja naquela noite, mas aquele álcool todo entrou no organismo dele de algum jeito, não é? – disse ela. – Enfim, com a vaga na universidade perdida, no outono ele pegou todo o dinheiro que tinha economizado trabalhando na loja aqui do vilarejo e foi passar um ano fora. E só voltamos a vê-lo cinco anos depois.

– É, Sebastian me disse que ele sumiu.

– Não tínhamos ideia de onde ele estava. A avó ficou louca de preocupação, sem saber sequer se ele estava vivo, porque ele nunca fazia contato. Então nos ligaram de um hospital na França dizendo que ele estava lá e praticamente à beira da morte. Eu mesma não entendo muito de drogas, mas basta dizer que não tinha muita coisa que ele não houvesse provado. Constance embarcou na mesma hora num avião e foi ficar com ele.

– Ela o internou numa clínica de desintoxicação particular, não é? – perguntou Émilie.

– Sim, e ele voltou para casa limpo, como se diz, mas não demorou muito para sumir outra vez, e só tornamos a vê-lo quatro anos depois. Ele não compareceu ao enterro da avó. – Norma ficou com os olhos marejados. Pegou um lenço de pano na manga da roupa e assoou o nariz. – Desculpe, querida, mas é que, antes de morrer, Constance não parava de perguntar se ele iria voltar. Só que nós não sabíamos onde ele estava. Então ela nunca conseguiu se despedir do seu menino. E acho que Alex também nunca se perdoou por não ter estado aqui. Mesmo que tenha aprontado durante as suas viagens, ele adorava a avó.

– Tenho certeza disso.

– Ele repetia sem parar que tinha escrito cartas para casa com um endereço de remetente, mas nós nunca as recebemos, nunca mesmo. – Ela suspirou. – Enfim, talvez tenha sido o choque de perder Constance, mas depois disso Alex se mudou para cá de vez e começou a entrar nos eixos de novo. Começou a falar em estudar para virar professor. Ele era outra pessoa. Ou talvez eu devesse dizer que tinha voltado a ser quem era quando menino. Sebastian já morava em Londres, e fiquei feliz por Alex ter voltado para cuidar de tudo aqui, porque eu não tinha a menor ideia do que fazer. Então, num fim de semana pouco depois de Constance morrer, seu marido veio de Londres. Os dois tiveram uma briga homérica por um motivo qualquer, e vi Alex entrar no carro e dar a partida. Mas antes de ele conseguir sair Sebastian entrou e se sentou ao lado dele. O carro saiu em disparada, e a notícia seguinte que eu tive foi outro telefonema de outro hospital dizendo que dessa vez os dois estavam lá. Como tenho certeza de que você já sabe, o seu marido escapou com ferimentos leves, mas quem se machucou seriamente foi Alex.

– Ele estava bêbado outra vez, não é?

– Não, querida – disse Norma, balançando a cabeça. – Você está confundindo tudo. Isso foi no *primeiro* acidente. Dessa vez, quem tinha bebido era o outro motorista. Quando o acidente foi a julgamento, os prontuários do hospital provaram que Alex não tinha ingerido álcool, e ele se safou. Só que na verdade não, porque ficou paralisado pelo resto da vida – explicou ela. – Às vezes eu me pergunto se a tragédia acompanha esse rapaz pela vida afora. Enfim, seja como for, quando Alex finalmente voltou do hospital, seu marido me disse com toda clareza que agora iria se responsabilizar pelos cuidados com o irmão. Gostaria de assinalar que eu disse estar inteiramente disposta a cuidar de Alex, mas ele insistiu que eu já tinha coisas suficientes para fazer.

– E o que a fez decidir ir embora da casa de vez? – quis saber Émilie.

– Se quer mesmo saber a verdade, eu sei que o seu marido tentou fazer o melhor que podia pelo irmão, mas ele contratava cuidadoras que não me agradavam nem um pouco. – Norma torceu o nariz. – E Alex com certeza também não gostava delas. Era quase como se o seu marido escolhesse as piores que conseguia encontrar. E se por acaso aparecesse uma boa, de quem

Alex gostasse e em quem começasse a confiar, Sebastian arrumava um defeito e a mandava embora. Eu entendo que no começo Alex tenha precisado de cuidados em tempo integral, mas agora ele está muito mais forte e capaz. Eu, por acaso, sei que o seu marido recebe uma pensão integral para cobrir os cuidados intensivos com o irmão. Talvez ele se sinta obrigado a gastá-la ou algo assim. – Ela deu de ombros.

Émilie ficou sentada em silêncio, digerindo aqueles fatos. Então Sebastian estava recebendo dinheiro para cuidar de Alex.

– Como já disse, eu preciso acreditar, *preciso* acreditar que seu marido está pensando no que é melhor para o irmão. – Norma a encarou com uma expressão culpada. – Afinal, ele passava a maior parte do tempo fora, em Londres. Mas além do fato de eu estar sempre na casa, toda aquela confusão e troca de cuidadoras não fazia bem a ninguém, principalmente para mim. E a última… – Ela revirou os olhos. – Se Alex não tivesse jogado uma xícara de café nela, acho que eu mesma teria. Ela bebia até cair, e isso aconteceu mais de uma vez. Eu tentei avisar ao seu marido, mas ele não me escutou. E foi então que decidi que finalmente estava farta daquilo.

– Entendi.

– E agora a senhora vai ter de lidar com isso tudo – disse Norma com um suspiro. – Tem toda a minha solidariedade, querida. Tem mesmo.

Émilie não soube como responder.

– Obrigada por me contar. Fico grata pela sua honestidade – falou.

– Bom, espero não ter dito nada inadequado sobre o seu marido. Só contei a verdade como ela é. No fundo, os dois são homens bons – acrescentou ela, sem muita convicção.

As duas ficaram sentadas em silêncio. Émilie sabia que Norma havia usado uma sutil dose de diplomacia no relato da sua história.

Como se estivesse lendo sua mente, Norma falou:

– Eu os vi crescer, entende? E amo os dois, independentemente de como tenham se comportado.

– Sim. Obrigada pelo café. – Sentindo-se subitamente exausta, Émilie se levantou. – Preciso ir para casa agora.

– Claro. – Norma a levou até a porta e pousou no seu ombro a mão grande e calejada. – Espero não ter posto uma raposa no galinheiro – falou, e quando Émilie lhe lançou um olhar confuso ela explicou. – Contado coisas que seria melhor a senhora não saber, digo.

Ambas sabiam o que ela queria dizer.

– Posso apenas lhe agradecer pelo que a senhora me explicou. Eu precisava entender, e agora entendi.

– Que bom. E lembre-se, querida, tem sempre um chá à sua espera aqui.

– Vou me lembrar – disse Émilie.

Ela atravessou a soleira e pegou a bicicleta encostada na parede.

– Cuide de Alex, sim? Ele é muito vulnerável. – O olhar de Norma já dizia tudo, suplicando a Émilie que entendesse aquele pedido.

A resposta de Émilie foi menear a cabeça, subir na bicicleta e sair pedalando de volta para casa.

26

Émilie não foi visitar Alex nessa noite. O que fez foi se sentar junto à lareira do salão e anotar tudo que a Sra. Erskine tinha lhe contado, para não esquecer.

Era difícil pôr em dúvida a percepção da empregada em relação aos dois irmãos, uma vez que ela era um reflexo perfeito da sua. A capacidade de Sebastian de convencer as pessoas a acreditarem no que ele queria era uma observação que ela própria havia feito sobre o marido. Deturpar os fatos para obter um viés diferente sobre qualquer assunto era algo em que ele era mestre, e ela sabia disso por experiência própria.

Será que as sugestões da Sra. Erskine estavam certas, e seu marido era uma pessoa mentirosa, desonesta e intimidadora, capaz de tudo para destruir o próprio irmão? E se fosse *mesmo* verdade que Sebastian implicava com Alex, será que isso queria dizer que ele era uma pessoa má?

Émilie rememorou o infeliz episódio do telefone celular, quando Sebastian conseguira convencê-la de que ela estava sendo ridícula por se incomodar quando ele deixara de fazer contato. E embora ele tivesse lhe garantido que tinha comentado sobre ir ao château para ajudar com a biblioteca, ela sabia que não era verdade.

E por que ele não queria que ela o acompanhasse até Londres em suas viagens, mas a deixava ali sozinha em Yorkshire mesmo os dois estando casados há menos de um mês?

Não! Ela precisava parar com aquilo; sua imaginação estava totalmente fora de controle. Aquilo era o que o seu pai sempre chamara de "madruga-dite": quando o corpo humano estava em seu nível de energia mais baixo, e a mente perdia qualquer resquício de lógica e se deixava levar por devaneios.

Lá em cima, Émilie vasculhou a nécessaire em busca dos soníferos que o médico tinha lhe receitado após a morte da mãe e tomou um. Mais do que tudo, precisava dormir. E no dia seguinte tomaria mais providências para descobrir a verdade.

Émilie bateu à porta de Alex às seis horas da tarde do dia seguinte. Havia passado o dia inteiro tentando processar os fatos e organizá-los em algum tipo de ordem lógica. Armada com uma garrafa de tinto, ouviu a voz dele lhe dizendo para entrar.

– Estou no computador – disse ele. – Alguns dos meus filhos tiveram perdas significativas hoje por causa da safra desastrosa de cana em Fiji. Pode entrar.

– Oi, Alex.

Ela ficou parada na porta do escritório dele, fascinada pelos monitores piscando em vermelho e verde e pelas telas que mudavam sem parar na sua frente.

– Oi – respondeu ele, ainda atento aos monitores. – Quanto tempo.

– Eu trouxe isto.

Ela estendeu a garrafa. Alex se virou para ela e arqueou as sobrancelhas, surpreso.

– Tem certeza?

– Tenho, sim.

– Ora, mas que prazer – disse ele, empurrando a cadeira de rodas para trás e se virando para ela. – Você, digo, não o vinho. – Ele sorriu.

– Desculpe não ter vindo vê-lo antes – disse Émilie.

– Tudo bem, estou acostumado a ser um pária. Mas mesmo assim estou muito feliz em ver você, Em. Quer que eu pegue as taças ou você pega?

– Eu pego.

– Obrigado.

Depois de encontrar um saca-rolhas e duas taças num armário da cozinha, ela seguiu Alex até a sala e o observou se inclinar para a frente e atiçar o fogo. Sacou a rolha do vinho, serviu duas taças e lhe passou uma. Viu seus olhos inteligentes avaliarem-na com interesse.

– *Santé* – disse ela ao dar um gole.

– Então… – Alex não havia tirado os olhos dela. – Pode falar.

– Como assim?

– Você tem alguma coisa para me dizer, ou quem sabe para me perguntar. Sou todo ouvidos.

– Pois é. – Émilie pousou a taça de vinho em cima da mesa e se sentou numa das poltronas da lareira ao lado dele. – Alex, você mente?

– Como é que é?! – Ele deu uma risadinha. – Bom, é claro que eu vou responder que não. Para ser franco, eu provavelmente mentia quando era viciado em drogas pesadas, mas isso é normal.

– Desculpe, mas essa me pareceu a coisa certa a dizer, já que eu preciso pedir a você, na verdade implorar, para me contar a verdade.

– Sim, meritíssimo, toda a verdade e somente a verdade. O que está acontecendo, Em? – perguntou ele.

– Fui conversar com Norma Erskine ontem.

– Ah, entendi. – Alex deu um suspiro e tomou um gole do vinho. – E o que ela disse?

– Ela só me contou porque eu pedi – emendou Émilie depressa. – Sobre a infância de vocês aqui.

– Certo. E...? – indagou ele, ressabiado.

– Ela foi muito diplomática, mas tem algumas perguntas que eu queria fazer a você por causa da nossa conversa, para me ajudar a dissipar a confusão que estou sentindo.

– Certo... Acho que eu sei para onde estamos rumando. E é uma conversa que eu evitei de propósito – disse ele, sério. – Tem certeza de que quer continuar? Eu só vou conseguir contar a verdade. Mas, como acontece com todos nós, a verdade vai ser sob a minha perspectiva, que pode muito bem não ser objetiva. Ou imparcial – emendou ele.

– Então acho que seria mais simples eu começar com perguntas curtas. Acho que você pode responder com sim ou não.

– Émilie, você já pensou algum dia em ser advogada? Acho que teria muito sucesso – disse ele, sorrindo e tentando aliviar a tensão.

– Alex, é sério.

– Bom, meritíssimo, nada na vida é *tão* sério assim, contanto que se esteja vivo.

– Alex, *por favor*.

– Desculpe. Vou responder "sim" ou "não", e só vou entrar em detalhes se você me perguntar. Pode mandar.

Émilie consultou a lista que tinha feito.

– Primeira pergunta: quando vocês eram pequenos, seu irmão fazia *bullying* com você? E mentia constantemente sobre quem começava as discussões ou brigas para fazer você se encrencar?

– Sim.

– Quando você ganhou sua bolsa e foi estudar na mesma escola que o seu irmão, ele mais uma vez tentou fazer parecer que você era o culpado pelas coisas ruins que aconteceram lá? Por exemplo, foi ele quem provocou o incêndio que fez você ser expulso da escola?

Alex demonstrou uma leve hesitação. Por fim, ele disse:

– Sim, só posso acreditar que foi. Eu com certeza não fui o responsável, embora quatro alunos e um inspetor tenham jurado ver alguém que *era* eu sair correndo do ginásio depois de começar o incêndio. E, de longe, com certeza Seb e eu podíamos ser confundidos fisicamente.

– Por que você não se defendeu? – perguntou ela.

– Ué, achei que você quisesse respostas "sim" ou "não". – Ele arqueou as sobrancelhas. – Bom, eu certamente não ia delatar o meu irmão, ia? Além do mais, ninguém teria acreditado. Seb tinha dado um jeito de firmar uma reputação totalmente ilibada. Ele sempre foi igual ao Macavity dos poemas de T.S. Eliot. Quando se encrencava, ele simplesmente sumia. Mas não existe prova nenhuma de que foi *mesmo* ele, então a resposta a essa pergunta ainda é controversa.

– Entendi. Tá, próxima pergunta: aos 18 anos, você bebeu na noite em que vocês dois saíram juntos de carro, e você acabou acusado de embriaguez ao volante?

– Não que eu soubesse. Pedi suco de laranja no pub, como sempre fazia – afirmou Alex.

– Acha que o seu irmão pôs álcool no seu suco?

– Sim. – Nessa ele não hesitou.

– Alguma vez o confrontou?

– Não. Como eu poderia provar?

– Acha que ele fez isso para impedir você de ir para Cambridge?

– Sim.

– Você foi embora de Yorkshire e do país para fugir de um irmão que percebeu estar tão consumido pela inveja que era capaz de tudo para sabotar qualquer conquista sua?

– Sim.

– Quando vocês saíram na noite do acidente, você e Sebastian já tinham tido um bate-boca horrível. Foi porque ele queria vender Blackmoor Hall e você não?

– Sim.

– Você culpa Sebastian pelo acidente?

– Não – respondeu Alex com firmeza. – Foi um acidente mesmo, e não teve nada a ver com ele.

– Tem certeza?

Alex fez uma pausa e deu um suspiro profundo.

– Bom, digamos que eu estava possesso com ele, e nós continuamos a bater boca porque ele não queria sair do meu carro. Eu tinha parado no acostamento de uma estradinha rural e estava a ponto de dar meia-volta e ir para casa quando um maluco fez a curva e bateu de frente conosco. – Ele deu de ombros. – Então é possível interpretar as coisas da seguinte forma: eu não estaria parado num acostamento se não estivesse tendo um bate-boca acalorado com meu irmão. Mas enfim, isso valeria para qualquer coisa. A verdade é que foi simplesmente falta de sorte, e não posso pôr a culpa no seu marido. Continue, por favor – incentivou Alex.

– Na sua opinião, depois do acidente, seu irmão se esforçou ao máximo para dificultar a sua vida? Por exemplo, contratando cuidadoras das quais sabe que você não precisa mais e de quem não gosta? E se livrando daquelas de quem você gosta?

– Sim.

– Na sua opinião, ele está fazendo isso simplesmente porque pode ou porque existe algum outro motivo? Ele quer dificultar sua vida aqui ao máximo para você concordar em vender a casa?

Nova pausa. Alex tomou um gole de vinho e a encarou com um ar pensativo.

– Provavelmente. A casa está no nome de nós dois, e ele precisa do meu aval para vender. Por todo tipo de motivo, eu não quero fazer isso. Tem mais perguntas?

Émilie baixou os olhos para a lista à sua frente. Ela havia anotado uma outra série de perguntas, uma lista brutal que abordava de modo muito pessoal seu casamento com Sebastian. Estava perturbada demais pelo que havia escutado para sequer começar a abordar essas perguntas.

– Não.

– Você sabe, não sabe, que se fosse fazer as mesmas perguntas ao meu irmão, receberia respostas diametralmente opostas? – comentou Alex.

– Sei, sim – concordou ela. – Mas Alex, lembre-se, por favor, de que eu tenho olhos e ouvidos… e um cérebro também.

– Pobre Em – disse Alex de repente. – Arrastada para um jogo de gato e rato sem saber em quem ou no que acreditar.

– Por favor, não me trate feito criança – rebateu ela, irritada. – Só estou tentando entender os fatos. Já sei que nenhum de vocês é exatamente o que parece.

– Isso com certeza é verdade – concordou ele. – Desculpe se dei a impressão de tratar você feito criança. Na verdade estou realmente com pena de você. Mais vinho?

Ela o deixou encher sua taça e ficou observando-o sem dizer nada. Depois de algum tempo, perguntou:

– Por que você continua aqui? Você disse que tem dinheiro. Certamente seria mais saudável e mais seguro para vocês dois se você concordasse em vender a casa e cada um seguisse o seu caminho?

– Sim, essa é a solução mais sensata, mas não leva em conta a emoção. O desejo mais profundo da minha avó era que nós dois resolvêssemos nossas diferenças. Ela achou, equivocadamente, que deixar Blackmoor Hall no nosso nome fosse a solução – disse Alex. – Eu tentei, tentei de verdade, mas é impossível. E, para ser sincero, minhas forças aos poucos estão se esgotando. Sebastian vai acabar ganhando. Já aceitei isso.

– Por que meu marido quer tanto vender esta casa? – perguntou Émilie. – Ele me disse que ama isto aqui e quer ganhar dinheiro suficiente para fazer uma reforma.

– Em, tem algumas coisas que eu não sei – afirmou Alex. – E acho mesmo que essa é uma pergunta que você vai precisar fazer a ele. Mas, sim, eu queria tentar o quanto pudesse uma reconciliação, porque esse era o desejo da minha avó. Eu a decepcionei demais no início da vida – disse ele com um suspiro. – Eu adorava Constance, e causei muita dor e preocupação a ela quando fugi e me deixei cair no abismo do vício.

– Ela devia saber por que você foi embora, não?

– Possivelmente, mas, para ser bem franco, apesar de ter um irmão que conseguiu me sabotar durante a infância e a adolescência, eu não posso pôr a culpa nele pelo meu subsequente mergulho nas drogas. Isso foi uma escolha inteiramente minha – admitiu Alex. – Eu queria eliminar a dor de perder o que poderia ter sido. Cheguei a um ponto em que sentia que nada na minha vida nunca daria certo. Que nada do que eu conseguisse conquistar daria certo, por mais que me esforçasse, e que tudo sairia sempre errado. Entende o que eu quero dizer?

– Entendo, sim – disse Émilie, aquiescendo.

– Mas ao longo desse processo eu magoei minha amada avó, e por isso nunca vou conseguir me perdoar. Ficar aqui e tentar me reconectar com Seb me deu a sensação de pelo menos estar fazendo alguma coisa para me redimir.

– Eu entendo – repetiu ela.

– Escute, Em, estou preocupado com você – disse Alex após uma pausa. – Você precisa lembrar que, só porque meu irmão tem um problema comigo, isso não significa que ele não possa construir relacionamentos bem-sucedidos com outras pessoas. Detestaria pensar que o que aconteceu entre nós dois no passado vai prejudicar a visão que você tem dele. Quero pensar que Seb e você são felizes juntos.

– Mas como você ainda pode gostar dele depois de tudo que ele fez? – perguntou Émilie.

– Eu aprendi que ficar sempre em segundo plano é muito difícil, seja isso real ou imaginário. Agora entendo que é assim que Seb se sentia. E talvez ainda se sinta. Você, em especial, deveria entender essa emoção. – Ele a encarou, e ela ficou vermelha.

– É – concordou. – Todos nós temos segredos, e todos nós temos defeitos.

– E qualidades. Seb pode não ter a minha mente acadêmica, mas tem um jogo de cintura incrível. Passou a maior parte da vida vivendo da própria esperteza. Por favor, Em, dê uma chance a ele. Não desista ainda – implorou Alex.

– Não vou desistir – prometeu ela.

– Agora o que acha de um jantar? – sugeriu ele. – Recebi uma entrega do mercado mais cedo. E quem sabe você pode me contar também o que descobriu sobre o passado da minha avó quando estava na França?

Durante o jantar, Émilie lhe contou da maneira mais fiel que conseguiu o que havia escutado de Jacques.

– Nada disso me surpreende – disse Alex quando ela terminou. – Constance era uma mulher tão maravilhosa, Em... Queria que você a tivesse conhecido.

Émilie pôde ver o amor nos olhos dele.

– Tudo que posso dizer é que sinto muitíssimo.

– Obrigado. – Ele abriu um sorriso triste. – Essa dor nunca irá embora, mas talvez seja assim mesmo. O choque de perdê-la com certeza me fez refletir. Isso me tornou uma pessoa melhor.

Émilie viu que já passava da meia-noite.

– Alex, preciso ir. Viajo para a França amanhã para ouvir o resto da história, mas nos vemos quando eu voltar. E muito obrigada por ter sido tão honesto e *justo* em relação a Sebastian. Boa noite. – Ela se curvou e lhe deu um leve beijo na bochecha.

– Boa noite, Em.

Alex a observou partir com um suspiro. Havia muito mais coisas que poderia ter lhe contado, mas entendia que estava de mãos atadas. Caberia a ela descobrir a verdade sobre o homem com quem se casara. Ele não podia fazer mais nada.

Émilie subiu na cama sentindo-se perturbada, mas aliviada por conhecer a verdade sobre o relacionamento entre os irmãos. Armada com os fatos, pelo menos se sentia mais capaz de lidar com a situação. Seu marido não era um louco, só um menininho inseguro que sempre havia acalentado uma profunda inveja do irmão mais novo, superior em tudo.

Isso fazia dele uma pessoa ruim?

Não, *não*...

Agora que ela entendia Sebastian, certamente seria possível ajudá-lo a superar seus problemas, não? Ele precisava se sentir amado, valorizado, seguro.

Ao contrário de Frederik e Falk, com certeza uma personalidade não precisava ser puramente má e a outra, boa, certo? Nem a vida nem as pessoas em geral eram tão preto no branco.

Ou então, ela suspirou enquanto apagava a luz para ir dormir, será que estava tentando justificar o comportamento do marido com o simples fato de não conseguir suportar a verdade?

Ou seja, que ela tinha cometido um erro terrível?

Quando chegou de novo no château, na tarde seguinte, a visão das janelas e portas fechadas por tábuas e cobertas de andaimes foi quase insuportável de tão dolorosa. Passou duas horas com o arquiteto, repassando o que tinha sido feito até ali, em seguida foi de carro até o chalé, onde Jean, como de costume, estava sentado diante da sua mesa na cave preenchendo documentos.

– Émilie, que bom revê-la. – Ele sorriu e se levantou para beijá-la.

– Como está seu pai? – perguntou ela.

– Voltando à vida com a chegada da primavera. Agora está descansando, pronto para continuar a história hoje à noite. Ele me disse que quer que você saiba... – Jean suspirou – que o final não é feliz.

Depois da semana anterior, repleta de confusão mental e emocional, em contraste com a alegria atual por estar de volta à luminosidade e ao ar ameno da primavera provençal, Émilie estava pronta para lidar com aquilo.

– Jean, esse é o meu *passado*, não meu presente nem meu futuro. Eu prometo que consigo suportar.

Ele a encarou com atenção e fez uma pausa antes de falar.

– Minha Émilie, não sei por quê, mas você está diferente. Sinto que cresceu. Me desculpe por dizer isso.

– Não, Jean, eu acho que você tem razão – concordou ela.

– Dizem que a morte da geração anterior significa que você se torna de fato adulto. Talvez essa seja a recompensa pela tristeza de perdê-los.

– Talvez – concordou ela.

– Mas agora, enquanto meu pai descansa, será que podemos conversar sobre a vinícola? Quero explicar meus planos para a expansão.

Émilie deu o melhor de si para se concentrar nos fatos e números que Jean lhe apresentou, mas não se sentia qualificada para emitir uma opinião. Não sabia nada sobre o ramo, e essa inadequação a deixava constrangida com o fato de Jean precisar lhe pedir permissão para expandir o negócio quando ela não tinha competência nenhuma para lhe dar conselhos nem ajuda.

– Eu confio em você, Jean. Sei que fará tudo que puder para aumentar o sucesso financeiro da cave – disse ela enquanto ele guardava seus documentos.

– Obrigado, Émilie. Mas é claro que eu preciso discutir minhas ideias com você. As terras e o negócio são seus.

– Então talvez não devessem ser. – A ideia surgiu do nada. – Talvez o dono devesse ser você.

Jean a encarou com surpresa.

– Escute, que tal tomarmos uma taça de rosé e conversarmos melhor?

Eles se sentaram no terraço atrás do chalé e falaram sobre como poderiam viabilizar a ideia de Émilie.

– Quem sabe eu possa comprar a vinícola, mas continuar arrendando as terras em si, de forma que qualquer um que assumisse a cave depois de mim nunca poderia separá-la do château – sugeriu Jean. – Não posso oferecer grande coisa, porque eu teria de pedir um empréstimo no banco, e vou levar um tempo para reembolsar os juros. Mas em troca eu poderia lhe oferecer uma porcentagem de qualquer lucro que tiver.

– Acho que, em princípio, tudo parece muito razoável – concordou Émilie. – Eu também teria de perguntar a Gérard o que ele acha da ideia, além de verificar se as gerações passadas não incluíram nenhuma cláusula que impeça isso. Mas tenho certeza de que, mesmo se for o caso, eu poderia revogá-las, já que fiquei com todos os poderes. – Ela sorriu.

– E isso lhe cai bem – disse Jean, rindo.

– Pode ser. – Ela tomou um gole do vinho, pensativa. – Assim que minha mãe morreu, eu fiquei apavorada por ter de administrar a propriedade e todos os seus complexos detalhes, sabe? Meu primeiro impulso foi querer vender. Aprendi muito no último ano. Talvez eu seja mais capaz do que imaginava. – Ela se corrigiu. – Desculpe, não quis soar arrogante.

– Émilie, parte do seu problema sempre foi a sua *falta* de confiança em si mesma – comentou Jean. – Enfim, se você estiver disposta a avaliar essa ideia, eu ficaria feliz em chegar a um acordo. Mas agora deve estar com fome. Vamos entrar e comer, e ainda teremos tempo para ouvir meu pai contar mais uma parte da sua história.

Émilie achou Jacques bem melhor do que da última vez em que o vira.

– É o ar da primavera aquecendo meus ossos – disse ele, rindo, diante de um jantar composto por peixe fresco vindo direto do mercado local. – Então, está pronta? – perguntou ele quando os dois se acomodaram na sala. – Vou logo avisando: a história é… complexa.

– Estou pronta.

– Se bem me lembro, Constance e Sophia tinham chegado ao château, e Édouard conseguiu fugir para a Inglaterra…

Paraíso

Luz da aurora, um doce pêssego maduro,
A areia lambida pelo mar azul-escuro.
Um ar de primavera, a rosa coberta de orvalho,
O zumbido das abelhas a fazer o seu trabalho.
Tudo só beleza até onde o olho alcança
Faz os cinco sentidos se encherem de esperança.

A cela escura, o pavor da noite,
O mistral soprando feito açoite.
O frio inverno numa terra arrasada,
O gelo cortante da mão congelada.
A beleza, hoje lembrança distante,
Não mais habita cada longo instante.

A face macia, um beijo demorado,
Suave lembrança agora no passado.
O enlace carinhoso de um abraço
Que no coração encontrou seu espaço.
Na negra aflição uma estrela cadente,
Pois meu Paraíso é ter você presente.

SOPHIA DE LA MARTINIÈRES
Abril de 1944

27

Gassin, sul da França, 1944

– Vem vindo alguém! – exclamou Jacques. – Onde está Sophia?

– Na adega, dormindo – respondeu Connie, imediatamente em alerta.

– Vá avisar que ela não pode gritar... – Jacques tinha os olhos grudados no olho mágico da porta da cave. – Espere... é Armand!

Ele se virou para ela, deu um suspiro de alívio e abriu a porta. O rapaz apoiou a bicicleta na parede externa e entrou. Depois de um mês sem ver ninguém exceto Jacques e Sophia, Connie sentiu uma satisfação intensa ao ver seu rosto animado.

Os dois homens se cumprimentaram com o abraço íntimo típico dos franceses, e Jacques conduziu Armand pelo corredor até o chalé.

– Sente-se, amigo, e conte-nos as notícias. Estamos sem saber de nada aqui. Constance, pode fazer um café?

Connie aquiesceu com relutância; queria escutar cada detalhe do que Armand tinha para contar. Sua responsabilidade atual de tranquilizar Sophia e bancar a sua criada pessoal estava se tornando mais difícil a cada dia: no último mês, a moça havia se recusado a sair da cama na adega para pegar um pouco de ar puro no jardim interno e não comia nem reagia às súplicas de Connie para não desistir.

Ela pôs depressa três xícaras numa bandeja, serviu o café e levou tudo até a sala.

– Obrigado, Constance. E feliz Ano-Novo! – disse Armand, pegando a xícara da bandeja e tomando a bebida com deleite.

– Vamos todos rezar para que 1944 finalmente traga a libertação do nosso país – acrescentou Jacques com fervor.

– É. – Armand aquiesceu e tirou da bolsa um embrulho. – Isto aqui é para mademoiselle Sophia, mas tenho certeza de que ela não vai se importar se a senhora abrir, madame. São boas notícias.

Connie pegou o embrulho da mão dele e o abriu. Olhou para o tecido verde desbotado da capa e para o título do livro e sorriu.

– É o segundo volume de *História das frutas da França*. – Ela encarou Jacques com um brilho nos olhos. – Um livro da biblioteca de Édouard em Paris que eu adorava. Isso significa que ele está seguro?

– Sim, madame. Édouard está seguro – confirmou Armand. – E mesmo do esconderijo onde está, ele continua a nos ajudar na nossa luta. Tenho certeza de que mademoiselle Sophia vai se animar ao saber que o irmão está vivo e bem. E quem sabe? Talvez ele volte mais cedo do que pensamos. Mas só está longe para proteger a irmã.

– Sabe como ele conseguiu fugir? Estava muito doente quando fomos embora. – Connie continuou apertando o livro junto a si como um talismã.

– Eu não sei os detalhes, madame. Mas infelizmente soube que a agente britânica que salvou a vida dele foi fuzilada recentemente pela Gestapo. São tempos perigosos, madame. Mas pelo menos o "Herói" está seguro.

– Alguma notícia de Sarah?

– Infelizmente não. – Armand balançou a cabeça com tristeza. – Como tantos outros, ela simplesmente sumiu. Mas e Sophia, como está?

Jacques e Connie se entreolharam.

– Ela vai razoavelmente bem – respondeu Jacques, brusco. – Está saudosa do irmão e sente falta da liberdade que tinha. Mas o que mais se pode fazer até essa guerra acabar?

– Diga a ela que não deve perder as esperanças. Isso tudo logo vai acabar, e todos nós poderemos sair de nossos esconderijos. A invasão dos Aliados está chegando, e nós aqui estamos fazendo todo o possível para auxiliá-la. – Armand sorriu para Connie, e a fé e a esperança no olhar dele restauraram as suas. – Agora preciso ir andando.

Eles o viram se afastar pedalando, ambos agradecidos pela distração da vida solitária que estavam levando. Sophia podia estar se sentindo encarcerada no subsolo, mas acima do chão seus carcereiros se sentiam igualmente presos pela necessidade de protegê-la.

– Como ela está hoje? – perguntou Jacques enquanto Connie recolhia as xícaras de café.

– Igual. É como se tivesse desistido.

– Talvez a notícia de que o irmão está bem e em segurança ajude – disse Jacques com um dar de ombros.

– Vou descer e contar para ela – disse Connie.

Jacques aquiesceu em silêncio enquanto Connie tornava a entrar na cozinha. Ela pegou um vidro lacrado de leite na despensa, colocou-o dentro da bolsa de lona que usava para transportar mantimentos até a adega e pendurou a bolsa em frente ao peito.

– Tente incentivá-la a subir um pouco – acrescentou Jacques.

– Vou tentar.

Connie engatinhou para dentro da pipa de carvalho, removeu o fundo falso, acendeu o lampião a óleo e avançou pelo túnel. O trajeto que a havia deixado assustada na primeira vez que ela o percorrera era agora uma rotina diária. Ao chegar diante da porta, ela a abriu, e à luz fraca e limitada que entrava pela pequena janela viu que Sophia ainda estava dormindo. Já era quase hora do almoço.

– Sophia, acorde. – Connie a sacudiu de leve. – Tenho boas notícias.

Sophia rolou na cama e se espreguiçou. Com seu vestido de algodão fino e branco, a cintura mais arredondada estava evidente.

– O que foi? – perguntou ela.

– Um mensageiro acaba de trazer uma notícia maravilhosa. Seu irmão está seguro!

Ao ouvir isso, Sophia se sentou.

– E ele vai vir? Vai vir me tirar daqui?

– Em breve, talvez – mentiu Connie. – Mas não é maravilhoso saber que ele está bem? Ele nos mandou seu livro de árvores frutíferas. Lembra? Aquele que você usava para fazer desenhos em Paris!

– Sim! – Sophia aproximou os joelhos do peito e os envolveu com os braços. – Foram dias maravilhosos.

– E eles vão voltar, Sophia, eu prometo.

– E ele logo vai vir me tirar deste inferno – disse ela, encarando um ponto distante. – Ou quem sabe Frederik... – Sophia agarrou a mão de Connie de repente. – Você não sabe a falta que eu sinto dele.

– Sei, sim, porque eu também sinto falta de alguém.

– Sim, seu marido. – De repente, toda a sua energia se esvaiu e Sophia tornou a se deitar na cama. – Mas não consigo acreditar que esta guerra vá acabar algum dia. E acho que vou morrer neste lugar horrível.

Eram palavras que Connie já tinha escutado muitas vezes nas últimas semanas. Por experiência, sabia que havia pouco que pudesse dizer ou fazer para tirar Sophia daquele torpor.

– A primavera está chegando, Sophia, e, com ela, uma nova era. Você precisa acreditar nisso – insistiu ela.

– Eu quero acreditar, quero mesmo... mas ficar sozinha aqui embaixo a noite toda é muito difícil.

– Entendo que seja difícil, mas você não pode perder as esperanças.

As duas ficaram sentadas na penumbra sem dizer nada, e Connie se perguntou por que Sophia ainda não mencionara a gravidez. Com as mudanças no próprio corpo, ela certamente já devia saber àquela altura. O assunto estivera na ponta da língua de Connie muitas vezes. Talvez, por ter sido tão protegida por Édouard e Sarah, Sophia não soubesse o que estava lhe acontecendo. Pelos seus cálculos, um bebê nasceria do corpo daquela mulher dali a menos de seis meses. E nesse dia Connie sentiu, com uma forte certeza, que talvez aquela fosse a única coisa capaz de tirar Sophia do seu abismo de depressão. E ela precisava ser dita.

– Sophia – começou ela suavemente –, você sabe que daqui a bem pouco tempo vai ter um bebê, não sabe?

As palavras ficaram suspensas no ar úmido e malcheiroso por tanto tempo que ela se perguntou se Sophia havia tornado a adormecer.

Por fim, ela respondeu.

– Sei.

– E o filho é de Frederik?

– Claro! – A pergunta a deixou indignada.

– E você sabe que uma mulher que está esperando um bebê precisa se cuidar para que a criança seja nutrida, não sabe? Não só com alimento, mas também com ar puro e boa disposição.

Seguiu-se um novo silêncio.

– Há quanto tempo você sabe? – perguntou Sophia por fim.

– Sarah percebeu depressa. E me contou – respondeu Connie.

– Sim, ela saberia. – Sophia deu um suspiro e mudou de posição para ficar mais confortável. – Sinto muita falta dela.

– Eu sei. Tento fazer o que posso, mas entendo que não sou Sarah. – Connie ouviu o viés de frustração na própria voz.

– Me perdoe, Constance. – Sophia deve ter sentido a queda na temperatura já gelada. – Sei que você cuidou de mim e lhe sou grata. Quanto ao bebê… Fiquei envergonhada demais para contar. Entendo a gravidade do que fiz. – Sophia torceu as mãos em desespero. – Talvez seja melhor eu morrer. O que meu irmão vai dizer quando souber? Meu Deus, o que ele vai dizer?

– Ele vai entender que você é humana e que fez isso por amor – mentiu Connie. – E agora desse amor uma nova vida vai vir ao mundo. Sophia, você não pode desistir. Precisa lutar, lutar como nunca lutou antes, pelo bem do seu filho.

– Mas… mas Édouard nunca vai me perdoar, nunca. E você, Constance, como eu poderia lhe dizer que, na noite que meu irmão passou fora de Paris, eu a enganei, levei Frederik para minha cama e me deitei com ele por livre e espontânea vontade? Você deve me detestar! – Sophia balançou a cabeça, desalentada. – Mas mesmo assim aqui está você, cuidando de mim pelo simples fato de ser uma mulher boa e de não ter outra escolha. Mas você não tem como entender o que é ser um fardo para todo mundo à sua volta. Desde muito pequena, eu nunca podia ficar sozinha, para não correr o risco de cair. Em nenhum dia da minha vida eu pude fazer as coisas simples que outras pessoas fazem; dependo de todo mundo, preciso pedir ajuda para subir a escada ou para ir ao banheiro, ou simplesmente para vestir uma roupa nova que não consigo enxergar. Eu nunca vou poder sair como você pela porta da frente e andar pela rua. – Sophia levou os dedos minúsculos à cabeça. – Me perdoe por estar sendo tão egoísta, Constance.

– Está tudo bem. – Connie pôs a mão no seu ombro para confortá-la. – É mesmo terrível viver assim.

– E então… – retomou Sophia. – Então eu conheci um homem que não me vê apenas como uma cega, que não me trata como minha família, como se eu fosse uma criança impotente. Não. Frederik me trata como uma mulher, ignora a minha limitação, me escuta sem agir como se eu fosse idiota, me ama por quem eu sou por dentro e por quem desejo ser por fora. Mas que falta de sorte a minha: ele está do lado errado, ele é o inimigo. E por causa disso eu não devo, não *posso* amá-lo, caso contrário estaria traindo minha família, minha pátria até, e lhes causando mais um problema. E agora ele se foi e estou esperando um filho dele, outro fardo para impor àqueles que me rodeiam. Quer saber por que fico deitada aqui esperando e querendo morrer, Constance? Porque sei como a vida de todo mundo seria mais fácil sem mim!

Connie se sentou, chocada com a força do desabafo de Sophia. As palavras a fizeram se dar conta pela primeira vez de quão profundos eram sua compreensão da situação e seu sentimento de culpa por depender dos outros.

– Se não fosse por mim, Sarah não estaria naquele trem e não teria sido presa – continuou Sophia. – A esta altura, ela já deve estar morta, ou então foi mandada para um daqueles campos tenebrosos onde vai morrer da mesma forma.

Connie buscou as palavras certas.

– Sophia, sua presença na vida da sua família é tão valiosa que ninguém sequer pensa nos cuidados que precisa ter com você. Eles a amam.

– E como eu retribuí esse amor? Desgraçando minha família. – Sophia balançou a cabeça; lágrimas escorriam por seu rosto. – Diga o que disser, Édouard nunca vai me perdoar pelo que fiz. Como posso algum dia contar para ele?

– Vamos nos preocupar com isso depois – concluiu Connie. – No momento, o mais importante é a sua saúde e a do seu filho. Você precisa fazer tudo que puder para ajudar seu bebê a vir ao mundo. Sophia, você quer essa criança?

Houve uma longa pausa antes de ela responder.

– Às vezes eu acho que o melhor seria nós dois ficarmos deitados aqui e morrermos. Mas aí penso que todo mundo que eu amo se foi e que esta vida dentro de mim é tudo que tenho. E que essa vida faz parte dele, de Frederik... Ah, Constance, eu não sei o que pensar. Você não me odeia pelo que eu fiz?

– Não, Sophia. – Connie deu um suspiro. – Eu não a odeio, claro que não. Você precisa entender que não é a única mulher a se ver nessa situação, nem vai ser a última. Concordo que as circunstâncias não poderiam ser mais complicadas, mas lembre-se de que essa vida minúscula e inocente que está crescendo dentro de você não sabe nada sobre isso. E seja qual for a origem dessa criança, ou o que o futuro reserva, certamente você deve ao seu bebê ao menos a chance de ter uma vida, não? Já houve tanta morte, tanta destruição. E uma nova vida significa esperança, sejam quais forem as circunstâncias da concepção. Um bebê é uma dádiva de Deus, Sophia.

Ao se calar, Connie pensou se fora sua criação católica latente que tinha posto aquelas palavras fervorosas em sua boca. Deu-se conta de que elas realmente traduziam o que sentia.

– Acho que, por enquanto, tudo que você pode fazer é amar o que está crescendo dentro de você – emendou ela em voz baixa.

– Sim, tem razão – disse Sophia. – Você é muito boa e muito sábia, Constance, não tenho como lhe agradecer pelo que fez por mim. E um dia espero encontrar um jeito de retribuir.

– Bem, talvez você possa fazer isso não ficando deitada aqui querendo morrer – sugeriu Connie. – Por favor, Sophia, me ajude a ajudar você e seu bebê.

– Sim. – Sophia suspirou. – Eu só pensei em mim, quando tantas outras pessoas estão sofrendo coisas bem piores. Vou tentar ter esperança daqui em diante. E quem sabe, quando Frederik aparecer, nós possamos bolar um plano.

Connie a encarou, sem acreditar que ela ainda achava aquilo possível.

– Você acha que ele vai aparecer?

– Eu sei que vai – retrucou Sophia, com a certeza do amor. – Ele disse que viria me encontrar, e no fundo do meu coração sei que ele não vai me decepcionar.

– Nesse caso, Sophia, você também não deve decepcioná-lo – incentivou Connie.

Nos dias seguintes, Sophia se levantou. Começou a comer direito e a subir a escada até o château e o jardim interno, onde caminhava com Connie para se exercitar.

Certo dia, ela farejou o ar da manhã.

– A primavera está chegando. Posso sentir pelo cheiro. A vida vai ficar muito mais agradável.

Março veio, e as mimosas brotaram desordenadamente pelo jardim interno. Ninguém visitou o château, e Jacques se recusou a deixar Connie ir de bicicleta ao vilarejo buscar mantimentos, insistindo para fazer isso ele próprio. Os dois viviam num estado constante de alerta para uma possível visita da Gestapo local, mas a única atenção que tinham recebido nos últimos dias fora de um subalterno alemão, que aparecera para confiscar cem garrafas de vinho e duas barricas de *schnapps* para a fábrica de torpedos.

– Nossa vida solitária é uma vida segura – disse Jacques certa noite. – Não se pode confiar em ninguém e, enquanto Sophia estiver sob minha proteção, não podemos baixar a guarda. Sendo assim, temos de suportar a solidão e a monotonia da companhia um do outro até isso passar. – Ele arqueou as sobrancelhas e sorriu.

Connie não pôde fazer muita coisa a não ser concordar. No entanto, forçada a conviver com aquele desconhecido, acabara se afeiçoando muito a Jacques. Sua pele e postura de camponês contrastavam com uma mente arguta e reflexiva. Depois de Sophia ir dormir lá embaixo na adega, os dois passavam muitas noites jogando xadrez. Connie também aprendeu muito com Jacques sobre o complexo processo de produção vinícola, e nunca deixava de se emocionar com sua completa devoção ao caro amigo e patrão, Édouard. Ela, por sua vez, lhe falava sobre a vida na Inglaterra e seu amado Lawrence, que não fazia ideia de onde ela estava.

Connie sentia estar vivendo numa escuridão permanente, fosse no quarto de Sophia ou nos cômodos fechados do château. De vez em quando, conduzia Sophia escada acima e ia se sentar com ela na maravilhosa biblioteca criada por Édouard e por seu pai. Pegava um livro na estante e o lia para Sophia à luz tremeluzente do lampião a óleo. Numa das prateleiras, encontrara o primeiro volume de *História das frutas da França* e levara-o até o chalé para mostrar a Jacques.

– São livros lindos – admitiu ele ao virar as páginas frágeis com belas ilustrações coloridas. – Édouard me mostrou faz algum tempo este primeiro volume que o pai dele tinha comprado. Pelo menos *esses dois* se reencontraram após centenas de anos.

Com a chegada da primavera, o corpo de Sophia também floresceu. Agora no auge da gestação, ela exibia as faces coradas pelas tardes passadas sentada no jardim interno, sob os galhos protetores do castanheiro. Sempre que Sophia estava lá fora, Jacques patrulhava a propriedade contra visitas indesejadas. Era tão protetor quanto um pai.

Certa noite, depois de Connie ajudar Sophia a ir se deitar na adega, Jacques pegou uma jarra de vinho e serviu uma taça para cada um.

– Tem alguma ideia de quando o bebê vai nascer? – perguntou.

– Pelos meus cálculos, em algum momento de junho – respondeu Connie.

– E o que nós vamos fazer quando isso acontecer? – Jacques suspirou. – Será que um bebê pode mesmo passar as primeiras semanas de vida numa adega fria e escura? Além do mais, e se ele chorar e alguém ouvir? E como Sophia vai conseguir cuidar de um bebê se não consegue vê-lo?

– Em circunstâncias normais, ela teria uma ama-seca para ajudar. Mas não estamos em circunstâncias normais – disse Connie.

– Não.

– Bem – ela suspirou –, pelo visto a ama-seca vou ser eu, embora eu não faça ideia de como cuidar de um bebê.

– Estive pensando se não seria melhor o bebê ser levado direto para um orfanato. Nesse caso, ninguém saberia da sua existência, só você, eu e mademoiselle Sophia. Que futuro ele poderia ter? – Jacques balançou a cabeça em desalento. – Quando Édouard descobrir a verdade, nem me atrevo a pensar no que ele vai fazer.

– É certamente uma ideia – concordou Connie com hesitação. – Mas eu não deveria abordá-la com Sophia neste momento. Ela está indo muito bem.

– Claro. – Jacques assentiu. – Mas eu conheço um orfanato num convento em Draguignan que aceita casos como esse.

– Pode ser. – Connie não achou adequado mencionar o apego que Sophia desenvolvera recentemente pela criança em seu ventre; o modo como ela a considerava uma parte de Frederik e um símbolo do seu amor, atitude incentivada pela própria Connie para tentar despertar a jovem do seu torpor. Jacques era homem. Ele não entenderia. – Veremos – foi tudo que ela disse.

No início de maio, Armand apareceu no chalé em sua bicicleta. Sentou-se com Jacques e Connie no pequeno jardim, onde os três beberam o rosé da pipa daquele ano. Exausto e extenuado, o rapaz lhes contou que o seu braço do Maquis, cuja base ficava nas densas matas das colinas de La Garde-Freinet, estava se preparando para a invasão do sul.

– Os *boches* estão sendo levados a pensar que o ataque vai vir dos litorais de Marselha e Toulon, mas os Aliados planejam aportar aqui, nas praias ao redor de Cavalaire e Ramatuelle. E nós da Resistência estamos fazendo todo o possível para confundi-los e dificultar sua vida – explicou ele, sorrindo. – Cortamos cabos de telefone, explodimos pontes ferroviárias, interceptamos seus transportes de armas. Agora somos muitos milhares, todos lutando pela mesma causa. Os britânicos estão secretamente largando o máximo de armas possível para nós aqui, e estamos bem-organizados. Ouvi dizer que os americanos vão iniciar o ataque ao sul pelo mar. Constance, eu sei que você foi treinada para esse tipo de coisa. Pode nos ajudar? Precisamos de um mensageiro para...

– Não, Armand. Até agora, ela não saiu desta casa – respondeu Jacques, firme. – E fomos deixados em paz. Se Constance fosse vista entrando e saindo daqui de bicicleta, seria perigoso demais para mademoiselle Sophia.

Connie ficou consternada.

– Mas, Jacques, eu não poderia sair pelos fundos? Eu quero ajudar.

– Eu sei, Constance, e talvez um dia isso seja possível. Mas por enquanto é importante você ficar perto de mademoiselle Sophia. – Jacques lhe lançou um olhar de alerta.

– Mas talvez vocês possam nos ajudar de outras formas, Jacques – continuou Armand. – Nós muitas vezes tiramos pilotos britânicos da França passando pela Córsega, e às vezes precisamos de um lugar seguro onde eles possam esperar a chegada do barco. Estariam dispostos a abrigá-los aqui?

Jacques deu um suspiro de dúvida.

– Não quero atrair nenhuma atenção para nós.

– Certamente poderíamos fazer isso com segurança, não, Jacques? – insistiu Connie. – Sophia está escondida na adega, longe da cave, e precisamos fazer tudo que pudermos para ajudar a causa maior. Essa era a cartilha pela qual o próprio Édouard vivia, mesmo que isso significasse pôr sua família em risco – enfatizou ela, decidida a fazer algo útil.

– Sim, Constance, tem razão – respondeu Jacques, por fim. – Como posso recusar? Nós podemos pôr os pilotos no sótão.

– Obrigado – disse Armand com um meneio de cabeça agradecido.

– E, Constance, tenho certeza de que vai cuidar bem deles – disse Jacques, levantando-se.

– Claro. – Connie pensava com egoísmo o quanto gostaria de acompanhar os pilotos no barco para a Córsega.

– Eu ou um de meus homens entraremos em contato quando surgir a necessidade – disse Armand. – Agora preciso ir.

Os dois primeiros pilotos britânicos chegaram na semana seguinte, às três da manhã. Ouvir seus sotaques deixou Connie com os olhos marejados enquanto tratava de lhes servir comida e vinho. Eles iriam ficar 24 horas antes de pegarem um barco para a Córsega. Embora frágeis e exauridos por terem passado as últimas semanas em fuga, ambos estavam animados com a perspectiva de voltar para casa.

– Não se preocupe, garota – disse um deles quando ela os estava levando até o sótão. – O controle nazista na França está enfraquecendo. Hitler está perdendo a força... Recentemente houve até um complô fracassado para matá-lo, liderado por alguns de seus subordinados mais graduados. De uma forma ou de outra é questão de semanas, no máximo meses, para tudo isso acabar.

Na manhã seguinte bem cedo, quando os ingleses foram embora, Connie entregou um envelope a um deles.

– Será que, quando chegar, poderia pôr isto aqui no correio para mim?

– É claro que posso. Um preço pequeno a pagar pela primeira comida decente que como em semanas – respondeu o piloto, sorrindo.

Connie se recolheu para dormir com uma sensação de esperança renovada no peito. Se o piloto conseguisse mesmo voltar à Inglaterra, então pelo menos seu amado Lawrence poderia saber que ela estava bem e em segurança.

À medida que o parto de Sophia se aproximava, ela começou a ter dificuldade para subir os degraus da adega por causa da barriga. Apesar disso, tinha um ar tranquilo e estava radiante e saudável.

Connie conseguira encontrar um pouco de lã e um par de agulhas de tricô na velha despensa da governanta no château, e passava as tardes sentada no jardim interno com Sophia, tricotando casaquinhos, gorros e sapatinhos para o bebê. Às vezes olhava com inveja para a amiga; afinal, seu sonho era formar a própria família com Lawrence. Agora estava vivenciando, por tabela, a jornada de outra mulher rumo à maternidade.

Nas noites de temperatura amena, ela e Jacques muitas vezes se sentavam do lado de fora, na mesa do jardim do chalé, cercados pelas tenras vinhas novas a proteger os frutos verdes minúsculos que em breve iriam se transformar em uvas grandes e suculentas.

– Falta pouco para a *vendange*, época de colheita das uvas, mas não sei se vou conseguir a ajuda de que preciso para isso. – Jacques suspirou. – Todo mundo está pensando em coisas mais importantes do que fabricar vinho.

– Eu o ajudarei o máximo que puder – ofereceu Connie, sabendo que era um gesto fútil. Jacques costumava contar com a ajuda de uma dúzia de homens e mulheres, que ficariam do raiar do dia até o anoitecer colhendo as uvas.

– É muita bondade sua, Constance, mas acho que sua ajuda talvez seja necessária em outras atividades. Você sabe alguma coisa sobre como trazer bebês ao mundo? – perguntou Jacques.

– Não. Surpreendentemente, isso não fez parte do meu treinamento antes de eu vir para cá – respondeu ela em tom de ironia. – Nos livros que li, todo mundo fica correndo para lá e para cá com água quente e panos. Não sei exatamente por que motivo, mas acho que vou me virar quando chegar a hora.

– Tenho medo de algo dar errado e Sophia precisar de ajuda médica. O que faríamos nesse caso? Não podemos arriscar levá-la para o hospital – disse Jacques, preocupado.

– Farei o melhor que puder.

– E isso, minha cara Constance, é a única coisa que nós dois podemos fazer – disse Jacques com um suspiro.

Um fluxo regular de pilotos atravessou a soleira de Jacques e usou o refúgio do sótão do chalé para esperar o barco rumo à Córsega. Connie soube por eles que o plano de invasão da Normandia estava próximo de ser executado. A invasão ao sul aconteceria algumas semanas depois.

Toda vez que os pilotos iam embora, ela lhes entregava um envelope a ser enviado para Lawrence. As cartas diziam sempre a mesma coisa:

Meu amor, não se preocupe comigo. Estou em segurança, estou bem, e espero voltar para casa em breve.

Com certeza uma delas acabaria conseguindo chegar às mãos de Lawrence, pensou ela enquanto escrevia a quinta carta numa noite de junho, pronta para entregá-la a um piloto quando ele fosse partir de manhã cedinho.

De repente, Jacques entrou na sala com uma expressão preocupada.

– Constance, tem alguém rondando lá fora. Levante-se e vá dizer aos pilotos para ficarem em silêncio, e eu vou lá ver quem é.

Jacques pegou sua espingarda de caça no seu lugar junto à porta da frente e saiu do chalé.

Depois de avisar os pilotos, Connie tornou a descer e encontrou Jacques em pé na sala, com a arma apontada para um homem louro, alto e dolorosamente magro. O intruso tinha os dois braços erguidos num gesto de rendição.

– Não chegue perto! Ele é alemão! – Jacques cutucou o peito do homem com o cano da espingarda. – Sente-se ali. – Ele indicou a poltrona junto à lareira, onde o homem ficaria bem imprensado num canto.

Quando ele se sentou, Connie observou seus olhos, imensos no rosto descarnado, os cabelos louros embaraçados e imundos e o que restava da camisa e da calça que pendiam do corpo esquálido. Encarou-o, e seu coração começou a bater forte. Pensou que o choque fosse fazê-la desmaiar.

– Constance, sou eu, Frederik – grasnou ele com uma voz rouca. – Talvez não esteja me reconhecendo sem o uniforme.

Connie se forçou a olhar para seu rosto outra vez. A expressão dos olhos era a única pista capaz de lhe dizer qual dos gêmeos era aquele. Leu neles gentileza e medo, e com um suspiro de alívio se deu conta de que ele estava dizendo a verdade.

– Você conhece esse homem? – Jacques se virou para ela com uma expressão incrédula.

– Sim – respondeu ela, e aquiesceu. – O nome dele é Frederik von Wehndorf, e ele é coronel da SS. Sophia também o conhece. – Connie olhou para Jacques, torcendo para que ele entendesse sem que ela precisasse dizer as palavras.

– Entendo. – Jacques assentiu para sinalizar que captara a mensagem, mas não baixou a arma. Virou-se para Frederik. – E o que está fazendo aqui?

– Vim ver Sophia, como prometi. Ela está aqui?

Nem Connie nem Jacques lhe responderam.

– Como podem ver, eu não sou mais oficial do Exército alemão. – Frederick apontou para as próprias roupas. – Na verdade, sou um fugitivo. Se me encontrarem, vão me levar de volta para a Alemanha, onde serei fuzilado na hora como traidor.

Jacques deu uma risada dura.

– Espera mesmo que acreditemos nessa história? Como podemos saber que isso não é um truque? Vocês *boches* são capazes de um sem-fim de mentiras para salvar suas malditas peles.

– O senhor tem razão – concordou Frederik num tom calmo. – Eu não tenho como provar. Tudo que posso fazer é lhes contar a *minha* verdade. – Ele se virou para Connie. – Depois de levar você, Sophia e a criada dela até a Gare de Montparnasse, eu não voltei para a Alemanha. Sabia que meu irmão Falk não iria descansar enquanto eu não pagasse por ter ajudado vocês a fugirem. Não era a primeira vez que ele duvidava da minha fidelidade à causa. Pelo visto, eu tenho muitos inimigos e nenhum amigo.

A dor e a exaustão nos olhos de Frederik eram palpáveis. Sem o uniforme, ele parecia muito mais vulnerável.

– Para onde você está indo? – interrompeu Connie.

– Constance, meu único pensamento era chegar aqui para ver Sophia, como eu tinha prometido a ela que faria – respondeu ele. – Depois que saí de Paris, fiquei escondido. Fugi para os altos Pireneus e consegui continuar vivo graças a uma mistura de suborno e bondade alheia. Me mantive discreto, chegando a ordenhar cabras e alimentar galinhas, até sentir que era seguro atravessar a França para encontrar Sophia. – Frederik deu de ombros, desolado. – Faz muitas semanas que parti para cá.

– Foi uma verdadeira façanha ter chegado até aqui sem ser pego por nenhum dos dois lados – disse Jacques, ainda sem acreditar.

– Só segui em frente por acreditar que iria ver Sophia. Mas minha sorte certamente vai acabar logo. Uma pessoa em especial talvez adivinhe para onde eu acabaria vindo e queira se dar ao trabalho de me caçar. – Frederick deu um suspiro e balançou a cabeça. – Pouco importa… sei que a minha morte é inevitável, seja pelas mãos dos franceses ou dos alemães. Só queria ver Sophia uma última vez. Por favor, Constance, me diga pelo menos se ela está em segurança e bem de saúde. Se está viva.

Connie viu as lágrimas nos olhos de Frederik. Ao vê-lo sentado ali, sob a mira de uma arma, praticamente irreconhecível se comparado ao homem que costumava ser, sentiu pena. Em vez de fugir e salvar a própria pele, ele tinha decidido arriscar a vida para ver a mulher que amava. Fosse qual fosse a sua nacionalidade, convicção política e independentemente do que tivesse feito nos últimos anos, aquele era um ser humano que no momento merecia ser tratado com empatia.

– Sim, ela está em segurança e bem de saúde – afirmou.

Jacques lhe lançou um olhar de alerta, mas Connie o ignorou.

– Está com fome? Imagino que tenha comido muito pouco nas últimas semanas.

– Constance, qualquer coisa que você tiver sobrando seria muito bem-vinda, mas me diga: Sophia está aqui? Eu posso vê-la? – suplicou Frederik.

– Vou lhe trazer a comida, e conversaremos. Jacques, pode baixar a arma. Frederik não vai nos fazer mal. Eu lhe dou minha palavra. Por que não sobe e diz a nossos amigos no sótão que não há motivo para pânico? É só um parente que veio nos visitar, mas de toda forma eles não devem aparecer aqui embaixo.

– Se você realmente acredita que podemos confiar nele, eu vou confiar – respondeu Jacques devagar, baixando com relutância a espingarda.

– Eu acredito – disse Connie, e meneou a cabeça, satisfeita por assumir o controle das coisas pelo menos daquela vez. – Frederik, vamos até a cozinha, e conversaremos enquanto eu preparo algo para você comer.

Com esforço, Frederik se levantou, e Connie reparou que cada passo que ele dava lhe exigia um imenso esforço. Ele havia chegado ao fim da sua jornada, e a exaustão, a fome e o desespero estavam substituindo a adrenalina. Connie fechou a porta da cozinha com firmeza atrás de si e indicou com um gesto para Frederik se sentar numa cadeira de madeira em frente à pequena mesa.

– Constance, por favor – ele tornou a implorar. – Ela está aqui?

– Sim, Frederik. Sophia está aqui – confirmou Connie.

– Ah, meu Deus. Ah, meu Deus. – Frederik segurou a cabeça entre as mãos e começou a chorar. – Às vezes, no caminho para cá, quando estava dormindo em valas e revirando lixo atrás de alguma coisa para comer, cheguei a pensar que talvez ela estivesse morta. Imaginei isso tantas vezes que… – Ele enxugou o nariz na manga da camisa e balançou a cabeça. – Me desculpe, Constance, entendo que você não consiga ter nenhuma empatia por mim, mas não faz ideia do inferno que atravessei para encontrar Sophia.

– Tome, beba isto. – Ela pôs uma taça de vinho na frente dele e lhe deu uns tapinhas no ombro, de leve. – Estou assombrada que tenha conseguido chegar vivo até aqui.

– Fui ajudado pelo fato de que tanto os franceses quanto o meu lado sabem que alguma coisa está para acontecer. A França está um caos, a Resistência se fortaleceu. Nós… *eles*… – corrigiu-se Frederik na mesma hora. – Eles estão tendo de lutar muito para se defender. E talvez o último lugar em que alguém fosse pensar em me procurar é aqui, na França. Com exceção de uma pessoa…

– Tome, coma. – Connie pôs diante dele um pedaço de pão cortado de forma grosseira e um pouco de queijo.

– Eles já vieram revistar o château? – perguntou Frederik enquanto enfiava o pão e o queijo na boca e engolia quase sem mastigar.

– Sim, revistaram e não encontraram nada. Jacques e eu tomamos muito cuidado para garantir que o château ficasse fechado e Sophia escondida. No momento ninguém desconfia que ela esteja aqui.

– E Édouard? Ele está aqui também? – perguntou Frederik.

– Não. Ele sabia que a sua presença faria a irmã correr um perigo ainda maior.

– Bom, não posso ficar muito tempo; tenho consciência de que a cada segundo que passo aqui estou pondo suas vidas em risco. – Frederik engoliu o pão e o queijo com goladas de vinho. – Então vou ver Sophia e depois partir. Pode me levar até ela agora? Estou implorando, Constance, por favor.

– Sim, posso. Venha comigo.

Connie levou Frederik até a cave, o fez subir até dentro do barril, em seguida o guiou pelo túnel.

– Minha pobre, pobre Sophia – gemeu ele, com dificuldade de avançar por causa da estatura. – Como ela consegue suportar? Em algum momento ela sente o calor do sol no rosto?

– Não teve escolha exceto suportar isso em nome da própria segurança. – Connie tinha chegado à porta. – Ela está aqui dentro, e pode ser que esteja dormindo. Vou entrar primeiro para não assustá-la. E Frederik... – Ela se virou e olhou para ele. – Acho que você também vai levar um susto.

Connie bateu à porta três vezes, em seguida a abriu devagar. Sophia estava sentada na cadeira junto à minúscula janela, com um livro em braile pousado sobre a barriga.

– Constance? – Ela ergueu os olhos.

– Sim, sou eu. – Connie foi até onde a outra estava sentada e pousou a mão no seu ombro com delicadeza. – Não tenha medo, mas você tem uma visita. Acho que vai ficar muito feliz quando perceber quem é.

– Sophia! Sophia, meu amor, sou eu, Frederik – sussurrou uma voz atrás de Connie. – Estou aqui, *mein Liebling*.

Por alguns instantes, Sophia não conseguiu falar.

– Estou sonhando? Frederik? – sussurrou ela. – É você mesmo?

– Sim, minha Sophia, sou eu.

Ela abriu os braços, e o livro caiu no chão.

Connie recuou, e da porta ficou olhando Frederik andar até Sophia e tomá-la nos braços. Foi com lágrimas nos olhos que se retirou em silêncio e fechou a porta depois de sair.

28

Connie passou a noite inteira acordada na sala de Jacques, de vigília. Às duas da madrugada, depois de os pilotos irem embora, Jacques se juntou a ela, bocejando.

– Pelo menos uma parte do nosso problema já partiu. E a outra? – Ele apontou para baixo das tábuas do piso. – Ele ainda está com ela?

– Sim.

– Você foi lá verificar?

– Uma vez. Ouvi os dois conversando.

– Me perdoe, Constance, mas você confia mesmo nele? Talvez isso seja um truque para enganar todos nós, usar uma jovem apaixonada.

– Posso lhe garantir que não. Basta olhar para ele para ver que está dizendo a verdade. É evidente que passou semanas fugindo. Nós não estaríamos aqui se ele não tivesse nos ajudado a fugir de Paris. E ele ama Sophia de todo o coração.

– Mas e se ele tiver sido seguido?

– É claro que essa é uma forte possibilidade...

– Constance! Pelo que ouvi falar sobre o irmão dele, isso é uma certeza – interrompeu Jacques.

– Mas enquanto os dois estiverem no quarto secreto, eles estão seguros, não? E Frederik sabe que precisa partir o quanto antes. Mas negar aos dois o que podem ser suas últimas horas juntos seria de uma crueldade imensa. Jacques, por favor, dê esse tempo a eles – implorou Connie. – Acho que eles devem ter muito o que conversar, considerando as circunstâncias.

– Ele precisa ir embora logo – disse Jacques, e estremeceu. – Se algum dia ficarem sabendo que abrigamos um nazista aqui, vai ser o meu fim.

– Jacques, por favor. Ele vai embora amanhã – respondeu Connie, firme.

Sophia estava deitada na cama estreita que mal dava para ela, quanto mais para o homem cujos braços no momento a enlaçavam. Ela não parava de acariciar seu rosto, seu pescoço, seus cabelos, para se convencer de que Frederik de fato estava ali. Ele estava tão exausto que de tempos em tempos adormecia nos seus braços, então acordava sobressaltado e segurava com mais força seus ombros.

– Diga, meu amor, o que podemos fazer? – perguntou ela. – Tem de haver algum lugar no mundo para onde possamos fugir.

Frederik acariciou delicadamente o contorno do seu filho sob a pele fina e branca da barriga de Sophia.

– Você precisa ficar aqui até nosso bebê nascer. Não tem escolha. Eu vou embora amanhã e, se Deus quiser, encontrarei um abrigo seguro até a guerra acabar. Prometo a você que isso não vai demorar muito.

– Estou escutando isso há anos, e ela nunca acaba – disse Sophia num suspiro.

– Mas vai acabar, Sophia, eu juro, e você precisa acreditar nisso – disse Frederik. – E quando acabar e eu tiver encontrado um lugar onde possamos ficar, virei buscar você e nosso filho.

– Por favor, não me deixe! Não vou suportar ficar sem você, *por favor…* – As palavras que até mesmo ela sabia serem inúteis foram abafadas quando ela enterrou o rosto no peito morno dele.

– Agora vão ser só mais uns poucos meses, e você precisa aguentar firme. Ficar forte para o bebê. E um dia nós vamos nos sentar com ele e contar quanto sua mãe foi corajosa para trazê-lo ao mundo. Sophia… – Ele a beijou com ternura na testa, no nariz, nos lábios. – Eu disse que viria encontrar você desta vez, e vim. Não vou decepcioná-la no futuro. Acredite em mim.

– Eu acredito. Então vamos falar de assuntos mais felizes. Conte-me sobre a sua infância – sugeriu ela, desesperada para colher todas as informações possíveis sobre o homem que amava, o pai do seu filho.

– Eu fui criado na Prússia Oriental, num vilarejo chamado Charlotten-ruhe. – Frederik fechou os olhos e sorriu ao visualizar sua cidade natal. – Nós tivemos sorte, porque a nossa família morava num *Schloss* lindo, cercado por muitos hectares de terras férteis que nos pertenciam e que nós explorávamos. Por ter centenas de quilômetros de terras cultivadas, a Prússia Oriental era conhecida como a Câmara do Milho. E com isso nós, que vivíamos lá, prosperamos. Eu tive uma infância linda, nunca me faltou nada, fui amado por meu pai e minha mãe e abençoado com uma excelente educação. Talvez meus únicos problemas se devam ao meu irmão, que sempre implicou comigo.

– Dois irmãos, nascidos a uma hora de intervalo, criados na mesma família, mas mesmo assim tão diferentes – refletiu Sophia. Ela afagou a barriga. – Apenas torço para que nosso pequenino puxe ao pai, e não ao tio. Para onde você foi quando terminou a escola?

– Falk foi direto para o Exército, e eu fui estudar política e filosofia na Universidade de Dresden. Foi uma época interessante… O Führer tinha acabado de subir ao poder – explicou Frederik. – Após anos de pobreza para tantos alemães desde o fim da Primeira Guerra, Hitler começou a fazer reformas para garantir saúde e um padrão de vida melhor para seus cidadãos. Assim como outros jovens pensadores radicais, e com um interesse especial pela política por causa do meu diploma, eu acabei me deixando levar pela empolgação. – Frederik deu um suspiro. – Você não vai querer escutar isso, Sophia, mas nos primeiros anos como chanceler, Hitler fez muitas melhorias, e suas ideias de transformar nossa nação numa potência econômica e industrial de força internacional eram sedutoras. Eu assisti a um dos comícios dele em Nuremberg, e o clima era incrível. O Führer tinha uma magnificência, um carisma que o tornavam irresistível para uma nação maltratada. E quando ele falava, nós acreditávamos em cada palavra. Ele nos oferecia esperança para o futuro, e nós o venerávamos. Eu, assim como todos os meus amigos, corremos para nos filiar ao partido dele.

– Entendo. – Sophia estremeceu. – E o que mudou?

– Bem… – Frederik buscou na mente exausta as palavras para tentar explicar. – É difícil para você e eu imaginarmos milhões de pessoas prestando atenção em cada palavra do que dizemos, ser objeto de uma adoração tão frenética, sem quase nenhuma voz dissonante. Com certeza nos sentiríamos onipotentes, como deuses, não?

– Sim – murmurou Sophia no seu ombro.

– Mesmo antes de a guerra começar, fiquei horrorizado com o que ele estava fazendo com os judeus na Alemanha e com a proibição das religiões cristãs. Como você sabe, eu sou cristão, mas para minha própria segurança precisava guardar segredo em relação a isso. Àquela altura, já tinha sido escolhido para entrar para o serviço de inteligência. Eu não tive escolha, Sophia. Se tivesse recusado, teriam me fuzilado.

– Meu Frederik, como você sofreu! – disse Sophia, às lágrimas.

– Meu sofrimento não é nada comparado ao de meninos de 13 anos obrigados a segurar uma arma e matar em nome de uma causa que nem sequer compreendem! – Frederik também começou a chorar. – E eu também, pelas minhas ações, conscientemente condenei pessoas à morte. Você não sabe as coisas terríveis que eu fiz... Que Deus me perdoe. E você... como *você* pode me perdoar, Sophia? – Ele a encarou com um olhar angustiado. – Como posso perdoar a mim mesmo?

– Frederik, por favor...

– Sim, tem razão, chega disso por enquanto – murmurou ele, acariciando seus cabelos com os lábios. – Aqui com você finalmente me sinto seguro e em paz. E se eu morresse agora, morreria feliz.

Ele se recostou ao lado dela e ergueu os olhos para o reflexo do lampião a óleo no teto escurecido.

– Acho que vou me lembrar desta noite para sempre. Na minha concepção, estar no paraíso não é estar num lugar lindo como o jardim do Éden, como sugere a Bíblia, nem acumular uma grande fortuna para conquistar poder e status. Essas coisas representam apenas a beleza externa e nada significam. Pois aqui estou eu, num subsolo úmido e escuro, já condenado à morte. Mas com você nos braços, estou em paz. – Frederik deu um soluço de emoção. – Minha alma está no paraíso porque estou com você.

– Frederik, por favor, me abrace como se nunca fosse me soltar – implorou Sophia.

Os moradores do château dos La Martinières acordaram em meio ao ameno amanhecer provençal. Os ocupantes do sótão andavam de um lado para outro, nervosos, e os do subsolo também já estavam acordados, temendo o raiar do dia.

Em Londres, assim que amanheceu, Édouard de la Martinières foi incomodado por um zumbido baixo e insistente, que ao passar acima de onde ele estava se transformou num rugido ensurdecedor. Ele foi até a janela e viu as aeronaves voando em formação compacta num fluxo incessante acima da capital. Era dia 6 de junho de 1944. O Dia D acabara de começar.

Às sete da manhã, Connie ouviu alguém bater de leve à porta da cozinha. Foi abrir e deu com Frederik ali de pé, os olhos ainda acesos com a chama do amor.

– Preciso ir embora daqui a pouco, Constance. Será que eu poderia lhe pedir um café e, quem sabe, um pouco de pão para o desjejum? Pode ser a última comida que vou conseguir em muito tempo – disse ele.

– Claro – respondeu Connie. – E tenho certeza de que podemos conseguir umas roupas limpas para você usar. Você e Jacques têm quase a mesma altura. – Mesmo de longe, Connie podia sentir o mau cheiro de Frederik.

– É muita gentileza sua, Constance. Sophia pediu para você descer. Disse que tem um jardim onde é seguro ela ficar. Ela prefere se despedir de mim lá.

– Claro. – Connie indicou uma chaleira prestes a ferver sobre o fogão e o pão que tinha sobrado da véspera. – Tem um lugar para você se lavar logo depois da porta da cozinha. Vou trazer umas roupas lá de cima.

Como Jacques fora de bicicleta ao vilarejo comprar pão fresco, Connie foi até seu guarda-roupa, pegou uma pilha de roupas que julgou adequadas e as ofereceu a Frederik.

– Pegue o que servir. Vou ajudar Sophia a ir até o jardim e volto. Vou ver também se consigo alguns francos para ajudar na sua viagem.

– Constance, você é um anjo de misericórdia e jamais esquecerei o que fez por Sophia e por mim. Obrigado.

Quinze minutos depois, Connie bateu à porta do quartinho de Sophia na adega. Ela estava sentada na cama, com o semblante belo e sereno.

– Frederik disse que você gostaria de se despedir dele no jardim.

– Sim. Talvez demore muito tempo para voltarmos a estar juntos. E eu gostaria de me lembrar dos nossos últimos instantes como se nós dois fôssemos simplesmente livres para ir aonde quiséssemos.

– Eu entendo, mas você precisa estar preparada para se esconder depressa se alguém aparecer.

– Claro. Agora, Constance, poderia se certificar de que não estou com nenhuma sujeira no rosto e de que os meus cabelos estão arrumados? – pediu ela.

Depois de Connie fazer o melhor que podia com a pouca luz da janelinha, pensando que com o amor a iluminar seu rosto Sophia ficaria bonita mesmo sem qualquer cuidado, ela a conduziu até o jardim interno lá em cima e a sentou diante de sua mesa sob o castanheiro.

– Vou trazer Frederik até aqui – falou.

– Obrigada. A manhã está linda – comentou Sophia.

– Está, mesmo.

Connie saiu do jardim, e Sophia ficou sentada sozinha, apreciando o calor do sol no rosto. Inspirou o ar perfumado e reconheceu o aroma forte da lavanda plantada em profusão nas bordas do jardim.

– Sophia.

– Você voltou depressa. – Ela sorriu e abriu os braços para recebê-lo. – Constance nos deixou a sós?

Houve uma ligeira pausa, e ele então disse:

– Sim.

– Venha me abraçar, Frederik. Nosso tempo está acabando.

Ele assim o fez, e Sophia inalou seu cheiro, diferente de uma hora antes. Tateou as feições conhecidas de seu rosto, e em seguida a aspereza de uma jaqueta estranha.

– Acho que você se lavou, e Constance lhe emprestou roupas novas – comentou ela.

– Sim, ela é muito gentil.

– Você precisa ir agora? Quem sabe não podemos passar mais um tempinho sentados aqui?

Ela deu uns tapinhas na cadeira ao seu lado e estendeu as mãos para segurar as dele quando ele se sentou. O aperto lhe pareceu mais forte do que de costume, as mãos menos calejadas, provavelmente por causa do sabonete.

– Como vou entrar em contato depois que você for embora? – perguntou ela.

– Eu entrarei em contato com você. Quem sabe se me disser onde o seu irmão está escondido eu possa mandar um recado para ele também.

– Frederik, já falei ontem à noite que não sei onde ele está. Ele fica longe para me proteger.

– Realmente não faz ideia de onde ele está?

– Não! – Ela balançou a cabeça, frustrada. – Por que estamos falando disso quando você vai embora a qualquer momento? Frederik, por favor, temos tão pouco tempo agora, vamos falar sobre os planos para o futuro. Talvez devêssemos escolher um nome para o nosso filho, ou quem sabe nossa filha.

– Que tal Falk, em homenagem ao tio? – Era a mesma voz, mas vinda de mais longe. Sophia não entendeu. Agitou os braços tentando encontrá-lo.

– Onde você está? Frederik? O que está acontecendo?

Frederik encarou o irmão, que havia se levantado da cadeira ao lado de Sophia e agora apontava uma pistola para ele.

– Você veio afinal, Falk – afirmou Frederik.

– Claro.

– E trouxe com você a força dos seus amigos da Gestapo? Eles estão esperando na entrada do château para me conduzir marchando de volta até a Alemanha? – perguntou Frederik num tom cansado.

– Não. – Falk balançou a cabeça. – Pensei que seria melhor aproveitar este prazer sozinho. Dar a você uma última chance de se explicar. Afinal, você é meu irmão. Senti que era o mínimo que eu poderia fazer.

– Quanta gentileza sua. – Frederik balançou a cabeça. – Como me encontrou?

– Só um burro não saberia para onde você viria. Você está sendo seguido há semanas – informou Falk. – Eu sabia que você acabaria me conduzindo a outras pessoas que eu teria interesse em interrogar. Como, por exemplo, esta jovem sentada aqui na nossa frente. Infelizmente ela se recusa a revelar o paradeiro do irmão. Apesar de saber onde ele está, claro.

– Monsieur, eu não sei! Ele não nos conta para nossa própria proteção!

– Vamos, Fräulein, até uma puta como você, que tem o cérebro em outro lugar, não pode esperar que eu acredite nisso – disse Falk, cutucando sua barriga. Ele tornou a se virar para Frederik. – Você sabe que estou com seu mandado de prisão no bolso. Seria uma pena ter de matá-lo agora para obrigar sua namorada a falar.

– Talvez você venha esperando este momento desde que éramos crianças, irmão. – Frederik olhou para seu gêmeo com tristeza nos olhos. – E eu morreria feliz pelas suas mãos, se não fosse a mulher que amo. Se eu me render a você sem resistir e acompanhá-lo de volta à Alemanha, onde poderá ser elogiado por sua astúcia em me caçar, você a poupará? Eu lhe juro pela vida da nossa mãe que Sophia não sabe nada sobre o paradeiro de Édouard de la Martinières. Então, combinado? – implorou Frederik. – Eu irei por livre e espontânea vontade e lhe darei a glória que você sempre buscou, se em troca você poupar a mulher que eu amo e o nosso filho.

Falk olhou para o irmão, então soltou um ruído ríspido, um misto de risada e muxoxo de desdém. Riu tanto que sua pistola perdeu a mira. Então voltou a se controlar.

– Ah, irmão, como você é idealista! Os poemas que lia quando criança... que baboseiras românticas! Sua crença em Deus, seu mui louvado intelecto e talento para a filosofia, quando você não vê em que consiste de fato a vida. A vida é fria, dura, cruel. Nós não temos essa alma da qual você sempre falou. Não somos nada além de formigas rastejando às cegas pelo planeta. Você nunca entendeu a realidade. Neste mundo, é cachorro comendo cachorro, irmão. Cada um por si! Você acha que a sua vida importa... ou a dela? Acredita mesmo que o *amor*... – Falk cuspiu a palavra – que o amor vence tudo? Você está iludido, Frederik, iludido como sempre. E agora chegou a hora de eu lhe ensinar o que é de fato a realidade.

A pistola de Falk se desviou de Frederik, e ele a apontou para Sophia.

– *Isto* é a realidade!

Frederik mergulhou na frente de Sophia ao mesmo tempo que um tiro ecoou na madrugada silenciosa.

Depois, um segundo tiro.

Frederik se virou, ileso, para ver se Sophia tinha sido atingida. Mas quem desabou no chão foi Falk. Ele estrebuchou um pouco, mortalmente ferido, enquanto a pistola lhe escapava dos dedos. Frederik correu até ele e, ajoelhando-se ao seu lado, encarou os olhos do irmão, que já se reviravam nas órbitas.

Falk abriu a boca e conseguiu se concentrar no irmão gêmeo. Com dificuldade, articulou umas poucas palavras:

– Você venceu. – E, com um pequeno sorriso de rendição, sua vida se esvaiu.

Fez-se silêncio no jardim; a única coisa que se ouvia eram os passarinhos no céu, ainda celebrando o novo dia. Por fim, após fechar os olhos do irmão gêmeo e lhe dar um beijo na testa, Frederik ergueu o rosto.

Connie estava de pé atrás de Falk, com a espingarda de caça de Jacques ainda apontada para o ponto em que ele estivera antes.

– Obrigado – disse Frederik para ela, com os olhos marejados.

– Ele mereceu – retrucou ela. – E achei que estava na hora de eu usar um pouco do meu treinamento – emendou ela baixinho, com um esboço de sorriso ameaçando surgir nos lábios. – Fiz a coisa certa? – Seu olhar lhe implorava por um sim.

Frederik olhou para o irmão morto e então virou a cabeça em direção a Sophia, que estava pálida de choque.

– Sim – disse ele. – Obrigado.

Jacques apareceu ao lado de Connie.

– Me dê a espingarda, Constance.

Com delicadeza, ele tirou a arma da mão dela. Quando o fez, Connie começou a tremer violentamente. Jacques passou o braço em volta dos seus ombros e a conduziu até a cadeira ao lado de Sophia.

– Ele está morto? – perguntou Jacques a Frederik, baixando os olhos para o corpo caído na grama.

– Sim.

– Não sabia que você tinha uma pontaria tão boa, Constance – disse Jacques, curvando-se junto a Falk e vendo o sangue encharcar o uniforme.

– Eu fui treinada para matar – respondeu ela.

– Ele era seu irmão? – perguntou Jacques a Frederik.

– Sim. Gêmeo.

– Imagino que muitos outros devam saber que ele estava aqui.

– Duvido. Ele queria a glória da minha captura só para si.

– Bem, não podemos correr o risco de ele ter contado a alguém para onde estava indo – disse Jacques. – Frederik, você precisa ir embora agora mesmo. No mínimo, qualquer um que estivesse passando pelo château pode ter escutado os tiros. Mademoiselle Sophia, você precisa descer imediatamente e ficar lá embaixo por enquanto, até decidirmos o que é melhor fazer. Constance, vá com ela – concluiu ele.

– Obrigada – disse Sophia.

Connie a ajudou a se levantar, e as duas se apoiaram uma na outra para se equilibrar. Frederik se afastou do corpo do irmão e foi devagar até Connie.

– Não vou deixar você levar a culpa por isso. Falk veio atrás de mim, e era eu quem deveria ter posto fim a tudo. Quando descobrirem a morte dele, quero que você diga que fui eu quem atirei.

– Não, Frederik. Eu não o matei apenas para salvar Sophia e você. – O olhar dela se perdeu ao longe. – Tive meus próprios motivos. Pelo menos agora eu sei que nenhuma outra mulher jamais será submetida ao que ele fez comigo. – Ela tornou a encará-lo. – Eu sonhava com a morte dele há meses.

– Precisamos nos livrar do corpo agora mesmo, Frederik – disse Jacques. – Preciso da sua ajuda para cavar uma cova.

– Claro – respondeu Frederik.

– O mais seguro é aqui no jardim interno, para não corrermos o risco de sermos vistos enquanto o transportamos. Vou pegar as pás. Talvez você possa tirar as roupas do seu irmão para eu queimá-las – sugeriu Jacques. – Constance, depois que tiver levado Sophia até a adega, tem conhaque na cozinha. Tome uma dose... vai ajudar. Não precisamos de você aqui.

Depois de levar a trêmula Sophia de volta à adega e lhe garantir que Frederik desceria para se despedir, Connie fez como Jacques instruíra. O conhaque ajudou, mas mesmo no calor de junho ela não parou de tremer.

Meia hora depois, Jacques voltou para o chalé.

– Falk foi enterrado e seu uniforme, queimado. Frederik está lá embaixo na adega se despedindo de Sophia e depois vai embora.

– Obrigada, Jacques.

– Não, Constance, somos nós quem devemos agradecer a você. – Ele a encarou com um respeito renovado. – Agora vou reunir mantimentos para ajudar Frederik na viagem, e depois que ele for embora nós conversamos.

– Adeus, meu amor. – Frederik estreitou Sophia junto ao peito. – Vou lhe mandar um recado, eu juro, mas por enquanto você precisa se concentrar na própria segurança e na de nosso filho. Siga os conselhos de Jacques e de Constance... Eles são pessoas boas, sei que vão protegê-la.

– Sim. – Lágrimas brotaram dos olhos cegos de Sophia e escorreram por seu rosto. Ela puxou o anel de sinete por cima da articulação inchada da mão direita. – Tome, pegue isto. Tem o brasão dos La Martinières gravado. Quero que fique com ele.

– Então você precisa ficar com o meu. Tem o brasão da minha família. Vamos, vou colocar no seu dedo.

Sophia estendeu a mão, e Frederik pôs o anel no seu anular.

Ele sorriu.

– Estamos trocando alianças neste lugar tenebroso debaixo da terra, neste dia terrível. Não é como eu teria escolhido, mas é melhor do que nada. Use esse anel, Sophia, e nunca se esqueça de quanto eu a amo. Você estará sempre no meu coração.

– E você no meu.

– Preciso ir.

– Sim.

Com relutância, Frederik se soltou do abraço, beijou-a nos lábios pela última vez e foi até a porta.

– E aconteça o que acontecer, por favor, diga ao nosso filho que o pai amou muito a mãe dele. Adeus, Sophia.

– Adeus – sussurrou ela. – E que Deus o acompanhe.

Mais tarde, depois de Frederik finalmente partir, Connie desceu até a adega para reconfortar Sophia que, ela sabia, devia estar muito abalada. Em vez disso, encontrou-a encolhida em cima da cama, arfando.

– Meu Deus! – exclamou Sophia. – Achei que você nunca fosse aparecer. O bebê... – Sophia gritou quando uma contração varou seu corpo. – Me ajude, Constance, me ajude!

Enquanto a liberação da França começava e os Aliados desembarcavam nas praias da Normandia, numa batalha que durou dias, o choro de um recém-nascido ecoou na penumbra da adega.

29

Três meses depois

No início de uma noite amena no fim de setembro, Édouard de la Martinières entrou no jardim interno do château bem na hora do pôr do sol. Viu uma mulher sentada debaixo do carvalho com um bebê no colo. Ela estava com o rosto virado para a criança, toda a sua atenção concentrada em acalmá-la.

Sem entender por alguns instantes, ele andou em direção à mulher.

– Olá? – chamou em tom de pergunta, pergunta que foi respondida assim que os límpidos olhos castanhos se ergueram, surpresos com aquela inesperada intrusão.

– Édouard!

Ele chegou mais perto, e a mulher se levantou com o bebê no colo.

– Me perdoe, Constance, é que a cor dos seus cabelos… Você está muito diferente. Por um instante achei que fosse Sophia. – Ele sorriu.

– Não… – Os olhos de Connie se anuviaram. – Não acredito que você está aqui! Deveria ter mandado avisar que viria, Édouard.

– Eu não queria correr o risco de anunciar minha presença – explicou ele. – Embora Paris tenha sido libertada e De Gaulle esteja de novo no comando, até a França inteira estar livre, o perigo ainda existe.

– Depois da invasão aliada nas praias lá perto, os alemães fugiram feito uma praga de gafanhotos, com a Resistência no seu encalço – disse Connie. – Jacques sabe que você está aqui?

– Não. Ele não estava na cave nem no chalé, mas vi que as persianas do château estavam abertas. Vim ver Sophia e Sarah.

– Tem sido maravilhoso poder viver aqui livremente, enfim – admitiu Connie.

– Sophia está lá dentro? – perguntou Édouard.

– Não, não está. – Connie suspirou. – Por favor, sente-se. Tenho muito a lhe contar.

– Pelo visto, sim. – Ele indicou o bebê.

Despreparada para aquela visita, Connie não soube por onde começar.

– Édouard, não é... não é o que você pensa.

– Nesse caso, acho melhor eu pegar uma jarra de rosé na cave – respondeu ele. – Não vou demorar.

Connie o viu desaparecer pela porta do jardim interno. Tinha ao mesmo tempo desejado e temido aquele momento muitas vezes ao longo das últimas semanas. Agora que a hora tinha chegado, perguntou-se como iria encontrar as palavras para lhe dizer o que precisava ser dito. Embora a tão aguardada presença dele fosse enfim libertá-la, foi com um peso no coração que ela o viu voltar com a jarra de vinho e duas taças.

– Em primeiro lugar, antes de conversarmos, quero que façamos um brinde ao fim do inferno. A França está quase livre outra vez, e o restante do mundo em breve estará também. – Édouard encostou a taça na dela.

– Aos recomeços – murmurou Connie. – Mal consigo acreditar que está quase acabando.

– Sim, aos recomeços. – Édouard tomou um gole do vinho. – Me diga, onde está Sarah?

Connie contou como a empregada fora presa na travessia até o sul da França.

– Nós investigamos um pouco nas últimas semanas e achamos que ela foi mandada para um campo de trabalho na Alemanha. A única coisa a fazer é aguardar mais notícias – disse Connie, e deu um suspiro.

– Vamos rezar para recebê-las – disse Édouard com emoção. – Desde as invasões ao norte e ao sul, dá para sentir uma disposição diferente nas pessoas aqui na França. Precisamos torcer para os alemães em breve se renderem oficialmente. Mas vai levar muitos anos para nos recuperarmos da devastação e do luto pelas centenas de milhares de pessoas mortas na guerra. Mas Constance, por favor me fale sobre... sobre *isso*. – Ele indicou o bebê. – Não consigo fingir que não estou chocado. Como...? *Quem?*

Connie inspirou fundo.

– O bebê não é meu. Só estou cuidando dele.

– Então de quem é?

– Édouard, este bebê é sua sobrinha. Ela é filha de Sophia.

Ele a encarou como se Connie tivesse enlouquecido.

– Não, não! Não pode ser! Sophia nunca teria… – Ele balançou a cabeça. – Não – repetiu. – É impensável!

– Entendo que você ache impossível de acreditar, como eu achei quando Sarah me contou. Mas, Édouard, eu ajudei a trazer esta criança ao mundo. Como Sophia entrou em trabalho de parto no Dia D, nós achamos adequado batizar a filha dela de Victoria.

Édouard ainda estava com a mão na cabeça, tentando processar o que Constance lhe dizia.

– Entendo seu choque, Édouard – continuou ela. – E sinto muito ter de ser eu a lhe contar isso. Você precisa lembrar que todos nós sempre tratamos Sophia como uma criança. Mas ela tinha a mesma idade que eu, era uma adulta. Uma adulta que se apaixonou – acrescentou Connie.

De repente, Édouard ergueu os olhos para ela.

– Por que está falando de Sophia no passado, como se ela não estivesse mais aqui? Onde ela está? Constance, me diga onde ela está! – ele exigiu saber.

– Édouard, Sophia morreu – disse Connie devagar. – Poucos dias depois de Victoria nascer. O parto foi longo e difícil, e depois, embora tenhamos feito de tudo, não conseguimos estancar a hemorragia. E, naturalmente, era impossível levá-la a um hospital. Jacques chamou um médico, que fez tudo que podia por ela aqui, mas nada a teria salvado. – A voz de Connie ficou embargada de emoção. – Ah, Édouard, me perdoe. Eu vinha temendo esta conversa desde que tudo aconteceu.

Édouard estava em silêncio. Então um uivo gutural vindo bem lá do fundo estilhaçou o ar parado da noite.

– *Não! Não!* Não pode ser. – Ele se levantou, virou-se para Constance, segurou-a pelos ombros e a sacudiu. – Me diga que está mentindo! Me diga que estou sonhando, que minha querida irmã não morreu enquanto eu continuo vivo! Não pode ser, não pode ser!

– Eu sinto muito… Mas é verdade, é verdade!

Connie agora estava com medo da expressão nos olhos dele. Ela segurou o bebê no colo com mais força.

– Édouard! Pare já com isso! Você não tem nada por que recriminar Constance e tem todos os motivos para lhe agradecer!

Jacques atravessou o jardim e arrancou Édouard de perto de Connie, que estava nitidamente assustada.

– Escute, Édouard, a mulher que você está atacando salvou sua irmã! Ela a protegeu pondo em grande risco a própria vida… chegou a *matar* por Sophia! Não vou permitir que você se comporte assim com ela, por maiores que sejam seu choque e sua dor.

– Jacques… – Édouard cambaleou para trás, virou-se e olhou para o velho amigo como se mal o reconhecesse. – Por favor, me diga que o que ela contou não é verdade – pediu, em desespero.

– É verdade, Édouard. Sophia morreu faz três meses – confirmou Jacques. – Nós tentamos lhe mandar um recado, mas tudo está um caos desde a invasão aliada. Não me espanta você não ter recebido.

– Ah, meu Deus, ah, Deus! Sophia… minha Sophia!

Édouard irrompeu em soluços. Jacques passou o braço em volta dos ombros do amigo e o segurou enquanto ele chorava.

– Não consigo suportar, não consigo. Pensar que quem fez isso fui *eu*! Se eu não tivesse tentado salvar a França antes de salvar a ela, não há dúvida de que Sophia ainda estaria viva. A vida que deveria ter sido sacrificada não é a dela, deveria ter sido a minha, *a minha*!

– Sim, é mesmo terrível ela não ter sobrevivido – concordou Jacques em voz baixa. – Mas você não deve se culpar. Sophia idolatrava você, Édouard, e tinha muito orgulho do seu papel ao lado da França na conquista da liberdade.

– Mas Jacques… – Édouard estava chorando. – Eu fiquei em Londres por meses, enquanto ela sofria aqui sozinha. Achei que precisasse ficar longe, que a minha presença só faria colocá-la em risco. E agora ela se foi para sempre!

– Meu amigo, por favor, lembre-se que Sophia não morreu nas mãos da Gestapo, ela morreu no parto – disse Jacques suavemente. – Quer você houvesse estado presente ou não, é pouco provável que tivesse conseguido salvá-la.

Os soluços de Édouard cessaram de repente, e ele ergueu os olhos para Jacques.

– Me diga quem é o pai.

Jacques olhou para Connie em busca de ajuda. Ela se levantou e, com passos hesitantes, foi até ele.

– É Frederik von Wehndorf. Eu sinto muito, Édouard.

O silêncio pairou no jardim enquanto Édouard processava mais essa revelação. Dessa vez, ele deu um suspiro, cambaleou até a cadeira e sentou-se abruptamente, como se as pernas não dessem mais conta de sustentá-lo.

Enquanto ele mergulhava num silêncio catatônico, Connie falou com uma voz suave:

– Você mesmo disse que Frederik era um homem bom, Édouard. Ele nos ajudou a fugir de Paris e ajudou outras pessoas a um custo pessoal muito grande, assim como você. E fosse qual fosse o seu uniforme, ele amava muito a sua irmã.

– Eu também vi esse amor – disse Jacques.

– Você o conheceu? – Édouard tinha os olhos vidrados de choque.

– Sim. Ele veio aqui para encontrar Sophia – explicou Jacques. – Pelo menos ela teve algumas horas de alegria e conforto logo antes de morrer. E tem mais. Falk...

– Chega! – Édouard abriu a boca para seguir falando, então a fechou, pois nada do que pudesse dizer seria capaz de expressar seus sentimentos. – Desculpem. – Ele se levantou e cambaleou até a porta do jardim. – Preciso ficar sozinho.

Nessa noite, Connie deu a Victoria sua mamadeira e estava acomodando a menina para dormir no arejado quarto de bebê que havia criado num dos aposentos do château. Ouviu passos subindo a escada. Édouard parou na soleira da porta, pálido e extenuado, os olhos vermelhos de tanto chorar.

– Constance, vim lhe pedir minhas sinceras desculpas pelo modo como a tratei mais cedo. Foi imperdoável.

– Eu entendo – disse Connie, grata pelo simples fato de ele parecer mais calmo. – Gostaria de ver sua sobrinha? – perguntou. – É uma menina linda, a cara de Sophia.

– Não... não! Eu não consigo.

E, dizendo isso, ele girou nos calcanhares e se afastou.

Ao longo dos dias seguintes, Connie mal viu Édouard. Ele havia se instalado no quarto principal do château, no final do corredor. À noite, ela o ouvia andar pela casa, mas quando deixava seu quarto pela manhã ele já tinha saído. Via-o de relance pelas janelas quando estava dando a mamadeira para Victoria de madrugada, uma silhueta distante desaparecendo entre as vinhas, o sofrimento visível em sua postura. Ele muitas vezes passava o dia inteiro fora, só voltava quando já estava escuro e subia direto para o quarto.

– Ele está de luto, Constance. Deixe. Ele só precisa de tempo – aconselhou Jacques.

Connie entendia, mas conforme os dias foram passando sem que Édouard desse qualquer sinal de superar o desespero, sua paciência começou a se esgotar. Ela estava louca para enfim voltar para casa. Era seguro viajar agora que Paris fora libertada, e ela queria ver o marido. E, pela primeira vez em quatro anos, retomar as rédeas da própria vida.

Mas até Édouard superar o luto e poder assumir a responsabilidade pela sobrinha, ela não podia abandonar Victoria. Seus braços tinham sido os primeiros a segurar a menina, e, com Sophia inicialmente sem condições de reconhecer a filha, e com sua morte poucos dias depois, quem cuidava de todas as necessidades de Victoria desde então era Connie.

Ela olhou para o rostinho de querubim da menina, uma cópia em miniatura do da mãe. Tivera medo de a cegueira de Sophia ser hereditária, mas podia ver que os lindos olhos azuis de Victoria acompanhavam com interesse qualquer cor viva que ela pusesse na sua frente. Recentemente, Victoria havia aprendido a sorrir, e seu rosto se iluminava inteirinho quando Connie chegava para tirá-la do berço. O dilaceramento da despedida era algo que ela agora não conseguia sequer conceber. Constance tinha virado a mãe daquela menina, e a onda avassaladora de amor que sentia por Victoria lhe dava medo.

Rezava para um dia, muito em breve, ter os próprios filhos com Lawrence.

Depois de uma semana do luto solitário de Édouard, Connie decidiu que precisava abordar o problema. Certo dia, de manhã cedo, quando estava com Victoria, ouviu os passos dele no patamar da escada. Interceptou-o quando ele estava descendo.

– Édouard, infelizmente acho que precisamos conversar.

Ele se virou devagar e a encarou.

– Sobre o quê?

– A guerra está quase no fim. Eu tenho um marido e uma vida, preciso voltar para a Inglaterra.

– Então vá. – Ele deu de ombros e continuou a descer a escada.

– Édouard, espere! E Victoria? Você vai precisar providenciar os cuidados para ela quando eu for embora. Talvez pudesse pensar em contratar uma ama-seca. Eu poderia ajudá-lo a encontrar uma adequada.

Ao ouvir isso, ele tornou a se virar.

– Constance, quero deixar bem claro que não tenho interesse algum por *essa* criança. – Ele cuspiu as palavras. – Junto com seu desgraçado pai, ela é um dos motivos pelos quais Sophia não está mais aqui.

Aquela frieza deixou Connie horrorizada.

– Com certeza você entende que a culpa não é da criança, certo? Ela é um bebê inocente, que não pediu para nascer. É... é sua responsabilidade como tio assumir os cuidados dela!

– Não. Já falei que não! Por que não toma você as providências, Constance? Talvez exista algum orfanato aqui perto que possa acolhê-la. – Ele suspirou. – Pelo que você diz, seu desejo é que isso aconteça o quanto antes. Quanto mais rápido essa criança sair desta casa, melhor. Por favor, faça com ela o que preferir. Eu a compensarei por qualquer gasto, claro.

Ele se virou e voltou a descer a escada, deixando Connie atônita e chocada.

– Como ele pôde dizer coisas tão terríveis?

Uma hora depois, Connie torcia as mãos, desesperada, enquanto Jacques a escutava com o semblante grave.

– Ele está de luto, como eu disse. Não só por Sophia, mas por tudo que perdeu na guerra. Sua recusa em assumir o bebê é porque a presença dela funciona como um alvo, algo em que ele pode pôr a culpa. É claro que ele sabe que a criança não tem culpa. Ele é um homem íntegro, que nunca se esquivou dos seus deveres na vida – ressaltou Jacques. – Ele vai reconsiderar, Constance, eu sei que vai.

– Mas, Jacques, *eu* não tenho mais tempo! – disse Connie, desesperada. – Me perdoe, mas você precisa entender que existem pessoas que eu amo e que estou ansiosa para rever. E é quase insuportável pensar que se não fosse por Victoria, eu poderia ir embora para a Inglaterra neste exato momento. Ao mesmo tempo, eu amo Victoria e não poderia abandoná-la. Como Édouard pode falar em orfanato?

As lágrimas rolavam copiosas por seu rosto enquanto ela encarava a menina, que, toda feliz, balbuciava em seu cobertor na grama.

– Talvez o fato de a menina ser tão parecida com a mãe não ajude – disse Jacques com um suspiro. – Constance, juro que Édouard vai acabar descobrindo que essa menina pode ser exatamente aquilo de que ele precisa para trazer esperança e alegria para o futuro. Só que ele está perdido na própria tristeza e não consegue enxergar mais nada.

– Mas o que eu faço, então, Jacques? Por favor, me diga – implorou ela. – Preciso ir para casa! E não posso esperar muito mais.

– Deixe eu conversar com Édouard para tentar fazê-lo ser mais sensato, e tirá-lo da sua autocomiseração – sugeriu Jacques.

– Que bom que você usou essas palavras – disse Connie com um suspiro. – Infelizmente também é assim que estou começando a me sentir em relação a ele. Já sofremos demais. Todos nós – acrescentou ela.

– Como eu disse, Édouard em geral não é dado à autocomiseração. – Jacques meneou a cabeça. – Eu vou falar com ele.

Nessa noite, enquanto esperava ansiosa no chalé, Connie observou Jacques andando pelo vinhedo com um passo decidido quando viu Édouard voltando para casa. Fez uma prece silenciosa. Se Édouard fosse escutar alguém, essa pessoa era Jacques. Ele era sua única esperança.

Ela pôs Victoria para dormir no moisés que deixava no chalé para quando visitava Jacques e ficou esperando o amigo voltar, angustiada. Quando ele apareceu, soube na mesma hora, pela expressão no seu rosto, que as notícias não eram boas.

– Não, Constance, ele não arreda o pé – disse Jacques, e suspirou. – Está tão amargurado, com tanto ódio… Parece outro homem. Não sei o que sugerir. Ainda acredito que com o tempo, como já disse, Édouard vai cair em si. Mas você não tem esse tempo. Eu entendo isso. Além do mais, você, que tanto deu a esta família, não deveria se sentir culpada por querer voltar para junto de quem ama. Então quem sabe o orfanato sobre o qual comentei…

– Não! – Connie balançou a cabeça com firmeza. – Eu nunca abandonaria Victoria! Não conseguiria me perdoar se fizesse isso.

– Constance, não sei o que você está imaginando, mas o orfanato do convento ao qual estou me referindo é limpo, e as freiras são bondosas. Há grandes chances de um bebê lindo como Victoria encontrar imediatamente uma família adotiva – disse Jacques, com muito mais convicção do que sentia. – E, por favor, tente se lembrar: Victoria não é responsabilidade sua, e agora você precisa pensar em si.

Connie baixou os olhos para a menina sem dizer nada.

– Então ela é responsabilidade de quem?

– Escute o que vou dizer. – Jacques pousou a mão delicadamente sobre a dela. – A guerra é cruel e as baixas são muitas. Não apenas de corajosos soldados que lutaram por seus países, mas de Sophia e a filha dela também. Édouard é outra baixa. Talvez ele nunca mais volte a ser o mesmo, pois embora ataque os outros com tanta raiva e os culpe pela morte de Sophia, na verdade é a si próprio que considera culpado. Você já fez o suficiente, minha cara. Não pode fazer mais nada. E como alguém que passou a ter admiração e respeito por você, eu acho que agora você precisa se afastar.

– E o pai da menina? – perguntou Connie. – Com certeza Frederik ficaria com ela se soubesse que Sophia morreu e que Édouard está se recusando a assumir a menina, não?

– Sim, com certeza, mas como pretende encontrá-lo? Ele pode estar em qualquer lugar, ou até mesmo ter morrido como Sophia. – Jacques balançou a cabeça. – Constance, o mundo inteiro está um caos, há pessoas vagando por toda parte. Seria uma tarefa inútil que não vale nem a pena contemplar.

– É, tem razão. É tudo... é tudo inútil – disse Connie com tristeza. – Não existem soluções.

– Amanhã irei visitar o convento em Draguignan e vou ver se as freiras podem acolher Victoria – disse Jacques com delicadeza. – Você precisa acreditar que eu também me importo com ela. E não iria sugerir deixá-la num lugar que não fosse prover suas necessidades. Mas está na hora de alguém tirar esse fardo de você. Como Édouard no momento não parece disposto a isso, eu o farei.

Nessa noite Connie não dormiu, ficou se revirando na cama sem saber mais o que era certo ou errado. A guerra parecia ter virado de cabeça para baixo qualquer conceito de moralidade, e ela estava lutando para se agarrar ao seu.

Então se sentou de repente, num pulo, quando uma ideia lhe surgiu na cabeça. E se levasse Victoria consigo para a Inglaterra?

Desceu da cama e começou a andar de um lado para outro no quarto, inquieta, considerando essa possibilidade.

Não, era ridículo... Para começar, se ela chegasse em casa com um bebê após anos sem ver o marido, será que Lawrence iria acreditar na história que ela lhe contaria? Ou será que iria supor, como qualquer um faria, que ela estava mentindo e a filha era sua?

Acreditasse ele no que fosse, apresentar-lhe um bebê ao voltar depois de quatro anos separados não faria bem à sua relação. Simplesmente não era justo com ele.

Arrasada, Connie voltou para a cama. Escutou mais uma vez as palavras de Jacques e entendeu que, não só para seu próprio bem, mas também para o de Lawrence, não tinha escolha senão aceitar o inevitável. Jacques tinha razão. Numa guerra sempre havia sacrifícios. E ela e o marido já tinham se sacrificado o suficiente por uma vida inteira.

No início da noite seguinte, Jacques voltou de sua visita ao orfanato.

– Elas vão ficar com Victoria, Constance – falou, ao encontrá-la no jardim interno. – O orfanato está lotado, mas eu lhes ofereci uma doação significativa e elas aceitaram. Quem vai pagar é Édouard, claro.

Engolindo o choro, Connie aquiesceu.

– Quando vai levá-la?

– Acho que o melhor para todo mundo é Victoria ir o quanto antes. Vou pedir o dinheiro a Édouard hoje à noite e lhe dar uma última chance de mudar de ideia. – Ele fez uma careta. – E se ele não reconsiderar, eu a levo amanhã de manhã.

– Então eu vou com você – insistiu Connie.

– Acha mesmo que é uma boa ideia? – indagou Jacques, com o cenho franzido.

– Nada nisso é uma boa ideia, mas pelo menos, se eu vir por mim mesma que Victoria vai ser bem-cuidada, talvez me sinta melhor. – Suspirou, desolada.

– Como quiser. – Ele assentiu. – Se Édouard não mudar de ideia, vamos sair no meio da manhã.

Nessa noite, Connie deitou Victoria no seu berço e ficou sentada observando os movimentos conhecidos pela última vez enquanto a menina pegava no sono.

– Minha querida, minha amada – sussurrou. – Eu sinto tanto...

– Édouard se recusa a mudar de ideia. – Jacques balançou a cabeça com tristeza na manhã seguinte. – Eu pedi o dinheiro, e ele me entregou sem dizer nada. Por favor, prepare-se e prepare a neném para sairmos o quanto antes.

Connie já tinha arrumado os pertences de Victoria – qualquer coisa para fazer passar as longas horas insones até de manhã – e foi buscar a menina. Ao descer do quarto, rezou por uma redenção de última hora, para Édouard surgir de algum lugar da casa ou do jardim ao vê-la levando embora sua sobrinha. Mas ele não apareceu.

Em frente ao chalé estava parado um velho Citroën.

– Guardei a gasolina para uma ocasião em que fosse realmente necessária – disse Jacques. – Temos a quantidade exata para ir até lá e voltar.

Depois de o pequeno carro acordar com um tremor e de eles se afastarem do château, Connie ficou sentada ao lado de Jacques com Victoria no colo. Em geral um bebê muito calmo, a menina berrou sem parar o caminho inteiro até Draguignan.

Eles chegaram ao convento, e Jacques pegou a pequena mala que Connie tinha preparado para Victoria e as levou até a entrada. Uma freira os acompanhou até uma sala de espera tranquila, mas a menina continuou a berrar no colo de Connie.

– Shh, Victoria! – Ela ergueu os olhos angustiados para Jacques. – Você acha que ela sabe?

– Não, Constance. Eu acho que ela não gosta de andar de carro. – Ele esboçou um sorriso, tentando aliviar a tensão.

Uma freira de uniforme branco engomado enfim entrou no recinto.

– Bem-vindo, monsieur. – Ela aquiesceu ao reconhecer Jacques, então olhou para Victoria e Connie. – E estas são a menina e a mãe?

– Não. Eu não sou a mãe de Victoria.

A freira deu um meneio de cabeça curto e descrente e estendeu os braços.

– Vamos, me dê a criança.

Connie inspirou fundo e lhe entregou Victoria. A menina berrou mais alto ainda.

– Ela sempre chora assim? – A freira franziu o cenho.

– Normalmente ela nunca chora – garantiu Connie.

– Bom, vamos tomar conta de Victoria. Monsieur? – A freira encarou

Jacques com um ar inquisitivo, e ele rapidamente sacou um envelope e lhe entregou.

– Obrigada. – A religiosa guardou o dinheiro em um bolso grande. – Vamos torcer para encontrar logo uma família adequada para ela. Tem sido difícil, com tudo de pernas para o ar e ninguém com dinheiro extra para alimentar mais uma boca – disse ela. – Mas Victoria é uma menina bonita, mesmo com o berreiro aberto. Com licença, estamos muito ocupadas e preciso voltar para o berçário. Por favor, queiram sair sozinhos.

A freira virou as costas e se afastou com Victoria em direção à porta. Connie fez menção de se levantar para segui-la, mas Jacques a impediu com um gesto firme da mão. Passou um braço em volta dos seus ombros, e enquanto as lágrimas escorriam pelo rosto consternado da moça, a conduziu para fora do convento e a sentou delicadamente no banco da frente do carro.

Assim como Victoria, Connie chorou durante o trajeto inteiro.

Depois de parar o carro em frente à cave, Jacques pôs a mão no seu joelho e o afagou.

– Eu a amava também, Constance. Mas é melhor assim. Se isso servir de consolo, os bebês se lembram muito pouco de quem cuidou deles nos primeiros meses de vida. Por favor, chega de se punir. Victoria foi embora e você finalmente está livre para voltar para casa. Precisa olhar para o futuro e pensar no reencontro com o seu país e com o homem que ama.

Dois dias depois, após arrumar suas coisas e com Jacques disposto a usar o que lhe restava de gasolina para percorrer com ela a curta distância até a estação de Gassin, Connie desceu a escada do château. Abriu a porta da biblioteca com a intenção de devolver à prateleira o segundo volume de *História das frutas da França*. Estava também com o caderno de poesia de Sophia e decidiu deixá-lo sobre a escrivaninha de Édouard, na esperança de que ele os lesse e compreendesse o profundo amor que sua irmã sentira por Frederik. E de que as palavras sinceras escritas por ela o reconfortassem e abrandassem seus sentimentos.

O espaço estava às escuras, as persianas totalmente fechadas. Ela foi até uma janela para erguer uma delas e poder ver onde recolocar o livro.

– Olá, Constance.

Ela levou um susto, virou-se e viu Édouard sentado numa poltrona de couro.

– Desculpe se a assustei – disse ele.

– E eu peço desculpas por incomodar. Queria devolver este livro antes de ir – explicou ela. – E o caderno de poemas de Sophia. Achei que talvez você gostasse de lê-los. São lindos, Édouard.

Connie lhe estendeu o caderno. Seu ressentimento por ele era tal que ela queria sair da sua presença o quanto antes.

– Não. Leve os dois de lembrança com você para a Inglaterra, para recordar tudo que aconteceu aqui na França – sugeriu ele.

Connie não conseguiu encontrar forças para discutir.

– Estou indo embora, Édouard. Obrigada por ter me ajudado quando cheguei à França – conseguiu dizer, e afastou-se dele em direção à porta.

– Constance?

Ela se deteve e se virou.

– Sim?

– Jacques me contou que você salvou a vida de Sophia quando Falk von Wehndorf veio aqui atrás do irmão. Eu lhe agradeço.

– Eu fiz o que era certo, Édouard – disse ela com ênfase.

– E sua valente amiga Venetia salvou a minha. E com essa valentia perdeu a própria vida – emendou ele com tristeza. – Fiquei sabendo que ela foi fuzilada pela Gestapo enquanto eu estava em Londres.

– Venetia morreu? Ah, meu Deus, não!

Com lágrimas brotando dos olhos, Connie se perguntou quando a dor do rastro deixado pela guerra iria acabar.

– Ela foi uma mulher maravilhosa. – A voz de Édouard se abrandou. – Não a esquecerei nunca. Venho pensando ultimamente que a melhor alternativa seria ter morrido junto com aqueles que eu amei e perdi, sabe?

– Não foi esse o seu destino, Édouard, nem o meu – disse Connie com firmeza. – E cabe a nós que ficamos reconstruir um futuro por eles.

– Sim. Mas existem algumas coisas... algumas coisas que não posso perdoar nem esquecer. Eu sinto muito, Constance. Por tudo.

Ela aguardou alguns instantes, tentando pensar em como responder. Mas, como não havia palavras, abriu a porta, passou por ela e a fechou com firmeza. Deixou Édouard de la Martinières preso ao passado e deu seus primeiros passos hesitantes em direção ao futuro.

Três dias depois, o trem lotado de soldados exaustos que voltavam para casa entrou resfolegando na estação de York. Connie tinha enviado um telegrama para Blackmoor Hall avisando todos na casa sobre sua chegada iminente, mas não fazia ideia se eles tinham recebido, ou mesmo se Lawrence já tinha voltado para casa. Ao saltar do trem e estremecer com certa alegria por causa do ar inglês outonal, começou a andar pela plataforma, tomada de apreensão.

Será que ele estaria lá à sua espera?

Olhou ansiosa para a turba de gente esperando para receber aqueles que amavam. Parou e vasculhou o saguão em busca de um rosto conhecido. Após quinze minutos procurando por ele em vão, estava a ponto de sair da estação e entrar na fila do ônibus que a faria atravessar as charnecas. Então, de repente, viu uma figura solitária esperando no fim da plataforma agora vazia. Ele tinha ficado grisalho e se apoiava numa bengala.

– Lawrence! – chamou ela.

Ele se virou ao ouvir a voz conhecida, então a encarou espantado, começando a reconhecê-la. Ela correu até ele e se jogou nos seus braços. Seu cheiro, que evocava tudo de seguro, maravilhoso e bom que havia no mundo, a fez ficar com lágrimas nos olhos.

– Meu amor! Desculpe não ter reconhecido você! Seus cabelos… – murmurou Lawrence, encarando-a assombrado.

– Eu sei. – Ela entendeu. Os dois tinham mudado. – Estou com essa cor há tanto tempo que já me acostumei.

– Na verdade eu acho que ficou bem em você – disse ele sorrindo, examinando-a com atenção. – Você parece uma estrela de cinema.

– Até parece – disse Connie com um suspiro, baixando os olhos para as roupas amarfanhadas que vinha usando desde que deixara o sul da França.

– Como você está? – perguntaram os dois ao mesmo tempo, então riram.

– Muito cansada – disse Connie. – Mas muito, muito feliz por estar em casa. Tenho tanta coisa para contar que nem sei por onde começar.

– Claro – disse Lawrence. – Então por que não conta quando estivermos no carro? Usei todos os meus cupons de racionamento em gasolina para levar você para casa.

– Casa… – sussurrou Connie. Essa simples palavra evocava tudo aquilo por que ela havia ansiado no último ano e meio.

Ao ver sua emoção, Lawrence lhe deu outro abraço apertado. Então pegou sua mala e lhe ofereceu o braço.

– Sim, meu amor – falou, abraçando-a. – Vou levar você para casa.

Três meses depois, Connie recebeu uma carta da Seção F pedindo-lhe que fosse a Londres para se encontrar com Maurice Buckmaster.

Ele a cumprimentou com alegria e com um aperto de mão efusivo quando ela foi conduzida até sua sala na Baker Street.

– Constance Chapelle, a agente que não chegou a ser. Sente-se, minha cara, sente-se.

Connie assim o fez, e Buckmaster, como sempre, se aboletou em cima da mesa.

– Então, Constance, é bom estar de volta ao lar?

– Sim, maravilhoso – respondeu ela, emocionada.

– Bem, agora que está aqui, posso lhe informar oficialmente que a senhora está desmobilizada.

– Sim, senhor.

– Lamento termos tido de largá-la à própria sorte quando chegou à França. Infelizmente a senhora por acaso foi bater à porta de um dos integrantes mais poderosos e valiosos das Forças Francesas Livres de De Gaulle. Infelizmente a ordem veio lá de cima. Ninguém podia correr o risco de expor o Herói. Nada podia ser feito naquela situação. Mas que bom que conseguiu chegar sã e salva em casa.

– Obrigada.

– Das quarenta moças que foram para lá, infelizmente catorze não voltaram. Sua amiga Venetia foi uma delas. – Buckmaster deu um suspiro.

– Pois é – disse Connie, pesarosa.

– Na verdade é um mérito seu o número de sobreviventes ser tão alto. Eu esperava menos – disse ele. – Uma pena mesmo em relação a Venetia. Quando ela foi para a França, estávamos preocupados com o seu jeito displicente. Mas ela se revelou uma de nossas melhores e mais corajosas agentes. Está atualmente sendo avaliada para receber uma medalha póstuma por bravura.

– Fico muito feliz, senhor. Ninguém poderia ser mais merecedor.

– Bem, a boa notícia é que a França está enfim livre. E o EOE teve um papel preponderante nessa vitória. Pena a senhora não ter tido a oportunidade de se envolver mais. Sob a proteção de Édouard de la Martinières, deve ter comido melhor do que eu. – Ele sorriu. – Ouvi dizer que acabou indo morar no grandioso château deles no sul da França, não foi?

– É, acabei, sim. Mas…

Connie se deteve. No trem, a caminho de York, havia pensado se deveria contar a Buckmaster a verdadeira história de sua vida na França e tudo que ela havia sacrificado. Mas Venetia, Sophia e muitas outras tinham morrido, enquanto ela estava viva para seguir a vida, fossem quais fossem as cicatrizes que precisava carregar.

– Sim, Constance?

– Nada, senhor.

– Bem, então tudo que me resta dizer é parabéns por ter voltado para casa sã e salva. E obrigado, em nome do governo britânico, por ter se disposto a arriscar a vida em nome do seu país. – Buckmaster se levantou da mesa e apertou a mão dela. – Pelo visto você teve a sorte de ter uma guerra tranquila.

– É – respondeu Connie, levantando-se e se dirigindo à porta. – Eu tive uma guerra tranquila.

30

Gassin, sul da França, 1999

Jean se levantou e foi até a cozinha pegar a garrafa de Armagnac e três copos. Émilie observou Jacques assoar o nariz e enxugar as lágrimas. O velho homem tinha derramado muitas durante o relato da história. Ela tentou organizar os pensamentos... eram muitas perguntas. Mas só precisava de uma resposta imediata.

– Você está bem, Émilie? – Jean voltou, entregou-lhe um Armagnac e pousou delicadamente uma das mãos no seu ombro.

– Estou, sim.

– *Papa*, aceita um Armagnac? – perguntou ele.

Jacques fez que sim com a cabeça.

Émilie tomou um gole grande do vinho para fazer a pergunta que estava queimando sua língua.

– Jacques, o que aconteceu com a filha de Sophia e Frederik?

Jacques ficou calado, com o olhar perdido ao longe atrás de Émilie.

– Você entende que, se eu conseguisse encontrá-la, não seria mais a única sobrevivente da família La Martinières, não entende? – continuou ela.

Jacques continuou sem dizer nada, e por fim Jean falou:

– Émilie, é improvável alguém saber quem adotou o bebê. Foram tantos órfãos depois da guerra... O mundo estava um caos. De toda forma, Victoria não chegou ao orfanato com uma certidão de nascimento provando quem era. Não é mesmo, *papa*?

– Sim.

– Então, mesmo a mãe da menina sendo uma La Martinières, a própria Victoria era ilegítima, e portanto não teria nenhum direito em relação ao patrimônio – disse Jean, pensando em voz alta.

– Isso não tem a menor importância para mim – disse Émilie. – Tudo que importa é eu saber que existe outro ser humano no mundo que é meu parente, alguém que carrega nas veias o sangue dos La Martinières. E ela pode ter tido filhos… São tantas perguntas… – Émilie deu um suspiro. – Jacques, por favor, me responda uma coisa: Frederik fez o que tinha prometido e voltou para encontrar Sophia?

– Sim. – Jacques finalmente encontrou a voz. – Um ano depois de a guerra enfim acabar, ele apareceu aqui no chalé. Fui eu quem tive de lhe contar que Sophia tinha morrido.

– Você contou que ele tinha uma filha? – perguntou Émilie.

Jacques balançou a cabeça e levou a mão trêmula à testa.

– Eu não soube o que dizer a ele. Então menti e disse que… – Sua voz falhou. – Que o bebê também tinha morrido. Eu achei… – Jacques arfou de emoção. – Achei que seria melhor para todo mundo.

– *Papa*, tenho certeza de que você fez a coisa certa – disse Jean para confortá-lo. – Se Frederik amou Sophia como você diz, não teria se deixado deter por nada para tentar localizar sua filha. E se a menina já estivesse adaptada numa nova família que não tinha conhecimento da sua origem nazista, deve ter sido melhor assim.

– Eu precisava proteger a criança, entende? – Jacques fez o sinal da cruz. – Que Deus me perdoe pela terrível mentira que contei. Frederik ficou arrasado. Transtornado, fora de si.

– Imagino – disse Jean, e estremeceu.

– Jacques, onde vocês enterraram Sophia? – perguntou Émilie.

– No cemitério de Gassin – respondeu ele. – Ela só teve uma lápide depois do fim da guerra. Não podíamos despertar suspeitas. Mesmo morta, Sophia precisava continuar escondida.

– E você sabe onde Frederik está, *papa*? – indagou Jean. – Ele pode ter morrido. Deve ter 80 anos, no mínimo.

– Ele mora na Suíça com outra identidade. Quando enfim voltou para a Alemanha, as terras da sua família tinham sido confiscadas pelos poloneses, quando as fronteiras mudaram e a Prússia foi devolvida à Polônia. Seu pai e sua mãe tinham sido fuzilados pelos russos. Como muitos depois da guerra, ele precisou recomeçar do zero. Mas o que eu soube foi que Frederik tinha ajudado algumas pessoas a atravessar a fronteira para fugir dos campos da morte antes do início da guerra, e houve muita gente disposta a retribuir o gesto. Essas pessoas o ajudaram a começar uma nova vida. – Jacques riu baixinho. – Ele virou relojoeiro em Basileia, acreditam? E pregador laico nas horas vagas. Na nossa correspondência, ele me ensinou muito sobre o perdão, e me orgulho de tê-lo tido como amigo. Muitas vezes falei para Édouard que ele deveria entrar em contato com Frederik. Eles não eram tão diferentes assim... ambos tinham feito o possível numa época de lamentável destruição. Eu pensava que talvez eles pudessem reconfortar um ao outro pela perda da mulher que amavam. – Ele suspirou. – Mas não era para ser.

– Você ainda tem notícias de Frederik? – quis saber Jean.

– Ele ainda me escreve, às vezes, mas já faz mais de um ano que não tenho notícias, então talvez esteja doente. Igual a mim. – Jacques deu de ombros. – Ele nunca tornou a se casar. O amor da sua vida foi Sophia. Não poderia haver mais ninguém para ele.

– E o meu pai... – Para Émilie, aquela tinha sido a parte mais dolorosa da história. – Acho tão difícil acreditar que ele foi capaz de abandonar a sobrinha... Ele era um homem tão bom, tão amoroso... Como pôde largar a menina no mundo assim?

– Émilie, seu pai era mesmo todas essas coisas que você diz – falou Jacques, devagar. – Mas ele havia passado a vida inteira idolatrando e protegendo a irmã. Pensar que a pureza e a inocência dela tinham sido conspurcadas por qualquer homem, quanto mais por um oficial alemão foi demais para ele. Como ele podia olhar para o fruto do caso de amor da irmã e encarar diariamente um lembrete vivo, de carne e osso, do que ela havia feito? E sentir que tinha fracassado em protegê-la? Você não deve culpá-lo, Émilie. Não tem como entender aquilo por que ele passou...

– *Papa* – disse Jean, observando a expressão exausta do pai. – Acho que por enquanto chega. Émilie pode lhe fazer mais perguntas amanhã de manhã. Vamos. – Ele ofereceu o braço a Jacques.

O velho se levantou, e então, parecendo se lembrar de alguma coisa, virou-se para Émilie.

– Édouard sacrificou tudo pelo seu país. Ele foi um francês de verdade, e você tem todos os motivos para sentir orgulho dele. Mas a guerra mudou todos nós, Émilie... todos nós.

Ela ficou sentada encarando o fogo, pensativa, enquanto Jean subia com o pai.

– Como você está? – perguntou Jean quando tornou a descer.

– Chocada com essa história horrorosa. É muita coisa para processar.

– É. E tudo isso aconteceu faz só 55 anos. – Ele suspirou. – Difícil de acreditar.

– Jean, tenho certeza de que seu pai sabe onde está a filha de Sophia e Frederik – acrescentou Émilie.

– Pode ser – concordou Jean. – Mas, se sabe, ele deve ter os próprios motivos para não dizer nada a você. E se ele quiser continuar mantendo o paradeiro dela em segredo, você precisa respeitar isso.

– Eu sei. Mas passado é passado, e vamos torcer para termos todos aprendido lições com ele. O mundo agora seguiu em frente.

– Concordo. Mas para o meu pai não é tão fácil, assim como para muitos outros da geração dele que viveram aquela época terrível. Nós, da geração seguinte, conseguimos analisar aquele período pela lógica quando já virou história, mas quem sofreu por causa dele não consegue ser assim tão neutro e imparcial. – Ele deu alguns tapinhas na mão dela. – Agora acho que está na hora de subirmos também.

Surpreendentemente, Émilie dormiu assim que sua cabeça tocou o travesseiro, mas acordou cedo no dia seguinte. Vestiu-se e foi até o château, pois queria um pouco de paz antes de a obra começar naquele dia. Empurrou a porta do jardim interno, atravessou o gramado e parou diante da pequena cruz de madeira que Jacques lhe contara ter sido colocada por Frederik para Falk após voltar da guerra. Sempre supusera se tratar do túmulo de um animal de estimação. Pensar que debaixo daquele chão, bem na sua frente, estavam os restos mortais de Falk lhe deu um calafrio. Era difícil pensar que aquele lugar lindo havia testemunhado tanto ódio e violência.

Desejou que Sebastian *e* Alex tivessem estado ao seu lado para ouvir a história de sua corajosa avó, que não recebera qualquer reconhecimento por suas ações e sequer optara por dividi-las com a família. Constance tinha sido uma mulher notável, anônima como tantas na época. E seus dois netos, um deles corroído pela inveja que sentia do outro... Era impossível não notar a ironia do seu passado familiar recém-descoberto em relação à sua atual circunstância de vida. E Constance também com certeza notara a mesma coisa.

Por ser filha única, Émilie nunca havia deparado com a rivalidade entre irmãos. Mas ao escutar a história da noite anterior, entendera plenamente o seu significado.

Balançando a cabeça de repente, como para clarear os pensamentos, pois conseguia lidar apenas com um cenário complexo por vez, ela tornou a atravessar o gramado. Pensou na terrível adega que ela e Sebastian tinham encontrado naquela primeira tarde, onde Sophia fora praticamente uma prisioneira, dera à luz e depois morrera. A dor física e emocional que sua tia devia ter sofrido lhe deu vontade de chorar, mas reforçou uma vez mais sua consciência da *sorte* que tinha. Quando ela saiu do château e estava voltando para o chalé, viu Anton, filho de Margaux, vindo de bicicleta na sua direção. Ele parou e lhe abriu um sorriso tímido.

– Tudo bem, Anton? – perguntou ela.

– Tudo, madame, obrigado. *Maman* me disse para lhe trazer isto aqui. – Ele levou a mão ao cesto e lhe entregou o livro que ela havia lhe emprestado. – Obrigado por me emprestar. Gostei muito.

– Como você leu rápido! Estou impressionada. Eu demorei meses.

– Eu leio muito rápido, às vezes passo a noite em claro lendo. Adoro livros. – Ele deu de ombros. – Apesar de agora já ter lido tudo que presta na biblioteca do vilarejo.

– Então, quando a biblioteca do château for remontada, você precisa vir aqui escolher outros. Duvido que esgote os daqui – disse ela com um sorriso.

– Obrigado, madame.

– E sua mãe, como está? – perguntou Émilie.

– Ela manda lembranças. Disse para a senhora ligar se precisar de alguma coisa. Acho que vai ficar mais feliz quando tudo voltar ao normal.

– Sim, todos nós vamos. Até logo, Anton.

– Até logo, madame Émilie.

Émilie voltou ao chalé e fez um café. Foi até a cave e viu que Jacques estava no seu lugar habitual diante da mesa, embrulhando as garrafas enquanto Jean trabalhava na sua escrivaninha. Para não incomodá-los, levou seu café até o jardim. Não queria pressionar Jacques a lhe dizer se sabia onde fora parar a menina adotada, mas estava louca para saber. E Frederik, o pai da criança e inspiração dos lindos poemas de amor de Sophia… Jacques dissera acreditar que ele ainda estava vivo.

Uma ideia se formou na sua mente, e durante o almoço ela a dividiu com Jean e Jacques.

– Por que não? – concordou Jean. – O que acha, *papa*, de Émilie ir até a Suíça conhecer Frederik?

– Eu não sei. – Jacques parecia pouco à vontade.

– Mas com certeza mal não há de fazer, não é? – perguntou Jean. – Se ela lhe der os poemas, pelo menos Frederik terá uma lembrança concreta do amor imortal de Sophia por ele. Talvez isso o reconforte.

– Você me daria o endereço, Jacques? – perguntou ela.

– Vou ver se consigo encontrar. – Jacques ainda estava reticente. – Pode ser que ele nem esteja mais vivo, claro.

– Eu sei, mas pelo menos eu poderia escrever para ele e descobrir.

– Vai contar a ele que eu menti sobre a morte da filha tantos anos atrás? – perguntou Jacques com hesitação.

Em dúvida, Émilie olhou para Jean em busca de ajuda.

– *Papa*, se Frederik for o homem que você diz que é, vai entender por que você guardou segredo em relação ao nascimento da filha dele. Você estava protegendo a menina.

– E vai aceitar eu ter lhe negado o direito de conhecer a filha durante toda a vida? – resmungou Jacques.

– Sim, porque foi preciso – disse Jean. – *Papa*, se você souber onde ela está, acho que chegou a hora de contar. Émilie tem o direito de saber. Afinal, é a família dela.

– Não! – Jacques balançou a cabeça. – Você não entende, Jean… você não entende. Eu…

– Jacques. – Émilie tocou seu braço. – Por favor, não se exalte. Se está convicto de que não deve contar, tenho certeza de que tem os seus motivos. Só me responda uma coisa: me diga se sabe onde ela está.

Jacques fez uma pausa, com o semblante tomado pela angústia da indecisão.

– Sim! Eu sei – admitiu ele por fim. – Pronto! Contei. Quebrei a promessa que fiz a mim mesmo tantos anos atrás. – Desalentado, ele balançou a cabeça.

– *Papa*, isso já faz *anos* – disse Jean. – Ninguém vai julgar a filha de Sophia agora. Você não a estará fazendo correr perigo algum.

– Parem! Chega! – Jacques deu um soco na mesa, então se levantou com dificuldade e pegou a bengala. – Vocês não entendem… eu preciso pensar, preciso pensar.

Jean e Émilie o viram se afastar do chalé cambaleando o mais depressa que conseguiu.

– Não deveríamos tê-lo pressionado – disse Émilie, sentindo-se culpada. – Seu pai ficou muito abalado.

– Bem, talvez seja bom para ele aliviar o peso do segredo. Ele já o carregou por tempo demais – disse Jean. – Agora preciso continuar o trabalho. Tudo bem você ficar sozinha por aqui durante a tarde?

– Claro – disse ela. – Volte para a cave que eu cuido das coisas por aqui.

Depois de Jean sair, ela tirou a mesa do almoço, lavou a louça, então pegou o celular. Viu que havia algumas ligações perdidas de Sebastian, mas foi sua vez de não querer ligar de volta. A história da noite anterior tinha mexido com ela sob vários aspectos, e seu desagrado com o modo como Sebastian maltratava o irmão só fizera aumentar, não diminuir.

Como precisava de um pouco de ar puro, ela foi dar uma volta pelo vinhedo; a confusão estava fazendo sua cabeça girar. Então um pensamento lhe ocorreu, e ela estacou bruscamente para tentar processá-lo.

Jacques havia contado como Constance ficara arrasada por ter de abrir mão da neném de quem vinha cuidando desde o nascimento. Émilie entendia totalmente os motivos pelos quais ela não levara Victoria consigo de volta para a Inglaterra. Numa época anterior aos exames genéticos, sempre teria havido uma dúvida na mente do seu marido, por mais que Constance lhe garantisse que a filha não era dela.

Victoria...

Émilie se deixou cair sentada no meio das vinhas. Mas e se Constance *tivesse* contado ao marido sobre o bebê no orfanato depois de voltar para Yorkshire? E se Lawrence, ao ver quanto a esposa estava abalada, tivesse concordado que eles deveriam voltar para a França e adotá-la?

Tinha certeza de que Sebastian certa vez mencionara o nome da mãe... Revirou a cabeça tentando se lembrar, mas não conseguiu, então tirou o celular do bolso da calça jeans e hesitou: com qual dos irmãos deveria falar para confirmar aquilo?

Tentou primeiro o marido, mas a ligação caiu na caixa postal. Então ligou para o celular de Alex. Ele atendeu na hora.

– Alex? Sou eu, Émilie.

– Émilie! Que prazer falar com você. Tudo bem?

– Tudo, obrigada. – Ela foi direto ao assunto. – Alex, qual era o primeiro nome da sua mãe?

– Victoria. Por quê?

Chocada, Émilie levou a mão à boca.

– É… é uma longa história, Alex. Prometo explicar quando nos virmos. Muito obrigada, tchau.

Ela encerrou a ligação e ficou sentada entre as vinhas processando aquela nova informação.

Victoria era a mãe de Sebastian e Alex.

Então isso significava que… Émilie raciocinou o mais depressa que conseguiu. Significava que ela estava atualmente casada com seu primo de segundo grau…

– Nããão! – uivou ela para o ar silencioso à sua volta. Então se deitou de bruços, apoiou a cabeça no chão duro e pedregoso e tentou pensar de modo racional.

E se Constance, já perto da morte, tivesse contado a Sebastian que sua mãe, Victoria, fora adotada? E que na verdade ela era um membro legítimo da família La Martinières? Constance também tinha comentado com ele sobre o livro de frutas da França e os poemas escritos por Sophia, talvez sua *avó*. Teria ela feito isso para fornecer uma prova que ajudasse os dois irmãos a reivindicarem seu parentesco?

Sebastian então talvez tivesse investigado mais e descoberto quem eram os La Martinières. E, ao saber da morte da mãe de Émilie, talvez tivesse pensado que poderia ter direito a herdar alguma coisa.

No entanto, como Jacques havia mencionado, estabelecer seu direito como herdeiro ilegítimo seria uma batalha jurídica demorada e exaustiva. Bem mais fácil e mais prático se casar com a herdeira direta, não? E, em algum momento, convencê-la a transferir o château e a conta bancária para o nome de ambos.

Émilie estremeceu, mais por surpresa com o próprio raciocínio frio e analítico do que por tristeza com a possível duplicidade de Sebastian. Tudo se encaixava muito bem, mas não havia prova nenhuma de que ela tivesse razão. Além do mais, teria Sebastian se casado conscientemente com a própria prima?

Ela ficou deitada ali refletindo sobre a própria ingenuidade. Ainda que houvesse outra explicação e ela estivesse imaginando um cenário maquiavélico do qual Sebastian era inteiramente inocente, onde diabo ela estava com a cabeça quando se casara sabendo tão pouca coisa a respeito dele?

Talvez, pensou com um suspiro, a resposta simples fosse porque ele tinha lhe dado carinho e apoio num momento em que ela estava muito vulnerável.

E o Sebastian que ela havia conhecido na França não poderia ter se mostrado mais amoroso, mais carinhoso, nem a apoiado mais. Teria tudo isso sido apenas uma encenação para seduzi-la?

Ela se sentou.

– Ai, meu Deus, ai, meu Deus... – Balançou a cabeça, em desalento. Mesmo que estivesse errada em relação aos motivos de Sebastian, estava terrivelmente infeliz. E já não confiava nem um pouco no marido.

Esgotada, exausta e abalada, Émilie se levantou e começou a andar de volta até o chalé. Só havia um jeito de descobrir. Ela precisava suplicar a Jacques para lhe confirmar se estava certa.

– Onde você estava, Émilie? Já é quase noite. – Jean estava na cozinha preparando o jantar.

– Precisei sair para pensar – respondeu ela.

– Você está muito pálida. – Ele a examinou com um ar preocupado.

– Preciso falar com seu pai o quanto antes – disse ela.

– Tome, beba isto. – Ele lhe passou uma taça de vinho. – Infelizmente meu pai subiu para o quarto e pediu para não ser incomodado. Ele não quer falar com você hoje, Émilie. Por favor, precisa entender como isso tudo é difícil para ele. Está lhe pedindo para contar um segredo que ele guardou por mais de cinquenta anos. Ele precisa de tempo para pensar. Você vai ter que ser paciente.

– Mas você não entende... Eu *preciso* saber antes de voltar para casa. Preciso!

Jean percebeu quão tensa e abalada ela estava.

– Por quê, Émilie? Que relevância teria para sua vida atual o que *papa* tem a lhe contar?

– Porque... porque *tem*... Ah, Jean, por favor, pode perguntar se eu poderia ir falar com ele? – implorou ela.

– Émilie, tente se acalmar. Você e eu nos conhecemos há anos. Talvez possa confiar o suficiente em mim para me dizer o que a deixou tão nervosa. Venha, vamos nos sentar.

Jean a conduziu até a sala e a uma cadeira.

– Ai, Jean. – Ela enterrou a cabeça nas mãos. – Talvez eu esteja mesmo ficando louca.

– Duvido – disse ele, e sorriu. – Você sempre foi a mulher mais sã que eu já conheci. Então, estou escutando – incentivou ele.

Émilie inspirou fundo e começou a contar, desde o primeiro instante em que havia encontrado Sebastian em Gassin. Contou a história inteira do seu namoro e falou sobre o comportamento bizarro do marido com ela ultimamente. Depois mencionou a relação dele com o irmão e o estranho clima da casa em Yorkshire. Por fim, após um prato de um excelente coelho ensopado ter sido posto na sua frente e de ela o engolir sem parar de falar, contou a Jean sua desconfiança de que Victoria era a mãe de Alex e Sebastian.

– E se Sebastian tiver se casado comigo porque achou que fosse um caminho fácil para o que considera ser de todo modo seu direito legítimo? – perguntou.

– Calma, Émilie – aconselhou Jean. – Não temos nenhum indício concreto a não ser um nome de batismo para pensar que algo nisso tudo é verdade.

– Então eu sou louca por achar isso do meu marido? – perguntou ela com tristeza.

– Bom, acho que nós dois sabemos que Sebastian não veio até aqui por coincidência, apesar de ter lhe dito que estava na região por motivos profissionais – concordou Jean. – Você diz que ele comentou logo de cara sobre a ligação entre a avó dele e a sua família. E sim, concordo que o fato de a mãe dele se chamar Victoria torna a sua história uma possibilidade plausível. Mas se existe ou não um parentesco de sangue... Você se importa se eu falar a verdade?

– É claro que não. Eu ficaria aliviada – respondeu Émilie, agradecida.

– Bom, para ser bem direto, eu acho que você está confundindo as prioridades. Quer Sebastian tenha tido ou não um motivo escuso para se casar, o fato é que você está profundamente infeliz. E o caráter do seu marido não parece assim tão... – Jean deu de ombros. – Tão sólido.

– Mas, como Alex falou, pode ser que o mau comportamento do meu marido se limite ao irmão – rebateu Émilie.

– Eu diria que esse Alex está sendo muito gentil. Não quer comprometer seu relacionamento com seu marido. Ele me parece bem sensato. Será que você se casou com o irmão errado? – perguntou ele com os olhos brilhando.

– Sim, Alex é extremamente inteligente – concordou ela, incomodada.

– Eu entendo, Émilie. – Jean meneou a cabeça, sério outra vez. – Você se casou com esse homem, fez sua escolha e quer que dê certo. Naturalmente, o certo a fazer agora é confrontá-lo e expor todas as suas suspeitas quando chegar em casa.

– Mas ele vai mentir, claro! Vai se proteger.

– Nesse caso, você com certeza acaba de responder à própria pergunta, não? – retrucou Jean com tristeza. – Se acha que nunca vai ouvir a verdade do seu marido, que esperança tem de um relacionamento bem-sucedido?

Ela ficou sentada em silêncio; sabia que ele estava certo.

– Estamos casados há tão pouco tempo... Eu certamente preciso continuar dando uma chance a nós dois, não? Não posso simplesmente desistir!

– É, concordo. Em geral seu coração não manda na sua cabeça, Émilie. Você foi impulsiva pela primeira vez na vida, mas não deve se punir por causa disso. E pode ser que tudo ainda se resolva. *Se* você conseguir arrancar a verdade dele.

– Vou me sentir melhor depois de falar com seu pai. – Ela suspirou. – O fato de ele relutar tanto em nos contar talvez seja uma indicação de que a revelação afetará alguém diretamente.

– Prometo conversar com *papa* amanhã – disse Jean. – Contanto que você tente se acalmar.

– Você é tão próximo dele... – Ela suspirou com nostalgia. – É algo raro e maravilhoso de ver.

– O que tem de incomum em querer pôr em primeiro lugar a pessoa que criou e cuidou de você, quando ela precisa? Assim como você, Émilie, eu nasci quando meu pai já era mais velho, e então minha mãe morreu quando eu era jovem. Talvez por ter sido criado por pais mais velhos eu tenha aprendido os valores morais da antiga geração. E não os da nossa, que me parece ter perdido uma bússola confiável.

– Estranho nossos dois pais terem decidido se casar tarde – refletiu Émilie. – Será que teve alguma coisa a ver com a experiência deles na guerra?

– Pode ser – concordou Jean. – Os dois viram o lado mais sombrio da natureza humana. Com certeza devem ter levado muitos anos para recuperar a fé e a confiança no amor. – Ele deu um bocejo. – Mas está tarde, hora de dormir.

– Sim.

Eles se levantaram e deram um beijo de boa-noite.

– Obrigada, Jean. Nem sei dizer o quanto valorizo os seus conselhos. E sinto muito chatear você com meus problemas – arrematou ela.

– Você não me chateou, Émilie. Nós somos quase parentes – disse ele, com suavidade.

– É, Jean. Somos, sim – concordou ela.

No dia seguinte, Émilie acordou cedo outra vez, consciente de que restavam só umas poucas horas antes de partir rumo a Yorkshire.

Por fim, Jacques chegou à cozinha para tomar café. Meneou a cabeça para Émilie quando ela lhe passou uma xícara.

– Dormiu bem? – perguntou ela.

– Não consegui dormir – respondeu ele, levando a xícara à boca.

– Viu Jean hoje de manhã?

– Vi. Ele veio falar comigo mais cedo e me disse que você conseguiu pensar na razão para eu não querer lhe revelar quem é a sua prima.

– Jacques, por favor, eu lhe imploro. Preciso saber se tenho razão – insistiu ela. – Você entende por quê, não entende?

– Entendo. – Ele a encarou, então de repente riu. – Você é uma moça esperta, Émilie. É uma boa história. E sim… – Ele aquiesceu. – Constance batizou sua única filha com o mesmo nome da menina que deixou aqui na França.

– Mas… – Émilie o encarou, querendo uma confirmação. – A filha dela não era a filha de Sophia?

– Não, Émilie, não foi Constance quem adotou Victoria – disse Jacques. – E embora, pelo pouco que vi do seu novo marido, eu não confie nele, posso lhe garantir que ele não se casou com você por pensar que pudesse ser um herdeiro ilegítimo da fortuna dos La Martinières.

– Ah. Graças a Deus! – Émilie sentiu que seria capaz de chorar. – Obrigada, Jacques.

– Pelo menos fico feliz em poder tranquilizar você quanto a isso – disse ele, tomando um golinho de café.

Na mesma hora, Émilie se sentiu dividida entre o alívio com o fato de a história que havia imaginado não ser verdade e a culpa por ter conseguido imaginar Sebastian capaz de uma conspiração como aquela.

– Então, Jacques, por favor, pode me contar quem é Victoria?

Jacques não respondeu de imediato; tomou outro gole de café e a encarou.

– Entendo a sua ânsia de saber. Mas, Émilie, não é a sua vida que vai virar de cabeça para baixo. É a dela e da família dela. Se eu decidir falar, vai ser para ela que vou contar primeiro, não para você. Entende isso?

Ela entendeu o que ele estava lhe dizendo: estava sendo egoísta. Envergonhada, baixou a cabeça e aquiesceu.

– Entendo. E peço desculpas.

– Não precisa se desculpar. Eu entendo por que você quer saber.

Jean entrou na cozinha e sentiu a tensão no ar.

– Meu pai lhe disse que a sua história estava errada? – perguntou ele.

– Sim.

– Você deve estar aliviada.

– Estou, claro. – Ela se levantou, constrangida e envergonhada de ter tirado conclusões nada lisonjeiras em relação ao próprio marido. – Preciso ir – falou, sentindo uma súbita necessidade de ficar sozinha. Poderia passar duas horas quietinha no aeroporto de Nice pensando no que faria. – Com licença.

Os dois a encararam com uma expressão de empatia enquanto ela saía da cozinha e ia pegar a bolsa de viagem no quarto.

– Ela cometeu um erro ao se casar com aquele homem e sabe disso – sussurrou Jacques. – Ele pode não ter o sangue dos La Martinières, mas está querendo alguma coisa.

– Concordo. Mas ela havia acabado de perder a mãe, o último membro da sua família. Não é de espantar que tenha caído no primeiro par de braços que apareceu – disse Jean. – Ela estava muito vulnerável.

– Por outro lado, pelo menos ela precisou amadurecer depressa de um ano para cá e agora está mais forte. Aprendeu muitas lições.

– É – concordou Jean. – Ela agora é ainda mais especial.

Jacques encarou a dor nos olhos do filho.

– Eu sei o que você sente por ela. Mas Émilie é uma moça inteligente como o pai e tem boa intuição. Ela vai tomar a decisão correta e voltar para casa, onde é o lugar dela.

– Quisera eu ter tanta certeza – disse Jean com um suspiro.

– Eu tenho – disse Jacques.

Émilie apareceu na cozinha com a bolsa, o rosto tenso e pálido.

– Mais uma vez, obrigada pela sua hospitalidade, e estou certa de que vamos nos rever em breve.

– Como sabe, tem sempre uma cama para você aqui conosco – disse Jean, sentindo o quanto ela estava abalada e tentando confortá-la.

– Obrigada. – Émilie pôs a bolsa no chão. – Jacques, eu sinto muito mesmo por ter pressionado você a revelar a identidade da filha de Sophia e Frederik. A decisão é sua, claro. Prometo nunca mais perguntar.

Ela se curvou para beijá-lo nas duas faces, e Jacques segurou suas mãos antes de ela se afastar.

– Seu pai teria ficado orgulhoso de você. Confie em si mesma, Émilie. E que Deus a abençoe até voltarmos a nos ver.

– Vou voltar muito em breve para acompanhar o andamento da obra do château. Até logo, Jacques.

Ela saiu da cozinha junto com Jean, que levou sua bolsa até o carro.

– Dê notícias – disse ele ao fechar o porta-malas. – Você sabe que estamos aqui sempre que precisar.

– Sei, sim. – Ela aquiesceu. – E obrigada por tudo.

31

Durante o trajeto até o aeroporto de Nice, Émilie tomou uma decisão. Não suportaria voltar para Yorkshire e ficar esperando lá sozinha até Sebastian voltar. Não! Ela iria direto para Londres, procurá-lo na sua galeria. E pedir para ele lhe dizer a verdade.

Enquanto estava diante do guichê de vendas comprando sua passagem para o aeroporto de Heathrow, ela se perguntou se deveria avisar a Sebastian que estava a caminho. Mas talvez fosse melhor fazer uma surpresa. O voo pousava em Londres às duas e meia da tarde, o que lhe dava tempo de sobra para chegar à galeria antes da hora de fechar. Ela lhe diria que tinha ficado com saudades e que queria vê-lo sem demora.

Ao embarcar no avião, embora ainda sem entender direito o comportamento do marido, sentiu-se melhor. Pelo menos estava sendo proativa, *fazendo* alguma coisa para tentar fechar o abismo que tinha se aberto entre eles. Precisava confrontá-lo em relação à sua dinâmica com Alex e descobrir o verdadeiro motivo que o fazia não querer a esposa ao seu lado em Londres.

Após aterrissar em Heathrow, ela embarcou num táxi e deu ao motorista o endereço da galeria de Sebastian em Fulham Road. Num súbito acesso de arrependimento por estar chegando sem avisar, pegou o celular e ligou para ele. Uma gravação lhe disse que o aparelho estava desligado.

Vinte minutos depois, chegou à Arté. Pagou o taxista, tirou a bolsa do carro e deu uma olhada nas vitrines. As obras eram de arte moderna, como Sebastian tinha dito, e a galeria era muito chique. Quando ela empurrou a porta para entrar, uma sineta tilintou, e uma bela sílfide loura veio cumprimentá-la.

– Olá, senhora. Está só dando uma olhada?

– O dono da galeria está? – perguntou Émilie num tom abrupto devido ao nervosismo.

– Sim, no escritório lá atrás. Posso ajudá-la com alguma coisa?

– Não, obrigada. Por favor, poderia avisar que Émilie de la Martinières está aqui para falar com ele?

– Claro, senhora.

A moça entrou por uma porta nos fundos da galeria, e Émilie ficou olhando as telas expostas. Segundos depois, um elegante homem de meia--idade surgiu pela mesma porta dos fundos.

– Madame La Martinières, é um prazer conhecê-la. Fiquei sabendo sobre a venda do seu Matisse no ano passado. Posso ajudá-la com alguma coisa?

– Ahn… – Ela não estava entendendo. – O senhor é o dono?

– Sou. Meu nome é Jonathan Maxwell. – Ele estendeu a mão, e ela a apertou sem força. O homem a examinou com interesse. – A senhora parece surpresa. Algum problema?

– Talvez eu esteja com o endereço errado – gaguejou ela. – Pensei que Sebastian Carruthers fosse o dono desta galeria.

– Sebastian? Não. – Jonathan deu uma risadinha. – Que histórias ele andou lhe contando? Sebastian é um agente, ele representa uns dois artistas cuja obra exponho aqui de vez em quando. Mas já faz um tempo que não o vejo. Acho que ele está mais concentrado em procurar obras de artistas franceses para os seus clientes. Não foi ele quem descobriu seu Matisse sem assinatura?

– Foi ele, sim. – Émilie pelo menos se sentiu aliviada com o fato de *alguma coisa* do que Sebastian tinha lhe contado ser verdade.

– Que bom para ele – comentou Jonathan. – Imagino que seja com Sebastian que a senhora deseja falar.

– Sim.

– Vou pegar o telefone dele para a senhora – ofereceu Jonathan. – Tenho o número em nosso arquivo.

– Obrigada. Por acaso o senhor não teria também o endereço do escritório dele, teria?

– Eu diria que "escritório" é certo exagero. Ele trabalha no apartamento que divide com a namorada, Bella. Ela é uma das artistas dele. – Jonathan apontou para uma grande tela de cores vivas, inteiramente ocupada por extravagantes papoulas vermelhas. – Tenho o endereço aqui; é para lá que mando os cheques de Bella quando vendo algum quadro dela. Provavelmente é melhor ligar para ele primeiro e marcar uma hora.

Émilie sentiu as pernas bambearem, mas não podia desistir agora.

– Se o senhor tiver o endereço, vou querer assim mesmo – falou, num tom animado. – Eu... eu gosto muito do trabalho de Bella. Quem sabe ela tem outros que eu possa ver?

– O ateliê dela fica no apartamento. É um daqueles empreendimentos novos na beira do rio, perto de Tower Bridge. Garota de sorte... bem diferente de um sótão em Paris. – Jonathan trocou olhares com Émilie. – Deixe eu pegar o endereço.

Consciente de que estava a segundos de ter uma crise de pânico, Émilie respirou fundo várias vezes, devagar, enquanto esperava ele voltar.

– Aqui está – disse Jonathan, entregando-lhe o endereço e o telefone que havia anotado num envelope. – Como eu disse, provavelmente é melhor ligar primeiro para ter certeza de que eles estão em casa.

– Claro. Obrigada pela ajuda.

– Não há de quê. E tome também meu cartão – disse ele, tirando um do bolso da camisa. – Se eu puder ajudá-la com alguma coisa no futuro, será um prazer. Até logo, Madame La Martinières.

– Até logo. – Émilie se virou para ir embora.

– Ah, e se a senhora encontrar Sebastian, pode avisar que vou ter uma conversa com ele sobre ter lhe dito que era o dono da galeria. – Jonathan arqueou as sobrancelhas, sorrindo. – Ele é um cara legal, mas às vezes não conta toda a verdade.

– Sim, obrigada.

Émilie saiu da galeria e baixou os olhos para as mãos trêmulas que seguravam o endereço dado por Jonathan. Antes de conseguir entender racionalmente o que estava fazendo, fez sinal para um táxi que passava, deu o endereço ao motorista e entrou. Enquanto o táxi partia, começou a ofegar ao pensar em para onde estava indo. Pegou na frente da bolsa de viagem um saco de papel contendo um croissant pela metade que comprara no aeroporto de Nice e começou discretamente a respirar dentro dele.

– Está tudo bem, querida? – perguntou o taxista.

– *Oui*... sim, obrigada.

– Meu filho costumava ter crises de pânico – disse ele, olhando-a pelo retrovisor. – É só respirar fundo, querida, e vai ficar tudo bem.

– Obrigada. – A gentileza do desconhecido a deixou com os olhos cheios d'água.

– Alguma coisa chateou você, foi?

– Sim – respondeu ela, sentindo as lágrimas de choque e desespero arderem no rosto.

– Tome aqui. – O motorista lhe passou uma caixa de lenços de papel pela divisória do táxi. – Não se preocupe, tenho certeza de que vai ficar tudo bem, seja lá o que for. Uma moça bonita como você... a vida não pode ser tão ruim assim, não é?

Quarenta angustiantes minutos depois, o motorista entrou numa ruela estreita de paralelepípedos entre dois edifícios altos.

– Era aqui que armazenavam o chá que chegava de navio da Índia antigamente. Nunca pensei que fosse virar um local tão cobiçado... Esses apartamentos hoje em dia custam milhões de libras, sim, senhora. Infelizmente sua corrida deu 36 libras, querida – emendou o motorista.

Émilie pagou a corrida e saltou cambaleando com sua bolsa de viagem, o coração ainda martelando no peito. Andou até a entrada e viu que havia um botão de interfone para cada apartamento. Depois de verificar outra vez o papelzinho, e reunindo cada grama de força que lhe restava, apertou o botão do número 9 no interfone.

– Sim?

– Olá. É Bella Roseman-Boyd?

– Sim, pois não?

– Estou vindo da galeria Arté, em Fulham. Jonathan me mandou aqui porque eu estava interessada em ver mais trabalhos seus – mentiu Émilie da melhor forma que conseguiu.

– É mesmo? – disse a voz. – Por que será que ele não me ligou avisando? Eu não estava esperando ninguém.

– É, eu disse que viria hoje mesmo... porque vou voltar para a França amanhã e queria ver seu trabalho antes de ir. Pode ligar para ele se quiser, por favor. Ele vai lhe confirmar que é verdade.

Na pausa que se seguiu, Émilie torceu apenas para que o que acabara de dizer fosse suficiente para garantir sua entrada.

– Então é melhor a senhora subir.

O interfone emitiu um bipe e a porta se abriu. Émilie pegou o grande elevador de porta pantográfica até o terceiro andar, saltou num corredor e viu que a porta do número 9 já estava entreaberta. Tomou coragem e bateu.

– Entre, estou só me limpando da tinta – disse uma voz.

Émilie entrou num espaço amplo, de pé-direito alto, cujas janelas imensas ofereciam uma vista panorâmica do Tâmisa. Um dos cantos do espaço era obviamente onde Bella pintava, e o restante estava dividido em uma área com sofás e uma cozinha.

– Olá. – Uma moça particularmente linda e de cabelos negros surgiu por uma porta. Os respingos de tinta na calça jeans justa e na camiseta em nada contribuíam para desviar a atenção do seu corpo longilíneo. – Desculpe, a senhora é…

– Meu nome é Émilie. Está sozinha ou estou atrapalhando? – perguntou ela, pois precisava saber imediatamente se Sebastian estava em casa.

– Não, estou sozinha – confirmou Bella. – Bem, Émilie, é muita gentileza sua vir até aqui ver meu trabalho. Eu lhe ofereceria um chá, mas tenho quase certeza de que o meu leite acabou. E, para ser franca, também não tenho muita coisa para lhe mostrar. Tenho recebido uma quantidade bem grande de encomendas particulares nos últimos tempos. – Ela sorriu, exibindo uma dentição branquinha e perfeita.

– Quem é seu agente? – perguntou Émilie educadamente.

– Sebastian Carruthers, mas tenho certeza de que não deve ter ouvido falar nele. De toda forma, venha dar uma olhada no que eu tenho – propôs ela.

– Será que antes eu poderia usar seu banheiro? – pediu Émilie.

– Claro, fica à direita no corredor – indicou Bella.

– Obrigada.

Émilie saiu da sala e entrou no corredor conforme a indicação. Havia três portas, todas elas entreabertas. A primeira abrigava uma cama de casal grande e desarrumada. Émilie deu um arquejo de horror ao ver a bolsa de viagem de Sebastian sobre uma cadeira e sua camisa rosa preferida embolada no chão junto com roupas íntimas femininas usadas.

Avançando pelo corredor, viu que o cômodo seguinte era usado para guardar coisas, com livros, um aspirador de pó e uma arara de roupas ocupando o espaço limitado. Com certeza não havia espaço para uma cama naquele "cafofo", pensou com amargura. Cambaleando de leve, ela entrou no banheiro e trancou a porta. Na prateleira acima da pia estava o nécessaire de Sebastian, com seu kit de barbear e sua loção pós-barba. Sua escova de dentes azul estava jogada dentro da pia.

Émilie se sentou no vaso, tentando se acalmar e pensar de maneira lógica no que fazer a partir dali. Embora seu instinto fosse sair correndo daquele apartamento, sabia que precisava aproveitar aquele momento para coletar o máximo de informação possível em primeira mão. Quando ela confrontasse Sebastian mais tarde, o único resultado seria a ladainha habitual de mentiras e enganação. Ela se levantou, deu a descarga no vaso que não tinha usado, virou-se e tornou a sair do banheiro para a sala.

– Escute, o sol já se pôs, meu leite acabou e estou louca por uma taça de vinho – disse Bella. – Aceita uma também?

– Sim, obrigada – concordou Émilie.

– Fique à vontade para ir até o ateliê e dar uma olhada nos quadros – disse Bella, rumando para a cozinha.

Émilie assim o fez, e mesmo a contragosto viu que Bella era uma artista extremamente competente. Os quadros tinham uma vida e uma energia que não se podia ensinar. Ela obviamente era uma jovem de grande talento.

– Venha se sentar um instante – disse Bella, dando um tapinha no sofá de couro confortável. – Passei o dia pintando, então é bom sentar um pouco. O que acha? – Ela apontou para o quadro em curso no cavalete, uma vistosa composição de imensos íris roxos. – É claro que, na condição da própria artista, eu sou profundamente crítica e questiono minha arte, mas acho que está indo bastante bem.

– Eu adorei – disse Émilie com franqueza, e sentou-se.

– Infelizmente não posso vendê-lo, é uma encomenda de um cara da City que Sebastian conheceu. Mas eu certamente poderia pintar um parecido se a senhora quisesse. De qualquer forma, só daqui a três meses, estou lotada de trabalho.

– Eu com certeza teria interesse – disse Émilie. – Quanto a senhora cobra?

– Ah, quem cuida dessa parte é Sebastian, a senhora teria de falar com ele. – Bella descartou a pergunta com um gesto vago. – Acho que entre cinco e vinte mil, dependendo do tamanho da obra.

– Que pena ter de pagar alguém para fazer isso em seu nome quando estou sentada aqui na sua frente e poderíamos negociar – comentou Émilie.

– Eu sei. – Bella assentiu. – Agentes são abutres que se alimentam do nosso talento de artista, mas pelo menos no meu caso a coisa fica meio "em família". O que ajuda um pouco.

– Desculpe, meu inglês é um pouco ruim. – Émilie forçou um sorriso. – Quer dizer que Sebastian é seu parente?

– Não propriamente um parente. Ele é mais… Como se diria em francês? *Mon amour* – disse Bella.

– Ah, sim – disse Émilie, fingindo se lembrar. – Acho que monsieur Jonathan comentou que ele era seu namorado.

– Bom, não chega a tanto. – Bella deu uma risadinha. – Mas Seb e eu temos um lance há anos. Nos conhecemos séculos atrás, quando ele foi à minha exposição de fim de curso na St. Martin's. Ele fica aqui quando está em Londres. É uma coisa bem solta – concluiu ela. – Mais vinho?

– Por que não? – Émilie observou Bella servir um filete de vinho na sua taça, depois encher a própria.

– Cá entre nós, ele se casou faz pouco tempo, e imaginei que esse nosso esquema conveniente fosse terminar – confidenciou a inglesa. – Mas pelo visto, não. Enfim, estou fugindo do assunto – disse ela, e tomou mais um gole de vinho.

– Você não se importa de ele ser casado? – perguntou Émilie, tentando parecer casual.

– Para ser sincera, meu lema é que a vida é curta demais para se acorrentar. Seb e eu temos uma relação que funciona muito bem. Ela convém a nós dois. Ele sabe que eu também saio com outros homens. – Ela deu de ombros. – E na verdade eu não faço o tipo ciumenta. Mas me espanta ele ter se casado. Eu nem quis saber os detalhes. Quer dizer, eu não sei o nome da mulher dele porque não é esse o nosso estilo, mas pelo que entendi ela é bem rica. Ele apareceu aqui umas duas semanas depois de se casar e me deu um colar lindo de diamante da Cartier. – A mão de Bella se ergueu instintivamente para tocar o lindíssimo solitário pendurado em volta do seu pescoço de cisne. – Ele também achou um Matisse na casa da esposa, e ganhou uma bela comissão pela venda. Com esse dinheiro, comprou um Porsche que adora dirigir por Londres. – Bella deu um suspiro. – Coitado, ele vive endividado desde que o conheço. Não sabe lidar com dinheiro e gasta tudo que ganha, mas sempre dá um jeito de se virar.

– Quer dizer que você não depende dele financeiramente?

– Deus me livre! – Bella revirou os olhos. – Isso, *sim*, seria uma tragédia! Na verdade é o contrário. Eu tenho a sorte de ter pais ricos o bastante para me ajudar e apoiar minha ambição de virar uma artista plástica de sucesso. O que é difícil para caramba, como tenho certeza que você sabe. Mas, nesses últimos meses, eu consegui dizer para eles que estou ganhando o suficiente com meus quadros para não precisar de um cheque mensal. Foi um momento de vitória, como pode imaginar. – Bella sorriu.

– Entendi. – Émilie sabia que tinha chegado ao seu limite e não conseguia aguentar mais. Precisava concluir aquele aconchegante *tête-à-tête*. – Então quem sabe eu posso ajudá-la na sua jornada rumo à independência? Gostaria muito de lhe encomendar um quadro, Bella. Então pode me pôr em contato com Sebastian para combinarmos um preço. Vai estar com ele em breve?

– Ele tem um encontro com um possível cliente hoje, no começo da noite, mas vai chegar em casa mais tarde. Se a senhora deixar seu número, eu digo a ele para ligar. Sei que ele vai embora amanhã de manhã, para aquele mausoléu horroroso que herdou lá em Yorkshire. E para a esposa. – Bella revirou os olhos com uma expressão conspiratória. – Enfim, por mim está ótimo assim... eu fico com os finais de semana livres. Vou arrumar um papel para a senhora anotar seu telefone.

– Está bem.

– Se importaria se eu não envolvesse Jonathan Maxwell e a galeria? Tecnicamente, como foi ele quem nos apresentou, ele poderia muito bem esperar algum tipo de comissão – explicou Bella. – Eu não comento que você apareceu aqui se você também não comentar, e assim poderemos fazer um preço melhor.

– Claro – disse Émilie, meneando a cabeça.

Bella foi até a cozinha e revirou uma gaveta em busca de um pedaço de papel.

– Aqui. – Ela lhe passou o papel.

Émilie aguardou alguns segundos e então, com todo o cuidado, escreveu seu nome completo, seu telefone e seu endereço na França. Pôs o papel em cima da mesa. Em seguida se levantou.

– Foi... interessante conhecê-la, Bella. Desejo boa sorte com o seu futuro. Tenho certeza de que você vai ter muito sucesso. É uma mulher de talento.

– Obrigada. – Bella a acompanhou até a porta. – Também foi um prazer conhecer você. Espero mesmo que voltemos a nos ver em breve.

– Sim. – Por impulso, ela tocou o braço de Bella. – Você me parece uma boa pessoa, Bella. Cuide-se.

Então Émilie se virou e saiu do apartamento.

32

Já era quase meia-noite quando Émilie chegou em Blackmoor Hall. Tinha pegado um táxi da estação de trem em York; o Land Rover continuava no aeroporto, e Sebastian poderia ir buscá-lo se quisesse. Aquilo não era mais problema dela.

Ficou feliz ao ver a luz de Alex acesa no seu canto da casa; partiria cedo na manhã seguinte e queria se despedir dele.

Atravessou a casa e bateu à sua porta.

– Entre, Em – disse ele. – Chegou tarde em casa. Perdeu o voo?

Ele estava sentado no sofá, lendo um livro.

– Não. Passei em Londres.

Ele observou seus olhos arregalados e o cenho franzido.

– O que houve? – perguntou, preocupado.

– Vim dizer que vou voltar para a França amanhã. Sebastian e eu vamos nos divorciar assim que eu conseguir organizar isso.

– Certo – disse ele com um suspiro. – Algum motivo em especial?

– Hoje conheci a namorada de longa data dele em Londres. E vi com meus próprios olhos onde meu marido anda dormindo.

– Entendi. Quer que eu pegue o conhaque? – perguntou Alex.

– Não, pode deixar que eu pego.

Ela marchou até a cozinha e voltou com a garrafa e dois copos.

– Você sabia sobre ela? – indagou, servindo a bebida e lhe entregando um dos copos.

– Sabia.

– E sabia que Sebastian tinha continuado o caso com ela depois de se casar comigo?

– Desconfiei quando ele começou a fugir com tanta frequência para Londres sem levar você, mas não tinha certeza.

– E não lhe ocorreu me contar, Alex? Achei que fôssemos amigos! – exclamou ela.

– Por favor, Émilie, isso não é justo. – A veemência dela o abalou. – Sebastian estava me pintando como uma pessoa que não era digna da menor confiança, que mentia, enganava e seria capaz de tudo para sujar o nome dele. Você acha mesmo que teria acreditado em mim se eu tivesse contado?

– É. – Ela tomou um gole grande do conhaque. – Tem razão. Não teria. Desculpe. – Levou a mão à testa. – Tive um dia difícil.

– A rainha do eufemismo. – Alex sorriu com ironia. – Sebastian sabe que você foi visitar a namorada dele?

– Não faço ideia, não liguei o celular desde que saí de Londres – respondeu ela, dando de ombros.

– Você disse a Bella quem era?

Émilie o encarou. O fato de Alex saber o nome de Bella, o fato de ela obviamente ser uma parte importante da vida de Sebastian, ameaçou abalar sua calma tão duramente conquistada.

– Não. Eu disse que queria encomendar um quadro, então ela me pediu para deixar meu nome completo, endereço e telefone. E eu deixei. Ela prometeu entregar para Sebastian quando ele chegasse em... casa.

Fosse qual fosse a reação que Émilie estivesse esperando de Alex, certamente não imaginava vê-lo jogar a cabeça para trás e gargalhar.

– Ah, Em! Que genial! Simplesmente genial! Desculpe. – Ele enxugou as lágrimas. – Reação inadequada. Meu Deus, que golpe de mestre! E tão típico de você... discreto, sutil, elegante... Que beleza. Uma beleza, mesmo – emendou ele com admiração. – Consegue imaginar a cara dele quando Bella lhe entregar o papel com seu nome e telefone?

– Alex... – Ela deu um suspiro. – Não me importa o que ele vai pensar. Eu só quero sair daqui assim que possível e voltar para a minha casa.

A expressão dele mudou.

– Sim, claro – disse ele, retomando a seriedade. – Olhe, será que você entende que desde a sua chegada eu fiquei entre a cruz e a caldeirinha? É claro que torci para Seb enfim ter encontrado alguém que amasse.

– Bom, se ele é capaz de amar outra pessoa além de si próprio, essa pessoa é Bella. Ela é linda e muito talentosa. Não fosse o fato de ser a namorada do meu marido, eu cogitaria seriamente encomendar um dos seus quadros. – Émilie conseguiu dar seu primeiro sorriso do dia, ainda que tenha sido tristonho. – Você a conheceu?

– Sim. Antes de vocês se casarem, ela às vezes vinha passar o fim de semana aqui. – Alex a olhou com atenção. – Meu Deus, Em, você é incrível. Como consegue lidar com isso tudo?

– Muito simples. – Ela deu de ombros. – Sebastian não é mais a pessoa por quem eu me apaixonei. O que eu senti por ele no começo, na França, morreu.

– Então meus parabéns, apesar de eu não acreditar totalmente no que está dizendo. Você é... incrível. E eu ficaria feliz em esganar Seb com minhas próprias mãos por ter perdido você.

– Obrigada – disse Émilie sem encará-lo. – Tenho uma pergunta a fazer antes de ir.

– Qual?

– *Por que* seu irmão se casou comigo? O que ele queria de mim que já não estivesse tendo com Bella, que me contou ser de família rica também? – Ela balançou a cabeça. – Eu simplesmente não entendo.

– Bom, Em. – Alex suspirou. – Como sempre acontece nesses casos, a resposta está bem debaixo do seu nariz. E você já a viu.

– Já?

– Sim, mas provavelmente não deve ter percebido.

– Neste exato momento estou vendo o meu nariz, mas não tem nada debaixo dele a não ser meus joelhos – disse ela, estreitando os olhos.

– De fato – concordou Alex. – A pergunta é: você quer mesmo que eu lhe diga?

– Claro! Eu vou voltar para a França amanhã. Meu casamento... meu casamento acabou.

– Tudo bem. – Alex assentiu devagar. – Mas de agora em diante vai ser sem meias palavras.

– Por mim, tudo bem. – Ela assentiu.

– Está bem – disse ele. – Venha comigo, vou lhe mostrar.

– Certo.

Alex acendeu a luz do pequeno escritório em que Sebastian trabalhava quando estava em casa. Foi até uma estante, tateou debaixo de um livro e pegou uma chave. Girou a cadeira de rodas e destrancou a gaveta da escrivaninha na qual ficava o computador de Sebastian. Pegou uma pasta e a entregou para Émilie.

– Prova A. Só olhe depois de eu coletar todas. – Ele se posicionou em frente ao computador de Sebastian e o ligou. Digitou uma senha e entrou no sistema.

– Como você sabe a senha dele? – indagou ela.

– Se você aceita que alguém está decidido a dificultar ao máximo a sua vida, não pode deixar de saber esse tipo de coisa. Principalmente quando tem tão poucas opções de diversão quanto eu. – Ele continuou a digitar. – Além do mais, eu sei ler meu irmão como ninguém. Não foi preciso ser nenhum gênio para adivinhar.

– Por acaso seria "Matisse"? – chutou Émilie.

– Muito bem, Sherlock. – Alex sorriu. – O curioso de Seb é que ele não tenta ou mal tenta esconder seu rastro, já que confia plenamente no seu talento consumado para mentir no caso de precisar se explicar. Então... – Alex estendeu a mão para pegar umas folhas na impressora e lhe entregou. – Prova B. Falta só mais uma coisa... – Ele apontou para um retrato a óleo da avó pendurado na parede. – Poderia tirar aquele quadro da parede para mim?

Émilie fez isso, e atrás da obra havia um pequeno cofre.

– Certo. A menos que ele tenha mudado, o segredo é a data de nascimento da minha avó, mas duvido que tenha. – Alex se esticou para alcançar o disco na frente do cofre e o girou com cuidado. – Só espero que Seb não tenha tirado daqui de dentro o que eu quero lhe mostrar – falou, estendendo a mão para o interior. Vasculhou a parte interna, e então, com um suspiro de alívio, pegou um envelope protegido por plástico bolha e outro menor, de papel branco simples. – Provas C e D – afirmou, fechando o cofre e gesticulando para Émilie recolocar o quadro no lugar. – Sugiro voltarmos para os meus aposentos, só para o caso de Sebastian estar neste exato momento correndo pela estrada para salvar seu casamento, ou melhor, para salvar a si próprio. Lá também é bem mais quentinho.

Alex desligou o computador e a impressora e eles saíram do escritório. De volta à sua sala, pediu para Émilie dispor na mesa de centro, alinhadas, as quatro provas que tinha lhe entregado.

– Certo, Em. – Ele a encarou com um ar de solidariedade, tentando ler sua expressão. – Acho que isso vai ser desagradável para você.

– Eu já passei desse ponto, Alex. Só quero saber o motivo.

– Certo, então. Dê uma olhada na pasta.

Émilie a abriu e viu o próprio rosto e o da mãe impressos, encarando-a. Havia cópias de todas as matérias descrevendo em detalhes a morte da sua mãe em diversos jornais da França. E anunciando que ela era a única herdeira.

– Agora abra o envelope que tiramos do cofre. Cuidado, ele contém algo muito, muito antigo.

Émilie enfiou a mão dentro do envelope e pegou um livro. Assombrada, leu o título.

– É o *História das frutas da França*. Soube ontem, por Jacques, que meu pai deu este livro para Constance de lembrança quando ela foi embora do château e voltou para cá. É o livro que você disse que não conseguia encontrar na biblioteca daqui.

– Sim – disse Alex. – Agora, com muito, muito cuidado, abra a capa e leia o que está escrito na folha de rosto.

– "Édouard de la Martinières" – leu ela. – "1943." E daí?

– Espere um instantinho – disse Alex. – Preciso pegar outra coisa para lhe mostrar. – Ele conduziu a cadeira para fora da sala, voltou pouco depois e lhe entregou mais um envelope. – Aqui dentro vai encontrar uma carta que minha avó me escreveu. Ela a registrou com seu advogado pouco antes de morrer. Duvido que confiasse em Seb para entregá-la a mim. Nenhuma novidade... – Ele suspirou.

Émilie começou a ler.

Blackmoor Hall, 20 de março de 1996

Querido Alex,

Escrevo esta carta na esperança de que um dia você volte para casa, embora agora aceite que posso não estar mais viva quando isso acontecer. Meu neto mais querido, quero que saiba que eu entendo a sua decisão de ir embora de Blackmoor Hall, e em primeiro lugar queria lhe pedir minhas mais sinceras desculpas por não ter visto nem reagido ao que estava acontecendo com você. Acho que infelizmente eu o decepcionei e não o protegi quando foi preciso. Mas era difícil acreditar que o seu irmão, a quem também amo muito, pudesse agir de forma tão metódica para destruir você.

Espero mesmo, meu amado menino, que você consiga me perdoar por algum dia ter duvidado da sua palavra. Fui muitas vezes enganada pelo seu irmão, cuja inteligência não era do mesmo nível da sua, mas cujo raciocínio rápido e capacidade para enganar e mentir se equiparam a ela em grandeza. E pode ser que eu, como sua avó, e depois no papel de mãe, tenha me sentido culpada porque, desde o primeiro momento em que vi vocês dois, eu amei você mais do que a ele. Você, tão encantador, angelical e carinhoso, e seu pobre irmão, tão menos virtuoso sob todos os aspectos possíveis.

Certa vez, li um poema de Larkin que fala sobre desejar ao seu afilhado recém-nascido ser "comum", abençoado com uma quantidade suficiente de cada dom, mas nunca com uma quantidade excessiva ou escassa. Hoje entendo exatamente o que ele quis dizer, pois os seus dons selaram o seu destino, Alex.

Me perdoe, estou fugindo do assunto.

É óbvio que tenho rezado para você voltar antes de eu morrer. Porque preciso decidir o que fazer com meu amado lar, Blackmoor Hall. Como você sabe, a casa pertence à família do seu avô há mais de 150 anos. Como não sei por onde você anda, nem quanto dinheiro vai ser preciso para reformar a casa, não sei muito bem o que fazer. Sendo assim, meu querido menino, decidi que o melhor é deixar a casa em nome de vocês dois, na esperança de que essa propriedade em comum consiga promover uma reaproximação. Sei que isso é o desejo débil de uma mulher otimista já perto da morte, e talvez o efeito seja justamente o contrário. Posso apenas rezar para a casa não ser um fardo nem para um, nem para o outro. Se isso acontecer, podem vender, vocês têm a minha bênção.

Estou lhe deixando também um livro – sei o quanto você valoriza as edições antigas – que para mim tem um valor sentimental mais do que financeiro. Foi presente de um amigo na França, muito tempo atrás, durante a guerra. No envelope há também um caderno de poemas escritos pela irmã dele, Sophia, de quem eu gostava muito. Se você quiser, o nome do proprietário na folha de rosto do livro vai bastar para ajudá-lo a saber mais sobre o que aconteceu com sua avó na França, durante a guerra. Decidi guardar segredo em relação a isso enquanto vivi, mas é uma história interessante, e talvez ela melhore a sua opinião sobre a mulher que fez tudo para cuidar de vocês, mas cometeu alguns erros fatais. O livro e os poemas estão onde sempre estiveram: na terceira prateleira da biblioteca, da direita para a esquerda. Pode pegá-los se quiser.

Fora isso, estou lhe deixando metade do que ainda me resta, a fenomenal quantia de cinquenta mil libras. Posso apenas rezar para que um dia, Alex querido, você volte para casa e consiga me perdoar. Por maiores que fossem os defeitos de Sebastian, eu precisei amá-lo também. Você entende isso?

Um beijo da sua avó que o ama,
Constance

Émilie enxugou os olhos, finalmente vencida pelo estresse daquele dia tão longo e traumático.

– Que carta mais linda.

– É mesmo – disse Alex. – Sabe, Em, quando eu estava fora, cheguei a escrever no mínimo três ou quatro cartas para minha avó, nas quais informava meu endereço na Itália. Só me resta pensar que Sebastian as interceptou com o carteiro daqui. Ele reconheceu minha letra e pegou as cartas, o que fez vovó acreditar que eu não tinha me dado ao trabalho de lhe dizer onde estava. – Alex suspirou. – Em outras palavras, que eu não estava nem aí para ela.

– Isso agora não me espanta nem um pouco. Ele é um arquimanipulador – concordou Émilie. – Obrigada por me deixar ler a carta. Mas que relevância ela tem em relação às outras coisas que você me mostrou?

– Pegue a última pasta, por favor.

Émilie o fez, e seus olhos se arregalaram quando ela leu o que havia lá dentro. Ela ergueu o rosto para Alex, à espera de uma confirmação.

– Como você pode ver, vovó com certeza estava errada em relação a uma coisa: o livro que ela me deixou não tinha só valor "sentimental" – comentou ele, observando-a.

– Pois é – respondeu ela, e assentiu.

– É claro que, quando cheguei em casa do hospital depois do acidente, finalmente encontrei a carta e então fui procurar o livro na biblioteca, mas cometi o erro fatal de dizer a Seb o que estava procurando e onde o livro estava. Eu não conseguia alcançar, entende? Ele estava na terceira prateleira de cima. – Alex deu de ombros. – Quando Seb o pegou para mim, eu lhe mostrei o livro de bom grado. Na época, estava ansioso para tentar criar um vínculo entre nós, então quando ele me pediu o livro emprestado por alguns dias para ler, eu emprestei. Depois disso, sempre que eu o pedia de volta, ele respondia que ia devolver, mas não devolveu, claro. E, conhecendo Seb como eu conheço, fiquei com a pulga atrás da orelha. Pesquisei o livro na internet, assim como ele obviamente tinha feito, e soube que, se ainda não o tivesse vendido, ele o devia ter guardado dentro do seu cofre. E lá estava ele. – Alex balançou a cabeça tristemente.

– Mas por que ele ainda não o vendeu? – perguntou Émilie. – E se você sabia que o livro era tão valioso, por que não o pegou de volta?

– Talvez você não tenha lido com atenção os detalhes do papel que eu imprimi. Eu tinha certeza de que Seb não iria vendê-lo – explicou Alex. – Se tem uma coisa que sei sobre meu irmão, é que ele é ganancioso. Não iria se contentar com o que já tinha quando sabia que poderia faturar mais. Leia o texto para mim, Em. Do começo.

Apesar de estar mais do que exausta, Émilie deu o melhor de si para se concentrar nas palavras.

ARQUIVO DE LIVROS RAROS

História das frutas da França

De Christophe Pierre Beaumont. 1756. 2 Volumes. Possivelmente o melhor e mais raro livro sobre frutas. Com ilustrações de quinze espécies diferentes de árvores frutíferas. A obra foi inspirada por uma publicação anterior de Duhamel, *Anatomie de la poire*, publicado na década de 1730. Ilustrações de Guillaume Jean Gardinier e François Joseph Fortier. A intenção de Beaumont era promover a virtude e o valor nutricional das árvores frutíferas. Quinze gêneros distintos de frutas e várias de suas espécies estão descritas no livro: amêndoas, damascos, uma espécie de uva-espim, cerejas, marmelos, figos, morangos, groselhas, maçãs, uma espécie de amora, peras, pêssegos, ameixas, uvas, e uma espécie de framboesa. Cada gravura colorida ilustra as sementes, a folhagem, as flores, os frutos e, às vezes, um corte transversal da espécie.

Proveniência: Acredita-se que os dois volumes fizessem parte de uma coleção particular em Gassin, França.

Valor: Aproximadamente 5 milhões de libras esterlinas.

Ela concluiu a leitura e ergueu o rosto para Alex.

– Ainda não entendi.

– Então tá, vou explicar para você – disse Alex. – Entrei em contato com um amigo meu que vende livros raros em Londres, como imaginei que

Sebastian já tivesse feito. Ele me disse que, separadamente, os dois volumes provavelmente valiam cerca de um milhão de libras cada um. Mas juntos valem cinco vezes isso. Entendeu agora, Émilie?

A ficha finalmente caiu.

– Sebastian estava procurando o primeiro volume na biblioteca do meu pai – afirmou ela com uma voz arrastada.

– Sim.

Ela passou alguns instantes em silêncio, processando a informação.

– Agora enfim está fazendo sentido. Foi por isso que ele esteve na França algumas semanas atrás. Meu amigo Jean, que administra a vinícola da propriedade, o encontrou na biblioteca vasculhando as prateleiras. Não é de espantar que ele tenha voltado para Yorkshire tão mal-humorado nesse fim de semana. Obviamente não tinha encontrado o primeiro volume.

– Bom, pelo menos isso – comentou Alex.

– Entendi tudo, menos por que ele chegou ao extremo de se casar comigo – disse Émilie.

– Bom, talvez por não ter encontrado o primeiro volume antes de a obra do château começar e a biblioteca ser encaixotada, Seb tenha precisado de um "acesso irrestrito" – ponderou Alex. – Como seu marido, ninguém poderia questionar a presença dele, e ele poderia continuar a busca. O casamento dava a ele liberdade para seguir procurando.

– É. Tem razão – concordou Émilie. – E eu confiei nele totalmente.

– Está preparada para abrir o último envelope, Em? – Alex apontou para o envelope sobre a mesa. – Tenho a sensação de que esse talvez a deixe muito abalada.

– Estou, tudo bem – respondeu ela, estoica, pegando o envelope e o abrindo com um rasgão.

Lá dentro havia uma chave nova da porta da frente do château. Sebastian lhe pedira uma cópia em algum momento, e ela lhe dera uma sem pensar. Mas no envelope havia também a chave enferrujada original que tinha sumido.

– Meu Deus – articulou ela por fim, sentindo lágrimas involuntárias brotarem nos olhos. – Foi *ele* quem invadiu o château naquele dia! E ainda teve a coragem de voltar quase imediatamente depois... e me *consolar*! Como ele pôde fazer isso, Alex? Como?

– Como eu disse, ele precisava de acesso irrestrito – respondeu Alex. – Meu Deus, Em, eu sinto muito, de verdade. E para ser totalmente justo com ele, sei que no começo meu irmão ficou muito encantado com você – tergiversou ele ao ver sua dor, querendo desesperadamente fazê-la se sentir melhor. – Ele fez elogios rasgados a você quando voltou da França depois de vocês se conhecerem. Vai ver suas intenções não eram de todo más. Vai ver ele pensava que conseguiria fazer o casamento dar certo. Mas aí Bella voltou a aparecer como uma deliciosa armadilha, e ele não conseguiu resistir. Ele nunca conseguiu se afastar dela por completo nos últimos dez anos.

– Por favor, Alex, não tente justificar as atitudes dele – disse Émilie. – Seb não merece qualquer tipo de solidariedade sua. Tirando todas as outras coisas que ele fez comigo, na minha cartilha, quando você ama uma pessoa não pode amar mais ninguém – disse ela com veemência, enxugando as lágrimas de choque com um gesto brusco das costas da mão. Não iria desperdiçar seu choro com *ele*.

– Na minha também, eu lhe garanto – concordou Alex. – Então é isso. Meu Deus, Em, detesto ter sido eu a lhe contar tudo isso. Fico de coração partido por ter deixado você tão chateada. Por favor, não me odeie também, sim? Eu desprezo meu irmão por tudo que ele a fez passar, desprezo mesmo.

– É claro que não vou odiar você – respondeu ela, agora exausta. – Eu pedi para você me contar.

– Bom, espero mesmo que não – disse ele, emocionado. – Aliás, acho que você deve ficar com o livro. – Ele apontou para o volume, inocentemente pousado sobre a mesa. – Leve-o para o château e devolva-o ao lugar que é dele por direito.

– Mas meu pai deu o livro para a sua avó, e depois ela o deu para você. O livro é seu.

– Em circunstâncias normais, você teria razão – concordou ele. – Mas talvez seja melhor ele ir para a França e ficar fora de perigo – sugeriu ele. – Só para saber, você por acaso sabe onde está o outro? É óbvio que não está na biblioteca do seu pai.

– Você não viu a biblioteca – retrucou Émilie. – É uma coisa imensa… mais de vinte mil livros. Acho que Sebastian teria levado mais do que uns dois dias para se certificar de que o livro não estava lá.

– Desculpe, Émilie, mas ele teve mais do que dois dias, não é? – Alex exibia uma expressão de pesar. – A ida recente à França foi apenas uma última tentativa de verificar mais uma vez que ele não tinha deixado o livro escapar antes de a biblioteca ser encaixotada. Antes disso, Sebastian já tinha passado muito tempo no château com você.

– É – concordou Émilie. Ela pensou em quando havia conhecido Sebastian. E nos livros aleatórios sobre árvores frutíferas que havia notado em destaque na biblioteca após a suspeita de invasão. Ele estava procurando desde o início. – Enfim... – Ela balançou a cabeça, estarrecida com a duplicidade de Sebastian e com a própria ingenuidade. – A boa notícia é que, até onde eu sei, ele não conseguiu encontrar o livro. Vou procurar quando a biblioteca voltar ao lugar depois da obra. E pelo menos enfim saberei a verdade. Agora preciso seguir em frente.

– Émilie, você é mesmo uma mulher incrível – disse Alex com genuína admiração.

– Não. – Ela deu um suspiro que se transformou num bocejo. – Eu não sou nada disso. No fundo sou só uma pessoa pragmática que se deixou levar por um amor de mentira. Eu mergulhei de cabeça e confiei pela primeira vez na vida, e deu tudo errado. Além do mais... tem coisas que Sebastian não sabe sobre mim.

Alex a encarou em silêncio enquanto ela decidia se queria prosseguir.

– Por exemplo, eu não contei para ele antes de nos casarmos que não poderíamos ter filhos – disse ela quando finalmente tornou a falar. – Ou, pelo menos, que *eu* não poderia.

– Certo – respondeu Alex com calma. – Seb algum dia perguntou se você poderia?

– Não. O que não significa que eu não deveria ter contado a ele, não é? Moralmente falando. Eu sabia que deveria, mas lembrar a época em que tudo aconteceu... – Ela se esforçou para explicar. – Eu não conseguiria tocar no assunto.

– Entendi. Então se importa em me dizer como sabe que não pode? Escute, se for doloroso demais contar, por favor, não se preocupe.

Émilie se serviu de outra dose de conhaque para tomar coragem, pois sabia que *precisava* tirar aquilo do peito.

– Quando eu tinha 13 anos... – começou, e sentiu seu ritmo cardíaco se acelerar com a perspectiva de dizer aquelas palavras. – Fiquei muito doente. Meu pai estava no château, e eu em casa com minha mãe, em Paris. Ela estava muito ocupada com a sua vida social, e uma das nossas empregadas lhe disse que eu parecia estar mal e que ela precisava chamar o médico. Ela deu uma olhada rápida em mim na cama, pôs a mão na minha testa e disse ter certeza de que pela manhã eu estaria bem. Então saiu para jantar. Enfim... – Émilie tomou outro gole de conhaque. – Nos dias seguintes, eu piorei muito. Minha mãe finalmente chamou um médico, um amigo dela, que diagnosticou uma intoxicação alimentar. Ele me deu uns remédios e foi embora. No dia seguinte, eu perdi a consciência. Como minha mãe não estava, foi a empregada quem chamou a ambulância para me levar ao hospital. Fui diagnosticada com doença inflamatória pélvica. A bem da verdade, era raro uma menina da minha idade ter isso, então não me espanta o médico não ter percebido. A doença é fácil de curar nos primeiros estágios, mas infelizmente, depois de um certo ponto, os danos à região afetada são irreversíveis. – Ela suspirou. – Depois me disseram que eu nunca poderia ter filhos.

– Ah, Em, que coisa terrível... – Alex a encarava com um olhar pleno de empatia.

Émilie o encarou também, chocada com a própria honestidade repentina.

– Alex, você é a primeira pessoa para quem eu conto isso. Nunca consegui dizer essas palavras em voz alta. Eu... – Seus ombros começaram a tremer, e ela segurou a cabeça entre as mãos e começou a soluçar.

– Em... Émilie... Ah, querida... Eu sinto muito, muito mesmo.

Um braço a enlaçou no sofá e a puxou para mais perto. Ela se aninhou junto ao calor do peito dele e continuou a chorar. Ele não disse nada, apenas ficou afagando delicadamente seus cabelos à medida que os soluços diminuíam de intensidade e seu nariz escorria.

– Como minha mãe pôde ignorar o quanto eu estava doente? Por que ela não *viu?*

– Eu não sei, não sei mesmo, Em. Lamento muito.

Um lenço de papel foi posto na sua mão.

– Me desculpe – disse ela, fungando. – Eu não costumo agir assim.

– É *claro* que você costuma – disse ele baixinho. – Essa dor faz parte de você, e tudo bem falar sobre ela, mesmo. Desabafar ajuda, sério.

– Quando eu era mais nova e me disseram que eu não poderia ter filhos, tentei pensar que isso não teria muita importância. Só que tem, Alex! – lamentou ela. – Tem mais importância a cada ano que passa e a cada vez que me dou conta de que não vou poder cumprir o único destino para o qual acho que fomos postos no mundo, que faz a nossa existência humana ter sentido!

– Tem certeza disso? – indagou ele com toda a delicadeza.

– Se sua pergunta é se os milagres que acontecem hoje em dia com as mulheres inférteis são possíveis para mim, a resposta é um não categórico – disse ela com firmeza. – Eu não produzo óvulos, nem tenho um útero saudável para carregar os de outra mulher.

– Você poderia adotar – sugeriu Alex.

– É, poderia. – Émilie assoou o nariz. – Tem razão.

– Só estou dizendo isso porque já me passou pela cabeça. Na verdade, eu por acaso também sou estéril. Não vou entrar em detalhes – acrescentou ele com um meio sorriso. – Mas apesar de o "equipamento" funcionar perfeitamente bem, por causa do acidente as balas não disparam. Eu também adoraria ter filhos. – Ele deu uma risadinha de ironia. – Que dupla e tanto nós formamos, não é?

– É. – Ela ficou deitada no seu colo sem dizer nada, tão aconchegada que não queria se mexer. Sentou-se e se virou de frente para ele. – Antes de eu ir, o que não vai demorar, quero pedir desculpas por algum dia ter duvidado de você. Você é a melhor pessoa que eu já conheci, e a mais corajosa.

– Por favor, Em querida – retrucou Alex. – Acho que isso é o conhaque falando. Eu não sou nada disso.

– É, sim. – Ela de repente ergueu o rosto para ele. – A única coisa que vou lamentar deixar para trás na Inglaterra é você.

– Nossa! Pare com isso. Vai me deixar com vergonha. – Alex sorriu e acariciou sua bochecha. – Bom, como estamos nos elogios recíprocos, e como é improvável voltarmos a nos ver, eu quero lhe dizer que se a vida tivesse sido diferente, bom… – Ele deu um longo suspiro. – Vou sentir sua falta, Em. De verdade. Agora é melhor você ir. São quase três da manhã. Não esqueça o livro e, por favor, me avise se encontrar o primeiro volume. Vou anotar meu endereço de e-mail para você. Gostaria de manter contato.

– O que vai dizer para Sebastian? – perguntou Émilie, agora preocupada com Alex.

– Se ele comentar que o livro… que o *meu* livro sumiu, não vai ser diferente da história que ele vem me contando há dois anos. – Alex deu de ombros e sorriu. – O que ele pode dizer? Sua própria mentira se transformou na verdade. O livro sumiu *mesmo*.

– Mas e se ele achar que você o pegou? E dificultar ainda mais a sua vida?

– Ah, Em, não se preocupe comigo, por favor. Você já tem coisas suficientes em que pensar. Eu sei me cuidar, juro. – Ele sorriu. – Agora vá.

Ela se levantou e pegou o livro, a pasta e as páginas impressas.

– Serei eternamente grata a você, Alex. Por favor, se cuide. – Ela se abaixou para beijá-lo no rosto. Por impulso, lhe deu um forte abraço. – *Bonsoir, mon ami.*

– *Adieu, mon amour* – sussurrou Alex ao vê-la partir.

33

Quando chegou ao quarto, Émilie não se deu ao trabalho de tentar dormir; só ficaria ansiosa esperando Sebastian chegar. Então chamou um táxi quando o dia estava nascendo, jogou o que conseguiu reunir de seus pertences dentro de uma mala e ficou sentada na beirada da cama tentando decidir se deixava ou não um bilhete para o marido. Acabou resolvendo que não, e em vez disso escreveu um para Alex, que pôs debaixo da sua porta e que incluía seu endereço de e-mail.

Enquanto o táxi a levava embora da casa pela última vez, seu único arrependimento e preocupação eram com Alex. Era bem provável que Sebastian descontasse mais uma vez a raiva no irmão. Mas o que ela podia fazer?

Naquela mesma manhã, enquanto o avião subia suavemente pelo céu levando-a para longe do erro terrível que ela havia cometido, Émilie fechou os olhos e tentou esvaziar a mente. Ao chegar em Nice, fez o check-in num hotel perto do aeroporto, desabou na cama e dormiu.

Acordou ao cair da noite, sentindo-se péssima, fraca, trêmula e com uma dor de cabeça latejante por causa do excesso de conhaque da noite anterior. Deu-se conta de que não comia desde o croissant na manhã anterior e pediu um hambúrguer no serviço de quarto. Forçou a comida garganta abaixo, tornou a se deitar na cama, e ficou refletindo sobre o fato de agora estar sem casa. Seu apartamento de Paris estava alugado até o fim de junho, e o château, em plena obra, não era uma alternativa.

Decidiu passar a noite onde estava e partir para Gassin de manhã. Tinha certeza de que Jean não se incomodaria em hospedá-la por mais alguns dias enquanto ela decidia para onde ir. Talvez pudesse alugar um *gîte* nas cercanias, pelo menos assim estaria por perto para supervisionar a obra.

Ela se deteve. Era cedo demais para pensar em planos para o futuro.

Imaginou se Sebastian já teria chegado em Yorkshire. Sabia que precisava engolir o orgulho e entrar em contato com Gérard o quanto antes para lhe pedir indicação de um bom advogado de divórcio. Pelo menos não estava casada havia tempo suficiente para ter mudado os documentos, e o casal não tinha nenhum bem oficialmente em comum. Pensou no lindo diamante que Sebastian havia comprado para Bella logo depois de ela lhe fazer um cheque de duzentas mil libras, além do Porsche que ela nunca sequer tinha visto, e sentiu-se enjoada.

Desejou poder ter a mesma atitude calma de aceitação que Alex tinha em relação ao irmão, mas, como ele mesmo dissera certa vez, sentir raiva era bom e ajudava na cura. E enquanto ela sentisse raiva não haveria sofrimento, embora soubesse que isso talvez viesse depois. Estava surpresa por sentir tão pouco no momento; afinal, a paixão por Sebastian no início da sua relação fora avassaladora. Ela havia ficado de quatro por ele. Mas talvez aquilo na verdade nunca tivesse sido "amor", um amor do tipo que Constance descrevera para Sophia em Paris tanto tempo antes. Pelo menos não um amor duradouro, mais tranquilo, porém sólido, e que permitia atravessar lado a lado as dificuldades da vida.

Sebastian tinha chegado como sua salvação e a arrebatado. Mas teria ela de fato tido segurança suficiente para ser ela mesma ao seu lado? Percebia agora que havia passado a maior parte do ano anterior tensa, tentando fazer tudo para lhe agradar, deixando a gratidão que sentia pela sua presença em sua vida sobrepujar o que era certo. Em muitos momentos deveria tê-lo confrontado, sido mais forte, mas Sebastian desde o início havia segurado todas as cartas na mão. Eles tinham fcito o que *ele* queria, e ela o seguira, disposta a ceder, contemporizar e acreditar em qualquer coisa que ele lhe dissesse.

Não, pensou, aquilo não era amor.

Ligou a televisão para preencher o silêncio do quarto. Pensou se teria sido o conhaque que a fizera contar para Alex o que sua mãe tinha feito, ou deixado de fazer, quando ela era menina.

Agora aquilo lhe parecia surreal, todos aqueles anos ignorando o resultado da falta de interesse e de cuidado da mãe. Ela havia deixado a amargura interior crescer e, como uma trepadeira, sufocar seus pensamentos bons, seu coração e sua confiança nos outros. Mas, nas últimas semanas, Alex tinha lhe mostrado que de nada adiantava odiar ou ficar remoendo o passado. A única pessoa que sofria era você mesma.

Querido Alex... como ele era sábio e gentil. Ela recordou a sensação de chorar nos seus braços. Sentira-se confortada, à vontade. E por que tinha conseguido contar para *ele,* quando nunca conseguira dizer aquelas palavras para o próprio marido?

Mas o capítulo inglês de sua vida tinha acabado, repreendeu a si mesma antes de continuar. Ela precisava tentar perdoar, esquecer e seguir em frente.

– Émilie! Há quanto tempo. – Jean lhe sorriu com empatia quando ela entrou na cave.

– Eu simplesmente não consegui ficar longe – retrucou ela num tom de ironia, então reparou que outro par de olhos brilhantes a encarava do banco no qual Jacques geralmente se sentava. – Olá, Anton. – Sorriu para o garoto. – Está ajudando por aqui, é? Ganhando uns *centimes* a mais para comprar livros?

– Anton vai passar os próximos dias conosco enquanto sua *maman* está no hospital – respondeu Jean.

– Margaux? Não sabia que ela estava doente. Tudo bem com ela? – perguntou Émilie com o cenho franzido.

– Tudo, temos certeza de que ela vai ficar bem. – Jean lhe lançou um olhar de alerta. – Mas, enquanto isso, estou ensinando tudo sobre vinho para Anton. *Papa* está no jardim. Por que não vai lá falar com ele? Eu saio já.

Jacques tinha um aspecto menos cansado do que dois dias antes. Ele sorriu e lhe estendeu a mão encarquilhada.

– Achei mesmo que você fosse voltar em breve. Não vou perguntar por quê, Émilie, mas estou sempre aqui para escutar.

– Obrigada, Jacques. – Ela se sentou ao seu lado diante da pequena mesa. – Me diga, o que houve com Margaux?

Jacques pareceu nervoso.

– O menino ainda está na cave com Jean?

– Sim.

– Nesse caso, Émilie, a verdade é que ela está muito doente. Foi só na semana passada que reclamou de uma dor na barriga e nas costas, apesar de ter quase certeza de que já não estava bem havia algum tempo. Ela foi ao médico no dia em que você viajou, e ele a mandou direto para o hospital. O menino não sabe, mas descobriram que ela está com um câncer de ovário muito avançado. Vão operar hoje, mas... – Jacques deu de ombros. – O prognóstico não é bom.

– Ah, não, Jacques! – exclamou Émilie, desolada. – Margaux não! Ela foi como uma mãe para mim quando vim para cá depois de o meu pai morrer.

– Sim, ela é uma mulher muito boa, e não devemos perder a esperança.

– Vou visitá-la no hospital nos próximos dias – prometeu ela.

– Ela vai gostar. Mas e você? – Jacques a encarou com atenção. – Quais são seus planos?

– No presente momento, eu não faço a menor ideia – respondeu Émilie, e balançou tristemente a cabeça.

Nos dias que se seguiram, Émilie dormiu, comeu, foi ver como estava progredindo a obra do château e levou Anton a Nice para visitar a mãe. A operação não fora bem-sucedida, e Margaux estava muito mal. Quando deixou Anton à cabeceira do leito de hospital, ela sentiu o coração apertado pela mãe e pelo filho, ambos tentando muito ser corajosos pelo bem do outro.

Depois de Anton ir para a cama – ele estava dormindo temporariamente num colchão no minúsculo escritório do térreo –, ela, Jean e Jacques conversaram sobre o que iria acontecer com o menino caso a mãe não se recuperasse.

– O pai dele morreu, mas e os outros parentes? – perguntou Jean.

– Acho que ele tem uma tia em Grasse – disse Jacques. – Talvez devêssemos entrar em contato com ela.

– Sim – concordou Jean, grave. – Mas eu sou o padrinho dele. Talvez devêssemos pensar em convidar Anton para morar aqui conosco.

– Nós poderíamos, temporariamente, mas um menino tão novo precisa de uma figura materna – disse Jacques. – Esta é uma casa cheia de homens.

– Bom, Anton já está com quase 13 anos, e tenho certeza de que deve ter alguma opinião – respondeu Jean.

– Por falar na nossa atual formação doméstica, fiquei sabendo de um *gîte* disponível aqui perto – disse Émilie. – Fica no vinhedo da família Bournasse. Vou passar lá amanhã. Pelo que a Sra. Bournasse me disse ao telefone, parece perfeito.

– Você sabe que não precisa ter pressa para ir embora – insistiu Jean.

– Sim, é muita gentileza sua, mas eu também deveria começar a fazer meus planos.

Depois de Jacques se recolher para dormir, Jean e Émilie tiraram a mesa do jantar.

– Seu pai disse mais alguma coisa sobre se está preparado para revelar a identidade da filha de Sophia? – perguntou ela.

– Não, e eu não pressionei – respondeu Jean com firmeza. – Ele está tão melhor agora que não quero atrapalhar.

– Ele é incrível – concordou Émilie. – Que ironia... houve um momento em que pensei que fosse do seu pai que teríamos de nos despedir, mas pelo visto talvez seja de Margaux. Ela estava péssima hoje à tarde no hospital, Jean. E Anton é tão corajoso...

– Ele é um garoto especial – concordou Jean. – O triste é que, por ter perdido o pai muito novo, ele é extremamente próximo da mãe. *Papa* pediu para ser levado de carro amanhã à tarde até Nice para falar com Margaux a sós. Então, se for possível, será que Anton poderia ficar com você?

– Claro. Ele pode ir comigo para o *gîte*. Não pensei que fosse ser Jacques a ir visitar um paciente à beira da morte num hospital de Nice – disse ela com um suspiro.

– Meu pai é duro na queda, Émilie – comentou Jean. – Ele provavelmente vai enterrar todos nós.

Émilie e Anton levaram poucos segundos para decidir que o *gîte* era o lar temporário perfeito para ela morar enquanto o château não estivesse pronto para ser reocupado. Situada a dez minutos a pé do château e rodeada por gloriosos vinhedos, a casa tinha uma bela decoração em estilo provençal e um aquecedor a lenha que a manteria aquecida quando o inverno chegasse, dali a poucos meses.

– E tem dois quartos de hóspedes também – exclamou Anton, saindo de um deles. – Talvez eu pudesse vir ficar aqui com você de vez em quando se *maman*... se *maman* passar muito tempo fora.

– É claro que pode. – Ela sorriu. – Quando você quiser. Mas então, estamos decididos? Devo alugar o *gîte*?

– Sim! Tem até conexão de internet – respondeu ele, animado.

Depois de acertar o preço com madame Bournasse, Émilie levou Anton para comemorar com um almoço no Le Pescadou, em Gassin. O menino ficou sentado com a cabeça apoiada na mão, admirando a vista do alto do morro.

– Tomara que eu não precise ir embora deste vilarejo – disse ele com tristeza. – Morei aqui a vida inteira, e sou feliz.

– Por que precisaria? – perguntou Émilie enquanto o garçom lhes servia duas pizzas recém-saídas do forno.

Anton virou para ela os imensos olhos azuis.

– Porque minha mãe está morrendo. E, quando ela morrer, talvez eu precise ir morar com minha tia em Grasse.

– Ah, Anton. – Émilie estendeu a mão e apertou o antebraço dele sobre a mesa. – Não perca as esperanças, pode ser que ela melhore.

– Não, ela não vai melhorar. Eu não sou burro, Émilie. É muita gentileza de vocês todos ficarem fingindo, mas eu sei a verdade aqui dentro. – Anton bateu no pequeno peito. – Na verdade, não gosto da minha tia nem dos meus primos. Eles só se interessam por futebol e ficam zombando de mim porque eu gosto de ler e de estudar.

– Por favor, tente não pensar nessas coisas agora. E se o pior acontecer... – Pela primeira vez Émilie reconheceu na frente dele que isso era uma possibilidade. – Se acontecer, tenho certeza de que existem outras soluções.

– Tomara – respondeu ele, baixinho.

Alguns dias depois, Émilie saiu do chalé e se mudou para a nova casa. Anton a ajudou sem esperar nada em troca. O garoto tinha virado sua sombra, principalmente porque Margaux, que havia piorado ainda mais e desejava poupar o filho da dor de vê-la tão doente, sugerira que ele parasse de visitá-la diariamente no hospital. Ela tomava tanta morfina que passava quase o tempo todo inconsciente. Todos sabiam que agora era apenas uma questão de tempo.

– Você se importaria se eu viesse visitá-la de bicicleta às vezes? – perguntou Anton enquanto Émilie punha o laptop na tomada para ver se a internet funcionava.

– É claro que não, Anton. Pode me visitar sempre que quiser. – Ela sorriu. – Agora que tal fazermos um chá?

À noite, após deixar Anton outra vez na segurança do chalé com Jean e Jacques, Émilie sentou-se em frente ao computador e leu seus e-mails. Estava apreensiva com a possibilidade de receber uma mensagem de Sebastian, mas não encontrou nada. O que viu foi o nome de Alex piscando na tela à sua frente.

Para: edlmartinieres@orange.fr
De: aecarruthers@blackhall.co.uk

Caríssima Em,

Espero que esta mensagem a encontre bem. E que a França esteja sendo um bálsamo para sua pobre alma maltratada. Tomara que você não se importe de eu lhe escrever, mas achei que valia a pena atualizar você sobre o que aconteceu depois da sua partida. No mínimo, você pode achar graça.

Sebastian chegou poucas horas depois de você ir embora, bufando e esbravejando, dizendo que tinha acontecido algo terrível. (Fiquei tentado a mencionar que não só a confissão verbal da sua namorada, como também a visão das roupas dele espalhadas pelo quarto que ele dividia com ela poderiam ter tido algo a ver com as suas suspeitas, mas você ficará feliz em saber que consegui me conter... por pouco.) Ele me perguntou onde você estava. Eu, claro, fingi outra vez que não sabia, mas comentei que tinha ouvido você ir embora de manhã cedo. Ele resmungou alguma coisa sobre ter certeza de que você voltaria quando tivesse se acalmado, depois saiu da minha ala e voltou para a parte principal da casa. Tudo ficou em paz por algumas horas, então de repente ouvi um grito e o barulho de passos marchando pelo corredor na minha direção.

Como pressenti o que iria acontecer, vesti mentalmente meu colete à prova de balas, e meu irmão irrompeu sala adentro e exigiu saber quem tinha mexido no seu cofre e roubado seu livro.

"E que livro seria esse, querido irmão?", perguntei.

"Aquele que eu pedi emprestado a você tempos atrás", respondeu ele.

"Ah", falei, "o *meu* livro, você quer dizer? Mas você não falou que tinha perdido? Para dizer a verdade eu tinha até esquecido, Seb", continuei. Franzi o cenho para ele. "Então você sabia onde o livro estava esse tempo todo?"

Ah, Émilie, a expressão que se estampou na cara dele não teve preço. Ele acabara de ser pego numa das próprias mentiras!

Então ele começou (sem brincadeira) a revirar meu apartamento, me acusando de ter pegado o livro, o que eu achei de uma cara de pau impressionante, considerando que o livro era meu. Aí, depois de procurar em cada cantinho – coitada da faxineira, ela ficou bem chateada com a bagunça –, ele tentou outra tática.

"Escute, Alex", falou, naquele tom irritantemente sincero que ele usa quando está tentando reconquistar a vantagem. "Eu ia contar para você assim que tivesse certeza absoluta, mas há pouco tempo descobri que esse seu livro na verdade é extremamente valioso."

"Sério?", respondi. "Nossa, que surpresa!"

"*Sim*, extremamente valioso."

"Ora, que sorte a minha! Quanto ele vale?", perguntei.

"Por volta de meio milhão de libras", respondeu ele. (HA!) Então, se eu por acaso estivesse com o livro, ele poderia cuidar bem dele, porque – e nesse ponto ele chegou mais perto para parecer mais confidencial – havia uma chance de ele saber como transformar esse meio milhão em um milhão inteiro!

"Nossa!", repeti. "Como é possível?"

Então ele me explicou que existe outro volume do livro e que ele tem feito algumas pesquisas para descobrir onde está. Disse que está muito perto de localizá-lo e, se conseguir, os dois volumes juntos vão valer muito dinheiro. Então, quem sabe seria possível nós dois, por sermos irmãos tão bondosos, honestos, amorosos e dispostos a dividir tudo, quem sabe seria possível reunirmos os dois e dividir o lucro?

Meneei a cabeça várias vezes, muito sério, e fiquei escutando com atenção, até que falei: "Parece tudo maravilhoso, Seb. Só tem um probleminha. O livro não está comigo. Eu não roubei de volta o que era meu e não faço a menor ideia de onde ele está. Sendo assim", comecei (provocando-o um pouco), "*quem* poderia ter pegado…?"

Ficamos os dois sentados um tempo, pensando. Fiquei olhando para ele, e quando a ficha finalmente caiu, o encarei como se tivesse chegado à mesma conclusão.

"Émilie."

"Deve ter sido ela", concordei.

Então ele se levantou e começou a andar feito um louco de um lado para outro, pensando em como você poderia ter descoberto sobre os livros. E, na verdade, se você tivesse mesmo "roubado" o livro de nós, ele, ou melhor, *eu* (ele se corrigiu na hora) deveria ligar para a polícia sem demora.

Então assinalei que, se tivesse *mesmo* sido você, seria algo bem difícil de provar, levando em conta que o livro tinha a assinatura do seu pai no verso da capa.

Isso realmente o deixou sem ação, até ele se virar subitamente para mim com uma cara aliviada. "Mas você recebeu uma carta da nossa avó dizendo que estava deixando o livro para você, claro."

O interessante nisso tudo, querida Em, é que, até onde sei, eu nunca mostrei a meu irmão a carta que o advogado da minha avó me entregou quando voltei para casa.

"Que carta?", perguntei. "Não me lembro de nenhuma carta."

"Aquela em que, segundo você me disse, vovó deixou o livro para você", respondeu ele.

"Ah, sim", falei, coçando a cabeça ao recordar vagamente. "Acho que me lembro de ter rasgado."

Nessa hora, a angústia no rosto do meu irmão foi quase cômica. Ele me fulminou com os olhos – ou, melhor dizendo, me fuzilou – e saiu do meu quarto batendo a porta.

Nesse ponto, eu concluí que um Seb zangado é um Seb perigoso. Ou mais perigoso ainda do que o normal. Tomei providências, querida Em, que podem parecer um pouco desproporcionais levando em conta que este e-mail diz respeito a um livro perdido, e chamei um chaveiro. Na mesma tarde, ele veio e reforçou minha segurança. Estou agora trancafiado num lugar com uma segurança em geral usada apenas para proteger a *Mona Lisa*. Tenho um interfone na porta externa e outro na porta interna, além de várias trancas e cadeados nas portas em si. Pode parecer um exagero, mas pelo menos quero poder dormir em paz na minha cama à noite.

O interessante é que Seb saiu da casa nessa mesma tarde. Isso em certo sentido foi bom, porque assim não precisei interromper a instalação dos meus sistemas de segurança, mas a má notícia é que (a) eles ainda não foram testados, e estou me sentindo um idiota por ter jogado meu dinheiro fora, e (b) estou com medo de ele estar indo atrás de você na França.

Querida Em, não tenho ideia de qual é sua situação nem de onde você está morando, e provavelmente estou tendo uma reação exagerada por conta da minha preocupação com você, mas por acaso ele sabe onde sua biblioteca está guardada? É bem provável que ele tente vasculhá-la outra vez. E como creio que foi ele quem providenciou a armazenagem, por ser seu marido teria acesso integral aos livros caso assim desejasse. Além do mais, no caso de ele aparecer na França para falar com você, por favor, não fique sozinha com ele, sim?

É provável eu estar sendo alarmista – nós dois sabemos que Sebastian não é violento, quero dizer, tirando a época em que era violento *comigo* –, mas quero lhe dizer para ficar atenta. Afinal de contas, estamos falando em muito dinheiro.

Tirando isso... essa história toda com meu irmão me levou – principalmente agora, aprisionado como estou – a pensar em qual seria o melhor caminho para eu seguir. Talvez seja por ter escutado você reler a carta da minha avó, mas cheguei a algumas conclusões importantes. Em algum momento, em breve, terei prazer em compartilhar essas conclusões com você, mas não agora. Você já tem coisas suficientes com que se preocupar. Aliás, com este e-mail, eu lhe "deixo" o livro oficialmente por escrito; por favor, se conseguir encontrar o Volume Um, faça o que quiser com o par. Posso lhe garantir que não preciso do dinheiro: por sorte, os novos "filhos" que adotei, minhas ações, estão todos se portando extremamente bem no momento.

Espero que você responda a este e-mail, em primeiro lugar porque quero saber que você o recebeu e está avisada sobre Seb, mas também porque adoraria ter notícias suas.

A casa fica muito silenciosa sem você.

Um beijo,

Alex

Horrorizada depois de ler o e-mail, Émilie pegou o celular e fez duas ligações. A primeira foi para a empresa de armazenamento, onde deixou um recado informando que estava pedindo o divórcio e que em hipótese alguma seu marido poderia ter acesso a qualquer um dos objetos do château, principalmente à biblioteca. O segundo telefonema foi para Jean, pedindo-lhe para dizer que não a vira caso Sebastian aparecesse.

– Acho que eu já sabia disso, Émilie – respondeu Jean com sabedoria.

Ela então começou a escrever um e-mail de resposta para Alex. Agradeceu-lhe muito por aquele aviso, pediu desculpas por ter demorado a responder e disse que até então não houvera qualquer sinal de Sebastian. Disse que esperava saber tudo sobre os planos dele para o futuro e assinou mandando outro beijo de volta.

Agora já havia escurecido. Émilie se serviu uma taça de vinho e ficou andando de um lado para outro do *gîte*, inquieta.

Alex podia estar preocupado com ela, mas ela, por sua vez, estava muito apreensiva por ele.

Mais do que apreensiva...

Foi para a cama logo depois de jantar. O colchão novo, bem mais macio do que os antigos colchões de crina nos quais estava acostumada a dormir, não a ajudou a relaxar.

E se Sebastian tivesse voltado para Blackmoor Hall, conseguido desativar o sistema de segurança e entrado no apartamento de Alex?

Não. Ela se deteve. Alex era só o irmão do seu ex-marido, e ela não era responsável por ele.

Entretanto... Ela se levantou e ficou andando pelo pequeno quarto. Era mais do que isso. Estava com saudades dele. *E* tão preocupada com ele quanto ele parecia estar com ela.

De repente, parou de andar ao recordar as palavras de Jean.

Vai ver você se casou com o irmão errado...

Estava cansada e se deixando levar pelas emoções. E imaginando sentimentos que não existiam.

Obrigou-se a voltar para a cama e fechou os olhos, decidida.

34

Jean lhe telefonou dois dias depois.

– Infelizmente tenho más notícias. Margaux morreu hoje de madrugada. Não sei muito bem o que dizer ao Anton. Ele tem sido muito corajoso, mas...

– Estou indo agora mesmo – disse Émilie.

– Anton foi caminhar sozinho pelo vinhedo – disse Jean quando Émilie chegou ao chalé.

– Você contou para ele?

– Contei, e ele estava calmo quando recebeu a notícia. Liguei para a tia dele em Grasse, e ela falou que ele pode ir para lá, mas Anton não está muito feliz com essa ideia.

– Pois é. Precisamos fazer tudo que pudermos para ajudá-lo – disse ela com um suspiro.

– Ele é muito apegado a você, Émilie – disse Jean, baixinho.

– E eu a ele. Certamente poderia ficar com ele em casa por um tempo, mas...

– Eu entendo. – Jean assentiu.

Pouco à vontade, Émilie se levantou.

– Vou falar com ele – disse.

Enquanto se afastava do chalé em direção aos vinhedos, Émilie se perguntou o que teria sido o "mas" na frase que acabara de dizer para Jean. Ela era uma mulher rica, solteira, com uma casa imensa, e, no presente momento, todo o tempo possível para dedicar a um menininho enlutado. Não só isso, mas um menino de quem nas últimas semanas passara a gostar cada vez mais. Agora era improvável ela se casar de novo. E nunca teria os próprios filhos, claro.

Deu-se conta então do que tinha sido o "mas": ela estava com medo, assustada com a responsabilidade de ter um dependente, alguém que fosse precisar dela, em quem ela teria de pensar primeiro em qualquer situação. O total oposto do que sua mãe fizera com ela.

Será que ela seria o mesmo tipo de mãe?

Estava morta de medo de a resposta ser sim.

– Esse menino precisa de mim, ele *precisa* de mim...

Estaria ela à altura dessa tarefa?

É claro que sim, pensou, tranquilizando a si mesma. Ela era como seu pai; todo mundo dizia isso. E Édouard tinha lhe dito muitas vezes que a alegria de ser necessário era bem maior do que a de necessitar.

Percebeu de repente que, se Anton quisesse ficar com ela, a honra seria *sua*, não dele.

Entrou no meio das vinhas à sua procura. Por fim, o avistou encarando o château distante com um ar desolado, a silhueta magra tomada pela tristeza. Uma onda repentina de amor materno a submergiu, e sua decisão foi tomada. Ela avançou na direção dele com os braços estendidos.

Ele ouviu seus passos e se virou, tentando enxugar as lágrimas.

– Anton, eu sinto muito, sinto tanto. – Ela o tomou nos braços, e depois de alguns instantes ele reuniu coragem e a abraçou também. Os dois ficaram parados juntos, abraçados, enquanto as lágrimas escorriam pelas faces de ambos.

Quando ele parou de chorar, Émilie enxugou seus rostos com a barra do cardigã que estava usando.

– Não tem muito que eu possa dizer para você, Anton. Sei o quanto você amava sua mãe.

– Jacques me disse hoje de manhã que a morte faz parte da vida. E eu sei que de alguma forma preciso tentar aceitar, mas não tenho certeza se consigo fazer isso ainda.

– Jacques é muito sábio – concordou Émilie. – Anton, talvez não esteja na hora de falar sobre isso, mas, se você quiser, pelo menos por um tempo, talvez possa ficar comigo no meu *gîte* e me fazer companhia, que tal? Lá é muito solitário. Eu bem que estou precisando de um homem em casa.

Ele a encarou com os olhos cheios de assombro.

– Tem certeza?

– Absoluta. Não quer pensar no assunto?

– Émilie, eu nem preciso pensar! Prometo não atrapalhar, e posso ajudar você a... fazer coisas – ofereceu ele de modo comovente.

– Pode, sim. Somos os dois órfãos, não é?

– Sim, mas… Pode ser que eu goste demais e não queira ir embora nunca…

– Bom… – Ela sorriu, então tornou a puxá-lo para junto de si enquanto lhe acariciava os cabelos. – A boa notícia é que talvez você nunca precise.

Para: edlmartinieres@orange.fr
De: aecarruthers@blackhall.com.uk

Terça-feira, dia 5

Querida Em,

Que alívio ter notícias suas! Não que eu achasse que Você Sabe Quem fosse sair correndo para a França com uma pistola em riste exigindo o *meu* precioso livro de volta… Parte do perfil psicológico dele é que é um covarde. E talvez você fique aliviada em saber que ele ainda não voltou para cá, de modo que aqui estou eu, morando no Condomínio Mona Lisa, esperando a charanga dele aparecer. Aposto que ele resolveu minimizar as perdas e declarou amor eterno a Bella. (Desculpe.) Enfim, como você pode imaginar, aqui está bastante solitário… É bem significativo ser obrigado a reconhecer que até a ocasional fieira de xingamentos do meu próprio irmão está fazendo falta. Falando nisso, a tensão de esperar por ele confirmou na minha mente o plano de que falei na minha última mensagem. Comentei que "meus filhos" estavam indo de vento em popa… Isso é tão verdade que eu os vendi para o melhor pagador por um preço considerável. (NÃO CONTE ISSO PARA O SEU QUASE EX-MARIDO, CLARO!) Mas é uma quantia honesta, suficiente para bancar meu *foie gras* até o fim da vida. E também comprar algum lugar para morar que seja menos isolado e me permita conviver de vez em quando com outros seres humanos. Atualmente estou examinando os detalhes de alguns apartamentos térreos no centro de York, uma cidade muito bonita e com uma bela de uma catedral.

Talvez esse *volte-face* a deixe espantada, já que eu tinha lhe dito estar muito decidido a continuar aqui. Mas, infelizmente, ser dono desta casa junto com meu irmão não trouxe nada além de dor. E, embora uma reconciliação entre Seb e eu tenha sido o último desejo da minha avó, isso não aconteceu. E sei que não vai acontecer nunca. Sendo assim, pelo bem de nós dois, revolvi aceitar enfim o pedido dele para vendermos Blackmoor Hall. Uma coisa que não sei se comentei é que descobri que Seb contraiu uma baita dívida no cheque especial dando como garantia a parte dele da casa. Suponho que o banco esteja fazendo pressão para ele pagar, motivo pelo qual ele precisa tanto vender. Ele vai ficar felicíssimo quando souber da minha decisão, claro, e no fundo, no fundo acho que está mesmo na hora de cortar os vínculos com o passado e seguir em frente.

Acho que a esta altura eu também deveria dizer (sei que talvez seja desagradável para você ouvir isso, motivo pelo qual não falei nada até agora) que fui eu quem pagou cada centavo da reforma dos meus aposentos na ala leste da casa. E banquei *também* o custo de todas as minhas necessidades domésticas em geral. A Justiça me concedeu uma indenização bem grande pela seguradora do motorista que me deixou sem pernas (HA!). Digo isso porque para mim é importante você saber que não tenho vivido às custas do meu irmão. Deveria saber também que eu inicialmente ofereci minha indenização para reformar Blackmoor Hall. Foi só quando descobri que Seb tinha hipotecado a casa até a tampa que desisti. Curiosamente, ele não tem gostado muito de mim desde então.

Enfim, o que acha do meu plano para o futuro? Ainda estou só 80% decidido, mas acho que é a coisa certa a fazer.

Para ser bem franco, Em, desde que você foi embora tenho me sentido muito sozinho. E agora que também vendi meus filhos, estou meio sem rumo na vida. É claro que tenho sempre a possibilidade de adotar outros...

Se tiver tempo, responda dizendo o que acha... Fiquei muito feliz em ter notícias suas.

Estou com saudades.

Beijo, Alex

Émilie não teve tempo de responder, pois tanto ela quanto Anton estavam se arrumando para o enterro de Margaux. Mas mesmo sentada na linda igreja medieval de Saint-Laurent em Gassin, com a mão direita apertando a de Anton, ela ficou pensando no e-mail de Alex.

Estou com saudades.

Depois do enterro, muitos moradores do vilarejo foram ao chalé. A mais recente safra da cave foi testada e aprovada por todos.

Quando o último convidado foi embora, ela viu Anton em pé sozinho, com um ar esgotado.

– Por que não sobe e começa a fazer as malas? Vamos para casa daqui a pouco – falou com toda a delicadeza.

A expressão do menino se animou um pouco.

– Está bem, vou lá.

Enquanto o observava subir desconsolado a escada, Émilie se reconfortou pensando que tê-lo deixado se mudar para a sua casa depois do enterro tinha sido a melhor decisão. Pelo menos ele teria a novidade de um recomeço após o terrível fim por que acabara de passar naquele dia.

Jean apareceu na cozinha.

– Émilie, meu pai perguntou se você poderia vir falar conosco no jardim enquanto Anton está lá em cima.

– Claro – concordou ela, e o seguiu para fora da casa.

Jacques estava na cadeira em que havia passado a tarde inteira sentado. Ele tinha feito as vezes de anfitrião, e Émilie pudera ver o quanto adorava a comunidade em que vivia.

– Sente-se, Émilie – pediu ele, grave. – Quero falar com você. Jean, fique você também.

Algo em sua voz deu a entender que ele tinha um assunto sério a conversar com ela.

Jean serviu mais uma taça de vinho a todos e se sentou ao lado de Émilie.

– Decidi que chegou a hora de contar a vocês quem é a filha de Sophia. E, quando eu contar, espero que vocês entendam por que esperei até agora. – Jacques pigarreou, cansado e rouco de tanto falar durante o dia.

– Depois de levar Victoria para o orfanato do convento e depois de Constance voltar para a Inglaterra, implorei mais uma vez a Édouard que reconsiderasse – começou Jacques. – Mas ele não quis nem ouvir falar no assunto, e poucos dias depois deixou o château e voltou para Paris. Mas eu continuei devorado pela culpa. Sabia que a filha de Sophia de la Martinières estava sozinha, sem ninguém que a amasse ou a quisesse, a poucos quilômetros de distância. – Jacques deu de ombros. – Por mais que eu tenha tentado racionalizar o fato de a guerra ter deixado em seu rastro destroços humanos terríveis e de que eu não era o responsável por Victoria, não consegui esquecê-la. Tinha passado a amá-la, entendem? Depois de quinze dias lutando comigo mesmo, resolvi voltar ao orfanato para ver se ela tinha sido adotada. Se fosse assim, teria sido a vontade de Deus e eu não iria procurar por ela. Mas não foi, claro. – Jacques balançou a cabeça. – Àquela altura, ela já estava com 4 meses. Assim que entrei no berçário, seus olhos brilharam e ela me reconheceu. Ela sorriu... Ela sorriu para mim, Émilie. – Ele segurou a cabeça entre as mãos. – Quando fez isso, entendi que era impossível para mim simplesmente abandoná-la.

Sem conseguir continuar, Jacques ficou sentado em silêncio, e Jean passou o braço em volta dos ombros do pai para tentar tranquilizá-lo.

Jacques ergueu o rosto de repente.

– Então voltei para casa e tentei pensar no que poderia fazer. Adotar eu próprio a menina era uma alternativa, mas eu não achava que fosse a melhor para ela. Os homens naquela época não tinham a menor ideia de como cuidar de um bebê, e Victoria precisava de um colo materno amoroso. Dei tratos à bola tentando pensar em quem aqui por perto poderia ficar com ela, para que pelo menos, mesmo não podendo cuidar dela, eu pudesse ficar de olho conforme ela crescesse. Acabei encontrando uma mulher. Ela já tinha uma filha, e eu a conhecia porque, antes da guerra, o marido tinha trabalhado para mim na *vendange*. Fui visitá-la e descobri que seu marido ainda não tinha voltado para casa e que ela não tivera notícia nenhuma dele. Ela e a filha estavam desesperadas... passando fome, como tanta gente depois da guerra – explicou Jacques. – Mas ela era uma mulher boa, e pude ver pela filha que já tinha que era uma mãe carinhosa. Perguntei se ela estaria disposta a adotar outra criança. No início ela recusou, claro, dizendo que mal conseguia dar de comer à própria filha, como eu sabia que diria. Então ofereci um dinheiro a ela. Uma quantia significativa. – Jacques meneou a cabeça. – E ela aceitou.

– *Papa*, como você pôde oferecer esse dinheiro a ela? – quis saber Jean. – Sei como você ficou pobre depois da guerra.

– Sim, fiquei. Mas... – Jacques fez uma pausa e olhou de repente para Émilie, que viu a aflição do homem por lhe contar aquilo. – Seu pai tinha me deixado uma coisa antes de ir embora para Paris, Émilie, depois de Constance voltar para a Inglaterra. Não tinha falado nada, apenas posto aquilo nas minhas mãos. Talvez fosse o seu jeito de pedir perdão por ter se recusado a reconhecer a filha de Sophia e a perdoar a irmã. Então procurei um conhecido meu que operava no mercado ilegal paralelo, em plena expansão logo depois da guerra. Pedi a ele que avaliasse o que seu pai tinha me dado, de modo a levantar dinheiro para pagar minha bondosa conhecida e fazê-la adotar Victoria.

– O que meu pai lhe deixou, Jacques? – perguntou Émilie, baixinho.

– Um livro, um livro que ele sabia que eu adorava. Era muito antigo e tinha ilustrações belíssimas. Eu sabia que ele tinha conseguido encontrar o segundo volume para completar a dupla... Já contei que ele mandou o livro de Paris com o mensageiro Armand para nos avisar que tinha conseguido escapar, lembra, Émilie? E lembra que Édouard deu o livro para Constance levar para a Inglaterra?

– Lembro – respondeu Émilie com um esboço de sorriso no rosto. – Eu sei que livro é. Chama-se *História das frutas da França*.

– Isso – confirmou Jacques. – E eu descobri que o meu exemplar, o Volume Um, era muito raro e muito antigo. Consegui vendê-lo por dinheiro suficiente para dar à mulher e fazê-la adotar a filha de Sophia. Me perdoe pelo que eu fiz, Émilie. Não deveria ter vendido o presente que seu pai me deu. Mas isso garantiu a segurança e o futuro da sobrinha dele.

Émilie tinha os olhos embaçados pelas lágrimas e estava quase sem voz de tanta emoção.

– Acredite, Jacques – disse ela por fim. – Eu acho que o que você fez com o livro não poderia ter sido mais perfeito.

– Quanto você conseguiu pela venda do livro? – perguntou Jean.

– Dez mil francos – disse Jacques. – Na época era uma fortuna, com tanta gente passando fome. Na mesma hora dei mil francos para a mulher e disse que ela receberia mais quinhentos por ano até a menina completar 16 anos. Não podia correr o risco de lhe dar tudo de uma vez; queria ter certeza de que ela faria jus ao dinheiro cuidando da criança. A mulher não sabia nada sobre a origem de Victoria. Disso eu fiz questão de me certificar. Ela também perguntou se poderia mudar o nome de Victoria e batizá-la com o da própria mãe.

– E você disse sim, claro? – perguntou Jean.

– Disse. E, graças a Deus, minha escolha foi acertada – respondeu Jacques, suspirando de alívio. – Na verdade, quando a menina completou 5 anos, a mulher se recusou a continuar recebendo dinheiro por ela. O marido tinha voltado e a situação da família estava melhor. Ela disse que amava a menina como se fosse sua filha e que não se sentia à vontade sendo paga para criá-la.

Sinto-me feliz por ter escolhido a mulher certa. Émilie, a filha da sua tia não poderia ter encontrado um lar mais amoroso ou mais feliz.

– Obrigada por ter feito o que fez, Jacques, do fundo do meu coração, e falo também em nome da minha tia e do meu pai. – Émilie agora podia sentir a pergunta lhe queimar a língua. – Quem é a criança? Como ela se chama?

– Ela se chama… – Jacques engoliu em seco e disse: – Ela se chamava Margaux.

35

Os três ficaram sentados em silêncio, ponderando as ramificações da revelação que Jacques acabara de fazer.

– Agora você entende, Émilie, por que relutei tanto em revelar a identidade da menina? – perguntou Jacques por fim. – Se tivesse feito isso, a vida de Margaux teria virado de cabeça para baixo. Fazia mais de quinze anos que ela trabalhava como empregada no château. Depois que o seu pai morreu, a velha empregada daqui se aposentou; você talvez se lembre dela. A essa altura, a mãe de Margaux já era minha amiga, e eu recomendei a filha dela para sua mãe.

– Agora entendo por que você achou que não podia dizer nada, *papa* – disse Jean, baixinho. – Como Margaux teria reagido ao saber que havia passado esse tempo todo trabalhando para os La Martinières quando na verdade era da família?

– Exato – concordou Jacques. – Mas agora Margaux nos deixou, claro, e Anton veio pousar na sua porta feito um pombo-correio, e um relacionamento nasceu entre vocês… – Ele apontou para Émilie. – Então eu tive de contar. O menino que neste exato momento está fazendo as malas para voltar para a sua casa na verdade é seu primo de segundo grau.

Émilie só fez escutar enquanto Jean, como sempre analítico, pedia mais detalhes ao pai. Ela agora entendia… entendia por que tudo em Anton era familiar… Em suas veias corria o sangue dos La Martinières. Ao ver o garoto sentado no chão da biblioteca naquele dia, com seus traços delicados e seus cabelos escuros… não era de espantar que um arrepio a houvesse percorrido. Por ironia, não era à avó que Anton tinha puxado, mas sim ao tio-avô Édouard.

– Émilie, resolvi que devo deixar a decisão para você – continuou Jacques. – Caberá a você revelar ou não para Anton a origem dele. Muitos diriam que isso agora é irrelevante e que talvez seja um fardo para o menino. Mas Anton Duval é agora o único outro herdeiro dos La Martinières.

No silêncio que se seguiu, Émilie ficou ouvindo os passarinhos se prepararem para o pôr do sol.

– Quer Anton fosse o filho da minha empregada ou meu parente de sangue, a decisão de lhe oferecer um lar teria sido a mesma – disse ela por fim, inclinando-se e tocando o joelho do velho. – Jacques, eu quero lhe dizer duas coisas. A primeira é que não consigo pensar em nenhum jeito melhor de usar o presente que meu pai lhe deu do que comprar a segurança da sobrinha dele. E a segunda é que estou muito, muito feliz por você ter confiado em mim o suficiente para me contar a verdade. Mas você também precisa saber que, para mim, o fato de Anton ser da minha família é apenas um bônus. Nossa relação foi natural desde o primeiro instante em que o conheci. – Ela sorriu. – Você realmente me fez muito feliz hoje, Jacques. Espero em algum momento poder retribuir.

– Émilie, Émilie... – Jacques lhe estendeu as duas mãos, e ela as segurou com força. – Pode ser que seja o destino, mas a morte de Margaux sem dúvida proporcionou uma triste solução para o meu dilema. Anton agora tem um lar e vai encontrar em você uma mãe cheia de compaixão. Édouard perdeu a compaixão em algum momento durante a guerra, como muitos de meus compatriotas. Não perca a sua, sim?

– Não vou perder, eu juro – disse ela com firmeza.

– A vida é curta demais para o ódio e o preconceito. Quando encontrar algo bom, agarre com as duas mãos. – Jacques abriu um sorriso débil.

– Farei isso, eu prometo – disse Émilie.

– Estamos prontos para ir?

Todos os três se viraram e deram com Anton ali parado, segurando uma pequena mala. O garoto parecia atordoado, pois podia sentir uma emoção evidente pairando no ar.

– Seria melhor chegarmos em casa antes de anoitecer, Émilie – disse ele, baixinho.

– Sim. – Ela se levantou e lhe estendeu a mão. – Vamos antes de escurecer.

Com Anton acomodado em seu novo quarto e dormindo, em vez de se sentir exausta, Émilie se sentiu animada. Tomaria em outro momento a decisão de contar ou não ao garoto sobre o seu passado. O mais importante agora era ele se sentir amado e querido. Por ele ser um menino muito inteligente, se ela lhe contasse a verdade, havia uma chance de ele supor que ela só o acolhera por causa do seu parentesco. Ela queria deixar o vínculo e a confiança entre os dois se fortalecerem e se aprofundarem antes de lhe contar qualquer coisa.

Ligou o computador e releu o e-mail de Alex. Então se levantou, tomada por uma energia nervosa que a impedia de ficar sentada.

– Também estou com saudades – falou para o laptop enquanto andava de um lado para outro no quarto. – Muitas – emendou, para não deixar dúvidas. – Na verdade, é mais do que saudade.

De repente se deteve e ficou parada. Estaria sendo ridícula?

Talvez. Qualquer relação que houvesse criado até ali com Alex se dera em circunstâncias difíceis, para não dizer outra coisa. Mas o estranho friozinho que sentia na barriga ao pensar nele... algo que sentia havia tanto tempo que não conseguia se lembrar de quando *não* sentira... essa sensação se recusava a ir embora.

Ela recomeçou a andar... É claro que tudo poderia ser um desastre total, mas e daí? Nada durava para sempre, como ela havia descoberto nos últimos meses à custa de tanta dor. A vida podia mudar num segundo. Então que mal poderia fazer? Se ela havia aprendido uma coisa, tanto com seu passado quanto com seu futuro, era que a vida não dava uma segunda chance. Ela pedia, *implorava* para você pegar o que estava sendo oferecido, para reconhecer o bom e tentar descartar o ruim. Exatamente como Jacques tinha lhe implorado para fazer mais cedo...

Émilie deu um bocejo repentino, então se deixou cair no sofá feito uma boneca de pano. Pensaria no assunto no dia seguinte, e à luz fria da manhã, se ainda estivesse sentindo a mesma coisa, então escreveria o e-mail. Pensando nisso, levantou-se do sofá e foi para a cama.

Para: aecarruthers@blackhall.co.uk
De: edlmartinieres@orange.fr

Quinta-feira

Querido Alex,

Obrigada pelo seu e-mail. Achei que devesse escrever em primeiro lugar para lhe contar o que aconteceu com o Volume Um do livro. Digamos apenas que ele não pertence mais à família La Martinières, mas essa é uma história longa, que eu teria de contar pessoalmente. Tudo que posso dizer é que o livro foi vendido para comprar a segurança de um membro da minha família, e não consigo pensar num uso mais condizente dele e de seu valor. Também me agrada o fato de a busca de Sebastian ter sido inútil desde o início e de o dinheiro obtido com a venda do livro ter servido a uma causa mais nobre do que a cobiça dele.

Em segundo lugar, acho que adotei um filho. É um menino de 12 anos chamado Anton, e essa é outra história muito longa e complicada. Em terceiro lugar, considerando sua indecisão em relação ao futuro, fiquei pensando se poderia ajudar ter um pouco de espaço e tempo para pensar no assunto. Meu *gîte* é pequeno, mas fica todo em um andar térreo e tem um quarto de hóspedes. E, embora não haja muitos seres humanos aqui em volta, só uvas, espero que Anton e eu sejamos companhia suficiente.

Me avise se puder vir. Seremos três órfãos juntos!

Também estou com saudades.

Um beijo, Émilie

Para: edlmartinieres@orange.fr
De: aecarruthers@blackhall.co.uk

Querida Em,

Obrigado pelo convite. Chego segunda que vem, às 13h40, no aeroporto de Nice. Se não for possível ir me buscar (eu e minha cadeira de rodas!), por favor me avise. Tirando isso, não vejo a hora de chegar aí e de conhecer Anton, claro.

Beijos, A.

P.S.: Graças a Deus não vou precisar mais sentir saudades, só pressa de encontrar você.

A vida em mim

Às cegas tento proteger aquele
Que dentro de mim sei viver,
Alma perfeita, do amor nascida,
Que um dia tudo poderá ser.

Todo o meu corpo entrego agora
À vida que sinto em mim pulsar,
E um dia iremos viver livres
Sem paredes a nos aprisionar.

E você saberá de onde veio,
De um amor ardente como o sol.
E a você contarei, pequenino,
Do seu pai que era o meu farol.

A força que o gerou não vejo,
Nem os corações juntos a bater.
Mas aqui dentro de mim agora
Meu filho posso sentir e ver.

Sophia de la Martinières
Maio de 1944

Epílogo

Um ano depois

Émilie destrancou a porta da frente do château e a abriu de par em par. Anton ajudou a empurrar a cadeira de Alex pela soleira até um hall de entrada cheio de ecos, vazio com exceção de uma escada que um dos decoradores havia deixado apoiada na parede para dar a última demão de tinta.

– Uau – disse Anton, erguendo os olhos para o teto. – Acho que ficou maior aqui dentro.

– É a tinta branca novinha depois de tantas semanas vendo só gesso – explicou Émilie. Ela olhou para o chão e aprovou com um meneio de cabeça. – Eles fizeram um bom trabalho de restauração do mármore. Eu teria detestado precisar trocá-lo.

– Sim – concordou Alex, acompanhado a direção do seu olhar. Então olhou para a escada. – Estou com um pouco de medo de que esse sistema horroroso para fazer minha cadeira subir até o primeiro andar não combine tão bem com esta elegância toda.

– É por isso que você está aqui. – Émilie piscou para Anton. – Vamos mostrar para ele?

– Vamos! – Os olhos do garoto brilhavam de empolgação. – Venha comigo.

Ele foi guiando Alex pelos corredores cheios de ecos e pelos cômodos ainda todos bagunçados – demoraria mais alguns meses para a reforma do interior enfim terminar – e levou-os até os fundos da casa e o saguão anexo à cozinha. Posicionou a cadeira de Alex em frente a uma porta e apertou um botão num painel que a fez se abrir deslizando sem ruído algum.

Alex olhou lá dentro.

– Um elevador.

– Acertou, monsieur Detetive – disse Anton, sorrindo. – E meu brinquedo novo preferido. Vamos dar uma volta?

Quando eles entraram e Anton apertou o botão para fechar a porta outra vez, Alex virou os olhos na direção dos de Émilie; estavam marejados.

– Obrigado – articulou ele, sem som.

– Não precisa me agradecer. Isto aqui foi instalado para quando *eu* ficar velha demais para subir a escada – disse ela com um sorriso. – E só para o caso de você querer ficar mais um tempo.

A expressão havia se tornado a piada interna dos dois. Alex tinha chegado um ano antes, e embora eles não tivessem planejado nada para ficarem juntos no futuro, tampouco tinham intenção de se separarem. Tinham vivido um dia de cada vez, sem sentir que precisavam formalizar aquele arranjo, mas ao mesmo tempo sabendo que a cada mês que passava seu vínculo ficava mais profundo e mais forte.

A relação de admiração mútua entre Alex e Anton ficara evidente desde o início. A mente brilhante e curiosa do menino absorvia tudo que o intelecto de Alex tinha para oferecer, e Émilie sabia que a relação era excelente para ambos. Aquela sua pequena e estranha família podia parecer esquisita vista de fora, mas os três juntos tinham encontrado felicidade, contentamento e paz.

Anton ainda não sabia nada sobre sua verdadeira origem, mas muito em breve o relacionamento entre ele e Émilie seria formalizado: ele seria adotado, para assim poder usar o sobrenome que era seu por direito e um dia herdar o château. Da mesma forma, talvez quando isso acontecesse ela e Alex também oficializassem a própria relação, mas Émilie não estava com pressa. A vida era perfeita do jeito que estava.

Émilie ficou observando a expressão animada de Anton enquanto as portas se abriam e os três saltavam para o largo patamar.

– Meu Deus! – comentou Alex. – Daria para instalar uma marquise e um estacionamento para duzentas pessoas aqui – brincou ele enquanto Émilie indicava a Anton para dobrar à esquerda.

– Pensei que aqui pudesse ser o nosso – disse ela quando Anton conduziu Alex para dentro do lindo quarto que antes fora dos seus pais, depois até uma antessala.

O antigo quarto de vestir de Valérie fora transformado num banheiro adaptado para pessoas com deficiência, com tudo de que Alex precisaria para lhe permitir gozar da independência que tanto desejava.

– O pessoal da obra ainda não instalou o piso nem o revestimento das paredes. Achei que você poderia querer escolher a cor e o modelo – comentou ela.

– Ficou maravilhoso, meu amor, obrigado – disse Alex, quase sem conseguir falar de tão emocionado com o esforço que Émilie tinha feito por ele.

– E não, nós não vamos precisar dividir o banheiro – disse ela com um sorriso. – O meu quarto de vestir e banheiro ficam ali – apontou ela enquanto ele tornava a conduzir sua cadeira até o meio do quarto. – Gostou da vista? – perguntou.

– É absolutamente espetacular. – Ele olhou pelas janelas compridas para o jardim, o extenso vinhedo, e o morro de Gassin ao longe. – Faz tempo que não olho nada de cima – murmurou, com a voz rouca de emoção.

– Alex, venha ver o meu quarto – interrompeu Anton. – Émilie disse que eu posso escolher a cor das paredes quando chegar a hora de pintar, contanto que não seja preto.

Émilie sorriu e ficou olhando os dois saírem do quarto. Continuou onde estava, ainda olhando pela janela e vendo a luz entrar. Dois anos antes, sua mãe tinha morrido ali, e, enquanto admirava a vista, ela sentiu um misto de emoções conflitantes. Pensou no pai, a quem a perda daqueles que amava fizera se retrair. Ele havia passado a maior parte da infância da filha escondido do mundo na biblioteca daquela casa.

Também havia começado a sentir certa empatia pela mãe. Ao ler as cartas de amor que Valérie escrevera para o marido, passara a perceber o quanto a mãe tinha amado Édouard. Ela também devia ter precisado se esforçar para conquistar o amor e a atenção de um homem machucado demais para poder retribuir plenamente. E agora, em retrospecto, Émilie se dava conta de que Valérie tinha passado a maior parte do seu casamento sozinha em Paris.

Pelo menos o fato de o neto de Sophia poder voltar para sua família e de ela ter acolhido Anton por simples compaixão consertavam alguns dos erros terríveis do passado. O círculo tinha se fechado, e aquele era o início de uma nova era.

Ela se virou e andou devagar em direção à porta, ao encontro de Alex e Anton. Ao sair do quarto, percebeu que a menininha perdida e zangada que dois anos antes havia gritado e chorado junto ao corpo morto da mãe tinha finalmente virado adulta.

– Confesso que estou ansioso para me mudar, agora que vi meu banheiro novo – comentou Alex mais tarde, baixando as laterais da cadeira e girando primeiro o tronco, depois as pernas para subir na cama ao lado dela.

– O mestre de obras me disse que agora faltam menos de três meses, então com certeza vamos conseguir nos mudar antes do outono e do nosso primeiro Natal – confirmou Émilie.

– Falando nisso, hoje recebi um e-mail dos meus advogados – disse Alex. – Seb achou um comprador para Blackmoor Hall. Tenho certeza de que deve estar empolgadíssimo. E tenho certeza também de que vai tentar meter a mão na minha parte do que ainda resta de lucro. – Ele arqueou as sobrancelhas. – Meu advogado falou que a transferência da escritura da casa vai custar mais de 350 mil libras, exatamente o salvo negativo de Seb no banco. – Ele balançou a cabeça. – Garanto que daqui a um ano qualquer dinheiro extra que ele ganhe com a venda já terá sumido. Imagino que pelo menos Bella já saiba como ele é. Ela deve amá-lo muito para conseguir aguentar isso tudo. Aliás, alguma outra notícia do advogado do divórcio?

– Não, só que Sebastian respondeu com exigências ainda mais absurdas – respondeu Émilie. – É claro que ele não vai conseguir o que quer, mas estou quase com vontade de lhe dar algum dinheiro só para me livrar dele. Os honorários dos advogados vão acabar custando mais do que o acordo.

– Tenho certeza de que a minha presença na história não foi exatamente uma ajuda – disse Alex com um suspiro. – Sebastian pôde aliviar qualquer culpa de que ele próprio tivesse pintando você como promíscua e a mim como um cafajeste sem honra, que lhe roubou a esposa bem debaixo do seu nariz.

– Com certeza. – Émilie fez uma pausa antes de continuar. – Alex, tem uma coisa que eu não contei para você. Eu convidei uma pessoa para vir fazer uma visita. E ela chega amanhã. Na época, tive certeza de que era uma boa ideia, mas agora... agora estou nervosa – confessou ela.

– É melhor me contar, então – sugeriu ele.

Jacques estava cochilando perto da lareira quando ouviu um carro parar em frente ao chalé. O inverno tinha sido longo e rigoroso, e mais uma vez sua bronquite voltara a atacar. Como todos os anos, ele estava se perguntando se viveria para ver outro verão.

Ouviu a porta da cozinha se abrir e lembrou que Émilie combinara de levar um amigo para almoçar lá.

Jean foi o primeiro a aparecer na sala.

– Está acordado, *papa*?

– Estou. – Jacques abriu os olhos quando o filho se aproximou.

Jean segurou a mão do pai.

– *Papa*, Émilie trouxe uma pessoa para ver você.

– Olá, Jacques – disse Émilie, entrando na frente do convidado.

Jacques encarou o homem. Era um velho, como ele. Alto, costas retas, elegante.

– Está lembrado de mim, Jacques? – perguntou o homem.

Seu francês tinha um forte sotaque. Ele com certeza era familiar, mas Jacques não estava conseguindo identificar seu rosto.

– Já faz mais de cinquenta anos que estivemos juntos nesta sala – ajudou o visitante.

Jacques encarou os olhos azuis desbotados, mas ainda penetrantes. E por fim entendeu exatamente quem era aquele homem.

– Frederik?

– Sim, Jacques, sou eu.

– Meu Deus! Não acredito!

Jacques largou o braço do filho e, recusando ajuda, içou o corpo da cadeira até ficar de pé. Os dois velhos passaram alguns segundos se encarando enquanto uma profusão de lembranças desfilava à sua frente. Jacques então estendeu os braços para o alemão, e os dois se enlaçaram.

Alex chegou ao chalé com Anton depois do almoço, como Émilie pedira. Ele recentemente havia comprado um carro sob medida que controlava com as mãos, não com os pés, o que fora uma revolução na sua vida e lhe proporcionara certa autonomia, ainda que reservada apenas a pequenos trajetos, sempre na companhia de Émilie ou Anton.

Anton tirou a cadeira de rodas do porta-malas do carro e a levou até a porta de Alex.

– Quem é essa pessoa que Émilie quer que eu conheça? – perguntou enquanto ajudava Alex a saltar do carro e se sentar na cadeira.

– Acho que vou deixar que ela responda isso – disse Alex.

Quando os dois entraram na cozinha, Anton viu Émilie, Jean, Jacques e outro idoso tomando café à mesa da cozinha.

– Oi – disse o garoto, pouco à vontade.

Émilie imediatamente se levantou, foi até ele e passou um braço em volta dos seus ombros.

– Anton – disse ela, vendo os olhos de Frederik se encherem de lágrimas quando ele viu o menino. – Este é seu avô Frederik. E, quando você estiver pronto, ele tem uma história para lhe contar sobre a sua família…

Agradecimentos

Meu mais sincero obrigada a Jeremy Trevathan, Catherine Richards e a equipe da Pan Macmillan. A Jonathan Lloyd, Lucia Rae e Melissa Pimentel, da Curtis Brown. A minha assistente pessoal Olivia Riley, Jacquelyn Heslop, Susan Grix e Richard Jemmett. A Susan Boyd, Helene Ruhn, Rita Kalagate, Almuth Andreae, Johanna Castillo e Judith Curr, todos amigos e fontes de inestimáveis conselhos, tanto pessoais quanto profissionais.

A Damien e Anne Rey-Brot e seus amigos e parentes do Le Pescadou em Gassin, e a monsieur Chapelle do Domaine du Bourriane – são deles o sobrenome, o château e a cave que Constance e os demais personagens do livro pegaram emprestado antes de eu saber que essa família e sua linda casa existiam de verdade. Mergulhei na minha história no último mês de agosto, uma experiência mágica que me causou profunda humildade. Obrigada por todos os detalhes que vocês me deram. Quaisquer erros certamente são meus, não seus. E também a Jan Goessing, que me fez um vívido resumo da história da Alemanha no pré-guerra, e a Marcus Tyers, Naomie Ritchie e Emily Jenkins, da St. Mary's Bookshop em Stamford, que gentilmente cederam dois volumes franceses muito antigos e valiosos para servir de base a meus livros raros fictícios.

A todos os meus maravilhosos editores internacionais, que me convidaram para ir a seus países e me receberam de braços abertos. As viagens e a cultura alimentam minha imaginação e me proporcionam terrenos férteis para futuras ambientações.

E, é claro, à "Família", cujo apoio e incentivo neste ano insano que passou tiveram um valor incalculável. Meu filhos: Harry, pelos sensíveis comentários editoriais e pelos discursos; Bella, pelas conversas iniciais sobre a trama e por ter batizado dois dos principais personagens; Leonora, pelo lindo poema que escreveu para mim como "Sophia" na mesma idade; e Kit, por ser o cliente número 1 da Amazon na nossa casa… no departamento de esportes!

A minha mãe, Janet, ao "vovô Johnson", a minha irmã, Georgia, e ao meu marido, Stephen, que foi simplesmente incrível.

E, por fim, a todos os meus leitores mundo afora que gastaram seu suado dinheiro para comprar um dos meus livros. Sem cada um de vocês eu seria uma escritora sem público e muito infeliz, e fico honrada por terem escolhido ler minhas histórias. Obrigada.

LUCINDA RILEY,
maio de 2012

Bibliografia

A luz através da janela é uma obra de ficção com fundo histórico. As fontes que usei para pesquisar o período e o detalhes da vida de meus personagens estão listadas abaixo:

Lucie Aubrac, *Outwitting the Gestapo* (Bison Books, 1994)

Matthew Cobb, *The Resistance: The French Fight Against the Nazis* (Pocket Books, 2009)

Beryl E. Escott, *The Heroines of SOE: F Section: Britain's Secret Women in France* (The History Press, 2010)

Hans Fallada, *Morrer a sós em Berlim* (Record, 2020)

Anna Funder, *Tudo o que sou* (Companhia das Letras, 2014)

Sarah Helm, *A Life in Secrets: The Story of Vera Atkins and the Lost Agents of SOE* (Abacus, 2006)

John Van Wyck Gould, *The Last Dog in France* (AuthorHouse, 2006)

CONHEÇA A SAGA DAS SETE IRMÃS

"O projeto mais ambicioso e emocionante de Lucinda Riley. Um labirinto sedutor de histórias, escrito com o estilo que fez da autora uma das melhores autoras da atualidade. Esta é uma série épica." – *Lancashire Evening Post*

"Lucinda Riley criou uma série que vai agradar a todos os leitores de Kristin Hannah e Kate Morton." – *Booklist*

Com a série As Sete Irmãs, Lucinda Riley elabora uma saga familiar de fôlego, que levará os leitores a diversos recantos e épocas e a viver amores impossíveis, sonhos grandiosos e surpresas emocionantes.

No passado, o enigmático Pa Salt adotou suas filhas em diversos recantos do mundo, sem um motivo aparente. Após sua morte, elas descobrem que o pai lhes deixou pistas sobre as origens de cada uma, que remontam a personalidades importantes. Assim começam as jornadas das Sete Irmãs em busca de seus passados.

Baseando-se livremente na mitologia das Plêiades – a constelação de sete estrelas que já inspirou desde os maias e os gregos até os aborígines –, Lucinda Riley cria uma série grandiosa que une fatos históricos e narrativas apaixonantes.

Conheça a série:

As Sete Irmãs (Livro 1)
A irmã da tempestade (Livro 2)
A irmã da sombra (Livro 3)
A irmã da pérola (Livro 4)
A irmã da lua (Livro 5)
A irmã do sol (Livro 6)
A irmã desaparecida (Livro 7)

LEIA UM TRECHO DO PRIMEIRO LIVRO

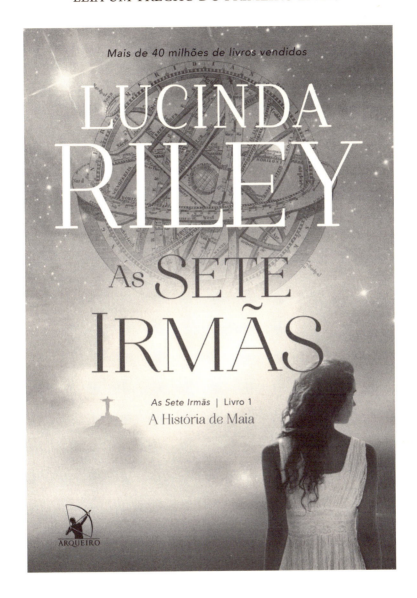

Personagens

ATLANTIS

Pa Salt – *pai adotivo das irmãs [falecido]*
Marina (Ma) – *tutora das irmãs*
Claudia – *governanta de Atlantis*
Georg Hoffman – *advogado de Pa Salt*
Christian – *capitão da lancha da família*

AS IRMÃS D'APLIÈSE

Maia
Ally (Alcíone)
Estrela (Astérope)
Ceci (Celeno)
Tiggy (Taígeta)
Electra
Mérope [desaparecida]

Maia

Junho de 2007

Quarto crescente

13; 16; 21

1

Sempre vou lembrar exatamente onde me encontrava e o que estava fazendo quando recebi a notícia de que meu pai havia morrido.

Estava sentada no lindo jardim da casa da minha velha amiga de escola em Londres, com um exemplar de *A odisseia de Penélope* aberto no colo, mas sem nenhuma página lida, aproveitando o sol de junho enquanto Jenny buscava seu filho pequeno no quarto.

Eu estava tranquila e feliz por ter tido a bela ideia de sair de casa um pouco. Observava o florescer da clematite. O sol, tal qual um parteiro, a encorajava a dar à luz uma profusão de cores. Foi quando meu celular tocou. Olhei para a tela e vi que era Marina.

– Oi, Ma, como você está? – falei, esperando que ela conseguisse notar o calor em minha voz.

– Maia, eu...

Marina fez uma pausa e, naquele instante, percebi que havia algo terrivelmente errado.

– O que houve?

– Maia, não existe uma maneira fácil de dizer isto. Seu pai teve um ataque cardíaco aqui em casa, ontem à tarde, e hoje cedo ele... faleceu.

Fiquei em silêncio, enquanto um milhão de pensamentos diferentes e ridículos passavam pela minha mente. O primeiro era o de que Marina, por alguma razão desconhecida, tivesse resolvido fazer uma piada de mau gosto.

– Você é a primeira das irmãs para quem estou contando, Maia, já que é a mais velha. Queria saber se você quer contar para suas irmãs ou prefere que eu faça isso.

– Eu...

Eu ainda não conseguia fazer nada coerente sair dos meus lábios, agora que começava a me dar conta de que Marina, minha querida Marina, o mais próximo de uma mãe que eu conhecera, nunca me falaria algo assim *se não fosse verdade*. Então tinha que ser verdade. E, naquele momento, meu mundo inteiro virou de cabeça para baixo.

– Maia, por favor, me diga que você está bem. Esta é a pior ligação que já tive que fazer, mas que opção eu tinha? Só Deus sabe como as outras garotas vão reagir.

Foi então que ouvi o sofrimento na voz *dela* e percebi que Marina precisava me contar aquilo não apenas por mim, mas também para dividir aquela tristeza. Então passei à minha zona de conforto usual, que era tranquilizar os outros.

– É claro que conto para minhas irmãs se você preferir, Ma, embora não tenha certeza de onde todas estão. Ally não está longe de casa, treinando para uma regata?

E, enquanto falávamos sobre a localização de cada uma de minhas irmãs, como se tivéssemos que reuni-las para uma festa de aniversário e não para o enterro de nosso pai, a conversa foi me parecendo cada vez mais surreal.

– Quando você acha que deve ser o funeral? Com Electra em Los Angeles e Ally em algum lugar em alto-mar, com certeza não podemos pensar nisso até semana que vem – disse eu.

– Bem… – Ouvi a hesitação na voz de Marina. – Talvez seja melhor conversarmos sobre isso quando você estiver em casa. Não há nenhuma pressa agora, Maia, por isso, se preferir passar seus últimos dias de férias em Londres, não tem problema. Não há mais o que fazer por ele aqui… – Sua voz falhou, tomada pela tristeza.

– Ma, é claro que vou estar no primeiro voo para Genebra que eu conseguir! Vou ligar para a companhia aérea imediatamente e depois vou fazer o máximo para entrar em contato com todas elas.

– Sinto tanto, *chérie* – disse Marina com pesar. – Sei como você o adorava.

– Sim – falei, a estranha tranquilidade que eu sentira enquanto debatíamos o que fazer me abandonando como a calmaria antes de uma tempestade violenta. – Ligo para você mais tarde, quando souber a que horas devo chegar.

– Por favor, cuide-se, Maia. Você passou por um choque terrível.

Apertei o botão para encerrar a ligação e, antes que as nuvens em meu coração derramassem uma torrente e me afogassem, subi até o quarto para pegar minha passagem e entrar em contato com a companhia aérea. Enquanto esperava ser atendida, olhei para a cama em que eu tinha acordado naquela manhã para mais *um dia como outro qualquer*. E agradeci a Deus por os seres humanos não terem o poder de prever o futuro.

A mulher intrometida que acabou atendendo não era nem um pouco prestativa, e eu sabia, enquanto ela falava sobre voos lotados, multas e detalhes do cartão de crédito, que minha barragem emocional estava prestes a se romper. Finalmente, quando consegui que me garantisse, com muita má vontade, um lugar no voo das quatro horas para Genebra – o que significava ter que jogar tudo na minha mala imediatamente e pegar um táxi para Heathrow –, sentei-me na cama e olhei por tanto tempo para a ramagem que decorava o papel de parede que o padrão começou a dançar diante dos meus olhos.

– Ele se foi... – sussurrei. – Se foi para sempre. Nunca mais vou vê-lo.

Esperando que dizer essas palavras fosse provocar uma torrente de lágrimas, fiquei surpresa em ver que nada aconteceu. Em vez disso, permaneci ali sentada, paralisada, a cabeça ainda cheia de questões práticas. Seria horrível ter que contar às minhas irmãs – a todas as cinco –, e revirei meu arquivo emocional para decidir para qual ligaria primeiro. Tiggy, a segunda mais jovem de nós e de quem eu sempre fora mais próxima, foi a escolha inevitável.

Com dedos trêmulos, toquei a tela para achar seu número e liguei. Quando caiu na caixa postal, não soube o que dizer além de algumas palavras confusas lhe pedindo que me ligasse de volta com urgência. Ela estava em algum lugar das Terras Altas, na Escócia, trabalhando em uma reserva para cervos selvagens órfãos e doentes.

Quanto às outras irmãs... Eu sabia que as reações iam variar, pelo menos externamente, da indiferença ao choro mais dramático.

Como não sabia bem para que lado *eu* penderia na escala de emoção quando falasse de fato com alguma delas, escolhi o caminho covarde de mandar para todas uma mensagem pedindo que me ligassem assim que pudessem. Então arrumei apressadamente a mala e desci a escada estreita que levava à cozinha para escrever um bilhete para Jenny explicando por que tive que partir tão de repente.

Resolvi arriscar a sorte e pegar um táxi na rua, então saí de casa andando rapidamente pela verdejante Chelsea Crescent como qualquer pessoa normal faria em qualquer dia normal de Londres. Acho que cheguei a dizer oi para um cara com quem cruzei, que passeava com um cachorro, e até consegui esboçar um sorriso.

Ninguém poderia imaginar o que tinha acabado de acontecer comigo, pensei enquanto entrava num táxi na movimentada King's Road, instruindo o motorista a seguir para Heathrow.

Ninguém poderia imaginar.

❀ ❀ ❀

Cinco horas depois, quando o sol descia vagarosamente sobre o lago Léman, em Genebra, eu chegava a nosso pontão particular na costa, de onde eu faria a última etapa da minha viagem de volta.

Christian já esperava por mim em nossa reluzente lancha Riva. Pela expressão em seu rosto, dava para ver que ele já sabia o que acontecera.

– Como você está, mademoiselle Maia? – perguntou, e percebi a compaixão em seus olhos azuis enquanto ele me ajudava a embarcar.

– Eu… estou feliz por ter chegado aqui – respondi sem demonstrar emoção.

Caminhei até a parte de trás do barco e me sentei no banco de couro cor de creme que formava um semicírculo na popa. Normalmente eu me sentava com Christian na frente, no banco do passageiro, enquanto atravessávamos as águas calmas na viagem de vinte minutos até nossa casa. Mas, naquele dia, queria um pouco de privacidade. Quando ele ligou o potente motor, o sol cintilava nas janelas das fabulosas casas que ladeavam as margens do lago. Muitas vezes, quando fazia esse trajeto, sentia que entrava num mundo etéreo, desconectado da realidade.

O mundo de Pa Salt.

Notei a primeira vaga evidência de lágrimas arder em meus olhos quando pensei no apelido carinhoso de meu pai, que eu tinha criado quando era mais nova. Ele sempre adorou velejar e, às vezes, quando voltava para nossa casa à beira do lago, cheirava a mar e ar fresco. De alguma forma, o nome pegou e, à medida que minhas irmãs mais novas foram chegando, passaram a chamá-lo assim também.

Conforme a lancha ganhava velocidade, o vento quente passando pelo meu cabelo, pensei nas centenas de viagens que eu tinha feito para Atlantis, o castelo de conto de fadas de Pa Salt. Como ficava em um promontório particular, atrás do qual se erguia abruptamente uma meia-lua de montanhas, inacessível por terra: só se podia chegar lá de barco. Os vizinhos mais próximos ficavam a quilômetros de distância pelo lago, então Atlantis era nosso reino particular, isolado do resto do mundo. Tudo o que havia naquele lugar era mágico, como se Pa Salt e nós – suas filhas – tivéssemos vivido ali sob algum encantamento.

Cada uma de nós tinha sido adotada por Pa Salt ainda bebê, vindas dos quatro cantos do mundo e levadas até lá para viver sob sua proteção. E cada uma de nós, como Pa sempre gostava de dizer, era especial, diferente... éramos *suas* meninas. Ele tirara nossos nomes das Sete Irmãs, sua constelação preferida. Maia era a primeira e a mais velha.

Quando eu era criança, ele me levava até seu observatório com cúpula de vidro no alto da casa, me levantava com suas mãos grandes e fortes e me fazia olhar o céu noturno pelo telescópio.

– Ali está – dizia enquanto ajustava a lente. – Olha, Maia, aquela é a linda estrela brilhante que inspirou seu nome.

E eu a *via*. Enquanto ele explicava as lendas que eram a origem dos nomes das minhas irmãs e do meu, eu mal escutava, simplesmente desfrutava da sensação de seus braços apertados à minha volta, completamente atenta àquele momento raro e especial quando o tinha só para mim.

Com o tempo percebi que Marina, que eu imaginava enquanto crescia que fosse minha mãe – eu até encurtara seu nome para "Ma" –, era apenas uma babá, contratada por Pa para cuidar de mim porque ele passava muito tempo fora. Mas é claro que Marina era muito mais do que isso para todas nós, garotas. Era ela quem secava nossas lágrimas, nos repreendia pelo mau comportamento à mesa e nos orientara tranquilamente durante a difícil transição da infância para a idade adulta.

Ela sempre estivera por perto, e eu não a teria amado mais se tivesse me dado à luz.

Durante os três primeiros anos da minha infância, Marina e eu moramos sozinhas em nosso castelo mágico às margens do lago Léman enquanto Pa Salt viajava pelos sete mares cuidando de seus negócios. E então, uma a uma, minhas irmãs começaram a chegar.

Normalmente, Pa me trazia um presente quando voltava para casa. Eu escutava o motor da lancha chegando e saía correndo pelos vastos gramados e por entre as árvores até o cais para recebê-lo. Como qualquer criança, eu queria ver o que ele tinha escondido em seus bolsos mágicos para me encantar. Em uma ocasião especial, no entanto, depois de me presentear com uma rena de madeira primorosamente esculpida, assegurando que vinha da oficina do Papai Noel no polo Norte, uma mulher uniformizada apareceu saindo de trás dele, e em seus braços havia um pequeno embrulho envolto em um xale. E o embrulho se mexia.

– Desta vez, Maia, eu lhe trouxe o mais especial dos presentes. Agora você tem uma irmã. – Ele sorrira para mim enquanto me pegava nos braços. – E não vai mais ficar sozinha quando eu tiver que viajar.

Depois disso, a vida mudou. A enfermeira que Pa trouxera com ele foi embora em algumas semanas, e Marina assumiu os cuidados da minha irmãzinha. Eu não conseguia entender como aquela coisinha vermelha que berrava e que por vezes cheirava mal e desviava a atenção de mim poderia ser um presente. Até que, certa manhã, Alcíone – que recebeu o nome da segunda estrela das Sete Irmãs – sorriu para mim de sua cadeira alta no café da manhã.

– Ela sabe quem eu sou – falei fascinada para Marina, que lhe dava comida.

– É claro que sabe, querida. Você é a irmã mais velha, aquela que ela vai admirar. Caberá a você lhe ensinar tudo que ela não sabe.

À medida que crescia, ela ia se tornando minha sombra, seguindo-me para todos os lugares, o que me agradava e me irritava em igual medida.

– Maia, me espere! – pedia gritando enquanto cambaleava atrás de mim.

Apesar de Ally – como eu a apelidara – ter sido originalmente um acréscimo indesejado à minha vida de sonho em Atlantis, eu não poderia ter desejado uma companhia mais doce e adorável. Ela raramente chorava e não tinha os ataques de pirraça das crianças de sua idade. Com seus cachos ruivos caindo pelo rosto e os grandes olhos azuis, Ally tinha um encanto natural que atraía as pessoas, incluindo nosso pai. Quando Pa Salt voltava de suas viagens longas ao exterior, eu notava como seus olhos se iluminavam quando ele a via, de uma maneira que eu tinha certeza que não brilhavam por mim. E, enquanto eu era tímida e reticente com estranhos, Ally tinha um jeito sempre receptivo, sempre disposta a confiar nos outros, e isso encantava todos.

Ela também era uma daquelas crianças que parecem se sobressair em tudo – especialmente na música e em qualquer esporte que tivesse a ver com água. Lembro-me de Pa ensinando-a a nadar na nossa ampla piscina. Enquanto eu lutava para me manter na superfície e odiava ficar embaixo d'água, minha irmãzinha parecia uma sereia. E, enquanto eu não conseguia me equilibrar direito nem no *Titã*, o imenso e lindo iate oceânico de Pa, quando estávamos em casa Ally implorava que ele a levasse para dar uma volta no pequeno Laser que mantinha atracado em nosso cais particular. Eu me agachava na popa estreita do barco, enquanto Pa e Ally assumiam o controle e cruzávamos rapidamente as águas cristalinas. Aquela paixão comum por velejar os conectava de uma forma que eu sentia que nunca conseguiria.

Embora Ally tenha estudado música no Conservatório de Genebra e fosse uma flautista altamente talentosa, que poderia ter seguido carreira em uma orquestra profissional, desde que deixara a escola de música tinha escolhido ser velejadora em tempo integral. Agora participava regularmente de regatas e representara a Suíça em diversas competições.

Quando Ally tinha quase 3 anos, Pa chegou em casa com nossa próxima irmã, a quem deu o nome de Astérope, como a terceira das Sete Irmãs.

– Mas vamos chamá-la de Estrela – disse Pa, sorrindo para Marina, Ally e para mim, que observávamos a recém-chegada deitada no berço.

Naquela época, eu tinha aulas todas as manhãs com um professor particular, por isso a chegada da minha mais nova irmã me afetou menos do que a de Ally havia afetado. Então, apenas seis meses depois, outra bebê se juntou a nós, uma garotinha de doze semanas chamada Celeno, nome que Ally imediatamente reduziu para Ceci.

Havia uma diferença de apenas três meses entre Estrela e Ceci e, desde que me lembro, as duas forjaram uma estreita ligação. Pareciam gêmeas, conversando em uma linguagem de bebê só delas, e continuavam se comunicando desse jeito. Elas viviam em seu próprio mundo particular, que excluía todas nós, suas outras irmãs. E mesmo agora, na casa dos 20 anos, nada havia mudado. Ceci, a mais nova das duas, era sempre a chefe, atarracada e morena, em contraste com Estrela, pálida e muito magra.

No ano seguinte, outra bebê chegou – Taígeta, que apelidei de "Tiggy", porque seu cabelo escuro e curto nascia em ângulos estranhos de sua cabecinha e me fazia lembrar do porco-espinho da famosa história de Beatrix Potter.

Eu tinha então 7 anos e me liguei a Tiggy desde o primeiro momento em que coloquei os olhos nela. Ela era a mais delicada de todas nós e, na infância, enfrentara uma doença atrás da outra, mas, mesmo ainda bem pequena, fora sempre serena e complacente. Depois que Pa trouxe para casa, alguns meses mais tarde, outra neném, que recebeu o nome de Electra, Marina, exausta, muitas vezes me perguntava se eu me importaria de ficar com Tiggy, que continuamente tinha febre ou tosse. Depois que a diagnosticaram como asmática, raramente a tiravam do quarto para passear em seu carrinho, de modo que o ar frio e a névoa pesada do inverno de Genebra não atingissem seu peito.

Electra era a mais nova das irmãs, e seu nome combinava perfeitamente com ela. Eu já estava acostumada com bebês e toda a atenção que exigiam, mas minha irmã mais nova era, sem dúvida, a mais desafiadora de todas. Tudo relacionado a ela *era* elétrico. Sua habilidade natural de mudar em um instante da água para o vinho e vice-versa fazia nossa casa, antes tão tranquila, reverberar diariamente com seus gritos agudos. Os ataques de pirraça ressoavam na minha cabeça de criança e, quando ela cresceu, sua personalidade impetuosa não se suavizou.

Ally, Tiggy e eu tínhamos, secretamente, nosso próprio apelido para ela: nossa irmã caçula era chamada entre nós três de "Difícil". Todas pisávamos em ovos perto dela, tentando não fazer nada que pudesse deflagrar uma repentina mudança de humor. Sinceramente, havia momentos em que eu a odiava por toda a perturbação que trouxera a Atlantis.

Porém, quando Electra sabia que uma de nós estava em apuros, ela era a primeira a oferecer ajuda e apoio. Assim como era capaz de um enorme egoísmo, sua generosidade em outras ocasiões era igualmente marcante.

Depois de Electra, toda a família esperava a chegada da Sétima Irmã. Afinal, tínhamos recebido nossos nomes em homenagem à constelação preferida de Pa Salt e não estaríamos completas sem ela. Até sabíamos seu nome – Mérope – e nos perguntávamos como ela seria. Mas um ano se passou, depois outro, e outro, e nosso pai não trouxe mais nenhum bebê para casa.

Lembro-me claramente de um dia em que estava com ele no observatório. Eu tinha 14 anos, e entrava na adolescência. Esperávamos para assistir a um eclipse, que, explicara Pa, era um momento seminal para a humanidade e geralmente trazia alguma mudança.

– Pa – disse eu –, o senhor nunca vai trazer para casa nossa sétima irmã?

Ao ouvir isso, sua figura grande e protetora pareceu congelar por alguns segundos. De repente, parecia que ele carregava o peso do mundo nos ombros. Embora não tivesse se virado, pois estava ajustando o telescópio para o eclipse que ia acontecer, percebi instintivamente que o que eu dissera o deixara angustiado.

– Não, Maia, não vou. Porque eu nunca a encontrei.

❊ ❊ ❊

Quando pude enxergar Marina de pé no cais, perto da cerca viva de abetos que escondia nossa casa de olhares curiosos, finalmente senti o peso da verdade inexorável que era a perda de Pa.

Então percebi que o homem que tinha criado o reino em que todas havíamos sido princesas não estava mais lá para conservar o encantamento.

CONHEÇA OS OUTROS LIVROS DA SÉRIE

A IRMÃ DA TEMPESTADE

Ally D'Aplièse é uma grande velejadora e está se preparando para uma importante regata, mas a notícia da morte do pai faz com que ela abandone seus planos e volte para casa, para se reunir com as cinco irmãs. Lá, elas descobrem que Pa Salt – como era carinhosamente chamado pelas filhas adotivas – deixou, para cada uma delas, uma pista sobre suas verdadeiras origens.

Apesar do choque, Ally encontra apoio em um grande amor. Porém mais uma vez seu mundo vira de cabeça para baixo, então ela decide seguir as pistas deixadas por Pa Salt e ir em busca do próprio passado. Nessa jornada, ela chega à Noruega, onde descobre que sua história está ligada à da jovem cantora Anna Landvik, que viveu há mais de cem anos e participou da estreia de uma das obras mais famosas do grande compositor Edvard Grieg. E, à medida que mergulha na vida de Anna, Ally começa a se perguntar quem realmente era seu pai adotivo.

A IRMÃ DA SOMBRA

Estrela D'Aplièse está numa encruzilhada após a repentina morte do pai, o misterioso bilionário Pa Salt. Antes de morrer, ele deixou a cada uma das seis filhas adotivas uma pista sobre suas origens, porém a jovem hesita em abrir mão da segurança da sua vida atual.

Enigmática e introspectiva, ela sempre se apoiou na irmã Ceci, seguindo-a aonde quer que fosse. Agora as duas se estabelecem em Londres, mas, para Estrela, a nova residência não oferece o contato com a natureza nem a tranquilidade da casa de sua infância. Insatisfeita, ela acaba cedendo à curiosidade e decide ir atrás da pista sobre seu nascimento.

Nessa busca, uma livraria de obras raras se torna a porta de entrada para o mundo da literatura e sua conexão com Flora MacNichol, uma jovem inglesa que, cem anos antes, teve como grande inspiração a escritora Beatrix Potter. Cada vez mais encantada com a história de Flora, Estrela se identifica com aquela jornada de autoconhecimento e está disposta a sair da sombra da irmã superprotetora e descobrir o amor.

A irmã da pérola

Ceci D'Aplièse sempre se sentiu um peixe fora d'água. Após a morte do pai adotivo e o distanciamento de sua adorada irmã Estrela, ela de repente se percebe mais sozinha do que nunca. Depois de abandonar a faculdade, decide deixar sua vida sem sentido em Londres e desvendar o mistério por trás de suas origens. As únicas pistas que tem são uma fotografia em preto e branco e o nome de uma das primeiras exploradoras da Austrália, que viveu no país mais de um século antes.

A caminho de Sydney, Ceci faz uma parada no único local em que já se sentiu verdadeiramente em paz consigo mesma: as deslumbrantes praias de Krabi, na Tailândia. Lá, em meio aos mochileiros e aos festejos de fim de ano, conhece o misterioso Ace, um homem tão solitário quanto ela e o primeiro de muitos novos amigos que irão ajudá-la em sua jornada.

Ao chegar às escaldantes planícies australianas, algo dentro de Ceci responde à energia do local. À medida que chega mais perto de descobrir a verdade sobre seus antepassados, ela começa a perceber que afinal talvez seja possível encontrar nesse continente desconhecido aquilo que sempre procurou sem sucesso: a sensação de pertencer a algum lugar.

A IRMÃ DA LUA

Após a morte de Pa Salt, seu misterioso pai adotivo, Tiggy D'Aplièse resolve seguir os próprios instintos e fixar residência nas Terras Altas escocesas. Lá, ela tem o emprego que ama, cuidando de animais selvagens na vasta e isolada Propriedade Kinnaird.

No novo lar, Tiggy conhece Chilly, um cigano que altera totalmente seu destino. O homem conta que ela possui um sexto sentido ancestral e que, segundo uma profecia, ele a levaria até suas origens em Granada, na Espanha.

À sombra da magnífica Alhambra, Tiggy descobre sua conexão com a lendária comunidade cigana de Sacromonte e com La Candela, a maior dançarina de flamenco da sua geração. Seguindo a complexa trilha do passado, ela logo precisará usar seu novo talento e discernir que rumo tomar na vida.

A IRMÃ DO SOL

Electra D'Aplièse parece ter a vida perfeita: uma carreira de sucesso como modelo, uma beleza inegável e uma vida amorosa agitada com homens bonitos e influentes.

No entanto, longe dos holofotes, Electra está desmoronando. Com a morte do pai adotivo, Pa Salt, e o recente término de um relacionamento, ela afunda em seus vícios, incapaz de pedir ajuda à família e aos amigos.

É nesse momento conturbado que Electra recebe uma carta inesperada. Uma mulher chamada Stella Jackson afirma ser sua avó… e ela tem uma longa história para contar.

É assim que Electra mergulha numa saga emocionante que envolve as turbulências da guerra, a militância por direitos civis e um amor que ultrapassa barreiras sociais. Todo o seu passado se revela para ajudá-la a entender o presente e, quem sabe, mudar seu futuro.

A IRMÃ DESAPARECIDA

Cada uma das seis irmãs D'Aplièse seguiu uma jornada incrível para descobrir sua ascendência, mas elas ainda têm uma pergunta sem resposta: quem é e onde está a sétima irmã?

Elas têm só duas pistas: o endereço de um vinhedo e o desenho de um anel incomum, com esmeraldas dispostas em forma de estrela. A busca pela irmã desaparecida vai levá-las numa viagem pelo mundo – Nova Zelândia, Canadá, Inglaterra, França e Irlanda –, unindo-as em sua missão de finalmente completar a família.

Nessa saga, as seis vão desenterrar uma história de amor, força e sacrifício que começou quase cem anos atrás, quando outra corajosa jovem arriscou tudo para mudar o mundo ao seu redor.

CONHEÇA OS LIVROS DE LUCINDA RILEY

A garota italiana

A árvore dos anjos

O segredo de Helena

A casa das orquídeas

A carta secreta

A garota do penhasco

A sala das borboletas

A rosa da meia-noite

Morte no internato

Série As Sete Irmãs

As Sete Irmãs

A irmã da tempestade

A irmã da sombra

A irmã da pérola

A irmã da lua

A irmã do sol

A irmã desaparecida

Para saber mais sobre os títulos e autores da Editora Arqueiro,
visite o nosso site e siga as nossas redes sociais.
Além de informações sobre os próximos lançamentos,
você terá acesso a conteúdos exclusivos
e poderá participar de promoções e sorteios.

editoraarqueiro.com.br